Guia do Ouvinte de

MÚSICA CLÁSSICA

KENNETH E VALERIE McLEISH

Guia do Ouvinte de MÚSICA CLÁSSICA

Tradução de
ENIO SILVEIRA
e
EDUARDO FRANCISCO ALVES

Parte brasileira a cargo de
LUIZ PAULO HORTA

segunda edição

Jorge Zahar Editor
Rio de Janeiro

Título Original:
Listener's Guide to Classical Music

Tradução autorizada da primeira edição inglesa
publicada em 1986 por Longman Group UK Limited,
de Londres, Inglaterra

Jorge Zahar Editor Ltda.
rua México 31 sobreloja
20031 Rio de Janeiro, RJ

Primeira edição brasileira: 1988

Ilustração de capa: *Le Grand Concert*, Raoul Dufy

Impressão: Tavares e Tristão Ltda.

ISBN: 85-7110-054-3 (JZE, 1ª ed.)

ISBN: 85-7110-173-6 (JZE, 2ª ed.)

Introdução

A principal intenção deste livro é oferecer um guia do imenso repertório de música "clássica" disponível para o freqüentador de concertos ou o ouvinte de gravações. A cada página se oferecem descrições de obras sugeridas, e referências cruzadas (indicadas por asteriscos) levam a encadeamentos de audição em qualquer direção que o leitor decida seguir.

A parte principal do livro consiste em pequenos artigos sobre compositores selecionados. Cada artigo contém uma breve descrição da vida e do estilo musical do compositor, uma lista de obras e um conjunto de detalhadas recomendações de audição. (Nestas, as primeiras obras listadas são recomendadas como as melhores ou mais características para se ouvir primeiro, e as outras, precedidas por uma seta (→) propõem a audição de obras de interesse correlato no mesmo estilo. O símbolo Ⓜ indica uma "obra-mestra" ou "obra-prima": isto é, uma obra que, em nossa opinião, constitui uma contribuição superior à arte musical.) O uso sistemático das listas e das recomendações de obras de outros compositores teria como efeito ampliar cada vez mais a exploração do repertório.

Os parágrafos restantes dão uma visão mais geral de obras escritas para os principais grupos instrumentais (por ex., sopros), em séculos ou formas específicas (por ex., sonata), e em duas áreas geográficas em particular, os EUA e o Reino Unido. Todas as obras mencionadas nesses parágrafos constituem audição recomendada, e só se acrescentam descrições quando necessário. O livro se preocupa acima de tudo com a música do repertório geral de concertos ou de gravações, e com composições de substância. A maior parte dessas peças foi escrita entre 1650 e 1950 e o livro reflete esse fato, aventurando-se na "música antiga" ou na "música contemporânea" (as quais, até mesmo para músicos profissionais, ainda tendem a ser áreas especializadas) com a profundidade apenas suficiente para indicar possíveis vias de abordagem. Por motivo de espaço, não tratamos em detalhe das obras de menos de dois ou três minutos de duração (o tipo geralmente executado ou gravado em forma de antologia): isto abreviou nossa discussão do repertório de canções, tanto para voz solista quanto para coral, do repertório de grupos especializados, tais como coros de madrigais ou conjunto de metais, e (mais uma vez) da "música antiga".

Martin McLeish foi de grande ajuda e estímulo durante o processo de preparação do livro, e Alison Mansbridge organizou o manuscrito. A ambos os nossos calorosos agradecimentos.

Kenneth e Valerie McLeish

A

ADAM, Adolphe. Ver *Compositores de obra singular.*

ALBÉNIZ, Isaac (1860-1909). *Pianista e compositor espanhol.*

Albéniz nasceu numa época de deslumbrante espetacularidade musical, quando um intérprete com a adequada combinação de talento e técnica podia alcançar fama comparável à de qualquer cantor lírico do século XVIII, ou de algum astro da música popular de nossos dias. Desde o início, tanto sua execução pianística quanto seu temperamento demonstraram estar ele à altura da tarefa que se propunha realizar. Sua primeira apresentação em público foi com a idade de quatro anos; aos sete, não tendo conseguido ingressar no Conservatório de Paris porque chutara uma bola pela janela, foi para os Estados Unidos, onde viveu durante cinco anos, ganhando a vida com verdadeiras exibições de piano em salas de concerto, audições em casas particulares e até mesmo em barracas de circo. (Um dos momentos eletrizantes desses *shows* era quando tocava de costas para o piano, com as mãos invertidas; superava, assim, o famoso truque de *Mozart, quando menino, ao executar uma peça qualquer com o teclado coberto por um pano.) Ainda jovem, fez amizade com um milionário excêntrico que decidiu estipendiá-lo para que ele escrevesse um ciclo de óperas baseado nas lendas do Rei Artur, algo comparável, em escopo, a *O Anel dos Nibelungos* de *Wagner. (Albéniz abandonou o trabalho a meio caminho, talvez por haver concluído que seu talento era mais adequado a obras de proporções menos grandiosas.)

O lado exibicionista da personalidade de Albéniz era compensado por grande dedicação ao trabalho (ele estudou com Liszt, por exemplo, que dava a seus discípulos o maior encorajamento, mas nenhum afeto) e por apaixonado amor pela música popular da Andaluzia — as mesmas melodias de influência mourisca e os chorosos acordes guitarreiros que tanto atrairiam Manuel de *Falla. Albéniz escreveu centenas de peças para piano no estilo espanhol, a maioria delas com suas raízes mergulhadas na música criada pelo povo. Cobrem toda a gama que vai dos mais elementares estudos às mais complexas e difíceis obras de todo o repertório pianístico.

OBRAS Além de sua copiosa criação para piano solo, Albéniz escreveu cinco óperas, três operetas, um punhado de peças orquestrais (incluindo uma rapsódia espanhola,

Catalonia, e um concerto para piano, destituído de qualquer brilho) e cerca de uma dúzia de canções. Nenhuma delas tem relevância: é pela obra pianística que seu nome se mantém vivo.

Seguidillas, op. 47 n. 2 (1886). Albéniz reuniu essas peças descritivas em grupos, com títulos como *Recordações de Viagem* (op. 71) ou *Melodias de Espanha* (op. 232). As mais conhecidas têm títulos que nos evocam cartões postais fotográficos, como *Tango*, *Granada*, *Malagueña* ou *Sevilhanas*. Seus detratores as consideram tão vulgares como uma boate de Torremolinos. Para outros, no entanto, suas raízes populares, a estimulante qualidade harmônica e, acima de tudo, a linha melódica, as colocam no mais alto nível da música de entretenimento.

→ *Asturias* (op. 74 n. 5); *Andaluza* (das *Quatro Peças Espanholas*), de Falla; *Dia de Bodas em Troldhaugen* (op. 65 n. 6), de Grieg.

→ Ⓜ ***Iberia*** (1909) Doze peças para piano em quatro livros, cada qual evocando um cenário ou sentimento espanhol específicos (por ex., *O Porto*; *Dia de Festa em Sevilha*; *Málaga*). É música de muito sentimento e poesia. Obra de difícil execução, seus objetivos – e resultados – artísticos são muito mais elevados do que nas obras mais ligeiras do compositor. (Nada lhes fica a dever, contudo, em melodia ou graça.) Como ocorre com muitas de suas obras, são numerosos os arranjos que delas se fizeram para orquestra, guitarra solo ou duo. A versão original, para piano, é a melhor de todas.

→ ***Peças Características***, op. 92; *Goyescas*; de Granados; *Prelúdios*, livro I, de Debussy.

ALBINONI, Tomaso. Ver *Compositores de obra singular*.

ALMEIDA PRADO, José Antônio de. Ver *Compositores de obra singular*.

B

BACH, Carl Philipp Emanuel (1714-88). *Compositor alemão.*

Carl Philipp foi um desses raros seres humanos para quem os deuses parecem ter sorrido desde o nascimento. Seu pai era nada mais nada menos do que Johann Sebastian *Bach, e *Telemann foi seu padrinho; era dotado de grande calor humano e de talento musical que, mesmo não chegando às fronteiras da genialidade, era suficiente para garantir-lhe uma vida de confortável e rendosa ocupação profissional. Vinte e oito anos serviu como acompanhante ao teclado de Frederico II da Prússia, o rei-flautista, que colecionava e executava novas peças tão avidamente quanto um monarca moderno usaria um gramofone. (C.P.E. Bach se queixava das aborrecidas tarefas de incessantemente acompanhar o Rei e de compor peça após peça de música refinada para platéias noturnas refinadas. A longa duração de sua estada naquela corte, entretanto, não parece justificar tal lamentação.) Em 1768 sucedeu a Telemann no cargo de músico-residente-chefe da cidade de Hamburgo, o que lhe ensejou ampliar o leque de suas atividades de tecladista com a inclusão de música sacra e concertos sinfônicos.

C.P.E. Bach chegou a ser um dos mais respeitados solistas da época, tanto assim que seu livro *Ensaio sobre a verdadeira arte de tocar instrumentos com teclado* goza ainda hoje de algum conceito. Sua composição para teclado (note-se que ele se dedicava mais ao pianoforte do que ao cravo) apresenta-se num estilo de transição, a meio caminho entre as suítes de danças de *Händel ou de Johann Sebastian Bach, que as precederam, e as sonatas de *Haydn ou *Mozart, que se seguiram a elas. De toda a sua música, apenas as peças sacras (longas, sonoras, pouco inspiradas) são desinteressantes; as composições para instrumento solo, bem como as de câmara e as orquestrais, são bafejadas de vivacidade e competência formal, dignas contrapartidas musicais das comédias de costumes e da pintura formal e bem-posta daquele período.

OBRAS Vinte e duas Paixões; dois oratórios; dezenove sinfonias; cinqüenta concertos; mais de duzentas obras de câmara e peças avulsas para teclado; canções, hinos, etc.

Concerto em mi bemol para cravo, pianoforte e orquestra (1788). De um modo geral, quanto maior o número de instrumentos para os quais escrevia, mais ousada se tornava sua música. Este concerto *à la* Haydn faz belo jogo das sonoridades contrastantes dos instrumentos solistas e usa o naipe de sopros (particularmente os oboés e fagotes) com exuberante resultado.

→ Quarteto em lá menor para flauta, violino, violoncelo e piano; Quarteto n. 3, "Paris", de Telemann; Concerto para flauta e harpa, de Mozart.

BACH, J.C. Irmão de Carl Philipp, Johann Christian Bach (1735-82), conhecido como "o Bach de Londres" porque lá fixou residência, escreveu música menos conseqüente do que a dele, mas igualmente deliciosa em seus melhores momentos. No apogeu de sua carreira, a fama lhe advinha das óperas que escreveu – conceito que, hoje, já não tem o menor apoio. Mozart, com maior acuidade, admirava suas obras orquestrais, ao ponto de inspirar-se nelas e imitar-lhes o estilo. Seu Quinteto em ré para flauta, oboé, violino, violoncelo e cravo, op. 22 n. 1, é tão brilhante quanto o que de melhor C.P.E. Bach escreveu, e muitas de suas primeiras sinfonias (as seis que integram o op. 3, por exemplo) chegam, pela jovialidade que as caracteriza, a antecipar Haydn.

BACH, Johann Sebastian (1685-1750). *Compositor alemão.*

Se alguém lhe tivesse perguntado, Bach provavelmente realçaria, acima de quaisquer outros, estes dois dados autobiográficos: seu ambiente familiar e sua igreja. De fato, ele foi membro de uma das famílias mais musicais de toda a história: ao longo das quatro gerações precedentes, seus antepassados do sexo masculino estiveram ligados profissionalmente à música, assim como, em outras famílias, há pedreiros ou padeiros; de seus próprios filhos, quatro (Wilhelm Friedemann, Carl Philipp, Johann Christian e Johann Christoph Friedrich) o seguiram na carreira; nos séculos XVII e XVIII como um todo, mais de cinqüenta Bach mantiveram relevantes posições musicais nas cortes e cidades européias de língua alemã. Ainda mais importante do que essa tradição familiar, sobre a qual o próprio Bach orgulhosamente iniciou certa vez um estudo aprofundado, era sua filiação à austera Igreja luterana, que se caracterizava pelo sóbrio ritual, pela profunda ligação com a língua alemã e sua música folclórica e, acima de tudo, pela autoritária e puritana atitude que mantinha em relação a seus adeptos. O Deus de Bach — e de Lutero — era como um pai amoroso, mas severíssimo; a alegria de adorá-lo implicava a um só tempo cega obediência e religioso fervor.

Bach tinha dez anos quando o pai faleceu; seu tio e seu irmão mais velho ocuparam-se então de sua educação musical, primeiramente como menino de coro e, depois, como executante de violino, cravo e órgão. Foi este último instrumento o que mais de perto o atraiu desde a infância, e suas primeiras atividades profissionais foram exercidas como organista em Arnstadt (1703-7), em Mühlhausen (1707-8); e na capela da corte de Saxe-Weimar (1708-17). Não demorou muito para que ele conquistasse a reputação de ser um dos melhores executantes de toda a Europa (certo escritor afirmou que "seus pés voavam sobre os pedais como se tivessem asas") e, também, a de ser um jovem rabugento, interessado apenas em tocar de modo muito pessoal, sem ligar a mínima ao gosto da congregação. (Quando as autoridades da igreja lhe ordenaram que parasse de florear os hinos, ele retaliou com a adoção de acordes finais abruptos, o que deixava as congregações como que suspensas no ar; por outro lado, Bach espantava os crentes e irritava os pastores com "harmonias modernas" e "dissonâncias agressivas" para as audiências de sua época. Foi durante esse período que escreveu a maior parte do que hoje consideramos suas melhores obras para órgão. Muitas delas (como os prelúdios corais, derivados de conhecidas melodias do hinário sacro) foram concebidas para apresentação em igrejas; outras, no entanto (como as extrovertidas fantasias, tocatas e fugas), foram escritas para satisfação pessoal do próprio executante e também da congregação.

Em 1717 operou-se completa modificação na vida de Bach, ao ser ele nomeado músico da corte do Príncipe de Anhalt-Cöthen. Esse aristocrata apreciava bastante as composições instrumentais e seculares do compositor, e Bach esteve a seu serviço durante seis anos, período durante o qual produziu incessantemente concertos e suítes orquestrais, partitas e sonatas para flauta, violino, viola da gamba e cravo, peças corais ligeiras (como a *Cantata do Café* e a *Cantata Camponesa*, por exemplo), dúzias de peças para solo de teclado, que incluem desde os primeiros vinte e quatro prelúdios e fugas do *Cravo Bem Temperado* ao vibrante *Concerto Italiano* e às duas dúzias ou mais de suítes e partitas de grande porte.

Em 1723 Bach inicia o terceiro e último período de sua carreira, ao ser nomeado *Kantor* (diretor musical residente) da Igreja de São Tomás, em Leipzig, cargo que exerceu até o fim da vida (vinte e sete anos depois). Suas tarefas incluíam a supervisão das atividades musicais dos jovens integrantes do coro, a composição de obras diversas, o ensaio e a regência da orquestra dessa igreja e de outras três que lhe eram subordinadas. Como já ocorrera em suas anteriores ocupações no seio da Igreja luterana, Bach vivia a se queixar da insuficiência de meios disponíveis e, ao mesmo tempo, a irritar seus empregadores com as atitudes pouco convencionais que tomava com relação aos estudantes, aos instrumentistas e às próprias congregações. Apesar disso, sua autoridade musical era de tal ordem que a cidade passou a considerá-lo como parte fundamental de seu patrimônio artístico. Foi durante esses anos em Leipzig que ele compôs suas mais notáveis obras sacras, desde cantatas (para cada domingo e dia santo de todo um ano) à monumental Missa em si menor e à *Paixão Segundo São Mateus*. A composição e a regência de música para igreja tomavam a maior parte de seu tempo, e tudo indica que ele se dedicava à execução ao teclado e à feitura de obras instrumentais como uma espécie de relaxamento. Os últimos vinte e quatro prelúdios e fugas do *Cravo Bem Temperado*, a *Oferenda Musical* e *A Arte da Fuga*, suas grandes obras-primas para teclado, foram todas escritas aos seus cinqüenta e sessenta anos.

Os encargos profissionais de Bach lhe permitiram viver na digna modéstia que ele sem dúvida preferia ao brilho que advinha das carreiras operísticas ou virtuosísticas de alguns de seus contemporâneos. A ligação com a Igreja luterana, por outro lado, levava-o a respeitar as tradições musicais conservadoras do século anterior, ao invés de se dedicar às especulações estilísticas de outros mestres de seu tempo, como *Vivaldi (ou até mesmo de seus próprios filhos *Carl Philipp e Johann Christian, mais ligados do que ele às modas seculares). Bach, por conseguinte, foi menos um inovador do que um artista capaz de levar à culminância o que havia de glorioso na tradição musical. O fato dele não dar muita importância às modas musicais explica em parte o porquê de suas composições serem pouco conhecidas, ao longo da vida, para além do pequeno círculo de relações pessoais e profissionais. Depois de seu falecimento, algumas delas sobreviveram (*Mozart e *Beethoven, por exemplo, admiravam muito suas obras para teclado), mas foi apenas em 1820, setenta anos após sua morte, quando a *Paixão Segundo São Mateus* teve sua primeira execução pública, sob a regência de *Mendelssohn, que a música de Bach começou a ser redescoberta, publicada (às vezes pela primeira vez) e executada com regularidade. Passou-se ainda um século e meio para que ela se visse enfim liberta das pesadas interpretações do século XIX (coros imensos, orquestras descomunais, andamentos lúgubres que ainda podemos ouvir em velhas gravações fonográficas); as recentes buscas de autenticidade interpretativa nos revelaram um compositor mais ágil e menos pesado do que nossos avós conheceram.

(Os números antecedidos de BWV acrescentados às obras de Bach se referem ao *Bach Werke-Verseichnis*, ou seja, *Catálogo das Obras de Bach* publicado em 1950 pelo erudito pesquisador Wolfgang Schmieder.)

OBRAS CORAIS Três Missas (entre elas a extraordinária *Missa em si menor*); duas Paixões (*Segundo São Mateus, Segundo São João*); o *Magnificat*; 295 cantatas sacras; sete motetos, e muito mais...

Jesus, Alegria dos Homens O âmago desta conhecidíssima peça, que é o último movimento da Cantata 147, *Hertz und Mund* ("Coração e boca") não passa de um coral singelamente cantado (isto é, um hino luterano em notas longas e lentas, no estilo tradicional da igreja). Colocando-a entre seus versos e englobando o tema, Bach escreveu uma de suas mais belas e gloriosas melodias, em notas mais rápidas, para oboé e primeiros violinos. A obra original era para coro e pequena orquestra, mas é hoje muito conhecida em arranjos (para oboé e piano, para solo de órgão, para orquestra sem coro e para solo de piano, sendo esta última a mais estimada de todas).
→ *Que Pastem em Paz as Ovelhas; Ave Verum Corpus*, de Mozart; *Wie lieblich sind deine Wohnungen*, de *Um Réquiem Alemão*, de Brahms.

Wachet auf ("Despertai, ó adormecidos!"), da Cantata 140 (1731) Em sua maioria, as cantatas de Bach (como esta) foram compostas para serviços religiosos e constituíam variações e meditações sobre um coral luterano adequado ao dia específico em que era executado. Muitas são de breve duração (20 a 30 minutos) e alternam árias para solistas com seções corais, incluindo pelo menos uma exposição direta, pelo coro, no qual se vê resumido o tema devocional que inspirou toda a obra. A música de Bach, como neste exemplo, tende a ser mais calorosa e brilhante do que seu propósito eclesiástico poderia sugerir, e transmite entusiasmo até mesmo àqueles que não compartilham de sua fé.
→ Ⓜ *Oratório de Natal* (seis cantatas interligadas, todas sobre o tema natalino); *Cantata Nupcial; Missa da Coroação*, K317, de Mozart.

Ⓜ ***Paixão Segundo São Mateus*** (1729) O relato de São Mateus da crucificação do Cristo e de sua ressurreição, transposto para solistas, coro e orquestra. As palavras da Bíblia são tratadas como drama, na forma de um oratório (ver *música coral*) com seções adicionais entremeadas no estilo de cantata; refletindo sobre o sentido dos eventos descritos no Evangelho, Bach também lança mão de corais (alguns deles extraordinariamente conhecidos, como *Ó Sagrada Cabeça, de Ferimentos Coberta*) para envolver ainda mais a congregação. A obra é solene, majestosa e plena de fervor místico. Deve-se procurar ouvi-la ao vivo, pois as gravações fonográficas fazem-na perder um pouco sua atmosfera.
→ *Paixão Segundo São João; Canto de Natal*, de Schütz; *Um Réquiem Alemão*, de Brahms.

Ⓜ ***Missa em si menor*** (1733) Imponente tratamento musical da Missa católica, apresentada com a estrutura de uma Paixão e ostentando solistas, conjuntos instrumentais e coros (mas desprovida de acréscimos reflexivos). Figura ao lado da *Paixão Segundo São Mateus* como a suprema realização de Bach no campo da música sacra, e há quem a considere o pináculo de toda a sua obra.
→ Ⓜ *Magnificat* (mais ágil, talvez mais ligeira por isso mesmo); moteto *Singet dem Herrn*; *Missa solemnis*, de Beethoven.

OBRAS DE CÂMARA E PARA TECLADO

MÚSICA DE CÂMARA *A Arte da Fuga*; *A Oferenda Musical*; seis partitas/sonatas para solo de violino; doze sonatas para violino e teclado; seis sonatas para flauta e teclado;

quatro trios-sonata; seis suítes para solo de violoncelo; três sonatas para violoncelo e teclado.

TECLADO SOLO Seis *Suítes Inglesas*; seis *Suítes Francesas*; seis *Partitas*; *Variações Goldberg*; *O Cravo Bem Temperado* (quarenta e oito prelúdios e fugas); *Concerto Italiano*; *Fantasia Cromática e Fuga*; numerosas invenções, tocatas, prelúdios, fantasias. Todas essas obras para teclados de cordas tangidas, como o cravo, ou para clavicórdio.

ÓRGÃO SOLO Seis trio-sonatas; mais de quarenta prelúdios/fantasias/tocatas e fugas autônomos; numerosíssimas peças isoladas, entre as quais 150 prelúdios corais breves, para utilização logo antes ou logo após os serviços religiosos, cada um deles ornamentando conhecida linha melódica de algum hino. (A melhor coleção, *Orgelbüchlein*, ou *Pequeno Caderno de Órgão*, contém quarenta e seis dessas peças.)

Tocata e Fuga em ré menor Esta é uma das mais conhecidas de todas as composições para órgão, sendo a peça que James Mason, interpretando o Capitão Nemo, tocou no filme *20.000 Léguas Submarinas*; numa espetacular versão orquestral de Stokowski, fascinou os espectadores de *Fantasia*, o célebre filme de Walt Disney. Oferece-nos a típica fusão de pirotecnia física e mental que tanto caracteriza Bach, e é tão empolgante de se ouvir quanto difícil de executar.

→ *Fantasia e Fuga em sol menor*; Ⓜ*Passacaglia e Fuga em dó menor*; *Prelúdio e Fuga sobre B-A-C-H* (letras correspondendo às notas *si bemol, lá, dó* e *si*, que integram o sobrenome do compositor), de Liszt.

Suíte Francesa n. 5 para cravo. As suítes e partitas de Bach combinam ritmos de dança (sarabandas, minuetos, gigas, etc.) com melodias perfeitamente assobiáveis e sereno contraponto; essa música cortês e elegante é adequada para relaxamento mental. Embora escritas originalmente para cravo, são hoje muito executadas ao piano (com os melhores resultados). Alguns ouvintes chegam a opinar que o piano, com sua uniformidade de tom, revela detalhes que o cravo, com seu tanger metálico algo fanhoso, freqüentemente obscurece. De um modo geral, as seis *Suítes Francesas* são mais curtas e diretas do que as seis *Suítes Inglesas*. As seis *Partitas* são peças de exibição, acrescentando brilho técnico à mistura musical.

→ *Partita n. 1*; Ⓜ*Concerto Italiano*; Suíte para cravo n. 10 em sol, de Händel.

Das wohltemperierte Klavier (*O Cravo Bem Temperado*, "Os Quarenta e Oito") Quarenta e oito breves prelúdios e fugas, dois para cada tom, para teclado solo (geralmente cravo, mas eles resultam igualmente brilhantes ao piano). A concepção parece um tanto ou quanto seca (e, sem dúvida, a obra decorre do interesse formal que Bach dedicava ao temperamento, ou seja, ao espacejamento idêntico, na oitava, de todos os doze semitons). Em verdade, ele oferece ao ouvinte um verdadeiro calidoscópio de técnicas e estilos tecladísticos, tão variado e curioso como os que nos revelam, por exemplo, os *Estudos* de *Chopin ou os *Prelúdios* de *Debussy. *O Cravo Bem Temperado* não é para ser ouvido completo de uma assentada; as passagens mais conhecidas são, do livro I, as de número 1 e 2 em dó, 3 e 4 em dó menor, 5 e 6 em ré e, do livro II, as de número 15 e 16, em sol.

→ Fantasia em dó menor; Ⓜ*Variações Goldberg*, *24 Prelúdios e Fugas*, op. 87, de Shostakovich.

Partita em mi para solo de violino. As obras de Bach para instrumento de cordas solista têm grande afinidade com suas *Suítes Francesas* e *Inglesas* para teclado: grupos de movimentos de dança em estilo vivaz. Não há acompanhamento: a linha instrumental contém sua própria harmonia e nosso ouvido logo se acostuma com ela.

→ Ⓜ Chaconne (da Partita n. 2; o arranjo para piano, feito por Busoni, também se recomenda); Suíte n. 3 para violoncelo; Sonata n. 1 para violino solista, de Ysaÿe.

Ⓜ *A Oferenda Musical* (1747) O rei Frederico II, da Prússia, deu a Bach um tema para que improvisasse sobre ele, e foi surpreendido meses mais tarde com essa obra de grande porte, um conjunto de nove cânones, *ricercari* e fugas manipulando aquele tema de todas as formas contrapontísticas concebíveis. O centro da obra é um trio-sonata em três movimentos, com a duração de vinte minutos, num estilo assemelhado ao dos *Concertos de Brandenburgo* (ver abaixo), que é freqüentemente ouvido como peça autônoma. *A Oferenda Musical* está para o conjunto da obra de Bach assim como os últimos quartetos para cordas estão para o de *Beethoven: constituem o fruto da experiência criadora de toda uma vida.
→ Trio-sonata n. 3; Ⓜ*A Arte da Fuga*; Quarteto para cordas n. 14, de Beethoven.

OBRAS ORQUESTRAIS Seis *Concertos de Brandenburgo*; quatro suítes; cinco concertos para cravo solista; dois concertos para violino solista; diversos concertos para mais de um solista, inclusive um para dois violinos e outro para violino e oboé. (Alguns desses concertos variados constituem adaptações de obras de outros compositores, como, por exemplo, o Concerto para quatro cravos, que é uma versão do op. 3 n. 10 de Vivaldi; outros, são obras que o próprio Bach reestruturou, como é o caso do Concerto para violino e oboé, que também existe em dó menor para dois cravos.)

Concerto de Brandenburgo n. 2 (1721) Escritos por encomenda do Margrave de Brandenburgo e assim designados em sua homenagem, os seis *Concertos de Brandenburgo* foram concebidos para diversos grupos solistas e orquestra de cordas: neste, de número 2, os solistas são flauta, oboé, trompete e violino. Os andamentos iniciais e finais, bem movimentados, com proeminentes solos de trompete em registro alto, envolvem outro que é plácido e lento, em que se destacam o oboé e o violino.
→ Ⓜ *Concerto de Brandenburgo* n. 4 (para duas flautas doces, violino e cordas); Concerto em ré menor, para oboé, violino e cordas; *Il Pastor Fido*, op. 13 n. 1, de Vivaldi.

Concerto n. 5 em fá menor para cravo e cordas. Esta obra é típica dos deliciosos concertos de Bach para instrumento solista, geralmente mais leve do que suas demais criações para orquestra. Consiste em um primeiro movimento caracteristicamente enérgico, um segundo que é lento e lírico, e um finale cheio de brilho e vigor.
→ Ⓜ Concerto para cravo n. 1; Ⓜ *Concerto de Brandenburgo* n. 5; Concerto para órgão (ou harpa) op. 4 n. 6, de Händel.

Suíte n. 3 em ré para orquestra. O movimento formal de abertura é seguido por uma ária (conhecida separadamente como Ária da corda sol, ou Ária da quarta corda) e quatro movimentos de dança num estilo vigoroso e espontâneo. A sonoridade orquestral (cordas e oboés, principalmente) é tornada mais brilhante pela inclusão de três trompetes. Quando se ouve essa obra num salão com a adequada ressonância, eles produzem efeito espetacular e extraordinários acordes cromáticos.
→ Suíte n. 2 em si menor (para flauta e cordas: mais suave e reflexivo); *Suíte Don Quixote*, de Telemann; *A Chegada da Rainha de Sabá* e *Música para os Reais Fogos de Artifício*, de Händel.

Ⓜ***Concerto em ré menor/Concerto Duplo*** para dois violinos e cordas. É o mais sublime concerto de Bach — e muitos consideram sua melhor obra instrumental. Os movimentos inicial e final, musculares, atléticos, plenos de tensão, emolduram um derramamento central de transcendente beleza, as duas linhas melódicas dos instrumentos solistas se envolvendo uma na outra, como em eco, dando-nos a impressão de que os intérpretes antes cantam do que tocam.
→ Concerto para violino em lá menor; Sonata em mi menor, para violino e teclado; *Sinfonia Concertante* (para violino e viola), K364, de Mozart.

BALAKIREV, Mily Alekseyevich (1837-1910). *Compositor russo.*

Para compositores de outras áreas culturais que não a germânica, a existência de tradição alemã, na primeira metade do século XIX, era uma dádiva um tanto ou quanto inquietante. Pois não apenas eles teriam diante de si a grande música de antecessores como *Haydn, *Mozart e *Beethoven, mas também deveriam levar em conta o fato de que todos os bons professores, conservatórios e até mesmo fabricantes de instrumentos pareciam concentrar-se na Europa Central (excetuando-se apenas o campo da ópera, onde a Itália reinava suprema). Alguns países (a Inglaterra e as nações escandinavas, por exemplo) não resistiam à evidência e mandavam logo seus músicos estudar em Leipzig ou Viena, ficando muito satisfeitos com os inevitáveis resultados "teutônicos" de tal migração. Outros (notadamente a França e os eslavos) insistiam em desenvolver seus próprios estilos e escolas musicais, mais ligados às suas raízes culturais, à sua história e às suas lendas, muitas vezes colhendo inspiração em motivos populares.

Devido à sua enorme extensão territorial, a Rússia foi durante gerações um caso típico de esquizofrenia musical. Muitos de seus compositores, olhos postos na Europa Ocidental, escreviam sinfonias, concertos e oratórios tão pesados e germânicos como os demais; outros voltavam-se para o Oriente e tentavam estabelecer uma tradição musical mais arraigada em solo asiático do que europeu. O primeiro a fazer isso com real distinção artística foi Glinka (1804-57; ler o verbete *Compositores de obra singular*), mas quem de fato estabeleceu, quase que por si só, uma tradição "russa" foi seu discípulo Balakirev. Balakirev viveu a maior parte de sua existência como administrador, dirigindo escolas de música, promovendo concertos, encorajando novos talentos e, acima de tudo, incentivando os mais jovens a adotarem as coloridas formas e expressões da música popular russa. (Ele foi, por exemplo, o mestre de *Mussorgsky, *Borodin e *Rimsky-Korsakov.) Teve pouco tempo, portanto, para dedicar-se às suas próprias composições. Elas não foram numerosas, mas sua qualidade é notável, tanto em linha melódica quanto em simplicidade e — para ouvidos ocidentais — em exotismo, num estilo semelhante ao de Borodin.

OBRAS Duas sinfonias; três aberturas; dois poemas sinfônicos; Concerto para piano; numerosas peças curtas para piano (noturnos, valsas, etc.); uma sonata para piano; quarenta e três canções, etc.

Islamey (1869) Esta fantasia para piano, utilizando temas folclóricos da Rússia oriental, foi considerada à época de sua publicação como a mais difícil obra já escrita para o instrumento. Falso ou verdadeiro tal julgamento, o fato é que ela permanece até hoje uma obra arrebatadora, vestindo temas e harmonias basicamente simples com um virtuosismo de técnica pianística que, por si só, já constitui espetáculo à parte. Existem arranjos orquestrais, mas são incapazes de transmitir a sensação de grande risco para o executante solista, que só é conseguida na versão original.

→ *Abertura Sobre Três Temas Russos* (para orquestra); *La Campanella* (Estudo Transcendental n. 3) e *Fogos Fátuos* (Estudo Transcendental n. 5), de Liszt; *O Vento na Planície* (*Préludes*, livro 2 n. 3), de Debussy.

Ⓜ ***Sinfonia n. 1*** (1898) Sem perder a exuberância de inspiração folclórica revelada em *Islamey*, esta obra é mais profunda e substanciosa. Foi ela que estabeleceu os parâmetros de um modelo especial de sinfonismo eslavo, bem menos monumental e direto do que, digamos, o de Brahms, mas tão íntegro e intelectualmente definido quanto ele; as sinfonias de Tchaikovsky são as suas melhores descendentes, mas não a colocam de maneira alguma em segundo plano.

→ *Tamara*, poema sinfônico; Sinfonia n. 2, de Borodin; Sinfonia em mi bemol, de Stravinsky (1904).

BALÉ Ver *Música de balé*.

BARBER, Samuel (1910-81). *Compositor norte-americano.*

Barber está na mesma categoria de Bliss (ver *Compositores ingleses e irlandeses*) na Grã-Bretanha, *Khatchaturian, na União Soviética, ou *Respighi, na Itália, ou seja, ele foi um dos melhores compositores de segunda linha, um "moderno" cuja obra indiscutivelmente atrai e agrada, pois lançou mão de técnicas do século XX sem violentar a sensibilidade de seus ouvintes. Tendo estudado canto e composição, uma *cantabilidade* domina sua música. Na década de 30 conseguiu nomeada com seu *Adágio para Cordas*, e durante os quarenta anos seguintes foi considerado um dos principais compositores dos Estados Unidos. Seus trabalhos, na realidade, são muito menos relevantes do que isso possa significar: tonais, fluentes e românticos, constituem exemplo marcante de "música do tipo que ninguém mais compõe", como às vezes costumam dizer os aficionados.

OBRAS Três óperas (entre elas *Antônio e Cleópatra*); três sinfonias e numerosas obras orquestrais mais breves; concertos para violino, violoncelo e piano; música de câmara, incluindo dois quartetos de cordas; uma sonata e outras obras mais curtas para piano (inclusive a jovial *Four Excursions*, em estilo jazzístico); numerosas canções, entre elas *Dover Beach*, para barítono e quarteto de cordas.

Adágio para Cordas (1936) Barber escreveu-o originalmente como o movimento lento de um quarteto de cordas, mas o orquestrou por sugestão de Toscanini, transformando-o numa das mais apreciadas obras para cordas do século XX. Sua melodia solene, processional, passa de um grupo de cordas para outro e a harmonia alcança sentido e tocante clímax.

→ Abertura *The School for Scandal*; *The Walk to the Paradise Garden*, de Delius; *Prélude*, da suíte *Pelléas et Mélisande*, de Fauré.

Concerto para Violino (1939) Uma agradável obra em três movimentos, harmoniosa e eficientemente concebida, do tipo que o regente Sir Thomas Beecham classificava como "doce de coco" — são obras que devem ser procuradas nas lojas de discos ou nas salas de concerto, e, uma vez descobertas, raramente desapontam.

→ Suíte de balé *Medea*; Concerto para violino, de Harty; Concerto para violino, de Britten.

BARTÓK, Béla (1881-1945). *Compositor húngaro.*

O projeto inicial de Bartók era ser concertista de piano (especializou-se em obras de *Bach e *Liszt). Mal completou seus vinte anos, porém, quando o gosto pela composição passou a dominá-lo. Suas primeiras obras foram uma rapsódia para piano e orquestra, com evidente inspiração lisztiana, e um extenso poema sinfônico, *Kossuth*, tratando uma passagem épica da história húngara com a linguagem orquestral romântica de um Richard *Strauss. Uma estréia que, na verdade, exibia mais talento do que inspiração criadora. Nos primeiros anos deste século sucedeu-lhe, porém, acompanhar *Kodály numa expedição de pesquisa e coleta do cancioneiro popular aos contrafortes dos montes Cárpatos, ali encontrando, nos ritmos e padrões melódicos do campesinato húngaro, exatamente as novas idéias de que necessitava. Coligir e adaptar temas populares passou a ser a mola mestra de sua vida de pesquisador folclórico, e ele transcreveu (ou gravou em cilindros de cera) dezenas de milhares de peças individuais. Em 1934 chegou até a exercer, como ocupação parcial, um emprego na Academia Húngara de Ciências, com a finalidade específica de organizar e preparar para publicação todo o imenso acervo que havia reunido.

Essa atividade em área folclórica acabou por transformar o estilo de suas próprias composições. Se ilustres predecessores seus nesse entusiasmo por temas populares da Europa Central (por exemplo, Liszt e *Brahms) haviam alterado as linhas melódicas para conformá-las aos ritmos e harmonias da grande arte musical, e traduzido suas letras para o alemão, freqüentemente à custa da musicalidade original, Bartók manteve-se fiel a tudo o que encontrou. As escalas, para ouvidos educados em conservatório, eram abruptas e bizarras; os ritmos seguiam padrões irregulares, determinados por dialetos regionais. Além disso, Bartók, ao arranjar música folclórica para apresentação em concerto, dava-lhe acompanhamento pianístico baseado em roncas de gaita-de-fole ou em repetição de notas percutidas, ao invés dos acordes e cadências usuais. Em suas próprias composições, ele usava essas mesmas idéias, vestidas contrapontisticamente com exigências técnicas tão complexas quanto as de Bach e ornadas do virtuosismo arrebatador que a música de Richard Strauss lhe inspirava. Lá pelo início da década de 20, seu estilo pessoal e inconfundível já estava bem definido — um estilo, diga-se, que a crítica oficial universalmente repelia, por achá-lo barulhentamente bárbaro, cheio dos sons mais irritantes que um ser humano jamais pudesse conceber. (Percy Scholes – que mais tarde compilaria *The Oxford Companion to Music* – escreveu em 1925 que um recital de piano de Béla Bartók lhe causara maior sofrimento do que qualquer outra ocasião de sua vida, salvo "uma experiência ou duas de tratamento odontológico apregoado como indolor"; em 1928, o jornal *Christian Science Monitor*, de Boston, queixou-se de que Bartók "havia transformado uma grande orquestra num bandolim" e "saíra em procura da beleza armado de martelo e bastões".)

Embora fosse um homem tímido e sensível na vida privada, Bartók, o compositor, parece ter solenemente ignorado toda essa hostilidade. Nos vinte anos seguintes outra coisa não fez que refinar esse estilo tão atacado e, no processo, criar cerca de duas dúzias das mais extraordinárias obras-primas deste século. Ele foi, de várias maneiras, um artista como *Beethoven: sabia exatamente o que queria fazer e o fazia sem levar em conta a opinião que o mundo dele tivesse. Essa firmeza de caráter, em boa parte, é o que dá força e permanência à sua obra. Uma única vez — nos Estados Unidos, onde se refugiara aos 58 anos de idade, quando os nazistas ocuparam quase toda a Europa, Bartók concordou em compor num estilo "mais suave", para tentar a conquista de audiência mais ampla. Resultaram daí duas obras que hoje figuram entre as mais queridas de todas as que escreveu, o Concerto para orquestra e o Concerto n. 3 para piano e orquestra, embora não sejam de modo algum as melhores, pois ambas são eclipsadas pela Sonata para violino solo, do mesmo período, um trabalho dos mais "difíceis" entre todos os que compôs. Após sua morte, a música de Bartók tornou-se parte integrante do repertório corrente; a familiaridade maior com ela permitiu aos mais variados auditórios a descoberta de que, ao contrário das acusações que se lhe faziam ("música de um ferreiro insano", "obra de alguém que já é velho o bastante para deixar de loucuras"), figura entre as mais destacadas criações artísticas de nossa era.

OBRAS Uma ópera, *O Castelo do Barba-Azul*; dois balés, *O Mandarim Maravilhoso* e *O Príncipe de Madeira*; três concertos para piano e outras peças mais curtas para piano e orquestra; dois concertos para violino e duas rapsódias para violino e orquestra; Concerto para Orquestra; Música para Cordas, Percussão e Celesta; Divertimento para cordas; Suíte de Dança e muitas outras obras orquestrais mais curtas; seis quartetos de cordas; duas sonatas para violino e piano; Sonata para dois pianos e percussão e numerosas outras obras de câmara; Sonata para piano, *Mikrokosmos* (seis livros de estudos graduados), *Suíte ao Ar Livre* e muitas coleções de peças mais curtas (por exemplo, Bagatelas) para piano solo; mais de setenta arranjos de canções folclóricas e numerosas composições próprias para canto solista e coral; *Cantata Profana*, para coro e orquestra.

Danças Folclóricas Romenas (1915) Este conjunto de seis peças breves é um dos resultados diretos das pesquisas de campo feitas pelo compositor e exprimem o mais puro e fresco de sua arte, constituindo excelente introdução ao seu mundo musical particular. Originalmente escritas para piano, apresentam-se também como brilhante arranjo para violino e piano (peça sempre bisada em concertos) e como suíte orquestral.
→ *Allegro Barbaro*, para piano; *Cenas de Aldeia* (canções); *Tróica*, da suíte *Tenente Kijé*, de Prokofiev.

Concerto para Orquestra (1943) Como seu nome indica, esta suíte em cinco movimentos dá a cada instrumentista da orquestra sua oportunidade de brilhar. Suas melodias (do próprio compositor) revelam toda a espontaneidade das canções folclóricas; suas harmonias são exuberantes, e a orquestração rivaliza com a de *Sheherazade*, de *Rimsky-Korsakov, ou a de *Os Planetas*, de *Holst, em riqueza e impacto. O primeiro movimento é atlético e muscular; o segundo, sério e reflexivo, demonstra quanto o exílio forçado lhe causava saudades de sua adorada Hungria; o finale se inicia com evocações sonoras das gaitas-de-fole e termina numa brilhante fuga executada pelos metais.
→ Concerto n. 3 para piano e orquestra; *Danças de Galánta*, de Kodály; Sinfonieta de Janáček.

Ⓜ ***Concerto n. 3 para piano e orquestra*** (1945) A mola inspiradora deste concerto, uma das mais apreciadas obras musicais do século XX, é a capacidade que esse instrumento tem de permitir que se passe numa fração de segundo do cortante ao lírico, pois essa alternância se revela nos três movimentos. O primeiro e o último são rápidos de andamento e bachianos em sua estrutura; o central, lento, alterna acordes quase corais com fluxos de notas que evocam o vôo de insetos noturnos. (Um dos passatempos de Bartók era colecionar mariposas.)
→ Concerto n. 2 para piano (mais dinâmico e clangoroso); Concerto em sol para piano, de Ravel; Concerto n. 1 para piano, de Shostakovich.

O Mandarim Maravilhoso (1919) Embora composta para um balé, esta peça, pela sua extensão sinfônica, é usualmente apresentada como obra de concerto. Sua abertura evoca em termos musicais a cacofonia do trânsito nova-iorquino e cria o clima para uma história (no balé, pelo menos) de banditismo e violência e de amor sem retribuição. De certa maneira, *O Mandarim Maravilhoso* é o equivalente musical dos quadros cubistas da década de 20: considerados então ora chocantes, ora ingênuos, agora nos parecem estimulantes, diretos em sua mensagem visual e absolutamente claros tanto em seu propósito quanto na forma pela qual a realizam.
→ Suíte de Dança; Ⓜ Concerto n. 2 para violino e orquestra; *O Canto do Rouxinol*, de Stravinsky.

Ⓜ ***Música para Cordas, Percussão e Celesta*** (1936) A combinação aparentemente bizarra de instrumentos aqui realizada resultou numa das mais belas obras de Bartók. As cordas por vezes vibram como as de guitarras populares, por outras estranhamente precedem os sons que hoje já nos acostumamos a ouvir ligados a imagens do espaço sideral, em filmes de ficção científica, produzidos por sintetizadores eletrônicos. O uso que Bartók faz aqui dos instrumentos de percussão é algo que manterá para sempre a sua classe, e a celesta, instrumento que em outras mãos soaria banal, dá-nos, em sua partitura,

um brilho seco que permeia toda a obra e a torna marcante. O movimento de abertura é uma fuga de grande complexidade; o terceiro, de novo evoca a "música de insetos", tão cara ao compositor; danças folclóricas inspiram os segundo e quarto movimentos.
→ Divertimento para cordas; *Petite Symphonie Concertante*, de Martin; Concerto para duas orquestras de cordas, piano e tímpanos, de Martinů.

Ⓜ ***Quarteto de Cordas n. 6*** (1939) Os quartetos de cordas de Bartók, considerados por muitos o que de melhor se escreveu no gênero depois dos últimos quartetos de Beethoven, constituem exigentes desafios à nossa capacidade perceptiva, mas devem ser ouvidos de qualquer maneira. O sexto é o mais abordável de todos eles, seus quatro movimentos — interligados por uma triste melodia de fundo folclórico — variando em temperamento da marcha e do burlesco (caricaturando *Stravinsky) ao melancólico. Dos demais quartetos, o n. 1 é um tanto ou quanto debussiano; o n. 2 revela-nos Bartók em seu estilo mais agudamente folclórico; os ns. 3 e 4 são dificílimos de ouvir e entender, mas, para os aficionados da obra bartokiana, estão entre o que ele escreveu de melhor, seja qual for o gênero; o n. 5 é tranqüilo e estimulante, no mesmo espírito do Segundo Concerto para Violino ou do Divertimento para Cordas.
→ Ⓜ Quarteto de Cordas n. 3; Quarteto de Cordas n. 2, de Janáček; Quarteto de Cordas n. 2, de Tippett.

BEETHOVEN, Ludwig van (1770-1827). *Compositor alemão.*

O pai de Beethoven era um cantor, empregado pelo Eleitor de Colônia, em Bonn. Quando o alcoolismo começou a ameaçar-lhe a carreira, ele descobriu que tinha em casa uma verdadeira mina de ouro: o prodígio musical que era seu filho, digno de ser explorado como um segundo *Mozart. Para realizar tal projeto, foi-lhe necessário mentir quanto à idade verdadeira do menino (apresentando-o como ainda mais jovem do que era) e sacrificar sua educação regular em troca de interminável treinamento musical. Como estratagema para ganhar dinheiro, no entanto, a manobra foi um fracasso — e bem pode ter contribuído para tornar Beethoven uma pessoa amarga, encorajando o temperamento a um só tempo rude e reservado que lhe marcou a idade adulta. Quando ainda tinha vinte e poucos anos e ganhava a vida como pianista itinerante e professor de piano, ele já era famoso nos salões aristocráticos tanto pelas explosões de mau humor (recusava-se a tocar enquanto as pessoas não parassem de conversar) quanto por sua música. A surdez obrigou-o a interromper a carreira de concertista por volta dos trinta anos, mas felizmente já era bem conhecido como compositor a essa altura para poder viver das encomendas que lhe faziam, dos concertos em que apresentava composições suas e da venda dos direitos de edição. Não demorou muito para que se tornasse o mais respeitado compositor europeu e figurasse — ao lado de seu contemporâneo um pouco mais idoso, o poeta Goethe — como o maior exemplo vivo do gênio artístico, romântico e instável.

Embora algumas de suas composições iniciais (as escritas antes de 1802, durante seus anos de virtuoso do teclado) já revelem traços da força granítica que mais tarde lhe caracterizaria a obra, a sua música do século XVIII é geralmente tão alegre e simples como (digamos) a de *Haydn, embora mais volumosa e menos graciosa do que tal comparação possa sugerir. E note-se que ela pode ser aplicada tanto no que se refere a obras deliberadamente leves, como seu alegre Septeto, quanto às de maior envergadura, como a Primeira Sinfonia, os dois primeiros concertos para piano, a primeira dúzia ou pouco mais de sonatas para piano (a Sonata *Patética*, op. 13, é típica), e os seis quartetos de cordas, op. 18. Anos mais tarde, quando seu estilo predominante se tornou sombrio e profundo, ainda assim o mesmo tipo de reverberação "clássica" conseguia de quando em quando passar através das nuvens — como acontece na Sonata *Primavera*, na Sétima Sinfonia ou no Quarto Concerto para piano.

Em 1802 Beethoven soube que sua surdez era não apenas incurável, mas tendia a avançar até impedir-lhe totalmente qualquer possibilidade de audição. Isso constituiu um tremendo abalo para a sua personalidade (um misto de inconformismo, associado à determinação de "agarrar o destino pela garganta", e de violenta depressão diante da impotência para fazê-lo). As conseqüências desse estado de espírito foram imediatas em sua obra. Sem perder nem um pouco a inspiração melódica ou a fluência, ela se despiu por completo da impetuosidade que ostentava ao fim da juventude. Passaram a marcá-la profundamente um caráter reflexivo, uma grandeza de escala e uma introspecção plena de austeridade. Percebeu-se logo que Beethoven já não era mais um jovem a esbanjar talento, tendo-se transformado num artista maduro que refletia severamente antes de se permitir qualquer liberdade formal. Muitas de suas obras mais tranqüilas e populares datam desse período: o Quinto Concerto para piano (Imperador), o Concerto para Violino, as sinfonias da Terceira à Sétima, os quartetos de cordas *Razumovsky*, várias de suas mais nobres sonatas para piano, como a *Waldstein* e a *Apassionata*.

Com o agravamento continuado da surdez — por volta de 1819 ele já estava surdo como uma pedra, incapaz de ouvir o som das orquestras que regia, incapaz de manter qualquer conversa com quem não deitasse ao papel o que lhe estivesse a dizer — sua música passou a ser antes uma espécie de monólogo interior do que uma exteriorização, uma mistura (por vezes surpreendentemente abrupta) de intelectualismo, experimentação e serenidade. (A última de suas sonatas para piano bem demonstra isso: o primeiro movimento cheio de irritação, furiosamente discordante, é seguido de uma série de variações "tranqüilas", delicados colares de notas dando-nos a impressão — para usar a imagem criada pelo poeta Stefan Georg — de que Beethoven "respirava o ar de um outro planeta".) Entre as obras escritas nos últimos quinze anos de sua vida figuram dois dos maiores monumentos de toda a era romântica (a Nona Sinfonia - *Coral* - e a *Missa Solemnis*) e uma série de peças de música de câmara que, embora exigentes e não facilmente "digeríveis", constituem para muitos melômanos o pináculo de sua experiência. Estão incluídas entre elas as cinco últimas sonatas para piano e os seis últimos quartetos de cordas.

OBRAS ORQUESTRAIS Nove sinfonias; cinco concertos para piano; Concerto para violino; Triplo Concerto (para piano, violino, violoncelo e orquestra); aberturas; música para teatro (como a que escreveu para *Egmont*, de Goethe) e para um balé (*As Criaturas de Prometeu*), etc.

Aberturas Abertura *Egmont*, op. 84 (1810). Assim como há muitos grandes escritores cujos contos de certa maneira cobrem o mesmo terreno já explorado por eles em seus romances, as dez aberturas escritas por Beethoven são por assim dizer edições de bolso de seu estilo musical, bem como das emoções e sentimentos que exprimiu em obras mais extensas. *Egmont*, por exemplo, que foi escrita como outras peças sob inspiração da tragédia de Goethe a respeito do conflito entre o dever político e o dever moral, apresenta-se vigorosa como música e se desenvolve a partir de um início elegíaco e fragmentário até chegar a seu final heróico e afirmativo. Semelhantes a ela em matéria de tratamento (as aberturas de Beethoven têm quase sempre um sentido heróico) são *Coriolano*, op. 62 (inspirada pelo drama homônimo de Shakespeare) e Ⓜ *Leonora n. 3* (1806), uma das quatro que ele escreveu para sua ópera *Fidélio*.

→ Abertura *Prometeu*; abertura *A Flauta Mágica*, de Mozart; abertura *O Navio Fantasma*, de Wagner.

Sinfonias Ⓜ Sinfonia n. 5, op. 67 (1807). O "pan-pan-pan-pan" inicial é um dos mais conhecidos temas de toda a história da música, e o primeiro movimento o explora à exaustão, num verdadeiro milagre de arquitetura sonora. O segundo movimento é uma marcha fúnebre, o terceiro um scherzo que realça as trompas e os contrabaixos, conduzindo a obra ao seu finale pleno de pompa e de júbilo. A energia rítmica, a amplitude da forma e a vigorosa demonstração do quanto pode a "coesão sinfônica" (ver o verbete *Sinfonia*) no sentido de reunir num todo homogêneo e significativo as mais distintas partes de uma obra, são qualidades encontráveis também em outras de suas sinfonias mais notáveis, a terceira, a sétima, a oitava e a nona. A Ⓜ Terceira (*Eroica*), op. 55 (1804), como seu nome indica, é em estilo heróico, com um primeiro movimento vigorosíssimo (explorando o contraste entre um tema ascendente de amplo desenvolvimento e outro descendente, pleno de energia), seguido de uma marcha fúnebre e de um scherzo comparáveis aos da Quinta Sinfonia, com uma variação-finale sobre um motivo melódico que o compositor já utilizara em seu balé *As Criaturas de Prometeu* e nas *Quinze Variações para Piano e Fuga em mi bemol maior (Eroica)*, op. 35. A Ⓜ Sétima Sinfonia, op. 92 (1812), embora não menos majestosa quanto à escala, é mais leve e lírica em seu estilo; seus ritmos envolventes levaram *Wagner a chamá-la "a apoteose da dança". A Sinfonia n. 8, op. 93 (1812), embora mais curta do que qualquer uma das outras (aproximadamente 24 minutos) dá-nos por igual uma imagem de amplitude e grandeza; a Ⓜ Nona Sinfonia (*Coral*), op. 125 (1824), oferece-nos, após três movimentos orquestrais (o primeiro dramaticamente percussivo, o segundo um scherzo vibrante, o terceiro em andamento lento, quase extático, é o próprio fulcro instrumental da obra), uma seqüência de variações para coro e orquestra sobre o poema *Ode à Alegria*, de Schiller, desejando paz e harmonia a toda a humanidade. Das demais sinfonias de Beethoven, a n. 1 (op. 27, 1800), n. 2 (op. 36, 1802), e Ⓜ n. 4 (op. 60, 1806) são descontraídas, luminosas e espirituosamente escritas; a Ⓜ n. 6 (*Pastoral*), op. 68 (1808), não encontra paralelo em qualquer outra delas, pois seus cinco movimentos expressam (como o compositor fez questão de declarar) emoções que cenas bucólicas nele despertaram (e ostentam títulos como "As Margens do Regato" e "Tempestade"), embora evitem o meramente pictórico (do que *Berlioz não conseguiu livrar-se em sua *Sinfonia Fantástica*) em benefício (uma vez mais) de tal "coesão sinfônica", permitindo à obra manter do começo ao fim o mesmo elevado espírito e a mais notável dignidade intelectual.

→ Obras correlatas a suas sinfonias mais descontraídas são a Sinfonia *Júpiter*, de Mozart, a Sinfonia n. 5, de Schubert, a Sinfonia de Bizet, as sinfonias *Escocesa* e *Italiana*, de Mendelssohn; afim à *Pastoral* poderíamos ter a *Inacabada* (n. 8), de Schubert, a *Sinfonia Fantástica*, de Berlioz e a n. 8, de Dvořák; na mesma categoria das "monumentais" poderíamos incluir a n. 9, de Schubert, e a n. 4, de Brahms.

Concertos Ⓜ Concerto n. 4, para piano e orquestra, op. 58 (1808). Assim como ocorre em suas sinfonias, cada um dos concertos de Beethoven tem personalidade própria e inconfundível, tornando arriscada qualquer tentativa de enquadrá-lo numa determinada categoria. Este, por exemplo, é suave e tranqüilo, uma das obras mais líricas do mestre (tendo evocado a Liszt a imagem de Orfeu aplacando as Fúrias do Inferno com seu canto). Como os concertos de Mozart (e ao contrário de muitos dos escritos lá pela segunda parte do século XIX), esta obra trata o piano antes como instrumento melódico do que de percussão. O Ⓜ Concerto para Violino, op. 61 (1806), que integra esse mesmo período criativo de Beethoven, apresenta-se também num estilo descontraído, com um movimento lento pleno de êxtase (o som do violino alçando-se sobre suaves acordes pelos instrumentos de cordas) e um finale vibrante, evocando sons de caçada. Dos demais concertos, o Primeiro (op. 15, 1798) e o Segundo (op. 19, 1795) para piano são estimulantes, em boa contrapartida com a Primeira e a Segunda Sinfonias, e o Triplo Concerto (op. 56, 1804), para violino, violoncelo, piano e orquestra, é de todos os escritos por ele o que mais se aproxima das obras pouco sinfônicas de compositores contemporâneos seus, como Hummel e Spohr (cujos concertos constituem adequada seqüência à audição deste). Seus concertos mais imponentes, o Ⓜ Concerto n. 3 para piano, op. 37 (1801), e o Ⓜ Concerto n. 5 para piano ("Imperador"), op. 73 (1809), são uma combinação de virtuosismo concertante e de seriedade sinfônica. Em cada um deles, o primeiro movimento solene e grandioso (onde se apresenta o mais complexo argumento musical) é seguido de um lento e elegante e conclui com arrebatador finale. O movimento lento do Concerto n. 3 — que nos traz *Chopin à memória — e o arrebatador finale do n. 5 foram especialmente admirados — e até imitados por compositores de concertos posteriores a Beethoven.

→ Fazendo bom *pendant* com o Concerto para Violino teríamos os concertos para esse instrumento de Mendelssohn ou de Dvořák; o Primeiro e Segundo concertos para piano mantêm afinidade com o Concerto para piano, n. 23, de Mozart; o Quarto nos levará ao n. 27 de Mozart e ao Concerto para piano, de Schumann; o Terceiro, ao Concerto n. 2, para piano, de Chopin; o Quinto, ao Concerto n. 1, de Liszt, e aos ns. 1 e 2, de Brahms.

OBRAS PARA PIANO E DE CÂMARA Trinta e duas sonatas para piano; dezessete quartetos de cordas; dez sonatas para violino e piano; cinco sonatas para violoncelo e piano; seis trios para violino, violoncelo e piano; conjuntos de variações (incluindo as *Variações Diabelli*, para piano); variadas obras de câmara.

Obras de câmara ligeiras Septeto op. 20 (1800). Esta estimulante composição em seis movimentos para clarinete, fagote, trompa e quarteto de cordas é típica de todo um setor da obra beethoveniana: ela nos recorda a música assalariada do século XVIII, as serenatas e *divertissements* escritos (por Mozart, entre outros) para gáudio de reuniões sociais dos aristocratas, ou até mesmo para o acompanhamento de refeições ou de jogos de salão. Trata-se de uma obra sem complicações, informal, cujo único objetivo é entreter. Os diversos conjuntos de variações, assim como os trios iniciais (trio para cordas, op. 9; trio para piano, op. 1, op. 38), quintetos, sextetos e octetos para cordas e/ou sopro, todos seguem os passos ligeiros do Septeto, e um dos maiores prazeres para os amantes da música de Beethoven é o de poderem acompanhar a gradual transformação de sua genialidade em algo não menos atraente, mas muito mais substancial, como ocorre com as primeiras sonatas para piano (op. 2, op. 10, op. 13, op. 14, op. 22) e as sonatas para piano e violino (n. 5 – Sonata *Primavera*, op. 24 n. 1, é um exemplo flagrante disso).

→ Septeto *Militar*, de Hummel; Octeto, de Schubert; Sonata para dez instrumentos de sopro, de Dvořák.

Sonatas Sonata para piano n. 8 (*Patética*), op. 13 (1798). As trinta e duas sonatas para piano de Beethoven acompanham sua carreira do começo ao fim, e foram escritas para o seu instrumento favorito: dão-nos boa medida tanto do seu desenvolvimento como compositor quanto de seu gênio extraordinário. As primeiras delas, muitas das quais compostas para seus próprios recitais de concertista, são ebulientes e por vezes até ostentatórias; encontra-se nelas, porém, uma riqueza de idéias e de fraseado que já era indicação bastante clara (como hoje tão bem sabemos!) da grandiosidade que mais tarde ele nos iria revelar. A n. 8 é típica do que acabamos de dizer: seu subtítulo não significa *patética* no sentido menor da palavra, mas cheia de *pathos*, de sentimento, e constitui boa mostra da preocupação que Beethoven — e os compositores românticos em geral — revelavam quanto à exteriorização de reações emocionais por meio da música. O primeiro movimento é vigoroso e ostenta várias pausas dramáticas; o segundo é sereno; o terceiro é um rondó, cujo tema decoroso volta e meia arremete em piques alucinados e expressivas dissonâncias. A mesma idéia, de expressão direta de emoções, encontra-se associada intimamente à Ⓜ Sonata para piano n. 23 (*Appassionata*), op. 57 (1805), que assinala um momento de grande relevo no desenvolvimento artístico de Beethoven, comparável ao evidenciado pela Quinta Sinfonia: procedimentos clássicos totalmente assimilados geram idioma muito pessoal, e a emoção do compositor não se apresenta dramatizada e à superfície (como se ouve na Sonata n. 8), mas integrada, *pulsante dentro das notas*.

Quando a sonata chega à sua conclusão, a rubrica "tão rápido quanto possível" tem menos a ver com qualquer veleidade virtuosística do que com o clímax do esforço libertado que sublinha toda a obra. As últimas seis sonatas, escritas à mesma época que a Nona Sinfonia, assim como os últimos quartetos para cordas, são obras-primas de reflexão, cada uma delas constituindo, por assim dizer, uma reinvenção da própria sonata com forma musical. A Ⓜ Sonata para piano n. 31, op. 110 (1821), por exemplo, que é uma das mais acessíveis, inicia-se com um movimento lento, tem seqüência num scherzo rapidíssimo, numa soluçante *aria dolente* e numa fuga; logo a seguir, ária e fuga se desdobram em novas claves (a fuga chega mesmo a ficar invertida), e a obra termina com breve referência ao tema do primeiro movimento. Sua estrutura é totalmente inconvencional e fascinante ao mesmo tempo, tal a impressão que nos transmite de inevitabilidade, como se a peça tivesse sido escrita de impulso, numa só tarde de trabalho, e não nas semanas de esforço que exigiu.

→ Depois de ouvir a Sonata para piano n. 8, será bom dedicarmo-nos às primeiras sonatas: a n. 14, op. 27 n. 2 (*Ao Luar*) e n. 17, op. 31 n. 2 enquadram-se no mesmo estilo de prospecção emocional; as n. 4, op. 7 e ns. 5 a 7, op. 10, são robustas peças de efeito; a Ⓜ n. 2, op. 2 n. 2, tem estatura musical comparável à da Primeira Sinfonia. Depois de se ouvir a Sonata para piano n. 23, o seguimento adequado seria a Ⓜ n. 21, op. 53 (*Waldstein*) e a ardente n. 26, op. 81a (*Les Adieux*); a Sonata para piano n. 31 já se ligaria às grandes sonatas da fase final: n. 28, op. 101 e n. 30, op. 109, que compartilham tanto de sua serenidade quanto de seu tom melódico cantante; a Ⓜ n. 29, op. 106 (*Hammerklavier*) e a Ⓜ n. 32, op. 111, são monumentais, no mesmo espírito – respectivamente – da Terceira e da Nona Sinfonias, e se incluem entre as maiores criações de Beethoven. Se pensarmos em outros compositores, as sonatas para piano que mais se aproximam das primeiras que ele escreveu são as de Haydn (ouça-se, por exemplo, a Sonata n. 52, em mi bemol); às da fase intermediária comparar-se-iam as sonatas de Schubert (particularmente as em sol e si bemol); com as últimas teriam afinidade algumas das mais poderosas obras do repertório pianístico, como a Sonata n. 3, de Chopin, a Sonata para piano em si menor, de Liszt, e as *Variações e Fuga sobre um Tema de Händel*, de Brahms.

Quartetos de cordas Ⓜ Quarteto de Cordas n. 9 (*Razumovsky*) op. 59 n. 3. É um dos três quartetos que Beethoven escreveu para o embaixador russo à corte austríaca, um violinista amador. Contemporâneo de criação da Quarta Sinfonia e do Concerto para Violino, é, como eles, uma obra em que lirismo e bem cuidado desenvolvimento temático se complementam admiravelmente. Os quartetos *Razumovsky* por assim dizer eclipsam os seis quartetos anteriores de Beethoven (op. 18) e são típicos de sua música de câmara já amadurecida — mais substanciosos (os mais relevantes estão à altura do Concerto n. 3 para piano e orquestra) e descontraídos do que intencionais. Fazem adequado *pendant* com eles o Trio para piano n. 6 (*Arquiduque*), op. 97 (1810), o Quarteto de Cordas n. 10 (*Harpa*), op. 74 (1809), a Sonata n. 10 para violino e piano op. 96 (1812) e a Sonata n. 3 para violoncelo e piano, op. 69 (1809). Recomenda-se como audição em seguimento as seguintes obras de outros compositores: Quarteto de Cordas n. 81, op. 77 n. 1, de Haydn, Quarteto de Cordas K428, de Mozart, Quarteto de Cordas n. 13 em lá menor, de Schubert. Muito distintos de todos esses, ou de quaisquer outras obras de câmara, em verdade, são os últimos seis quartetos de Beethoven, considerados por muitos ouvintes como as melhores obras que ele escreveu, de qualquer gênero musical. O Ⓜ Quarteto de Cordas n. 15, op. 132 (1825), é o mais acessível deles: seu movimento lento (subintitulado pelo próprio compositor "canto sacro de gratidão pela graça divina ao se recuperar de uma doença") é uma espécie de hino religioso com extraordinária expressão musical. Os outros quartetos dessa fase oferecem-nos música de comparável introspecção (ouça-se, por exemplo, a fuga com que se inicia o Ⓜ Quarteto n. 14, op. 131, 1826) e movimentos de extraordinário vigor atlético, de tão poderosa magnitude que até parecem superiores às capacidades de quatro meros executantes e de seus frágeis instrumentos. É o que nos ocorrerá ao ouvirmos a Ⓜ *Grande Fuga*, op. 133 (1827). São de tal modo geniais esses quartetos que todo o repertório do gênero se apequena diante deles, excetuando-se apenas o Quinteto de Cordas n. 3, K515, de Mozart, ou o Quinteto de Cordas, de Schubert, que nos proporcionam reações emocionais e estéticas da mesma intensidade.

OBRAS VOCAIS Uma ópera, *Fidélio*; duas Missas; Fantasia Coral; ciclo de canções *An die ferne Geliebte* ("Para a amada distante"); quarenta e nove arranjos de canções folclóricas; três cantatas e obras esparsas.

Ⓜ *Fidélio* (1805, revisada em 1814). Única ópera escrita por Beethoven — ele era predominantemente um compositor instrumental —, evidencia apaixonado idealismo revolucionário e a crença (um tema característico da primeira fase do romantismo) de que o verdadeiro amor tudo redime. *Fidélio* é uma criação séria e instigante, uma "ópera sinfônica" que deve ser tanto *ouvida* quanto *vista no palco* para produzir seu desejado efeito; antes de realizar tal experiência, contudo, será útil ouvir as quatro aberturas *Leonora*, baseadas em temas musicais da ópera (a Ⓜ n. 3 devendo preceder as demais), e trechos escolhidos como a comovedora Cena da Prisão. A única outra obra vocal capaz de emparelhar-se a ela — se deixarmos de lado o último movimento da Nona Sinfonia — é a Ⓜ *Missa Solemnis*, op. 123 (1818), sua segunda utilização da missa católica, que foi concebida menos como obra devocional do que como reafirmação de fé tanto em Deus quanto na natureza criativa e veemente da própria humanidade. (A música, a propósito, vai aí sempre além do significado religioso específico das palavras e se dirige indistintamente a todos os homens, crentes e não-crentes.) A longa extensão da *Missa Solemnis* intimida os promotores de concertos, e por isso ela raramente é ouvida. Mas permanecerá para sempre como uma das obras culminantes do repertório coral de grande escala, digna companheira da *Paixão Segundo São Mateus* e da Missa em si menor de Bach, assim como da Missa em si menor, de Bruckner, e da Sinfonia n. 8, de Mahler.

OBRAS LIGEIRAS E OUTRAS Entre as composições de Beethoven encontram-se várias peças menos relevantes, mas muito executadas, como *Für Elise* (*Para Elise*), *Fúria pela Perda de um Tostão*, e diversas *Bagatelles*, para piano; *A Vitória de Wellington* (mais conhecida na Europa continental sob o título *Sinfonia da Batalha*), para grande orquestra; vários conjuntos de canções folclóricas arranjadas por ele para canto, violino, violoncelo e piano. Certos trechos de obras longas (freqüentemente perturbados por *desarranjos* absurdos) aparecem por vezes transformados em fox-trots, interlúdios para banda ou canções populares, como ocorre, por exemplo, com o primeiro movimento da *Sonata ao Luar*.

BELLINI, Vincenzo (1801-35). *Compositor italiano.*

Nas primeiras décadas do século XIX, quando os compositores de ópera, na maioria dos países, seguiam avidamente o estilo dramático concebido por Gluck (ler o verbete *Ópera*), seus colegas italianos revelavam pouco interesse por inovações. Consideravam a Itália como o berço da ópera e seu legítimo domicílio; atribuíam aos teatros e aos cantores do país a qualidade de melhores do mundo; julgavam excelente o estilo operístico nacional (que dava primazia ao *bel-canto* e relegava a segundo plano o conteúdo dramático), pois tinham a ostentar dois compositores excepcionais (*Donizetti e *Rossini).

Foi Bellini quem começou a mudar esse estado de coisas. Quando sua primeira ópera foi produzida (em 1825, quando ainda não passava de um estudante), as árias de exibição eram imprescindíveis. Dez anos (e dez óperas de Bellini) mais tarde, a ópera italiana já se deslocara rumo ao estilo dramático em voga no resto da Europa, criando os alicerces formais que deram sustentação a *Verdi e *Puccini, cujas obras são consideradas o pináculo da arte lírica por grande número de aficionados. Bellini deu aos cantores ampla margem para demonstrarem suas aptidões vocais — poucos compositores escreveram árias tão espetacularmente ágeis quanto ele — mas também as árias no contexto da obra eram deliberadamente planejadas de tal sorte que sempre coincidissem com um clímax emocional ou de representação cênica. A princípio, os cantores acharam difícil combinar desempenho teatral e desempenho vocal, mas os intérpretes que conseguiram enfrentar o desafio da nova técnica, incorporaram logo suas óperas ao repertório e as divulgaram incessantemente por toda a Europa (bem como nos Estados Unidos e na Rússia), tornando Bellini famoso antes que ele completasse trinta anos de vida. Lastimavelmente, ele morreu muito jovem, sem ter tido tempo de cumprir a promessa das poucas obras que escreveu. Apesar disso, suas óperas são mais do que meras curiosidades musicais e fascinam as grandes estrelas da arte lírica (no século XX, Maria Callas e Joan Sutherland tiveram extraordinário êxito com elas) e encantam as platéias.

OBRAS Além de suas onze óperas (as mais conhecidas delas sendo *La Sonnambula*, *Norma* e *I puritani*), Bellini escreveu também um concertino para oboé e um punhado de canções para solista e peças corais para apresentação em igreja.

Casta Diva ("Casta Deusa"), de *Norma* (1831). Este hino à Lua, cantado pela heroína da ópera (uma princesa druida atormentada por um amor infeliz) evidencia ao máximo a capacidade que Bellini tinha para dar vida a suas personagens. Com seu ritmo lento, esta bela melodia simboliza a aspiração de paz e pureza que Norma tinha dentro de si, mas, ao mesmo tempo, ornando-a de todos os possíveis e imagináveis gorjeios e cadências, ele nos revela a tensão nervosa que igualmente dominava a personagem, perturbando-lhe a paz interior. É por isso mesmo que, realçando o contraste dramático, ele simultaneamente nos leva a ter compaixão pela angústia da heroína e vibrar com a extraordinária proeza vocal que impõe a quem a interpreta em cena.
→ "Centa di Fiori" (de *I Puritani*); "Caro Nome" (de *Rigoletto*), de Verdi; "Vissi d'Arte" (da *Tosca*), de Puccini.

La Sonnambula ("A Sonâmbula") (1831) Ouça-se a ópera completa. A história um tanto ou quanto ingênua (de uma rapariga camponesa que é encontrada à noite no quarto de um conde e tem sua inocência demonstrada pelo fato de ser sonâmbula) poderia resultar numa farsa, mas Bellini a transforma em algo delicado, puro e altamente romântico, quase que uma transposição operística de algum romance das irmãs Brontë. O papel central, que cabe a um soprano, requer cantora de grandes recursos técnicos que lhe faça justiça: a cena de sonambulismo no Segundo Ato, clímax de toda a história, produz num teatro de ópera o mesmo efeito eletrizante que uma cadência de concerto para piano gera em qualquer auditório.
→ *Norma; Lucia de Lammermoor*, de Donizetti; *O Conde Ory*, de Rossini.

BENJAMIN, Arthur. Ver *Compositores de obra singular*.

BERG, Alban (1885-1935). *Compositor austríaco.*

Vivendo de pequena renda familiar, Berg pôde dedicar-se à carreira de compositor. Quando suas reservas se esgotaram, depois da Primeira Guerra Mundial, conseguiu arrumar-se dando aulas e com o recebimento de direitos autorais (especialmente das apresentações de sua ópera *Wozzeck*). Na juventude e início de maturidade fez parte do vasto círculo de artistas e intelectuais que constituíam a vanguarda vienense da época: os pintores Kirchner e Kokoschka, o poeta Altenberg, o arquiteto Gropius e, particularmente, o grupo de músicos que se reunia em torno da viúva de Mahler, Alma, e do compositor *Schoenberg.

Muitos dos amigos vanguardistas de Berg criavam arte para consumo interno, por assim dizer, pois sabiam que o grande público a detestava — havia arruaças e pancadaria toda vez que eles a apresentavam em exposições ou concertos — e preferiam mantê-la no círculo fechado de pessoas que a compreendiam e aprovavam. Berg era uma exceção. Embora compusesse algumas obras especialmente para seus amigos (por exemplo, o seu Concerto de Câmara, composto como presente a Schoenberg quando ele completou cinqüenta anos), buscava deliberadamente audiências mais amplas através da utilização de formas convencionais (quarteto de cordas; ópera, etc.), e da solicitação de que seus trabalhos fossem programados regularmente em concertos, ao lado de obras "normais". (Foi assim que sua *Suíte Lírica* foi tocada juntamente com quartetos de *Brahms e *Beethoven e granjeou respeito. *Wozzeck* tornou-se a única ópera de vanguarda a ser incluída em toda temporada lírica.) Seu estilo musical bastante acessível tornou-o (e ainda hoje o torna) um embaixador ideal da "música moderna": embora recorrendo a técnicas de vanguarda (como a dodecafonia, por exemplo), que por vezes dão à sua obra um tom áspero, as composições de Berg são claras e diretas (estão mais próximas, em linguagem, da música de *Verdi do que da do século XX), o que lhes permite comunicabilidade maior a cada nova audição.

OBRAS Óperas *Wozzeck* e *Lulu*; Três Peças para Orquestra; Concerto para Violino; Concerto de Câmara para violino, piano e orquestra de instrumentos de sopro; Quarteto de cordas e *Suíte Lírica*, para cordas; Sonata para Piano e várias obras menores de câmara; *Vinho*, Cinco Canções de Altenberg, Quatro Canções, op. 2, e mais de setenta outras obras vocais (principalmente compostas na juventude).

Ⓜ ***Concerto para Violino*** (1835) Composta "em memória de um anjo" (a filha de Gropius, Manon, nos seus dezoito anos), esta obra em dois movimentos está repleta de arrebatadoras passagens elegíacas criadas pelo instrumento solista (simbolizando a beleza da moça), que contrastam com vigorosas explosões orquestrais (simbolizando a morte que se aproximava?). O segundo movimento lança mão, comovedoramente, de um tema folclórico e conclui com variações sobre o coral *Es ist genug* ("É o bastante"), associando a harmonização bachiana do século XVIII (em sua Cantata n. 82) aos rendilhados do século XX de Berg.
→ Três Peças para Orquestra; Concerto para Violino n. 2, de Bartók; Concerto para Violino n. 1, de Shostakovich.

Ⓜ ***Wozzeck*** (1920) Ópera baseada na sombria peça teatral de Büchner sobre a degradação e ulterior destruição de um soldado simples. Os incidentes dessa história, que envolvem assassinato, deslealdade e prostituição, são tão sórdidos como os das óperas *I Pagliacci*, de Leoncavallo, ou *Tosca*, de Puccini, o que torna *Wozzeck* tão sensacional e atraente quanto elas; a música de Berg, no entanto, é de tal ordem fascinante que os sofrimentos do pobre Wozzeck se elevam e se ampliam até se confundirem com os da humanidade inteira. Sua outra ópera, *Lulu*, tem um libreto não menos espantoso (a heroína, uma prostituta, é enganada por todos os homens com os quais se encontra e acaba assassinada por Jack, o Estripador), mas é menos profunda, o que a torna por vezes meramente chocante ou melodramática, ao passo que *Wozzeck* chega à transcendência através do realismo. Um primeiro contato ideal com as duas obras talvez seja proporcionado pelos extratos orquestrais que o próprio Berg preparou para apresentação em concerto: a *Suíte Wozzeck* (1924) e a *Sinfonia Lulu* (1934). Dessa última ópera há duas versões. A primeira deve ser ignorada, dando-se preferência à versão em três atos, lançada postumamente em 1979.
→ Concerto de Câmara; *O Castelo de Barba-Azul*, de Bartók; *Elegia para Jovens Amantes*, de Henze.

Suíte Lírica para quarteto de cordas (1926). Esta obra, que Berg informou ter sido concebida como "expressão de amor lírico", reflete tanto o espírito quanto o próprio tema principal da ópera *Tristão e Isolda*, de *Wagner, e utiliza uma cifra musical (Berg era mestre em matéria de códigos e de sentidos ocultos) baseada nas iniciais dos nomes do compositor e sua amada. Compõe-se de seis movimentos breves, alternadamente pontiagudos, espectrais e apaixonados. Subproduto dessa obra é a peça conhecida como *Três Movimentos da Suíte Lírica*, um suntuoso arranjo para orquestra de cordas.

→ Quarteto de Cordas, op. 3; Quarteto de Cordas n. 3, de Schoenberg; Quarteto de Cordas n. 4, de Bartók.

BERLIOZ, Hector (1803-69). *Compositor francês.*

Os pais de Berlioz esperavam que ele seguisse a carreira paterna, de médico. Aos dezoito anos, porém, enojado da dissecação de cadáveres que faz parte do currículo, ele abandonou o estudo da medicina, dedicando-se ao da música. Empenhou-se nisso durante dez anos e se tornou conhecido, desde cedo, tanto pela resistência às normas estritas estabelecidas por seus professores quanto pelo curioso hábito de se levantar durante os concertos para gritar impropérios contra regentes que adulterassem espírito e forma das obras que estivessem interpretando. Suas próprias composições também logo conseguiram notoriedade: eram mais tempestuosas do que quaisquer outras escritas até então e podiam ser comparadas, no entender de alguns ouvintes, a confusos pesadelos, emoções e paixões lançadas a esmo sobre o papel pautado, sem qualquer ordem ou controle. (*A Sinfonia Fantástica*, dessa época, escandalizou e fez sucesso ao mesmo tempo.)

Já homem maduro, Berlioz passou a ganhar a vida regendo suas próprias obras em concertos de proporções monumentais (alguns mobilizando mais de 800 executantes) e escrevendo crítica musical. Tudo o que dissesse respeito às artes cênicas o fascinava: sua primeira mulher foi uma artista teatral irlandesa, a segunda uma cantora lírica italiana, e ao longo da vida ele sempre escreveu óperas e música incidental para peças teatrais. Seu gosto literário voltava-se para obras de entrecho amoroso ou romanticamente aventuresco (ele era apaixonado pela *Eneida*, de Virgílio — particularmente a passagem que se refere ao malfadado caso amoroso de Dido e Enéias —, pelo drama shakespeariano de *Romeu e Julieta* e pelo poema de Byron *Child Harolde's Pilgrimage*, que narra as andanças de um jovem pela Europa, "em procura de si próprio"); entre seus amigos figuravam gênios extravagantes como Paganini e *Liszt (acusados pelos opositores de terem parte com o diabo); Berlioz era dado ao uso de ópio, e acreditava piamente em espíritos das trevas e forças do outro mundo.

A personalidade colorida e multifacetada de Berlioz reflete-se nas músicas que escreveu. Ao invés das sóbrias formas tradicionais (como sonatas, por exemplo) ele se inclinava para obras mais longas, de estrutura não-ortodoxa, freqüentemente baseadas em originais literários. (*Haroldo na Itália* é um caso típico: é uma "sinfonia" para viola e orquestra, reunindo transposições musicais de quatro cenas do poema de Byron *Child Harolde's Pilgrimage*, onde o instrumento solista desempenha o papel do herói diante dos episódios que a orquestra vai narrando.) A orquestração de Berlioz era revolucionária, numa forma desconhecida até então: ele se deixava fascinar pelas possibilidades ainda inexploradas de certos instrumentos, experimentando inovações técnicas (como o uso de válvulas em *instrumentos de sopro de metal). Deve-se a ele um livro didático famoso sobre orquestração. Apesar disso, ele julgava que o melhor instrumento entre todos era a voz humana (especialmente a de soprano) e que o canto era a mais natural forma de sua expressão. Os frutos desse entusiasmo do compositor figuram entre o que de mais rico sua obra nos oferece.

OBRAS Três óperas (*Benvenuto Cellini*; *Os Troianos*; *Béatrice et Bénédict*); três "sinfonias" (*Sinfonia Fantástica, Haroldo na Itália, Sinfonia Fúnebre e Triunfal*); seis aberturas (entre as quais *Carnaval Romano, O Corsário, Rei Lear*); vinte e cinco obras corais (inclusive *Te Deum; Requiem; A Danação de Fausto; Romeu e Julieta; A Infância de Cristo*); canções e outras obras para cantor solista (como *Nuits d'Été* e *Lélio*, um "monodrama" escrito como seqüência à *Sinfonia Fantástica*). Dois livros devem ser arrolados entre elas: suas *Memórias*, que mais nos evocam uma história cômica do que uma autobiografia, e uma antologia de suas espirituosas críticas, publicadas sob o título *Soirées Musicales*.

Marcha Húngara (ou *Marcha Rakoczy*), de *A Danação de Fausto*, 1846. Poucas peças melhor do que esta nos exibem a extraordinária magia da orquestração berlioziana: se ele tivesse vivido um século mais tarde, bem que poderia ter escrito algo semelhante para um superfilme em tecnicolor. Ele a baseou numa canção revolucionária popular, um equivalente húngaro, digamos, da *Marselhesa*, e a obra tocou as audiências da época da mesma maneira que sua congênere *Land of Hope and Glory* afeta o público britânico hoje em dia, todos os anos, no encerramento da série "Concertos ao Ar Livre".
→ Scherzo de Queen Mab, de *Romeu e Julieta*, retrato orquestral da Fada Rainha e de seus atendentes, peça mercurial e rendilhada, de brilhantíssima orquestração; *Rapsódia Húngara* n. 15, de Liszt (que utiliza o mesmo tema Rakoczy); *Marcha Eslava*, de Tchaikovsky.

Sinfonia Fantástica op. 14 (1831) Escrita para imortalizar o amor de Berlioz por sua primeira mulher, esta obra utiliza como modelo musical a Sinfonia *Pastoral*, de *Beethoven. Seus movimentos retratam "cinco episódios da vida de um artista" (embora espíritos maldosos os considerem como alucinações provocadas por alguma droga), a saber: "Devaneios e Paixões"; "O Baile" (encantadora valsa); "Cena Campestre"; "Marcha Rumo ao Cadafalso" (sobrenatural e sombria: o artista se vê como um condenado à morte e o movimento termina com a guilhotina cortando abruptamente sua última recordação da mulher amada); "Sonho de um Sabá de Feiticeiras" (uma jiga fantástica, que ele imagina sendo dançada à meia-noite, num pátio de igreja; sua amada – que horror! – é uma das bruxas). Esses subtítulos dão boa medida da natureza melodramática da música, dessa "sinfonia" sem paralelo, antes ou depois de ter sido escrita.
→ Abertura *Carnaval Romano*; *Os Prelúdios*, de Liszt; *Romeu e Julieta*, de Tchaikovsky.

Abertura Carnaval Romano, op. 9 (1844) Eis o relato musical de festividades carnavalescas (incluindo visões fugidias de pares amorosos indiferentes às multidões que se comprimem em torno deles). É tão exuberante e alvoroçado quanto um daqueles quadros de Rubens retratando festas populares. Embora produza excelente resultado em gravações fonográficas, esta é uma peça que nasceu para ser ouvida ao vivo, particularmente pelos extraordinários esforços físicos que exige de todos os membros da orquestra.
→ Abertura *O Corsário*; abertura *Carnaval*, de Dvořák; abertura *Egmont*, de Beethoven; abertura *Euryanthe*, de Weber.

Nuits d'Été ("Noites de verão"), op. 7 (1841) Este conjunto de seis canções para solista e orquestra é uma das obras mais românticas de Berlioz. Ele se dedicou, aqui, não apenas a aplicar música aos versos, mas a produzir os mais belos sons vocais possíveis. O andamento musical é lento, os temas das canções são os da perda ou da saudade do ente querido (em *O Espectro da Rosa, No Cemitério* e *A Ilha Desconhecida*). Não obstante as diferenças de composição, o clima geral é comparável ao dos noturnos para piano, de Chopin, ou do segundo movimento do Concerto para violino e orquestra, de *Beethoven.
→ Abertura *Rei Lear*; *Canções Wesendonck*, de Wagner; *Sheherazade*, de Ravel.

Ⓜ ***Requiem (Grande Messe des Morts)***, op. 5 (1837) A maior de todas as obras para coro e orquestra de Berlioz, é menos uma missa fúnebre do que um colorido painel do Dia do Julgamento Final, completo com a Última Cartada (que um triplo naipe de metais realça), coros de anjos celestiais, de multidões apavoradas e suplicantes, tudo nos dando a entender que somente a fé em Deus poderá salvar a humanidade.

→ Ⓜ *Os Troianos* (enorme ópera com cinco horas de duração, cuja Primeira Parte descreve a queda de Tróia; a Segunda, mais conhecida, narra o amor de Enéias pela rainha Dido, de Cartago); *Requiem*, de Verdi; *O Festim de Baltasar*, de Walton.

BERNSTEIN, Leonard (1918). *Compositor e regente norte-americano.* Em toda a história da música, os únicos verdadeiros rivais de Bernstein em termos de versatilidade são *Liszt e *Mendelssohn, pois ele tem exercido várias carreiras paralelas e entrosadas: pianista de concerto, professor, conferencista de televisão, compositor e regente. Estudou regência com Koussevitsky, estreou como maestro-substituto de Bruno Walter e, a partir de então, tem estado à frente de todas as mais importantes orquestras de todo o mundo. Sua presença no pódio é extraordinariamente dinâmica, cobrindo toda a gama de exteriorizações, das mãos erguidas em êxtase ao acompanhamento rítmico com todo o corpo, quando a música assim o inspira; isso lhe tem valido constante reparo negativo da crítica, que pondera haver considerável lapso entre seriedade e exibicionismo musical, entre a sensibilidade estética e a frivolidade. O efervescente contato que Bernstein consegue manter com as mais variadas platéias prova, no entanto, que seus detratores não estão certos: ele constitui como que uma ponte entre a música e os ouvintes.

As composições de Bernstein, porém, são um saco de gatos: influenciadas pelos mestres que admira (*Mahler, *Stravinsky, *Britten, *Ives), suas raízes penetram na atonalidade dodecafônica, na harmonia do romantismo do século XX, no jazz e no swing; cobrem vasto arco que vai das partituras cinematográficas (como a que escreveu para *On the Waterfront*, filme de Elia Kazan) às obras corais de fundo religioso (*Chichester Psalms*), da sinfonia aos *musicais* da Broadway (*West Side Story*; *On the Town*). A diversidade do seu talento pouco tempo lhe deixa para aprofundar a própria obra — no que, uma vez mais, ele se encontra mais próximo de Liszt ou de Mendelssohn do que de *Bach ou *Brahms — mas é forçoso reconhecer que, apesar disso, suas composições — assim como sua atividade de regente — têm transmitido maior prazer de ouvir música *séria* do que as de muitos colegas seus deste século.

OBRAS Três sinfonias; Missa; *Chichester Psalms*; *Songfest* (ciclo de canções com acompanhamento orquestral); ópera *Trouble in Tahiti*; balés *Facsimile*, *Fancy Free* e *Dybbuk*; musicais *On the Town*, *Candide* e *West Side Story*; Serenata para violino e orquestra; música de câmara variada, incluindo quarteto de cordas, sonata para violino, sonata para clarineta; canções, etc.

Abertura Candide (1956) Na melhor tradição das aberturas musicais que abafam as platéias, esta é das mais arrebatadoras, contrastando quatro minutos de verdadeiro delírio orquestral com uma passagem zombeteira, tão facilmente memorizável quanto uma canção de sucesso.

→ Danças sinfônicas de *West Side Story*; abertura *Ruslan e Ludmila*, de Glinka; abertura *Colas Breugnon*, de Kabalevsky; abertura *Festival de Johannesburg*, de Walton.

Sinfonia n. 2 (*The Age of Anxiety*) (1949) Esta obra extensa (para piano e orquestra) é como que uma reflexão musical do amargo poema de W.H. Auden sobre nossa sociedade

tão dominada pela ansiedade e tão dependente de calmantes. Um primeiro movimento patético (tema e quatorze variações) é seguido de um lamento angustiado e dissonante e de um scherzo saltitante e jazzístico para solo de piano e percussão, a obra concluindo com um reflexivo epílogo. A sinfonia, do ponto de vista estilístico, é uma colcha de retalhos, mas nos oferece um misto de comunicabilidade e introspecção que são uma das características de Bernstein no que ele tem de melhor.
→ Balé *Fancy Free*; Sinfonia n. 6, de Walter Piston; *Dance Symphony*, de Copland.

BIZET, Georges (1838-75). *Compositor francês.*
Embora Bizet se considerasse um profissional da composição, sua carreira se desenvolveu como se ele fosse um amador de grande talento. Bem moço ainda, já o evidenciava em obras cheias de graça e inteligência; pouco depois, conquistou o *Prêmio de Roma*, que era o mais alto louvor obtenível por um músico francês. Dos vinte aos trinta anos de idade, com perseverança e insucesso, tentou firmar sua reputação como compositor de obras para o palco, trabalhando em numerosos projetos que iam de óperas com tema bíblico à farsa; faleceu antes de chegar aos quarenta, quando seu renome mal começara a crescer — com a música incidental para *L'Arlésienne* e a ópera *Carmen*. Embora raramente profunda, sua música é bem acabada e melodiosa: quanto menos complexa se revela, mais memorável permanece.

OBRAS Seis óperas (entre as quais *Os Pescadores de Pérolas*, *La Jolie Fille de Perth* e *Carmen*); música incidental para teatro (inclusive *L'Arlésienne*); Sinfonia; suíte *Roma*; suíte *Jogos Infantis* e numerosas outras obras mais curtas para orquestra; grande número de peças para piano (entre as quais a versão de *Jogos Infantis* para quatro mãos); canções e obras corais.

Au Fond du Temple Saint (de *Os Pescadores de Pérolas*, 1863) O libreto desta ópera é uma fantasia extraída das *Mil e Uma Noites*, sendo tão inconseqüente quanto uma pantomima. O que os duetistas (tenor e barítono) cantam pouco importa; a infalível melodia de Bizet é tão límpida e perfeitamente proporcionada como uma fonte.
→ Serenata (de *La Jolie Fille de Perth*); Canção da Flor (de *Carmen*); canção "Quando Fui Rei dos Beócios" (de *Orfeu no Inferno*), de Offenbach.

Ⓜ ***Carmen*** (1875) A história sensacional da tentadora e inconstante cigana, temperada de paixão, infidelidade e assassinato, é apresentada por Bizet como um musical do século XX, com canções arrebatadoras entremeadas de trechos falados. Seus exóticos ritmos hispânicos (*habanera, seguidilla*, etc.) e vibrante orquestração (lembremo-nos, por exemplo, da famosa *Entrada dos Toreadores*) tornaram-na uma das mais populares obras de todos os tempos. Para um contato inicial com ela, talvez seja bom ouvir-se alguns trechos isolados — como o que mencionamos — ou a brilhante Suíte Orquestral dela extraída.
→ Suítes ns. 1 e 2 de *L'Arlésienne*; *Cavalleria Rusticana* (a ópera completa), de Mascagni; *A Noiva Vendida* (a ópera completa), de Smetana.

Ⓜ ***Sinfonia em dó*** (c. 1855) Esta obra borbulhante, leve, do Bizet ainda estudante, equivale-se em alegre vivacidade a quaisquer outras dos gênios aos dezessete anos que foram *Mozart e *Mendelssohn. Obedece ao padrão dos quatro movimentos clássicos, mas reveste suas melodias com a brilhante roupagem orquestral do século XIX.
→ Suíte *Jogos Infantis*; Sinfonia n. 3, de Schubert; Sinfonia *Italiana*, de Mendelssohn.

BLOCH, Ernest (1880-1959). *Compositor suíço-norte-americano.*
À primeira vista, Bloch nos chama a atenção por seu cosmopolitismo, para não dizer desraizamento. Nascido na Suíça, estudou na Bélgica e na Alemanha, teve

residência em Genebra, Paris e Roma antes de mudar-se para os Estados Unidos, naturalizar-se norte-americano e lecionar em Cleveland, San Francisco e Berkeley antes de se fixar em Portland, no Estado do Oregon. No entanto, sob essa aparência de desassossego, havia uma identidade segura e imutável: seu judaísmo. Bloch foi um homem fascinado pelos rituais e comportamentos da religião judaica tradicional e usou seus cânticos e melodias nas obras que compôs, assim como alguns compositores cristãos lançaram mão do canto gregoriano. No período em que teve maior voga, as décadas de 30 e 40, chegou a ser comparado a *Sibelius, pois sua obra se assemelha à dele pela aspereza e pela individualidade; é bem provável que agora, quando começa a terminar o esquecimento a que foi relegada sua música, ele venha a ser apontado como um dos melhores compositores não-vanguardistas do século.

OBRAS Uma ópera, *Macbeth*; *Serviço Sacro*; duas sinfonias; dois *concerti grossi*; diversas suítes orquestrais e poemas sinfônicos (entre os quais *Helvécia* e *América*); Concerto para Violino; dois concertos para piano; *Schelomo*; cinco quartetos de cordas; duas sonatas para violino e piano; duas suítes para violino solo; dois quintetos para piano; Sonata para piano; outras obras de câmara, incluindo a Suíte para viola e piano; diversos ciclos de canções e peças instrumentais sobre temas judaicos, como *Baal Shem* e *Da Vida Judaica*.

Ⓜ ***Schelomo*** (1916) Esta rapsódia para violoncelo e orquestra, evocando passagens da vida do Rei Salomão, tem a seriedade e as proporções de um concerto. Usa melodias judaicas (algumas da época do próprio Salomão) com emoção altamente romântica e exótica, e a peça é capaz de provocar apaixonadas reações.
→ *Suíte Hebraica*; *Taras Bulba*, de Janáček; *Don Quixote*, de Strauss.

Concerto Grosso n. 1, para cordas e piano (1925). A música não-judaica de Bloch, da qual esta peça é uma agradável amostra, é clara, direta e vigorosa, e tão século XX quanto um quadro de Mondrian ou uma cadeira de aço e plástico concebida por algum *designer* de nome. Este concerto em quatro movimentos toma de empréstimo a *Vivaldi ou *Telemann a forma com que se apresenta, acrescentando-lhe, porém, a estrutura aberta e a estridência da harmonização de nossa época, o que lhe dá uma sonoridade atlética, equivalendo a uma ginástica para nosso espírito.
→ Concerto para Violino; Octeto, de Stravinsky; *Os Quatro Temperamentos*, de Hindemith.

BOCCHERINI, Luigi (1743-1805). *Compositor italiano*.

Longo período de residência em Madri (onde foi violoncelista e compositor a soldo da corte espanhola) deu ao estilo já bem mediterrâneo de Boccherini um delicioso travo ibérico. Durante curto período esteve também a serviço do rei Frederico Guilherme II, da Prússia (para quem *Haydn e *Mozart também compuseram). Os alemães o chamavam derrisoriamente de "a mulher de Haydn", mas isso pode ser tomado como alto elogio se se deseja ouvir música haydniana aquecida por lampejos solares; nota-se, a propósito, que ela se apresenta em quantidade verdadeiramente espantosa.

OBRAS Vinte sinfonias; doze concertos (inclusive quatro para violoncelo e orquestra); Missa, dois oratórios, numerosas cantatas e mais de quatrocentas peças mais curtas de música sacra; incontáveis obras de câmara, que incluem cento e dez quartetos de cordas e cento e quarenta quintetos de cordas; doze quintetos com piano; dezoito quintetos com guitarras ou instrumentos de sopro e cordas; vinte e sete sonatas para piano e violino, etc.

Minueto (do Quarteto de Cordas op. 13 n. 5) Nos tempos florescentes dos trios para acompanhamento dos chás à tarde, esta peça (freqüentemente chamada "Numa sala de estar do século XVIII") era uma das mais solicitadas obras do repertório clássico. Seu tom de maliciosa inocência (resultante da combinação de empertigado dedilhar das cordas e sincopada linha melódica) tornou-a ideal como tema musical para a comédia *The Ladykillers* de Alec Guinness e lhe dá permanente frescor.
→ Introdução e Fandango para guitarra e cravo; Serenata, de Haydn (do Quarteto de Cordas op. 3 n. 5); "Canção da Primavera" (das *Canções sem Palavras* op. 62 n. 6), de Mendelssohn.

Quinteto de Cordas op. 30 n. 6 Os quintetos de cordas de Boccherini são as suas obras mais características e exuberantes, freqüentemente (como acontece nesta) acrescentando um segundo violoncelo ao quarteto básico e explorando ao máximo tal combinação sonora. Este tem quatro movimentos breves. Suas melodias são espertas e espirituosas, e ele permite aos dois violoncelos a oportunidade de se exibirem como num concerto.
→ Quinteto com guitarra n. 3; *Eine kleine Nachtmusik*, de Mozart; Sonata para Cordas n. 3, de Rossini.

Concerto para Violoncelo em si bemol Este esplêndido produto híbrido (o despreocupado original de Boccherini embonecado pelo arranjo de Grutzmacher no melhor estilo do século XIX) é adorado por todos os mestres contemporâneos do instrumento. Mas ainda sobra muito do próprio autor, para dar à obra a graça e o espírito do século anterior, bem como arrebatadoras passagens virtuosísticas.
→ Sinfonia op. 12 n. 1; Concerto para Violoncelo em ré, de Haydn; Concerto para fagote, de Mozart.

BORODIN, Alexander (1833-87). *Compositor e cientista russo.*

Caso se tivesse concentrado na área da composição, Borodin poderia ter sido um dos mais destacados artistas russos do século XIX, capaz de ultrapassar tanto *Mussorgsky quanto *Tchaikovsky. Mas ele foi, ao mesmo tempo, um cientista profissional, muito lembrado hoje em seu país pela música que escreveu e, não menos, pelas pesquisas químicas e médicas a que se dedicou. A bem da verdade, a composição era seu passatempo nos fins de semana. Deixou, por isso, não mais do que duas dúzias de obras; algumas delas em estágio tão inacabado e caótico que só puderam ser apresentadas depois que amigos devotados como *Rimsky-Korsakov — que aprimorou muito suas próprias composições ao fazê-lo — lhes deram forma definitiva.

A pequena produção de Borodin não se deve apenas à sua falta de tempo, mas ao perfeccionismo que o dominava, ao procurar escrever música tão elaborada quanto a de Brahms, tão requintadamente ornada de todos os possíveis matizes de colorido ou expressividade. A combinação de engenho extraordinário e de som *oriental* (inspirada pela arte popular dos povos asiáticos que integravam o Império Russo, tão admirada por ele) dá à sua obra uma qualidade que atrai simultaneamente os amantes de *música séria* e de *música ligeira*. (Muitos de seus trabalhos foram aproveitados pelos compositores do musical *Kismet*, grande sucesso dos anos 50, e até mesmo nesse ambiente de gosto duvidoso canções como *Strangers in Paradise* e *This is my Beloved* brilham como verdadeiras jóias.)

OBRAS Ópera *Príncipe Igor*; três sinfonias; *Nas Estepes da Ásia Central* e Scherzo para orquestra; dois quartetos de cordas; Quinteto com piano; música para piano (inclusive a *Pequena Suíte*); música para coro e treze canções para solista.

Ⓜ ***Danças Polovtsianas*** (de ***Príncipe Igor***, 1890) Esta colorida seqüência de danças integra a obra-prima deixada inacabada por Borodin, uma ópera baseada num episódio apaixonante da história russa do século XII, repleta de lances arrebatadores, pactos de honra, justas de cavalaria e combates épicos. Famosa nas salas de concerto como peça para grande público, essa suíte de danças é ainda mais extraordinária vista no palco, pois antecede — e ainda ultrapassa — qualquer exibição de conjuntos de balé popular do Leste europeu, com saltos e rodopios espetaculares. Seus ritmos são irresistíveis, suas melodias (como *Kismet* demonstrou) penetram em nossos ouvidos como brocas.

→ *Nas Estepes da Ásia Central*; Suíte *O Galo de Ouro*, de Rimsky-Korsakov; *Bolero*, de Ravel; *Esboços Caucasianos*, de Ippolitov-Ivanov.

Ⓜ ***Sinfonia n. 2*** (1876) De todos os "doces de coco" de concerto (ver Barber: Concerto para violino), este é um dos mais infalivelmente deliciosos. Usa temas folclóricos (como nas *Danças Polovtsianas*) e ritmos inesperados e atraentes (particularmente no scherzo e no finale) com efeito borbulhante como champanhe.

→ Sinfonia n. 1; Quarteto de Cordas n. 2; Sinfonia n. 2, de Tchaikovsky.

BOULEZ, Pierre (1925). *Compositor e regente francês.*

Boulez iniciou sua carreira como um dos mais audaciosos compositores de vanguarda deste século; poucos compositores de qualquer época escreveram obras tão entusiasticamente admiradas por seus adeptos e tão pouco compreendidas por quase todos os demais. Uma das principais causas dessa incompreensibilidade é sua *serialização integral*: cada nota, cada indicação de volume, velocidade ou ataque (forma de tocar) eram definidos por meio de gráficos, tabelas ou diagramas, a tal ponto que — em 1950, pelo menos — parecia indispensável uma boa formação matemática aos ouvintes em potencial. (Computadores e instrumentos eletrônicos acabaram por atenuar a complexidade desse estilo de composição e, por outro lado, Boulez decidiu partir em busca de novos horizontes.) Seus trabalhos daquele período incluem diversas obras-primas; algumas, como *Le Marteau sans Maître* ("O Martelo sem Mestre"), um ciclo de canções para solista e conjunto de câmara, são mais facilmente abordáveis; outras, como a Sonata para piano n. 2, requerem — mas compensam — extraordinário esforço por parte do ouvinte.

Na década de 60, Boulez mudou de carreira. Tornou-se regente de primeira categoria internacional, especializando-se de início no repertório contemporâneo (é a ele que devemos a melhor compreensão de *Webern, tanto por integrantes de orquestras quanto pelos ouvintes em geral) e, depois, ampliando-o para incluir em 1976 a célebre, para não dizer notória, produção do ciclo operístico *O Anel dos Nibelungos*, em Bayreuth, no centenário de sua estréia por *Wagner. Nesse mesmo ano (1976), porém, retornou às lides de compositor ao assumir a direção, em Paris, de um instituto de pesquisas voltado para a fusão de sons eletrônicos e daqueles criados pela execução manual em instrumentos acústicos. Durante sua temporada como regente, Boulez compôs muito pouco (algumas obras, deixadas incompletas então, foram por ele revisadas e atualizadas posteriormente), mas, de 1976 para cá, escreveu vários trabalhos importantes, cuja delicadeza e poder de atração nos levam a indagar por que foi que em certo momento julgamos difícil a sua música.

OBRAS Três sonatas para piano; *Structures*, para dois pianos; Sonatina para flauta e outras obras de câmara de menor extensão; numerosas peças para vozes e instrumentos (grupos de câmara ou orquestra), entre as quais *Le Marteau sans Maître, Pli Selon Pli, Le Soleil des Eaux* e *Cummings ist der Dichter*; música orquestral, como *Livre pour Cordes* (para orquestra de cordas), *Éclats/Multiples, Domaines, Explosante-fixe* e *Répons*.

Ⓜ ***Répons*** (1981) Se a música de vanguarda algum dia sair de sua torre de marfim e for aceita como obra corrente de concerto (como já aconteceu, no passado, com peças inicialmente consideradas audaciosas ou revolucionárias, como a Sinfonia Coral, de Beethoven, ou a *Sagração da Primavera*, de Stravinsky), esta obra de Boulez por certo abrirá caminho: é uma obra-prima em matéria de estrutura e manipulação sonora; mais do que isso, ela deleita nossos ouvidos. Seis solistas e uma pequena orquestra são colocados entre e em torno de um auditório disposto em círculos; a música alimenta um computador, cujo operador altera e amplifica seus sons, estimulando os solistas a lhes darem *resposta* (o que explica o título da obra), numa espécie de controlada improvisação comparável (claro que não pelos sons) à música indiana clássica ou ao jazz. *Répons* é um trabalho predominantemente tranqüilo, quase hipnótico, mas tem passagens onde chega a verdadeiro frenesi virtuosístico, quando a interferência do computador gera fluxos de notas que o fôlego e os dedos de seres humanos jamais poderão repetir. Esse tipo de música, convenhamos, exige em primeiro lugar a disposição de entregar-se à experiência de ouvi-la, mas, logo em seguida, produz em nosso espírito os frutos de aventura e inovação que, decerto, caracterizam toda e qualquer manifestação artística verdadeiramente relevante.
→ *Pli Selon Pli* ("Improvisação inspirada em Mallarmé", para voz e orquestra); Ⓜ*Éclats/Multiples*, para orquestra; Sinfonia n. 1, de Maxwell *Davies.

BRAHMS, Johannes (1833-97). *Compositor alemão*.
Filho de uma costureira e de um contrabaixista, Brahms cresceu num bairro pobre de Hamburgo, na vizinhança da zona portuária. Constitui grande mérito de seus pais, e demonstração de que os dotes artísticos de Brahms desde cedo se revelaram, a circunstância de que, apesar da pobreza em que viviam, o menino foi estimulado a dedicar horas e horas, todos os dias, aos estudos de harmonia e contraponto, atividade que de modo algum poderia contribuir para o sustento familiar. Já rapaz, Brahms passou a trabalhar à noite, executando música de dança em tavernas de marinheiros, mas as manhãs e tardes ele as dedicava ao estudo sistemático de *Bach e *Beethoven sob a orientação de um dos mais competentes professores de piano de seu tempo, que se recusou a permitir que ele sacrificasse a educação formal em virtude do extraordinário talento que desde menino revelara. (Os contrastes — e, simultaneamente, as coincidências — com o início da carreira profissional de Beethoven são marcantes.) Ao completar dezoito anos de idade, Brahms iniciou uma *tournée* com o violinista húngaro Reményi, que era cigano; aos dezenove, conheceu o famoso e influente violinista de concerto Joachim (de quem se tornou amigo íntimo), *Liszt e outros nomes de primeira grandeza do mundo musical alemão. Sua boa estrela começou a elevar-se e um ano mais tarde — depois de Schumann, impressionado tanto pela sua capacidade de solista quanto pela leitura de suas partituras ainda inéditas, ter escrito um artigo em que o proclamava ser o gênio que o mundo musical há tanto tempo aguardava — sua carreira como músico profissional estava firmemente lançada. A princípio garantia o seu sustento como pianista e regente; mas depois do enorme sucesso que obteve com a apresentação de *Um Réquiem Alemão*, em 1869, pôde dedicar todo o seu tempo à composição.

Na década de 1870, Brahms era um dos mais respeitados compositores da Europa. Seus admiradores, chamando-o "um segundo Beethoven", lhe atribuíram a liderança de uma corrente que se propunha a defender os verdadeiros valores musicais contra as ameaças que lhes eram feitas pelas chocantes experiências, ditas inovadoras, de homens como *Wagner. (A represália não se fez esperar: os seguidores de Wagner passaram a denunciar Brahms com não menor veemência, atacando-o como defensor de concepções ultrapassadas.) Julgasse-se ou não herdeiro de Beethoven, Brahms enfrentou sua notoriedade da mesma maneira que o ilustre antecessor, adotando comportamento irritadiço tanto em público quanto na vida privada de solteirão que levava em Viena, dedicando-se à composição de suas obras, à correspondência e às visitas aos amigos, à ida aos concertos e a ocasionais períodos de férias estivais na Itália e nos Alpes, pois detestava viajar. Apresentava-se às vezes como regente e solista de piano de suas próprias obras, mas seu caráter defensivo e recolhido lhe impunha em geral uma existência solitária.

Essa introversão também marcava o tom de suas obras. Os admiradores que louvavam seu estilo conservador não estavam enganados: enquanto muitos outros grandes nomes contemporâneos — em particular Liszt, Wagner e *Tchaikovsky — estavam abrindo novos caminhos musicais em termos de forma, harmonia e expressão, abandonando métodos tradicionais em favor de autoconsciente manifestação dramática e romântica, Brahms, em contraste, apoiava suas criações nas estruturas e ensinamentos de Bach, *Mozart e Beethoven, reinterpretando-os e desenvolvendo-os de maneira pessoal. De fato, ele associava às linhas rígidas e à densidade intelectual das formas convencionais (*sinfonia, quarteto, *sonata) um colorido melódico abrangente e apaixonado que tudo devia ao sentimento romântico de sua época e nada ao passado. Com isso, abria-as de modo tão expressivo que elas se tornavam completamente novas. Substância intelectual e melancolia romântica: eis os ingredientes básicos do estilo particularmente tocante de Brahms.

OBRAS ORQUESTRAIS Quatro sinfonias; duas serenatas; duas aberturas: *Variações sobre um Tema de Haydn*; dois concertos para piano; Concerto para violino; Concerto para violino, violoncelo e orquestra; Danças Húngaras.

Obras orquestrais mais curtas *Dança Húngara n. 1*. Escritas originariamente para duo de piano, as vinte e uma *Danças Húngaras* de Brahms cobriram o mundo em arranjos de todos os tipos, inclusive os dele próprio, para orquestra, que, obviamente, devem ser preferidos aos demais. (É esta, a número 1, que serve de fundo musical à hilariante cena na barbearia, de *O Grande Ditador*, de Chaplin.) Assim como se baseou em temas folclóricos ao escrever essas *Danças* (com propósitos nada folclóricos, ressalte-se), Brahms lançou mão de canções estudantis (*Gaudeamus igitur*, por exemplo) em sua *Abertura Festival Acadêmico*, op. 80 (1880), exuberante *pot-pourri* que desmente seu pomposo título. (Ela foi escrita em reconhecimento pela outorga ao compositor de um grau universitário, mas não leva a sério a reunião de dignitários realizada para a sua *première*, por certo à espera de doutoral imponência.) Igualmente comunicativas, embora mais profundas quanto ao conteúdo, são as *Variações sobre um Tema de Haydn/Variações sobre o Coral "Santo Antônio"*, op. 56a (1873). Variações sempre inspiraram a veia artística de Brahms, e poucas outras de suas composições são mais suaves: estas são uma das mais brilhantes jóias de todo o repertório orquestral. (Há uma versão para dois pianos, mas a alternativa como que lhe transforma por completo a substância. É curioso, fascinante, comparar as duas.) Menos conhecidas, mas igualmente vibrantes, são as duas Serenatas (op. 11, 1858, e op. 16, 1860), parentes próximas do Septeto de Beethoven; a *Abertura Trágica*, op. 81 (1881), é séria e sonora como convém, estando na mesma linha espiritual — a despeito de sua brevidade — da Primeira e Quarta Sinfonias.

→ Bons seguimentos para as *Danças Húngaras* são as *Danças Eslavas*, de Dvořák, e as *Danças Laquianas*, de Janáček; as aberturas têm parentesco musical com o *Scherzo Capriccioso* (alegre) e as *Variações Sinfônicas* (sérias), de Dvořák, com a abertura *Egmont*, de Beethoven, e as esquecidas *Variações Sinfônicas*, de Parry; as Serenatas se ligam a outras obras de câmara igualmente agradáveis, como o *Noneto*, de Spohr, o *Octeto*, de Mendelssohn, e o Sexteto de Cordas n. 1, do próprio Brahms.

Sinfonias e concertos Ⓜ Sinfonia n. 1, op. 68 (1877). Saudada à sua época como "a Décima de Beethoven" (o que desagradava o compositor), esta é uma obra de grandes proporções, escrita em seu estilo mais sóbrio e vigoroso. O primeiro movimento é imponente, o segundo e o terceiro são líricos e o quarto tem um tom heróico; os planos de construção (e o sentimento nobre que a perpassa, embora jamais a linha melódica) lembram a Quinta Sinfonia, de Beethoven. Das outras sinfonias de Brahms, apenas a Ⓜ Sinfonia n. 4, op. 98 (1885), compartilha sua magnificência, embora seus movimentos externos e final sejam menos grandiosos (o primeiro é particularmente gracioso, com um toque tchaikovskiano) e os intermediários sejam mais diretos (um límpido movimento lento e um dinâmico scherzo). A Sinfonia n. 2, op. 73 (1877), começa de maneira tranqüila e avança até seu finale brilhantemente orquestrado, onde cordas e metais estabelecem vertiginoso diálogo. A Ⓜ Sinfonia n. 3, op. 90 (1883), é lírica do princípio ao fim, seus quatro movimentos integrando-se numa só impressão de tranqüilidade após o sofrimento que é característica tão marcante de Brahms como (digamos) a Sexta Sinfonia (*Pastoral*) ou o Concerto para violino e orquestra se ligam ao temperamento de Beethoven. O mais radiante dos concertos de Brahms é seu Concerto para violino, op. 77 (1879): melodias heróicas tentam irromper a cada instante e o violino tem numerosas oportunidades declamatórias para exibir-se, mas a impressão fundamental que nos fica de sua audição é a de plácida corrente harmônica desenvolvida pela orquestra, entremeada aqui e ali de meditações sutis a cargo do instrumento solista. Os outros concertos figuram entre as maiores e mais nobres composições de Brahms em qualquer gênero. Seu Concerto para piano e orquestra n. 1, op. 15 (1859), é trabalho de juventude, repleto de idéias (nem sempre concatenadas de forma ideal, mas reveladoras de muita personalidade) e dificílimo tanto de executar quanto de ouvir: seu suave, chopiniano movimento lento e seu finale de clara inspiração bachiana são diferentes de tudo o mais que ele compôs. O Concerto para piano n. 2, op. 83 (1881), em contraste, é produto de um artista maduro, sereno, mas perfeitamente decidido quanto aos sentimentos que deseja expor (uma combinação tipicamente brahmsiana de heroísmo, pronunciamento tranqüilo e vibração revigorante). Sua grande extensão (quatro movimentos, ***não três***, que requerem quarenta minutos) e consideráveis dificuldades técnicas para o solista não lhe impedem de realizar-se como obra bastante eloqüente, apesar de ser, em seu conjunto, um concerto realmente singular. Também mais próximo de uma sinfonia com solistas do que de um concerto é o Ⓜ Concerto Duplo para violino, violoncelo e orquestra, op. 102 (1887). A combinação inusitada desses instrumentos apresenta problemas — o principal dos quais sendo o de evitar que o som do violoncelo seja abafado pela orquestra — mas Brahms conseguiu evitá-lo ao tratar tanto o violino quanto o violoncelo como o centro de grupos de câmara separados dentro dela. Algo assim como se um *concerto grosso* (ver o verbete *concerto*) estivesse embutido numa portentosa sinfonia romântica. O Concerto Duplo e a Sinfonia n. 3 constituem, na opinião de muitos, as supremas realizações de Brahms na área orquestral; se considerarmos tal concerto juntamente com a Sinfonia n. 1, podemos acrescentar que se trata de uma das mais exigentes de todas as suas obras.

→ A Sétima Sinfonia, de Beethoven, e a Nona, de Schubert, participam do mesmo universo monumental, mas lírico, das Segunda e Terceira sinfonias, de Brahms, assim como suas Primeira e Quarta guardam afinidade, respectivamente, com a Sétima, de Dvořák, e a Quinta, de Tchaikovsky. Os concertos têm feições próprias e antes fazem recordar outras composições dele mesmo do que de colegas seus. Pensamos particularmente no Quinteto com piano e nas Sonatas para piano ns. 1 e 3. Os únicos concertos de outros compositores que se aproximam dos de Brahms são o Concerto para violino e o Concerto n. 5 para piano, de Beethoven; o Concerto para piano, de *Grieg; o Concerto para violino, de Tchaikovsky. Embora mais leves e menos sinfônicos, rivalizam-se com os do mestre alemão pelos desafios técnicos que propõem tanto aos solistas quanto à orquestra.

OBRAS PARA PIANO E DE CÂMARA Três sonatas para piano; *Variações sobre um Tema de Händel* e *Variações sobre um Tema de Paganini*, para piano; valsas e outras peças para dois pianos; vários conjuntos de peças breves para piano: baladas, rapsódias, *intermezzi*, etc; onze prelúdios corais e dois prelúdios e fugas para órgão; dois sextetos de cordas; dois quintetos de cordas; três quartetos de cordas; Quinteto com clarineta; Quinteto com piano; três quartetos com piano; três trios para violino, violoncelo e piano; Trio para trompa, violino e piano; três sonatas para violino e piano; duas sonatas para violoncelo e piano; duas sonatas para clarineta (ou viola) e piano.

Música para piano *Três Intermezzi*, op. 117 (1892). Os seis livros de peças breves para piano são como que aparas de seus trabalhos mais longos, concentrando-se mais na forma de expressão (robusta e requintada) do que no conteúdo intelectual. Essas três peças são suaves: a n. 1 (devaneante) e a n. 2 (delicada) figuram entre suas obras mais executadas. Sua agudeza poética repete-se em outros conjuntos posteriores, op. 116 e op. 119; as Rapsódias, op. 79, compostas anos antes, são um tanto ou quanto pretensiosas; as valsas, op. 39, são melancólicas e suaves, bastante próximas das composições de Schumann para piano, o que se poderá notar ainda mais ao ouvir as belíssimas e pouco conhecidas Ⓜ *Variações sobre um Tema de Robert Schumann*, op. 23, para piano a quatro mãos, escrita em homenagem à memória desse compositor. Suas obras mais longas tomam por modelo as últimas sonatas de Beethoven e suas variações sobre temas diversos. Brahms escreveu três sonatas para piano, que figuram entre suas primeiras composições (e tão bem impressionaram Liszt e Schumann); a de número 3, op. 5, é a melhor delas. De seus numerosos conjuntos de variações, os mais notáveis são as *Variações sobre um Tema de Haydn*, op. 56, para dois pianos, as *Variações sobre um Tema de Paganini*, op. 35 (dois cadernos de virtuosismo vivaz, contendo a música mais extrovertida que jamais compôs), e as Ⓜ *Variações e Fuga sobre um Tema de Händel*, op. 24, sua obra-prima para piano, rica homenagem a seu próprio instrumento, à sua forma musical favorita e ao compositor que, Beethoven à parte, ele cultuava acima de todos os demais; é uma peça onde vale tudo, deliberadamente exibicionista, semelhante em força às *Variações Eroica* e às *Variações Diabelli*, de Beethoven.

→ Bons seguimentos às suas peças breves para piano teremos nos Romances, op. 28, de Schumann; as sonatas levariam à Sonata n. 1, de Scriabin; e o espírito das variações aos *Scherzi*, de Chopin (particularmente o de n. 2), e *Davidsbündlertänze*, de Schumann.

Música de câmara Ⓜ Quinteto para clarineta, op. 115 (1891). Do imenso acervo de obras de câmara escritas por Brahms, esta talvez seja a melhor de todas; é um arrebatado produto de sua maturidade e foi composta (como muitas outras do gênero) para um amigo cujas qualidades de intérprete ele especialmente admirava. De um modo geral, Brahms reservava seus pensamentos musicais mais profundos às obras orquestrais, e os mais líricos às canções; as peças de câmara serviam para exibição de sua técnica de compositor, embora nelas se mostre freqüentemente mais à vontade, como que dando descanso ao seu prodigioso talento; no Quinteto com clarineta essa capacidade criativa se apresenta associada a suave expressividade e produz uma serena e outonal obra-prima. Suas outras composições para clarineta, duas sonatas e um trio (com violoncelo e piano), são mais vigorosas, mas ele retornou àquele sentimento sazonal ao reescrever para esse instrumento as sonatas, op. 120, ns. 1 e 2, originalmente para viola e piano, realçando sua suavidade. De suas três sonatas para violino, a Ⓜ n. 1, op. 78, é calorosa e repleta de melodia. As ns. 2 e 3 são apaixonadas e turbulentas. Seu temperamento se repete nas eloqüentes sonatas para violoncelo (a n. 1 é particularmente vibrante) e nos três quartetos com piano, dos quais o n. 1, op. 25, é sem dúvida o melhor, com seu cativante final "cigano" digno de *Dvořák. (*Schoenberg fez um esplêndido arranjo dessa obra para orquestra sinfônica, apresentando-a como "a quinta sinfonia de Brahms". Ela é, contudo, mais sensual e frívola do que isso possa indicar. Recomenda-se audição de ambas, da peça original e do arranjo.) O Quinteto com piano e os três trios de que esse instrumento faz parte são robustos e vistosos, quase concertos para piano com acompanhamento de cordas isoladas. Suas obras para cordas, a propósito (quartetos, quintetos, sextetos), são, do ponto de vista técnico, dos mais discutidos de seus trabalhos de câmara. Há quem os considere emocionalmente áridos, mas, ainda assim, o movimento lento do Quarteto de Cordas n. 1, e todo o suave Quarteto

n. 2 chegam muito próximo, em matéria de inspiração, do próprio Quinteto para clarineta. O Trio com trompa é uma espécie de divertimento, terminando com agitado e alegre tema de caça.

→ Há tão grande número de obras de câmara no conjunto das composições de Brahms, que a melhor seqüência a qualquer delas é outra do mesmo gênero. Da música de outros compositores, o relacionamento mais próximo se dá com o Quinteto *A Truta*, de Schubert; o Quinteto com piano em lá, de Dvořák (que tem afinidade com as obras mais leves de Brahms); o Trio com piano n. 1, de Mendelssohn (que tem conexão com as sonatas para violino e violoncelo, de Brahms). No melhor nível de inspiração, comparável à de Brahms, são o Trio com piano n. 2 e o Quinteto de cordas, de Schubert.

OBRAS VOCAIS *Um Réquiem Alemão; Rinaldo; Canção do Destino; Canto das Parcas; Canto de Triunfo; Rapsódia para Contralto*; ciclos de canções *Bela Magelone, Quinze Romanças de Magelone* e *Quatro Canções Sérias*; vinte e dois grupos de peças corais breves; vinte e oito canções folclóricas alemãs em arranjo para coro; mais de duzentas canções avulsas e sete volumes de canções folclóricas para piano e cantor solista.

Liebeslieder ("Canções de Amor"), op. 52 (1862). Um século após o seu falecimento, a música instrumental de Brahms figura entre as mais executadas do repertório, e nove décimos de sua obra para canto permanecem praticamente desconhecidos. Ele escreveu prolificamente para todo tipo de combinação vocal, desde cançonetas singelas a portentosas cantatas com orquestra. Muitas das formas de que se valeu eram extremamente populares em seu tempo, mas caíram de moda mais tarde – para prejuízo nosso –, embora sejam das peças mais deliciosas que escreveu. *Canções de Amor*, por exemplo (bem como sua seqüência, *Novas Canções de Amor*, op. 65), foram compostas para a atualmente inusitada combinação de quatro vozes solistas acompanhadas de duo pianístico: uma seqüência de canções amorosas em tempo de valsa, tão graciosas quanto árias de certas operetas de Johann *Strauss. Brahms escreveu muitas obras similares para combinações vocais ou pequeno coro: as canções para várias vozes, op. 62, op. 92 e op. 112, por exemplo, são verdadeiras delícias. Suas canções para solista cobrem toda a gama, desde simples elocuções de 32 compassos, como a internacionalmente famosa *Berceuse*, op. 49, n. 4, até complexos *Lieder* no mais puro estilo schubertiano (ver *música vocal*), onde o piano reflete temperamentos e emoções com a mesma clareza que a voz. Ⓜ *Vergebliches Ständchen* ("A serenata sem propósito"), op. 84, n. 4 (1881), é uma vistosa demonstração de sua veia mais leve, uma peça muito popular em recitais, cujos versos contam-nos das frustrações de um apaixonado que faz serenata para sua amada e apenas recebe de volta uma janela fechada em sua cara. Ⓜ *Mainacht* ("Noite de Maio"), op. 43 n. 2 (1868), em contrapartida, é um belo exemplo de suas canções mais profundas, evidenciando acentuada interação da melodia vocal e de seu envolvente acompanhamento. Brahms tinha o hábito de agrupar obras para voz sem direta conexão temática (como é o caso de *Novas Canções*, op. 63 — uma esplêndida coleção, por sinal!) e o mais próximo que chegou de um ciclo integrado foi com as taciturnas *Quatro Canções Sérias*, op. 121 (1896), usando palavras da Bíblia de modo semelhante ao que adotou em *Um Réquiem Alemão* (ver abaixo), o que se constata ainda melhor quando elas são ouvidas com acompanhamento de orquestra, e não de piano. Sua melhor obra para voz e orquestra, a propósito, é a Ⓜ *Rapsódia para Contralto*, coro masculino e orquestra, op. 53 (1869), escrita como presente de aniversário para a filha de Schumann (por quem ele próprio estava apaixonado). Muito apropriadamente, ela reveste com mantos de melancolia e frustração uma linha melódica vocal de grande sensualidade. Suas obras corais variam de peças curtas, ruidosas e circunstanciais (como *Triumphlied*, "Canto de Triunfo", op. 55, escrita para comemorar a vitória prussiana sobre a França), a meditações poéticas e distendidas sobre o sofrimento e a resignação (como é o caso de *Schickalslied*, "Canto do Destino", op. 54). Sua maior obra do gênero é, sem dúvida, *Um Réquiem Alemão*, op. 45 (1868), inspirada pelo falecimento de sua mãe. Ele não usa as palavras tradicionais do ofício dos mortos (Brahms era ateu), substituindo-as por trechos bíblicos referentes ao luto e ao conforto moral. É um trabalho altamente vitoriano, talvez um tanto ou quanto mórbido para ouvintes de hoje;

suas passagens mais leves (por exemplo, a visão do Paraíso que o quarto movimento deseja transmitir, "Como é bela e suave a Tua morada, ó Senhor dos Espíritos") e as agitadas fugas corais (que concluem o terceiro e o sexto movimentos) estabelecem forte contraste com o restante de uma partitura predominantemente sombria.

→ O melhor seguimento à música de Brahms para conjuntos ou solos vocais é proporcionado pela de Mendelssohn, que tem com ela grande afinidade, como, por exemplo, as *Seis Canções*, op. 48, ou as canções para várias vozes, do op. 59, ou as escritas para um só intérprete, do op. 47 (que incluem um tipicamente mendelssohniano *Canto da Primavera*. Os trabalhos de Brahms para voz e orquestra encaminham-nos para os de Mahler (em especial aos *Kindertotenlieder*) e de Richard Strauss (*Quatro Últimas Canções*); quando coro e orquestra estão em cena, bons seguimentos seriam o *Hino de Louvação*, de Mendelssohn (de sua Sinfonia n. 2), ou o *Hymnus Amoris*, de Carl Nielsen.

BRITTEN, Benjamin (1913-76). *Compositor inglês.*

Britten foi um menino-prodígio. Escreveu suas primeiras composições aos quatro anos de idade, e quando tinha doze anos já compusera uma dúzia de obras de certo valor. Um bom tempo mais tarde, lançou mão dos temas e idéias que elas continham e os utilizou na sua deliciosa *Sinfonia Simples*, para orquestra de cordas. Com a idade de vinte e um anos, podia viver exclusivamente de seu trabalho como compositor, sobretudo na área de partituras escritas para filmes cinematográficos e música de fundo para peças radiofônicas; o extraordinário sucesso que alcançou em 1937 no Festival de Salzburg, com as *Variações sobre um Tema de Frank Bridge*, firmou sua reputação. Por essa época, Britten era integrante de um grupo de intelectuais de esquerda que se reunia em torno do poeta W.H. Auden, mas suas visões algo sonhadoras de que um "regime ideal" estava por chegar, onde todas as pessoas seriam felizes e bem atendidas, foram brutalmente desfeitas pela Guerra Civil Espanhola e a ascensão do nazismo. O compositor retirou-se da cena política, indo morar nos Estados Unidos por algum tempo e fixando-se mais tarde numa aldeia de pescadores na costa de Suffolk, na Inglaterra. Não se necessita de muito esforço para aquilatar o sério efeito que a destruição do otimismo juvenil lhe causou ao espírito: até o fim de seus dias ele demonstrou preferir o recolhimento à fama e ao sucesso público, e sua obra consistentemente revela angústia diante da miséria da condição humana, um pessimismo que só encontra paralelo em *Mahler e *Shostakovich. A outra chave para o bom entendimento da arte de Britten é dada pela empatia e pelo amor que ele manifestava em relação à poesia: assim como *Schubert, ele sabia penetrar no âmago de um poema com um punhado de notas aparentemente comuns.

Em 1945, sua ópera *Peter Grimes* alcança retumbante sucesso internacional, a tal ponto que ele passou a dedicar-se ao gênero como uma de suas duas atividades básicas. (A outra era o festival de música que, a partir de 1948, ele passou a promover na aldeia litorânea onde morava, Aldeburgh.) Sua música passa a inspirar-se na forma e no som das palavras, nas ermas paisagens das charnecas da Ânglia Oriental e, acima de tudo, na humanidade sofredora (um tema constante de toda a obra britteniana é o do indivíduo atormentado). Os artistas que participavam do Festival de Aldeburgh transmitiram-lhe uma terceira dedicação: o prazer do virtuosismo. Entre eles, amigos seus que figuram entre os maiores intérpretes do nosso tempo, como o tenor Peter Pears; o trompista Denis Brain; o violoncelista Mstislav Rostropovich. Britten escreveu obras adequadas ao talento e à técnica extraordinária de cada um deles. (Há numerosas e memoráveis gravações de várias delas, com os homenageados executando-as sob a regência de Britten; nenhum outro compositor, salvo *Stravinsky, deixou tão preciosa herança fonográfica.) Vale a pena acrescentar que, além de competente maestro, Britten era também um bom pianista, como o comprova seu acompanhamento de Pears nos *Lieder* de *Schubert.

OBRAS Quinze óperas (entre as quais *Peter Grimes*, *Billy Budd*, *The Turn of the Screw* e *Morte em Veneza*); o balé *O Príncipe dos Pagodes*; cinco ciclos de canções com acompanhamento de orquestra, entre os quais *Serenade*; quinze ciclos de canções para solista, com acompanhamento de piano (entre eles *Palavras de Inverno* e *Cânticos I* a *V*); obras corais, incluindo a *Sinfonia Primavera* e o *Réquiem de Guerra*; as *Variações sobre um Tema de Frank Bridge* e a *Sinfonia Simples*, para cordas; *Variações e Fuga sobre um Tema de Purcell*, *Sinfonia de Réquiem*, *Quatro Interlúdios Marítimos* e outras obras mais curtas para orquestra; Concerto para piano; Concerto para violino; Sinfonia para violoncelo e orquestra; música de câmara incluindo três quartetos de cordas e três suítes para violoncelo solo; numerosas obras menores, algumas das quais escritas para crianças.

Variações e Fuga sobre um Tema de Purcell / Guia dos Jovens para a Orquestra (1946) Esta obra vivaz, originalmente composta para um filme educativo, põe em evidência cada um dos instrumentos orquestrais, que executa sua própria variação sobre o tema; ao final, todos se unem sinfonicamente numa brilhante fuga. (Sua apresentação, em concertos ou gravações fonográficas, geralmente se dá com o concurso de um narrador, como acontecia no tal filme, mas é sem dúvida preferível ouvi-la, sem essa perturbação, como legítima peça de concerto.)
→ *Sinfonia Simples; O Aprendiz de Feiticeiro*, de Dukas; *Quatro Episódios de Dança*, do balé *Rodeo*, de Copland.

Cerimônia de Cânticos Natalinos (1942) Nova roupagem musical para cânticos medievais, usando coro de meninos e harpa. Suas linhas melódicas são claras e bem delineadas, sem qualquer traço das doçuras angelicais que marcam o gênero.
→ *Missa Brevis; Sinfonia Primavera; Quatro Canções Camponesas Russas*, de Stravinsky.

Quatro Interlúdios Marítimos (da ópera *Peter Grimes*, 1945): *Madrugada*, *Manhã de Domingo*, *Luar* e *Tempestade*. A música é das mais despojadas que Britten escreveu; transmite-nos de imediato, com economia de meios, as sensações de solidão, de espaço infinito e a fúria que o mar nos proporciona e, na ópera, refletem as angústias e tormentos da própria personagem central.
→ *Serenade*; *La Mer*, de Debussy; *En saga*, de Sibelius.

Ⓜ ***Serenata para Tenor, Trompa e Cordas*** (1943) Magnífica disposição de sete poemas sobre a noite e a escuridão (entre os quais o *Lykewake Dirge* e o soneto *Sono*, de Keats; Britten sempre soube exatamente quais as palavras que queria utilizar, e as ia buscar nas mais diversas fontes, por mais notórias ou obscuras que fossem.). Plena de atmosfera e de assombramento, é talvez sua obra-prima.
→ *Les Illuminations*; *Dover Beach*, de Barber; *Dies Natalis*, de Finzi.

Ⓜ ***Réquiem de Guerra*** (1962) Vigorosa montagem da missa de réquiem católica para soprano, coro e orquestra (tão operística e forte quanto a de Verdi) se apresenta entremeada, nesta obra, dos amargos poemas de Wilfred Owen, cantados por tenor e barítono, com acompanhamento de cordas, onde ele manifestou seu veemente repúdio à carnificina da I Guerra Mundial. A obra evidencia uma vez mais os próprios sentimentos do compositor sobre a estupidez e a devastação inerentes aos conflitos bélicos, bem como sobre a natureza do consolo necessário para elas.
→ *Holy Sonnets of John Downe*; *Sinfonia de Réquiem*; *Requiem*, de Verdi.

Ⓜ ***Peter Grimes*** (1945) (a ópera completa) Britten lançou mão da história de um austero e marginalizado pescador de Suffolk, que pode ter sido ou não o assassino da única

pessoa deste mundo a quem realmente amava, para tornar público seu apaixonado posicionamento individual a respeito da solidão e da liberdade de espírito. O sentimento geral da ópera é revelado nos famosos *Quatro Interlúdios Marítimos* (ver acima), que constituem o melhor contato inicial com ela.
→ Óperas *Billy Budd* e *The Turn of the Screw*; *O Cônsul*, de Menotti.

Sonho de uma Noite de Verão (1960) (a ópera completa) Talvez a mais deslumbrante partitura de Britten; a comédia usa as próprias palavras de Shakespeare e engenhosamente conserva todos os elementos dessa peça teatral. A atmosfera da história das fadas foi plenamente captada em termos de música, a paixão dos amantes é calorosamente transmitida e a passagem envolvendo os artífices é uma brilhante paródia do que podia haver de mais terra-a-terra em Verdi.
→ *Albert Herring*; *Falstaff*, de Verdi; *O Gamo Real*, de Henze.

BRUCH, Max. Ver *Compositores de obra singular*.

BRUCKNER, Anton (1824-96). *Compositor austríaco.*

A vida de Bruckner foi uma notável combinação de excelência e humildade. Organista de excepcionais méritos (tendo trabalhado treze anos na Catedral de Linz), ficou famoso em toda a Europa pelo brilho de suas improvisações. Professor, lecionou composição no Conservatório de Viena de 1868 a 1891. No entanto, apesar de sua eminência profissional, era uma pessoa de temperamento tão reservado, e tinha tão descuidada aparência física, que seus inimigos o desprezavam como se ele fosse um camponês algo cretino a meter o bedelho em assuntos dos quais não tinha a menor idéia. Um deles — em particular —, o crítico musical Eduard Hanslick (líder do grupo que idolatrava *Brahms), não perdia oportunidade para ridicularizá-lo, classificando as composições de Bruckner como "migalhas engorduradas que caíram da mesa de Wagner". Amigos bem-intencionados reviam, reorquestravam e freqüentemente mutilavam suas obras, o que demonstra a natureza confiante da personalidade do artista (ou sua desastrosa falta de confiança em si mesmo), para deixar que fizessem isso. (Atualmente, graças à possibilidade de escolha entre várias gravações fonográficas, os ouvintes poderão verificar que as "versões originais" são, sem dúvida, as que mais de perto refletem as intenções de Bruckner.)

Sendo um homem de convicções simples e diretas, Bruckner repartia sua fé entre Deus e *Wagner. A Deus, ele dedicou missas e motetos plenos de fervor e devoção; a Wagner, consagrou enormes sinfonias, tentando emular nas salas de concerto a poderosa força emocional dos dramas musicais de Wagner. A combinação dessas duas idolatrias produziu um resultado original, para não dizer incomparável: verdadeiras "catedrais de som" que, como as igualmente volumosas obras-primas de *Messiaen, no século XX, exigem completa dedicação dos ouvintes e os premiam com dádivas de rara magnificência.

OBRAS Cinco Missas; *Requiem*; *Te Deum*; sete obras corais sacras, mais curtas; nove sinfonias (além da preliminar *Sinfonia n. 0*); Abertura em sol menor; quatro Peças Orquestrais; Quinteto de cordas; um punhado de peças curtas para teclado, e obras de câmara.

Te Deum (1881) Apesar de suas proporções sinfônicas, o espírito das composições religiosas de Bruckner é antes devocional e recôndito do que declamatório. O *Te Deum* contém música austera e despojada, com efeitos organísticos e imitações de dobrar de sinos. Sua grandeza é maior do que a duração (cerca de vinte minutos): em um curto espaço de tempo essa obra nos dá um resumo completo das características marcantes do estilo de Bruckner e, particularmente, do uso que ele fazia das formas musicais mais simples (arpejos, acordes simples, pausas) para conseguir resultados místicos e religiosos quase transcendentes.

→ Missa em fá menor; *Quatro Peças Sacras*, de Verdi; *Os Sinos*, de Rachmaninov.

Ⓜ ***Sinfonia n. 9*** (1894) Esta sinfonia tem a forma de um arco imponente: dois movimentos lentos envolvem um scherzo vigoroso. As melodias confiadas às cordas, repetidas muitas vezes ao longo da obra, e os sonoros acordes dos metais (lembrando-nos cânticos luteranos executados por um coro de gigantes) equivalem às impressões digitais do compositor: marcam quase tudo o que ele escreveu. Poucas vezes, no entanto, tão majestosamente quanto nesta sinfonia, que é, talvez, aquela onde ele melhor conseguiu alcançar seu intento. Como idéia geral, poderíamos dizer que se a ópera *Parsifal*, de Wagner, fosse reescrita como peça de concerto, estaria muito próxima desta obra como realização sonora.

→ Sinfonia n. 4 (*Romântica*); Sinfonia n. 7; Sinfonia, de César Franck.

BYRD, William (1543-1623). *Compositor inglês.*

Homem de considerável capacidade de trabalho, Byrd conseguiu o surpreendente feito de manter importantes posições na Igreja Anglicana (ele foi, por exemplo, organista da Catedral de Lincoln e da Capela Real, no reinado de Elizabeth I), embora fosse católico praticante. Associando-se a seu colega Thomas Tallis, obteve da rainha o privilégio exclusivo da edição de partituras musicais na Inglaterra, o que constituiu uma das primeiras manifestações do princípio do *copyright* no país. Criador prolífico e talentoso, tanto de peças seculares quanto de sacras, ele foi, de fato — mais do que *Purcell — o verdadeiro "pai da música inglesa" e seu primeiro compositor de gênio. Obras de Byrd, por sinal, continuam sendo executadas até hoje.

OBRAS Três Missas; 169 motetos; dois Serviços Litúrgicos Anglicanos; doze hinos; numerosas peças corais breves; madrigais; canções para solista e instrumentos; fantasias, *In nomines* e conjuntos de variações para grupos instrumentais (geralmente violas bastardas); mais de 120 peças para solo de teclado (virginal ou cravo).

Os Sinos, para virginal A obra pioneira de Byrd para instrumentos de teclado (notadamente para esse instrumento favorito da rainha Elizabeth I) é difícil de executar, mas agradável de ouvir em função de sua expressividade melódica. Algumas peças (como a referida) são descritivas, mas outras — tomemos como exemplo *The Carman's Whistle* — constituem conjuntos de variações sobre um tema popular, escritas com o maior apuro formal. Elas associam comunicabilidade com o fragor que caracteriza certas sonatas para cravo de *Scarlatti: vale a pena ouvi-las com atenção.

→ *Wolsey's Wild/The Woods so Wild* (ouvir também os arranjos para guitarra); *Loth to Depart*, variações, de Farnaby; *The Earl of Salisbury, His Pavan and Galliard*, de Gibbons.

Missa para Cinco Vozes (1605) A música sacra de Byrd para o rito católico (ele a escreveu também para a Igreja Anglicana, num idioma mais direto e funcional) enriqueceu o tom severo, no estilo cantochão, de compositores como *Palestrina, com as sonoras harmonias novas que Giovanni Gabrieli e *Monteverdi haviam apresentado na Catedral de São Marcos, em Veneza. O resultado é suntuoso: música sacra com volume sinfônico, a um só tempo emotiva e devocional, obtendo o máximo possível de coros não-acompanhados e igualando-se ao que de mais criativo e colorido os compositores de música instrumental da época pudessem realizar.

→ Missa para Quatro Vozes; moteto *Sacerdotes Domini*; Magnificat para seis vozes (1610), de Monteverdi.

C

CÂMARA. Ver *Música de câmara.*

CAMARGO GUARNIERI, Mozart (1907). *Compositor brasileiro.*

Se em Villa-Lobos a música brasileira encontrou o ímpeto e a genialidade que a afirmaram definitivamente, em Camargo Guarnieri, vinte anos mais moço, ela encontrou o equilíbrio formal e a serenidade de feitura que temperaram os excessos da escola nacionalista, e que traduzem a realidade de um movimento musical finalmente amadurecido. Nascido em Tietê, São Paulo, de ascendência italiana, Camargo mudou-se com a família para a capital do estado em 1923, e ali estudou com Ernâni Braga, Sá Pereira e Lamberto Baldi. Em 1927 começou a ensinar piano no Conservatório Dramático e Musical de São Paulo, e em 1928 conheceu Mário de Andrade, responsável por sua formação estética. No mesmo ano, obteve sucesso com uma sonatina para piano que mergulhava em cheio na temática nacionalista. Premiado com *Flor do Tremembé*, para 15 instrumentos solistas e percussão, ganhou em 1938 uma viagem a Paris, onde estudou com Koechlin (e com Nadia Boulanger). Em 1942 seu Concerto n. 1 para violino e orquestra recebeu o Prêmio Fleischer nos Estados Unidos. Seguiram-se prêmios para a Sinfonia n. 1, Quarteto de Cordas n. 2, Concerto n. 2 para piano e orquestra, Sinfonia n. 2. Em 1952 estreava no Teatro Municipal do Rio de Janeiro sua ópera *Pedro Malazarte*, com libreto de Mário de Andrade. Em 1960, escreveu outra ópera, *Um Homem Só*, com libreto de Gianfrancesco Guarnieri. A Quarta Sinfonia, de 1963, tem como subtítulo *Brasília*. A Quinta, com coros sobre texto de seu irmão Rossini, foi escrita e estreada em 1977, quando se comemoravam os 70 anos do mestre. A Sexta, que Guarnieri considerou a sua obra mais importante, celebrou, em 1981, os 70 anos do Teatro Municipal de São Paulo.

OBRAS A produção de Camargo Guarnieri é vasta, e estende-se por quase todos os gêneros: além das mencionadas sinfonias, inclui suítes orquestrais, choros para diversos instrumentos solistas e orquestra, concertos para piano e violino, farta música de câmara, a importante série dos *Ponteios* para piano e, para o mesmo instrumento, estudos, sonatas, sonatinas, prelúdios e valsas, sonatas para violino e violoncelo e uma coleção de canções de alto valor.

Sinfonia n. 3 (1952) Vencedora do concurso do IV Centenário da cidade de São Paulo, esta é uma das obras orquestrais mais bem acabadas e eloqüentes na produção de

Guarnieri, típica do domínio que a essa altura ele já alcançara sobre matéria e forma. Unifica a obra um tema indígena que é trabalhado à maneira cíclica. Depois de um poderoso primeiro movimento que termina serenamente, o scherzo é de extrema vivacidade, contrastando com o largo sopro de lirismo do andante. Eurico Nogueira França anota o respeitável trabalho de polifonia que é um dos indícios da firmeza de escrita do compositor.

→ Obras orquestrais de Cláudio Santoro e de Alberto Ginastera têm paralelos com o nacionalismo refinado de Guarnieri.

CANTELOUBE, Joseph. Ver *Compositores de obra singular*.

CARTER, Elliott (1908). *Compositor norte-americano.*

Carter viveu de várias maneiras interessantes a fase de sua existência que não dedicou à composição: lecionou em diversos conservatórios e universidades (Columbia e Yale entre elas), residiu em Paris, Berlim e Roma, e foi durante dois anos diretor musical de uma companhia itinerante de balé. Sua música, tão diversificada quanto suas andanças, abeberou-se das fórmulas acadêmicas de *Schoenberg, dos ritmos ágeis dos balés de *Stravinsky e do brilho por vezes jazzístico de *Ravel, mas combina todas essas influências num estilo que é distintamente Carter e distintamente americano também (*Ives deve ser lembrado como outra fonte inspiradora). Embora seja tudo menos fácil de ouvir ao primeiro contato, essa mistura de personalidade própria, força intelectual e atraentes referências externas faz com que sua música desabroche no espírito e na sensibilidade do ouvinte.

OBRAS Dois balés; duas sinfonias; dois concertos, variações e peças orquestrais mais curtas; três quartetos de cordas, quinteto de sopros (madeiras), sonata para violoncelo, sonata para piano e outras obras de câmara (entre as quais a *Suíte Canônica*, para quatro saxofones); canções e cantatas para voz e piano, ou grupo instrumental (incluindo *Seis Poemas de Elizabeth Bishop* e *Um Espelho onde Morar*).

Ⓜ ***Sonata para flauta, oboé, violoncelo e cravo*** (1974) Sendo como que um trio-sonata do século XVIII (como os de *Telemann), mas concebida segundo os parâmetros do nosso século, oferece-nos arejada mistura barroca das linhas sonoras criadas pelos instrumentos de sopro (madeiras) com o tilintar do cravo, tudo temperado por estimulantes dissonâncias e ritmos jazzísticos, proporcionando-nos prazer intelectual e divertimento auditivo.

→ Ⓜ Concerto duplo para cravo, piano e duas orquestras de câmara; Sinfonia para Três Orquestras; Concerto para Cravo, de Falla.

CHABRIER, Emmanuel. Ver *Compositores de obra singular*.

CHOPIN, Frédéric (1810-49). *Compositor polonês.*

Quando a Polônia capitulou diante dos russos, em 1830, o jovem Chopin, então com vinte anos, achava-se em uma turnê de concertos pela Europa ocidental, e preferiu transformá-la em exílio permanente, fixando residência em Paris e passando a ganhar a vida com aulas de piano, aparecendo em concertos ocasionais e tocando profissionalmente na casa de pessoas ricas. Logo se tornou muitíssimo conhecido, tanto pela arrebatadora técnica pianística quanto pela sua bela aparência, que um ar tuberculoso tornava ainda mais adequada à imagem romântica do gênio franzino, marcado para morrer. (Sua popularidade sobreviveu até mesmo a um notório caso amoroso com a famosa escritora George Sand, com quem primeiro se refugiou em Maiorca, em 1838, para depois viverem juntos em Paris e em Nohant.) Piorando rapidamente, seu estado de saúde levou-o a reduzir o número de recitais e a concentrar-se na composição, tocando apenas para os amigos mais chegados. À época da revolução de 1848 esteve viajando pela Inglaterra, mas sua vida já chegava ao fim, e ele faleceu pouco depois de regressar a Paris.

Apesar de todo o seu refinamento e elegância, a música de Chopin é tão revolucionária quanto o que de mais moderno se escreveu no século XIX. Suas harmonias (ajudadas por uma forma totalmente nova de usar o pedal direito) constantemente se fundem e dissolvem umas nas outras, e o rendilhado de notas perturba a regularidade rítmica (sobretudo porque recorre a todos os cinco dedos, e assim expande as divisões binárias, ternárias ou quaternárias que constituem o compasso padrão). Sua preferência se voltava para peças curtas, cujas formas ficavam mais ao sabor da fantasia que de regras rígidas, e cujos títulos (balada, noturno, improviso) tanto sugerem poesia ou pintura quanto música. Como *Mozart, Chopin criou estilo muito pessoal desde cedo, e se manteve quase sempre fiel a ele. Isso quer dizer que praticamente todas as suas composições, sejam *boas* ou *não tão boas*, partem do mesmo plano elevado, e têm um padrão de elegância sofisticada que é imediatamente reconhecível e torna qualquer reparo crítico (como o mencionado no verbete *música de vanguarda*) irrelevante.

OBRAS Solo de piano: três Sonatas; quatro Scherzi; quatro Baladas; vinte e sete Estudos; dezenove Noturnos; vinte e cinco Prelúdios; quatorze Valsas; três Improvisos; dez Polonaises; cinqüenta e cinco Mazurcas; uma vintena de peças avulsas, entre as quais *Berceuse*, Fantasia em fá menor, *Fantasia-Improviso* e vários conjuntos de variações. Mais, ainda: dois Concertos e quatro obras mais curtas para piano e orquestra; Trio para violino, violoncelo e piano; Sonata e duas peças mais curtas para violoncelo e piano; dezessete canções.

Noturno op. 9 n. 2 Esta peça suave tem tido arranjos para quase tudo, desde bandas a serrotes musicais, mas permanece sublime em sua forma original: um belíssimo tema executado pela mão direita flutuando sobre tranqüilos e descomplicados acordes com a esquerda.

→ Noturnos op. 32; *Clair de Lune*, de Debussy; *Pavana para uma Infanta Defunta*, de Ravel.

Estudo op. 10 n. 12 (***Revolucionário***) **(1829-32)** A denominação se deve a flamejantes seqüências com a mão esquerda, contrapostas a uma dramática linha melódica executada com a direita. Como todos os estudos de Chopin, no entanto, esta peça é revolucionária por outro motivo: as dificuldades técnicas que apresenta mal são perceptíveis pelos ouvintes quando brilhantemente transpostas (vale dizer: é uma peça mais para ser ouvida do que para deslocar os dedos de quem a toque). É música que combina poderoso enunciado emocional com arrebatadora exibição de virtuosismo do intérprete levando tudo de roldão.

→ Estudo, op. 10 n. 3; *Grande Valsa Brilhante*, op. 18; *Gnomenreigen*, de Liszt (dos *Dois Estudos de Concerto*, 1863).

Ⓜ ***Scherzo n. 2 op. 31*** Os quatro *scherzi* de Chopin são peças de grande escala, que lhe acrescentam ao tradicionalmente agitado ímpeto um conteúdo de maior peso, com estrutura mais elaborada, como se fossem uma sonata num só movimento. Apesar disso, são intelectualmente contrabalançados por cativante linha melódica e iridescentes cascatas de notas.

→ Scherzo n. 3; Ⓜ Balada n. 3; Sonata n. 2, de Schumann.

Ⓜ ***Sonata n. 2, op. 35*** (1839) A vertiginosa premência dos dois movimentos iniciais é abruptamente contida por uma marcha fúnebre (que freqüentemente se executa como peça isolada, sobretudo em funerais solenes) e depois retoma seu curso rumo a um turbulento e algo sombrio finale. Muitas outras sonatas para piano são tão sérias e imponentes quanto esta, mas poucas chegam a ser tão arrebatadoras.
→ Sonata n. 3; *Gaspard de la Nuit*, de Ravel; Sonata n. 5, de Scriabin.

Concerto n. 2 para piano e orquestra, op. 21 (1829) Os dois concertos de Chopin, embora exijam bastante dos solistas, são menos duelos do que diálogos entre o instrumento e o executante, e constituem a área mais ensolarada de sua criação. Primeiros movimentos bastante longos são seguidos por um outro mais lento, quase um noturno, concluindo-se a obra com um finale saltitante. Neste concerto, em particular, ele é realçado por um dos temas mais atraentes que o compositor escreveu.
→ Concerto n. 1; Concerto para piano, de Scriabin; Concerto para piano, de Ireland.

Obras em arranjos de terceiros *As Sílfides* (balé). Versão orquestral de sete peças avulsas (Prelúdio n. 7, Noturno n. 10, Valsa n. 11, Mazurca n. 44, Mazurca n. 23, Valsa n. 7 e Valsa n. 1), é obra encantadora como balé, mas o arranjo retira um tanto ou quanto da força da música na forma original (que em parte depende do elemento virtuosístico, a capacidade técnica do intérprete complementando a fantasia do compositor). Em suma: o balé é diáfano, os originais para piano são substanciais. *Um mês no interior* (balé). Este se recomenda mais do que o outro, pois se compõe de três obras para piano e orquestra na versão original de Chopin, não tão conhecidas quanto aquelas: *Fantasia sobre Árias Polonesas*, op. 13, *Andante Spianato e Grande Polonaise Brilhante*, op. 22, e *Variações sobre "Là ci Darem la Mano", de Mozart*, op. 2.

COMPOSITORES BRASILEIROS

A história da música clássica no Brasil tem uma origem erudita e uma outra popular. Por esta última, ela mergulha raízes na modinha, que o mulato Domingos Caldas Barbosa levou para Portugal com enorme sucesso — primeiro exemplo de "colonialismo às avessas" na relação Brasil–Portugal. A modinha é o *lied* brasileiro, a nossa *chanson*; e expressava tão bem a nossa sensibilidade, o nosso peculiar lirismo, que mal era nascida e já estava presente em obras de largo fôlego como as que foram escritas para atender às necessidades da vida religiosa do século XVIII.

Estas últimas formam a vertente "erudita" da nossa história musical. Assim como a espetacular arquitetura do barroco mineiro é um fruto do ciclo do ouro, deste mesmo ciclo surge uma atividade musical surpreendente, que só agora começa a ser razoavelmente conhecida. Tantas eram as igrejas de Minas, outras tantas eram as necessidades musicais que elas criavam; e para atender a essas necessidades surgiu não só uma coorte de instrumentistas e cantores como também criadores capazes de reproduzir, no Brasil, o estilo então em voga na Europa para a música litúrgica. Desses muitos criadores, conhecia-se até recentemente uma ou outra peça — de Lobo de Mesquita, de Inácio Parreiras Neves. Já agora fala-se em outros: na obra vasta e rica de Manoel Dias de Oliveira, compositor de Tiradentes; no padre João de Deus de Castro Lobo. Lobo de Mesquita assume personalidade própria: viveu de 1756 a 1805, foi organista no Arraial do Tejuco (Diamantina) e em Vila Rica (Ouro Preto), e veio morrer no Rio de Janeiro. É autor de mais de 300 obras conhecidas — incluindo uma famosa *Antífona de Nossa Senhora* — e revela em sua obra a influência de Mozart e Pergolesi. Historicamente, é um digno antecessor do padre José Maurício, que, no Rio de Janeiro, teria melhores condições de passar à posteridade, pelo seu trabalho como compositor da corte.

Depois desse grande ciclo musical, balizado pelo estilo do classicismo vienense (Mozart e Haydn), mas onde, como foi dito, a modinha conseguiu enfiar a cabeça, numa primeira síntese característica da terra, o Brasil entra num período prolongado onde a ópera a tudo dominava — o que explica, no miolo do século, a eclosão do gênio de Carlos Gomes. O país criava corpo, política e socialmente; mas a necessidade de uma expressão nacional em música só começa a ser sentida mais para o fim do século, quando a nação também começava a refletir se a monarquia era, de fato, o melhor dos regimes.

Exemplo incipiente desse nacionalismo *avant la lettre* é o trabalho de Alexandre Levy (São Paulo, 1864-1892), sobretudo devido ao *Tango brasileiro* que ele compôs num momento de "nacionalismo explícito". Mas a influência das escolas européias continuava a ser enorme — e até atraía para fora do país os mais talentosos. É o caso de Henrique Oswald (Rio de Janeiro, 1852-1931), descendente de suíços, que só veio fixar-se no Brasil aos 60 anos: na Europa ele se sentia melhor, e sua peça para piano *Il Neige* venceu concurso instituído por *Le Figaro*. É peça finíssima, de um aveludado digno de Fauré, e mostra por que Oswald é considerado um de nossos compositores com melhor *métier*.

Muito mais audacioso, historicamente, foi Alberto Nepomuceno (Fortaleza, CE, 1864-1920), que também estudou bastante na Europa, com bolsas particulares ou oficiais, mas nunca deixou de ter um olho fixado nas coisas brasileiras. A Nepomuceno cabe a honra de ter sido o virtual fundador da corrente nacionalista, através de obras como a *Suíte Brasileira*, de que faz parte um conhecido *Batuque*. Mas, ainda nesse caso, o peso da tradição romântica era irresistível: algumas obras de Nepomuceno — como suas *Variações* para piano ou seus quartetos de cordas — soam como dignos produtos da escola de Brahms ou de Dvořák. Sua *Sinfonia em sol menor* pode ser ouvida com muito agrado; e o mesmo se diga das suas numerosas canções. Depois dele, só mesmo um Villa-Lobos poderia arrancar definitivamente a nossa música da sombra das escolas européias.

Mas ainda tivemos outros compositores da vertente universalista, como o talentoso Glauco Velasquez (Nápoles, 1884-1914), que viveu muito pouco, mas que deixou obras suficientes para marcar a sua trajetória. Glauco, personalidade trágica, estava a par do que se fazia na Europa do seu tempo. Com vida mais longa, não seria hoje um artista conhecido só pelas elites da nossa música. Escreveu boa música de câmara e peças para piano. Um pouco mais moço, e de vida muito mais longa, é Brasílio Itiberê (Curitiba, PR, 1896-1967), que deve ser lembrado nessa mesma vertente universalista e na sofisticação do seu trabalho. Peças corais como *O Canto Absoluto* e o *Salmo 150* estão entre os exemplos do que se pode chamar de uma ânsia metafísica na música brasileira.

A escola nacionalista, como se sabe, ocupa quase todo este século com uma produção colorida e um espírito militante. Foram nacionalistas intencionais Francisco Mignone e Lorenzo Fernandez (tratados em outra parte deste livro). Muito mais descontraído foi Radamés Gnattali (Porto Alegre, RS, 1906-1987), uma das figuras mais simpáticas e versáteis da música brasileira. Trabalhando como arranjador de orquestras de rádio, Radamés apanhou a malícia de todos os estilos (e o *jazz* foi um dos que ele absorveu com menor esforço) e mostrou-se digno sucessor dos "chorões" na sua enorme facilidade improvisatória. Mas também foi — e nisto ele é único — capaz de compor com a mesma desenvoltura nos gêneros clássicos: tem toda uma série de obras para orquestra, concertos para diversos instrumentos solistas e música de câmara refinada como o *Trio* para piano, violino e violoncelo. A convivência com tantos estilos fez com que ele fosse acusado de excessivo ecletismo; mas esse é o aspecto menor de uma obra que sobrevive pelo seu colorido instrumental e vivacidade de inspiração.

Compositor extremamente versátil, na linhagem nacionalista, é também José Siqueira (Paraíba, 1907-1985), autor de obras em todos os gêneros e fundador, no Rio de Janeiro, da Orquestra Sinfônica Brasileira. Sua teoria não era totalmente convincente — a de que é preciso *vestir* o folclore com as artes da instrumentação clássica —, e por causa disso foi chamado, com bom humor, de "Ravel do sertão". Mas sua prática era às vezes excelente, sobretudo no que se refere à música de câmara, onde deixou um repertório de ótima qualidade. Artistas concentrados, em vez disso, foram Luís Cosme e Frutuoso Viana. O gaúcho Luís Cosme (Porto Alegre, 1908-1965) escreveu em estilo nacionalista; mas sua severa disciplina artística salvou-o dos exageros do gênero. Sua obra mais famosa é a suíte orquestral *Salamanca do Jarau*. O mineiro Frutuoso Viana (Itajubá, 1896-1976) também cuidava para que sua veia artística não saísse dos eixos. Daí o extremo acabamento de uma obra pianística onde há peças famosas como a *Dança dos Negros* e o *Corta-Jaca*. Uma vocação de miniaturista resultou também em canções onde ele exercitou, às vezes, um profundo conhecimento da língua e dos estilos antigos.

César Guerra-Peixe (Petrópolis, RJ, 1914) ocupa, na música brasileira, posição semelhante à de Béla Bartók na tradição européia; foi o que mais sistematicamente estudou o nosso folclore, e trabalhou o seu instrumento até sentir-se capaz de compor no que considera ser um idioma verdadeiramente nacional. Disso surgiu uma obra que não é muito grande (não podia sê-lo, dado o seu nível de exigência), mas que tem a solidez de um diamante bem trabalhado. Compôs música de câmara, prelúdios pianísticos, duas sinfonias, os *Cânticos Serranos* (para piano e canto) e obras orquestrais bem-humoradas como a *Roda de Amigos*, suíte sinfônica para quatro instrumentos solistas, em estilo marcadamente seresteiro.

Com Cláudio Santoro (Manaus, AM, 1919), a música brasileira recupera um pouco da facilidade torrencial de Villa-Lobos. Seu talento já foi demonstrado em várias direções: primeiro, uma fase dodecafônica, tributo a uma disciplina que a música brasileira experimentou nos anos 40 (mas, mesmo nessa fase, a criatividade de Santoro fugia dos moldes muito apertados); depois, uma violenta conversão ao nacionalismo, à idéia de uma simplicidade que estabelecesse pontes com o povo (ideal ligado às idéias políticas do compositor); em seguida, um estilo eclético que tanto satisfaz à natureza de Santoro quanto à situação atual da arte da composição. Santoro conhece todas as técnicas, experimentou em todos os estilos; mas o que parece mais autêntico, nele, é o sopro criativo que vem do *humus* cultural brasileiro — algo de impetuoso e lírico a que Santoro consegue dar forma acabada. A Sinfonia n. 4 (1953) é um dos exemplos do seu estilo maduro, embora seja obra relativamente distante no tempo.

A imaginação "farfalhante" de Santoro contrasta com a limpidez de inspiração de um Edino Krieger (Brusque, SC, 1928), que tem obra relativamente pequena mas de feitura impecável. Em sua juventude, Edino sofreu o impacto da música de Hindemith. Estudou em Nova York e Londres. Soube discernir, no dodecafonismo, o que era moda e o que vinha de fato ampliar o arsenal dos compositores de hoje; e saiu disso tudo compondo num estilo que é tão brasileiro quanto universal. Sua Sonatina para piano (1956), sem qualquer traço explícito de "nacionalismo", faz apelo imediato à sensibilidade nacional, pela qualidade do seu lirismo. Já uma obra para orquestra como o *Canticum Naturale* transpõe o que é aparentemente um cenário de floresta brasileira para um nível tão alto de universalismo que a obra pode ser considerada, na sua eficácia e limpidez de estilo, a nossa *Sagração da Primavera*.

A geração seguinte é a de Marlos Nobre (Recife, PE, 1939), um dos compositores brasileiros mais conhecidos no exterior. Suas primeiras obras, do início dos anos 60, provocaram imediata comparação com Villa-Lobos — menos por uma afinidade direta de estilo do que pela facilidade com que Marlos parecia estar abrindo caminhos novos. É o caso de um importante Trio para piano, violino e violoncelo, do começo dos anos 60. A cantata *Ukrinmakrinkrin*, pouco posterior, para soprano e conjunto instrumental, confirmou essa primeira impressão: Marlos era capaz de elaborar uma linguagem brasileira sem cair no folclorismo epidérmico. Daí em diante, identifica-se em sua obra uma dialética fecunda: a conversa entre matrizes populares nordestinas e uma veia erudita, de forte impacto rítmico, que pode trazer à memória sugestões de Bartók. Marlos tem dado atenção às possibilidades da voz, em peças como o *Canto Multiplicado*, de 1972, sobre textos de Carlos Drummond de Andrade.

Representante da geração mais nova é Ronaldo Miranda (Rio de Janeiro, 1948); e sua produção é um bom exemplo de como a música contemporânea abandonou todos os tabus (inclusive o da modernidade a todo preço). Ronaldo evidencia o seu domínio das linguagens de hoje em obras como o Concerto para piano e orquestra. Mas também pode compor uma cantata sobre a crise das grandes cidades — *Coração Concreto* — onde referências quase jornalísticas ao dia-a-dia de uma megalópole vêm vestidas de uma roupagem musical em que tanto se pode sentir o cheiro da música barroca como da seresta, que é a veia mais antiga da música brasileira.

COMPOSITORES DE OBRA SINGULAR

Alguns compositores têm renome internacional por uma obra que se destaca extraordinariamente dentre todas as demais por ele escritas. Em certos casos, a classificação "obra singular" é mais do que justificada, pois a peça a que se refere é, em verdade, a única que merece genuíno apreço. Freqüentemente, porém, tal notoriedade é bastante injusta ao deixar no olvido o restante de sua obra, onde o ouvinte por certo encontrará outras peças que lhe proporcionarão igual (ou até maior) deleite.

ADAM, Adolphe (1803-56): Ⓜ *Giselle* (1841) Adam foi intermitentemente crítico musical, organista, maestro, proprietário de teatro e professor de contraponto. Escreveu trinta e nove óperas e operetas e uma dúzia de balés. O melhor destes, *Giselle*, é não apenas sua obra-prima, mas um dos mais populares de todos os balés românticos, chegando até a superar *O Lago dos Cisnes*, de Tchaikovsky. Ele se revela melhor quando ouvido na íntegra e ao vivo, isto é, num teatro, acompanhando as passagens dançadas no palco. Extratos musicais, formando uma suíte, são muito ouvidos em gravações e contribuem para manter vivo o renome internacional de Adam.

→ Abertura *Se eu Fosse Rei*; *Coppélia*, de Delibes; *La Fille mal Gardée*, de Hérold (em arranjo de Lanchbery).

ALBINONI, Tomaso (1671-1751): *Adagio*. Embora tenha escrito cinqüenta e cinco óperas e mais de cem concertos e peças de câmara, o nome de Albinoni sobrevive até hoje graças ao tema obsedante desse Adagio, para o qual, em verdade, ele contribui apenas com algumas notas, escritas para contrabaixo e repetidas incessantemente, às quais um arranjador do século XX, Giazotto, acrescentou harmonias elegíacas e uma linha melódica de rara beleza.

→ Concerto para oboé, op. 7, n. 3; *Canon*, de Pachelbel; *Adágio para Cordas*, de Barber.

ALMEIDA PRADO, José Antônio de (1943): *Cartas Celestes* (1974). Aluno de Camargo Guarnieri e, mais tarde, de Nadia Boulanger e Olivier Messiaen, Almeida Prado é excelente pianista e tem escrito também música de câmara e orquestral. Sua fama se apoia, entretanto, no sucesso das *Cartas Celestes*, ampla coleção de peças pianísticas que pretende ser "um mapa sonoro dos céus do Brasil". A obra é luxuriante em sua escrita, que produz a sensação dos espaços estelares através de uma competente utilização de *tremolos*, trinados, arpejos super-rápidos.

→ Variações para Piano, de Copland; Sonata n. 2, de Tippett.

BENJAMIN, Arthur (1893-1960): *Jamaican Rhumba* (1938). Este arranjo de uma canção popular em ritmo de rumba e com harmonização jazzística é a segunda das *Two Jamaican Pieces* por ele escritas, tendo completa e injustamente eclipsado a primeira. Criada para dueto de piano, é ainda mais buliçosa em sua versão original, por maior que seja o número de arranjos (para orquestra, conjunto de câmara, conjunto de dança de todos os tipos e tamanhos) dela existente.

→ Concerto para harmônica; *Brasileira*, da suíte *Scaramouche*, de Milhaud; *Tango*, de Albéniz; *Dança Ritual do Fogo*, de Falla.

BRUCH, Max (1838-1920): Concerto para violino, n. 1, op. 26 (1868). Numa longa e prolífica carreira, Bruch só foi atingido uma única vez pelo raio transcendente da criação, o que aconteceu ao escrever o tocante Ⓜ movimento lento desse concerto. Ele é, sem favor, uma das mais belas obras jamais escritas para o violino, colocando Bruch, ainda que passageiramente, na mesma categoria de *Mendelssohn ou de *Tchaikovsky, e esmaga os outros dois movimentos que a integram, pois competentemente realizados e agradáveis, mas banais...

→ *Kol Nidrei* para violoncelo e orquestra; *Romance*, de Svendsen; Concerto para violino n. 3, de Saint-Saëns.

CANTELOUBE, Joseph (1879-1957): "Bailero" (de *Chansons d'Auvergne*). Esta música, um lamento de cortar o coração, nasceu como canção folclórica. Canteloube deu-lhe, bem como a outras vinte e tantas, harmonização suntuosa e brilhante acompanhamento orquestral. Ela é freqüentemente utilizada como música de fundo de filmes de televisão que tenham como tema a vida bucólica das regiões pastoris de montanha, mas devemos reconhecer que é mais substanciosa e refinada do que isso.

→ "Lou Coucut" ("O Cuco", também das *Chansons d'Auvergne*); *Bachianas Brasileiras* n. 5, de Villa-Lobos; "Pie Jésu", do *Requiem*, de Fauré.

CHABRIER, Emmanuel (1841-94): Ⓜ *España* (1883). Colorida, brilhante e melodiosa evocação de uma Espanha de cartão postal. Seu tema principal chegou a ter presença nas paradas musicais de sucessos populares da década de 50. Chabrier (como *Borodin, um amador de talento) produziu apenas um punhado de obras. As melhores delas compartilham a vivacidade que esta comunica, equivalentes, em termos de música, aos famosos cartazes pintados por Toulouse-Lautrec.

→ *Marche joyeuse*; Suíte *Carmen*, de Bizet; *Capricho Espanhol*, de Rimsky-Korsakov.

DUKAS, Paul (1865-1935): Ⓜ *O Aprendiz de Feiticeiro* (1897). Exigentíssimo consigo próprio, Dukas rasgou as partituras de tudo o que escreveu, menos de doze obras. A melhor de todas elas é precisamente este scherzo orquestral baseado na interessante narrativa de Goethe a respeito de um jovem feiticeiro que tenta repetir a façanha de seu mestre (fazer com que as vassouras encham baldes d'água), mas obtendo resultado desastroso e hilariante. Walt Disney usou-o em seu filme *Fantasia* (com o Camundongo

Mickey lutando contra as vassouras). A obra é uma cabal demonstração de virtuosismo orquestral e borbulhante exemplo de humor musical.
→ *La Péri*; suíte *O Galo de Ouro*, de Rimsky-Korsakov; *Bolero*, de Ravel.

GLINKA, Mikhail (1804-57): abertura *Ruslan e Ludmila* (1842). Considerado em sua época como "o pai da música russa" (ver *Balakirev*), Glinka é hoje lembrado principalmente por esta esplendorosa abertura operística, uma combinação de temas expostos de forma direta e objetiva, de tambores martelados e de escalas alucinantes para cordas e instrumentos de sopro. Amador de talento e de amplos recursos financeiros, Glinka compôs pouco, mas quase tudo ostenta o mesmo brilho desta famosa peça.
→ *Kamarinskaya*; abertura *Donna Diana*, de Reznicék; abertura da ópera *La Gazza Ladra*, de Rossini; abertura *Zampa*, de Hérold.

GOUNOD, Charles (1818-93): música de balé da ópera *Fausto* (1859). Gounod escreveu música sacra, sinfonias e oratórios, mas é principalmente lembrado por sua *Ave Maria* (extasiada melodia que ele sobrepôs ao Prelúdio n. 1 de *O Cravo Bem Temperado*, de Bach) e por esta suíte extremamente popular de uma de suas onze óperas. A história de Fausto combina melhor com imagens de peso e substância, mas a música de Gounod é leve e arejada, muito mais próxima de *Offenbach ou de *Sullivan do que de Goethe.
→ *O Sono de Julieta* (interlúdio orquestral da ópera *Romeu e Julieta*); *Dança das Horas* (da ópera *La Gioconda*), de Ponchielli; *La Boutique Fantasque*, de Rossini-Respighi; Suíte *Quebra-Nozes*, de Tchaikovsky.

ITIBERÊ DA CUNHA, Brasílio (1846-1913): *A Sertaneja* (1866). Paulista de nascimento, diplomata de profissão, Itiberê da Cunha foi compositor bissexto; mas adquiriu duradoura fama pelo fato de que escreveu (sem maiores pretensões) a peça que se tornaria a primeira manifestação de espírito nacionalista na música brasileira. Mesmo dependente da técnica pianística do século XIX, *A Sertaneja* é obra de enorme espontaneidade, e de efeito que tem resistido ao tempo. Consta que o próprio Liszt a teria executado, numa recepção oferecida pelo diplomata brasileiro. "As suas simples, ingênuas cadências", escreveu Eurico Nogueira França, "em traços brilhantes de arpejos ou escalas, que se encontram sem esforço debaixo das mãos, não comprometem, antes reforçam, a penetrante graça expressiva da temática e das modulações."
→ *O Tango Brasileiro*, de Alexandre Levy, seria a demonstração seguinte de espírito nacionalista na música brasileira.

LEONCAVALLO, Ruggero (1857-1919): *Vesti la Giubba* (*Veste a fantasia*). Esta soluçante ária para tenor (cantada por um palhaço amargurado) faz parte da sua ópera em um ato Ⓜ *I Pagliacci* ("Os Palhaços"), geralmente apresentada em programa duplo com Ⓜ *Cavalleria Rusticana* ("Cavalheirismo rústico"), de Pietro **MASCAGNI** (1863-1945). As duas óperas são a um só tempo passionais e piegas: sua música é tão melodramática quanto uma partitura cinematográfica, tendo o ponto alto na oportunidade que proporciona aos cantores de darem um verdadeiro *show* vocal: é o *bel canto* italiano na sua mais vigorosa demonstração. (*Vesti la Giubba* é, por assim dizer, a *pièce de résistance* dessa obra, assim como — embora em tom mais otimista — a canção festiva *Viva il Vino*, da *Cavalleria Rusticana*.)
→ "Testa adorata" (de sua versão de *La Bohème*, baseada no mesmo libreto que a ópera de Puccini); "Ed anche Beppo" (da ópera *L'Amico Fritz*, de Mascagni); "Nessun Dorma" (da ópera *Turandot*, de Puccini); "Ó Mio Babbino Caro" (da ópera *Gianni Schichi*, de Puccini).

LITOLFF, Henry (1818-91): Scherzo (do *Concerto Symphonique* n. 4). Litolff foi regente, solista de piano e também compositor, e escreveu este concerto (e outras peças para piano e orquestra) para ele próprio tocar. Nesta música transparente, uma dança murmurante leva a um coral falsamente solene, e as duas idéias então se combinam de maneira tão hábil e deliciosa como num truque de prestidigitação. As outras obras de Litolff são *Mendelssohn e água pura; esta é champanha.

→ Finale (do *Concerto Symphonique* n. 4); *La campanella* (em solo de piano), de Liszt; *Capricho de bolo de noiva*, de Saint-Saëns.

LORENZO FERNANDEZ, Oscar (1897-1948): *Batuque* (1930). Como Francisco Mignone, Lorenzo Fernandes também é uma figura chave da escola nacionalista brasileira; dentro dessa escola, destacou-se pela firmeza artesanal e pela concentração de meios. Suas obras mais ambiciosas, entretanto — sinfonias, quartetos, um importante Trio Brasileiro — nunca alcançaram a popularidade desta peça que faz parte da suíte *Reisado do Pastoreio*. Quer na versão orquestral, quer em redução pianística, o *Batuque* é dessas obras de efeito infalível, na sua obsessão rítmica, e já foi executada por famosos regentes, como Toscanini e Koussevitzky.

→ Parentes próximas do *Batuque* são obras de Francisco Mignone como a *Congada*, do *Contratador de Diamantes*.

MIGNONE, Francisco (1897-1987): *Valsas de Esquina* (1938-42). Mignone é um dos mais importantes compositores da escola nacionalista brasileira. Sua música de câmara é de alta qualidade. Peças sinfônicas como a *Festa das Igrejas* foram executadas por grandes orquestras. Óperas como o *Chalaça* e o *Sargento de Milícias* anunciaram um reverdecer do gênero no Teatro Municipal do Rio de Janeiro. Mas, apesar de tudo isso, ele é conhecido sobretudo como o autor dessas deliciosas valsas para piano, que transpõem para o teclado toda a malícia e a poesia das serestas. O canto da mão esquerda imita muitas vezes o violão. A linha melódica e harmônica é tão rica quanto sutil.

→ As valsas de Nazareth são um embrião do estilo pianístico de Mignone, mais robusto e desenvolvido.

OVALLE, Jaime (1894-1955): *Azulão*. O título "compositor de obra singular" aplica-se com perfeição a Ovalle, curiosa figura de músico semi-amador que ganhou a vida como funcionário público e deixou tantos amigos quanto fama de boêmio. Com freqüentes missões no exterior, Ovalle foi também poeta; mas no caso de *Azulão*, apoiou-se em versos de Manuel Bandeira (também musicados por Hekel Tavares, Camargo Guarnieri e Radamés Gnatalli). Todas essas versões são boas; mas a simplicíssima melodia de Ovalle está na memória de quem quer que conheça a canção brasileira. A soprano Bidu Sayão ajudou bastante a divulgá-la no exterior.

RODRIGO, Joaquín (1902): *Concierto de Aranjuez* (1939). A grande popularidade que a guitarra vem tendo nos últimos quarenta anos deu a este concerto a condição de uma das mais queridas obras do repertório clássico e tornou seu segundo movimento — solene melodia que evoca uma canção popular andaluza — um grande êxito popular. Os numerosos trabalhos de Rodrigo incluem pelo menos uma dúzia de outros concertos, para diversos instrumentos, e todos eles são tão agradavelmente agridoces quanto este.

→ *Fantasia para un Gentilhombre* (guitarra e orquestra); Concerto n. 1 para guitarra e orquestra, de Castelnuovo-Tedesco; Concerto para violão e orquestra, de Villa-Lobos.

SINDING, Christian (1856-1941): *O Sussurro da Primavera* (de *Seis Peças para Piano*, op. 32). Esta é a obra para piano que cada um de nós executa em seus sonhos — uma gloriosa melodia tocada com a mão esquerda, acompanhada de murmurejantes quedas d'água que as notas tocadas com a direita evocam. Não se pode chamá-la de grande música, da mesma forma que não se chamará de grande arte a fotografia que ilustre a tampa de uma caixa de bombons, mas (exatamente como tal fotografia) ela realiza com eficiência e felicidade a tarefa que se propõe.

→ *Serenade*, op. 34 n. 4; *La Campanella* e *Liebestraum* n. 3, de Liszt; *Clair de Lune* (da *Suíte Bergamasque*), de Debussy.

TAVARES, Hekel (1896-1969): *Concerto em Formas Brasileiras para Piano e Orquestra.* Nascido em Alagoas, Tavares veio para o Rio de Janeiro em 1921 e, apesar de alguns estudos, conservou-se basicamente autodidata em música. Isso explica a simplicidade poética de suas canções — *Sussuarana, Casa de Caboclo, Guacira, Banzo, Funeral do Rei Nagô* —, bem como a fraqueza estrutural de obras mais ambiciosas como o Concerto para piano e orquestra. O grande público, entretanto, deixa-se facilmente conquistar pelo lirismo envolvente do Concerto, tão dependente de suas belas melodias como o Concerto de Grieg para o mesmo instrumento solista.

COMPOSITORES INGLESES E IRLANDESES

A proximidade da Grã-Bretanha com a Europa, e seu relacionamento de amor-ódio com ela, produziram no decorrer dos séculos uma notável esquizofrenia artística. Em algumas épocas os artistas britânicos foram líderes no mundo, e sua agressiva confiança (um resultado de serem capazes de se desenvolver fora do centro das ações) levou suas artes por direções inimaginadas e inigualadas em outras partes; em outras épocas eles se recolheram à mediocridade imitativa, assistindo na sombra ao desfile das artes européias com uma mistura de ciúme, complacência e hostilidade.

MÚSICA NAS ERAS TUDOR E STUART Em música, a primeira explosão de excelência foi dos séculos XV ao XVII, durante os reinados dos monarcas Tudor e os primeiros Stuart. Antes dos Tudor houve compositores individuais de talento (por ex., John Dunstable, c. 1390-1453, cuja música de igreja rivaliza com a de qualquer outro do continente), e no final do século XV e começo do XVI um grupo de compositores de igreja desenvolveu um estilo rico e intricado que foi peculiar e renomadamente "inglês". Nesse momento, devido ao estímulo que os primeiros reis Tudor davam à música (Henrique VIII, por exemplo, encontrava tempo entre todas as suas outras atividades para tocar, cantar e compor), e devido à evolução na música de igreja trazida pela desestabilização do catolicismo romano, o campo estava preparado para o crescimento de um dos melhores entre todos os grupos artísticos nacionais.

Música sacra A atitude ambivalente dos Tudor para com Roma transformou a composição de música de igreja numa atividade muito animada. Alguns compositores (por ex., John Taverner, c. 1490-1545) trabalhavam na tradição católica romana, mas na época do rompimento com Roma (1534) abandonou a música por profissões menos arriscadas (Taverner se tornou funcionário público, dando assistência na dissolução dos mosteiros). Outros (por ex., Thomas Tallis, c. 1505-85, e seu aluno *Byrd) deixaram em aberto suas opções religiosas pessoais e escreveram música de qualidade para qualquer ramo da cristandade que estivesse gozando dos favores oficiais. (Tallis, por exemplo, produziu tanto as intensamente católicas *Lamentations* quanto alguns hinos ainda hoje cantados — como o famoso "Cânon de Tallis" — para o Saltério Anglicano de 1567; Byrd escreveu Serviços Anglicanos e Missas Católicas com aparentemente igual fervor e certamente igual sucesso.)

Música secular De um modo geral, no entanto, a maior de toda a música Tudor foi a secular, composta mais para recreação do que para devoção. Esperava-se de uma dama ou cavalheiro adequadamente educados que tivessem habilidades tanto na execução de instrumentos quanto no canto, e os compositores proviam-nos com livros de instruções e com a composição de centenas de peças para a diversão aristocrática. A forma vocal solo preferida era a canção para alaúde (uma canção curta em vários versos, sobre as dores ou as delícias do amor, para voz solista e alaúde: os melhores exemplos são as de John Dowland, 1563-1626). O equivalente do conjunto de vozes era o madrigal (uma canção para três ou mais vozes desacompanhadas em harmonia, freqüentemente sobre letras pastorais ou amorosas: o âmbito ia desde os frívolos "hey-nonny-nonny"[1] de Thomas Morley, c. 1557-1602, até os sombrios e harmonicamente audaciosos madrigais de John Wilbye, 1574-1638, e Thomas Weelkes, 1576-1623). A música instrumental ou envolvia um instrumento solista (por ex., as peças para alaúde de Dowland e a música para virginal de homens tais como Byrd, Giles Farnaby, c. 1563-1640, e John Bull, c. 1562-1628, ainda hoje parte do repertório de teclado), ou era feita para o *consort*, grupo de instrumentos semelhante aos conjuntos de câmara posteriores. (As *Lachrimae*, de Dowland, ou as Fantasias para viola, de Orlando Gibbons, 1583-1625, são típicas e excelentes.)

MÚSICA DO SÉCULO XVII No século XVII, a música inglesa perdeu seu ímpeto criativo. Enquanto os compositores europeus se ocupavam com novas formas tão frutíferas quanto a *ópera e a *sonata, os compositores ingleses preferiam o beco sem saída (ainda que espetacular) das *masques*, ou a cada vez mais fora de moda fantasia para viola. (John Jenkins, 1592-1678, compôs algumas fantasias especialmente boas.) Enquanto na Europa o crescimento da fé luterana levava a desenvolvimentos na música de igreja de impressionante originalidade, os compositores ingleses continuavam discretamente a fornecer hinos, serviços e *voluntaries* (solos de órgão) anglicanos, fundando uma tradição de competência de segunda classe, que lançou seu manto sobre a música de igreja inglesa desde então. O único compositor inglês do século XVII de qualidade internacional foi *Purcell, e sua grandeza se deveu a uma decidida recusa de seguir qualquer tipo de modelo, fosse a ópera continental ou a canção solo inglesa, em vez disso sintetizando-os todos em música de notável personalidade e dinamismo.

MÚSICA DOS SÉCULOS XVIII E XIX A ida para a Grã-Bretanha da realeza européia (Guilherme de Orange; Jorge I) estimulou um afluxo de músicos continentais que jamais cessou. Alguns recém-chegados (por ex., *Mozart e *Haydn, no século XVIII, ou *Weber e *Mendelssohn, no XIX) deixaram sua marca e partiram; outros (por ex., *Händel, Clementi ou o regente Charles Hallé) ficaram e assumiram a nacionalidade britânica; todos, irrevogavelmente, converteram o gosto do público, dos estilos musicais nacionais para os continentais. Durante dois séculos, os compositores ingleses produziram pastiches, agradáveis e sem interesse, de quaisquer estilos europeus que estivessem em moda. William Boyce (1711-79) e Thomas Arne (1710-78) escreveram suítes como as de Händel e sinfonias como as de J.C. Bach; William Crotch (1775-1847) macaqueava Haydn; Cipriani Potter (1792-1871) papagueava *Beethoven; John Stainer (1840-1901) imitava Mendelssohn; George Macfarren (1813-87) e William Sterndale Bennett (1816-75) arrastavam-se atrás de *Brahms. Um grande número de mestres menores de fato escreveu música original, mas esta permaneceu também menor: a partitura de canções folclóricas de Johann Pepusch para a *Beggar's Opera* ("Ópera do Mendigo"), de John Gay, os noturnos para piano e os concertos de John Field (1782-1837) e as operetas de Gilbert e *Sullivan, ainda que influentes e deliciosos, tiveram sucesso mais pela modéstia de ambição do que por uma elevada magnificência musical.

O RENASCIMENTO DA MÚSICA INGLESA O segundo grande período da música inglesa — de uma grandeza capaz de rivalizar com a da Inglaterra Tudor — começou no final do século XIX. Os primeiros sinais de vida foram detectados em compositores que arrancaram das costas o manto pesado de Brahms: as obras corais e orquestrais de Hubert Parry (1848-1918) e as sinfonias e concertos de Charles Villiers Stanford (1852-1924) acrescentam, respectivamente, misticismo e caráter irlandês a um estilo basicamente germânico, com resultados agradáveis, ainda que nem sempre comoventes. Em 1899, as *Enigma Variations*, de *Elgar, e *Paris: Song of a Great City*, de *Delius, anunciaram a chegada dos primeiros gênios musicais ingleses em gerações: suas técnicas eram euro-

[1] Inglês arcaico, onomatopéia usada como refrão nas canções elizabetanas. (N. do T.)

péias (próximas particularmente à de Richard *Strauss), mas suas vozes eram cem por cento próprias, com uma distinção de expressão que vinha fazendo falta nos compositores nacionais desde Purcell.

A partir da época de Elgar e Delius houve duas correntes principais na música inglesa. Uma é mística e nostálgica, recordando as idéias de composição da época Tudor e freqüentemente tirando sua força da canção folclórica (coletar canções folclóricas foi uma atividade importante nos anos até a Primeira Guerra Mundial). Sua figura principal foi *Vaughan Williams, e seu segundo escalão incluía homens de talento tais como o compositor de música para piano e canções John Ireland (1879-1962), os sinfonistas Arnold Bax (1883-1953) e Edmund Rubbra (nascido em 1901), e Gerald Finzi (1901-56), um compositor de canções quase que do mesmo time de *Wolf. A música desse grupo chegou a parecer firme no repertório de concertos; recentemente ela experimentou um recuo em favor de obras do segundo grupo, o "experimental". Este é formado por compositores de perspectiva cosmopolita, não-insular, e que usavam técnicas internacionais ou de vanguarda para reforçar sua inspiração pessoal. Além de um segundo time talentoso (Arthur Bliss, Alan Rawsthorne, Lennox Berkeley, Malcolm Arnold, Richard Rodney Bennett, Alexander Goehr), o grupo inclui um punhado dos melhores compositores do mundo neste século: a obra de *Britten, *Walton, Maxwell *Davies e *Tippett é, por si só, uma garantia de que, no que concerne à música, a Inglaterra vive hoje seguramente uma segunda Idade de Ouro.

Para ouvir A melhor introdução à música inglesa e irlandesa é a obra dos compositores discutidos no decorrer deste livro: Britten, Byrd, Delius, Elgar, Maxwell Davies, Purcell, Sullivan, Tippett, Vaughan Williams e Walton. Da obra de outros compositores, há poucas introduções melhores à música Tudor do que as pequenas peças para virginal de Farnaby (por ex., *His Humour, His Dreame*) e os madrigais de Morley (por ex., *Hard By a Crystal Fountain*) e Wilbye (por ex., *Sweet Honeysucking Bees*). A exploração deve seguir em direção às canções para alaúde e à música para *consort* de Dowland (especialmente *Lachrimae*), e às fantasias para viola e hinos de Gibbons. Dos séculos XVII e XVIII, as canções e músicas para *consort* de Locke valem a pena serem descobertas e os hinos de Blow e as sinfonias de Arne são um eco agradável de, respectivamente, Purcell e Händel. Obras características do século XIX são as composições para piano e as sinfonias de Field (especialmente a *Sinfonia Irlandesa*) e a música de igreja, (especialmente o *Te Deum* em si bemol) de Stanford. Entre as delícias da música inglesa do século XX — consistentemente mal avaliadas — estão as obras para piano de Ireland (especialmente seu Concerto chopiniano), a graciosa Sinfonia n. 5, de Rubbra, o místico ciclo de canções *Dies natalis*, de Finzi, e a brilhante Serenata para cordas de Berkeley.

COMPOSITORES NORTE-AMERICANOS

Os Estados Unidos têm uma experiência musical extraordinariamente variada. Às tradições dos habitantes nativos originais foram acrescentadas importações de todos os tipos: o cantochão católico espanhol, hinos puritanos, canções de trabalho dos africanos, modinhas do music-hall europeu e os complexos métodos de composição dos sinfonistas germânicos do século XIX. Durante um longo tempo, o efeito dessas influências, junta ou separadamente, foi a arte musical norte-americana parecer não ter voz própria (como, digamos, tinha a música italiana ou a francesa). Não foi senão no século XX que estilos reconhecivelmente "norte-americanos" começaram a aparecer, temperando as influências européias com hinos, canções de escravos e a música popular (baladas, ragtime, jazz) delas derivada. Duas coisas especiais para os EUA, a partir do século XIX, foram a força da música ligeira (as canções de Foster; as marchas de Sousa; as músicas para shows, de Berlin ou Kern) e a forma como compositores "sérios" plasmaram essa força em obras tão diferentes quanto sonatas e musicais da Broadway.

COMPOSITORES DO SÉCULO XIX Os primeiros compositores norte-americanos cujas obras entraram para o repertório internacional de concertos eram pianistas: Louis M. Gottschalk (1829-69) e Edward MacDowell (1860-1908). Ambos viajaram pela Europa e lá foram louvados como gênios, Gottschalk por *Chopin e MacDowell por *Liszt. Ambos usaram idéias locais em suas obras, Gottschalk (nascido em Nova Orleans) empregando as canções folclóricas crioulas e as melodias dos escravos negros, MacDowell escrevendo quadros sonoros dos bosques e das plácidas paisagens da Nova Inglaterra. Mas é aí, no entanto, que a semelhança entre eles termina. Gottschalk era principalmente um *showman*, e suas peças (por ex., *Creole Ballad*; *Bananaboat*; *Fantasy on Old Folks at Home*) alternadamente cortejam a platéia com melodias sentimentais e surpreendem pelo virtuosismo: a substância musical — mesmo em sua "sinfonia" *Uma Noite nos Trópicos* — é consistentemente substituída pelo brilho. MacDowell, em contraste, é um peso pesado, um *Grieg americano. É mais lembrado hoje em dia pela peça de salão ligeira "To a Wild Rose" (n. 1 de *Ten Woodland Sketches*), mas, assim como várias dezenas de efusividades desse tipo (coleções características são *Forest Idylls* ou *Ten New England Sketches*), ele escreveu quatro substanciais sonatas para piano, diversas obras sinfônicas amplas (por ex. *Hamlet and Ophelia*) e dois concertos para piano que, merecidamente, ainda são executados. Apesar de todas as suas brincadeiras com o lado mais ligeiro da música, ele é uma figura de longe muito mais inspirada do que qualquer de seus contemporâneos, até mesmo do que compositores tão arrogantes e academicamente certinhos como os chamados "classicistas da Nova Inglaterra" (um dos quais, Horatio Parker, foi professor de *Ives), cuja missão (malsucedida) na vida era criar uma música norte-americana à imagem de *Bach ou *Brahms.

COMPOSITORES DO COMEÇO DO SÉCULO XX O espectro da Europa pairava de forma particularmente sombria sobre a geração da virada do século. Muitas das grandes orquestras norte-americanas foram estabelecidas nessa época e seus fundadores e comitês importavam maestros europeus e obras-primas européias, relegando os compositores locais aos salões de dança, aos desfiles e paradas, ou ao vaudeville (onde, ainda que um pouco contrariados, eles floresceram). No rebuliço da pomposidade de terceira classe que se seguiu, somente dois compositores se destacaram dos demais. Um foi Ives, e ele em geral guarda sua obra para si mesmo, de forma que sua originalidade só foi reconhecida e só exerceu influência cerca de trinta anos após ter sido escrita. (Cowell e Ruggles são seus melhores seguidores; a peça orquestral *Sun-treader*, de Ruggles, é a mais ivesiana de todas as obras não escritas por Ives.) O outro foi Howard Hanson (nascido em 1896). Ele baseou seu estilo em *Sibelius (é melhor conhecido por uma série de sinfonias maçudas), e a orquestra que ele regia (a Eastman-Rochester, em Nova York) apresentou mais de mil e quinhentas obras novas de jovens compositores, no decorrer de quarenta anos, um recorde igualado por muito poucas outras orquestras e uma atividade que, regularmente, rejuvenescia a musa tendente para o pesadona do próprio Hanson.

DA DÉCADA DE 20 ATÉ OS DIAS DE HOJE Após a Primeira Guerra Mundial, tudo mudou. As duas causas foram o jazz e *Stravinsky. Jovens compositores (especialmente *Copland, Harris e Thomson) foram atraídos a Paris pela fama dos Ballets Russes de Diaghilev (e particularmente pelas notícias de seus sucessos de escândalo, *L'Après-Midi d'un Faune*, de *Debussy, e *A Sagração da Primavera*, de Stravinsky). Eles trouxeram de volta as idéias francesas e russas e buscaram algum ingrediente reconhecidamente norte-americano para acrescentar ao exotismo dos seus modelos. A escolha — na década de 1920, como poderia ter sido diferente? — foi o jazz e seu ritmo, sua harmonia e sua livre expressão solista, acoplados com a orquestração enxutíssima e a retidão formal aprendida com Stravinsky, banindo para sempre o peso teutônico das partituras norte-americanas. (Nem mesmo a descoberta do sistema de doze notas de *Schoenberg pôde alterar esse quadro: os compositores dodecafônicos norte-americanos, como Riegger e Sessions, encontram-se entre os mais vivazes desse campo.)

À medida que o século progrediu, tornou-se claro que diversas composições aparentemente vitais das décadas de 30 a 50 estavam na verdade destinadas ao esquecimento. Roy Harris (1898-1979) um dia pareceu ser o maior compositor norte-americano; mas, de suas muitas obras (diversas sobre temas locais, como a vida de Lincoln, ou as marchas universitárias), somente a Sinfonia n. 3 tem alguma possibilidade de sobrevivência. Virgil Thomson (nascido em 1896) pegou Gertrude Stein para ser sua libretista (por ex., na ópera de nonsense *Four Saints in Three Acts*) e a simplicidade *dada* de Satie como sua inspiração musical: isso lhe garantiu fama na década de 1930, mas sua música hoje parece tão apagada quanto seus modelos. Henry Cowell (1897-1965), com suas dezesseis sinfonias "liga das nações" (incorporando todos os estilos musicais que havia sob o sol) e suas mil peças para piano feitas de amontoados de acordes, e George Antheil (1900-1959), que acrescentou motores de avião, rifles e o estouro de balões de borracha às suas orquestras, foram considerados gênios deliciosamente ultrajantes — um dia. A música que sobreviveu mistura a retidão expressiva com uma espécie de seja agitação, seja quietude arejada que hoje (graças, bem ou mal, a milhões de imitações nas trilhas sonoras de Hollywood) parecem características exclusivas norte-americanas. O melhor compositor neste estilo — um entre mais ou menos uma dúzia dos principais compositores do século — é Aaron Copland, mas outros de grande distinção incluem Samuel *Barber, Leonard *Bernstein, Elliott *Carter, Gunther Schuller (nascido em 1925), e os mestres sinfonistas Walter Piston (1894-1976) e William Schuman (nascido em 1910), cujas peças são menos bem conhecidas fora dos EUA do que suas qualidades merecem. Existem rigorosos experimentalistas, desde o dadaísta John *Cage e Morton Feldman (nascido em 1926) até o eletrônico Milton Babbitt (nascido em 1916) e o homem da "improvisação dirigida", Lukas Foss (nascido em 1922); e, o que é mais "norte-americano" em tudo isso, existe um grande grupo de compositores que viraram pelo avesso a forma habitual de inspiração, usando estilos e idéias "sérios" para reforçar a música popular: o maior de todos foi *Gershwin, mas a lista também inclui compositores de jazz como "Duke" Ellington (1899-1974) e artistas do showbusiness musical tão diferentes quanto Richard Rodgers (1902-79; *Oklahoma!*), Frank Loesser (1910-69; *Guys and Dolls*) e Stephen Sondheim (nascido em 1930; *Chorus Line*).

Para ouvir A introdução mais inspirada para a música norte-americana do século XIX é o Concerto para piano n. 2, de MacDowell, que se encontra no mesmo nível de qualquer coisa de autoria de (digamos) *Saint-Saëns; a escola germânica pode ter um exemplo de sua faceta mais séria em *Night Piece*, de Arthur Foote, e de seu lado mais risonho nas baladas de salão e nas peças climáticas para piano da Sra. Amy Cheney Beach. No século XX, as obras de substância ideais para se começar são a Sinfonia n. 2 (a "Romântica"), de Hanson, e a Sinfonia n. 3 de Harris, ambas reminiscentes das sinfonias de Sibelius, em som e qualidade, e também a mais caracteristicamente norte-americana *Symphony of Chorales*, de Lukas Foss. Os melhores ou mais típicos compositores americanos do século XX (Ives, Gershwin, Copland, Carter, Barber, Bernstein) são discutidos no corpo deste livro; introduções para alguns dos outros são o ritmado balé circense *The Incredible Flutist*, de Piston, e sua stravinskiana Sinfonia n. 2; a *Abertura Festival Norte-Americano* e o Concerto para violino de Schuman; e os *Sete Estudos sobre um Tema de Paul Klee*, de Schuller, uma das mais atraentes de todas as partituras orquestrais de vanguarda.

CONCERTO

A palavra *concerto* significa *combinação, consórcio, associação*, e o compositor que o escreva dá a um ou mais instrumentos uma função preponderante, revelada nas partes solistas; os restantes (da orquestra ou conjunto) lhe dão apoio. O desdobramento da relação musical entre o(s) solista(s) e os acompanhantes constitui a essência da própria obra. Um bom concerto demonstra e explora, além disso, todas as qualidades sonoras do instrumento solista.

CONCERTO GROSSO Do italiano *concerto grosso* (*concerti grossi* no plural), ou seja, *grande concerto*, foi uma forma de criação musical que desfrutou muita popularidade durante quase um século, aproximadamente de 1650 a 1750. Era escrito com freqüência para vários instrumentos solistas, acompanhados por uma orquestra de cordas e cravo. Dessa maneira, o diálogo musical se dava entre dois grupos bem contrastados, cada qual formando uma unidade completa em si mesma, mas possuindo sonoridade própria. No *Concerto de Brandenburgo* n. 4, de *Bach, que tomamos como exemplo, um grupo consistindo em duas flautas doces e violino equilibra-se com a orquestra de cordas; no *Concerto Grosso* op. 3, n. 4, de Händel, o grupo solista compõe-se de um oboé e dois violinos.

CONCERTOS DO SÉCULO XVIII, PARA INSTRUMENTO SOLISTA Tanto quanto *concerti grossi*, os compositores barrocos (particularmente *Bach, *Händel e *Vivaldi) também escreveram concertos para um dado instrumento e orquestra. Neles, a idéia básica (de diálogo) era a mesma aplicada àqueles, mas a presença de solista único para contrabalançar a orquestra exigia dele atuação musical mais floreada e afirmativa. Bons exemplos disso nos oferecem *As Quatro Estações*, de Vivaldi, o Concerto para trompete, de Haydn, e o Concerto para clarineta, de Mozart.

SÉCULO XIX Na época dos grandes virtuoses como Paganini e *Liszt, a imaginação tanto dos compositores quanto do público era dominada pela idéia de que uma pessoa (o solista) travava uma batalha contra forças poderosas (a orquestra). Assim, a idéia de diálogo, no século XIX, converteu-se na de duelo. Os solistas mais consagrados e seus concertos se estendiam desde o Concerto para piano n. 3, de Beethoven, até bem dentro do século XX. As peças de exibição com um estilo bem delicado e melodioso incluíam o Concerto para piano n. 2, de *Chopin, e o Concerto para violino, de *Mendelssohn; com um estilo mais grandioso, o Concerto para piano, de *Grieg, o Concerto para piano, de *Tchaikovsky, e o Concerto para violino n. 1, de Bruch, estavam na crista da onda gladiatória.

SÉCULO XX No século XX, embora ainda abundem os concertos extrovertidos para virtuoses (por ex., o Concerto para piano n. 3, de Rachmaninov, o Concerto para violino, de Sibelius), tem havido uma tendência acentuada para um estilo mais coloquial, com a contribuição da orquestra equilibrando, em lugar de ser agredida pelo solista. Bons exemplos são o *Concierto de Aranjuez* (para violão e orquestra), de Rodrigo, o Concerto para violoncelo, de Elgar, e o Concerto para piano em sol maior, de Ravel. Há também uma tendência para o retorno ao *concerto grosso*, equilibrando grupos de instrumentos com o resto da orquestra. (Bons exemplos são o *Capriccio* para piano e orquestra, de Stravinsky, e a *Fantasia Concertante sobre um Tema de Corelli*, de Tippet.)

A maioria dos concertos para solista tem três movimentos; uns poucos dos maiores (por ex., o Concerto para piano n. 2, de Brahms), e alguns *concerti grossi*, têm quatro. Nos concertos do século XIX (por ex., os de Liszt) os movimentos são tocados sem interrupção, e a música forma um todo sem costura. O concerto padrão de três movimentos em geral é constituído de um primeiro movimento arrebatado e discursivo, um segundo movimento lento e lírico, um finale brilhante.

CONCERTOS PARA MAIS DE UM SOLISTA Assim como os *concerti grossi* e os concertos solo, há uns poucos concertos famosos para dois ou mais solistas e orquestra. Bons exemplos são o Concerto para dois violinos, de Bach, a *Sinfonia Concertante* (para violino, viola e orquestra), de Mozart, o Concerto Triplo (para violino, violoncelo, piano e orquestra), de Beethoven, e o Concerto Duplo (para violino, violoncelo e orquestra), de Brahms.

Para ouvir Para aqueles que estão se iniciando como ouvintes de concertos, as obras recomendadas são o Concerto para órgão n. 7, de Händel, o Concerto para trompa n. 3, de

Mozart, o Concerto para piano, de Schumann, e o Concerto para piano n. 2, de Rachmaninov. Bons seguimentos são os outros concertos mencionados neste verbete (especialmente os de Mendelssohn, Rodrigo e Ravel); para outros concertos por compositores importantes ver os verbetes sobre J.S. Bach, Bartók, Beethoven, Brahms, Copland, Dvořák, Liszt, Martinů, Mozart, Rachmaninov, Schumann, Tchaikovsky, Vivaldi e Walton; ver também *instrumentos de cordas, instrumentos de sopro (madeiras), instrumentos de sopro (metais)* e *instrumentos de teclado.*

COPLAND, Aaron (1900). *Compositor norte-americano.*
Tendo decidido aos onze anos de idade que seria compositor, Copland passou os dez seguintes economizando dinheiro para poder viver em Paris, onde estudou com a mais famosa professora de composição de seu tempo, Nadia Boulanger. Regressou então aos Estados Unidos, já armado das características que marcam a música da década de 20: os ritmos jazzísticos, as harmonias cortantes, os compassos irregulares, escrevendo num estilo semelhante ao de *Milhaud ou Honegger. Sua música passou a receber prêmios e mais prêmios, o suficiente para que ele se mantivesse à custa dela e firmasse boa reputação profissional — embora muitos ouvintes a detestassem e alguns críticos a fustigassem com comentários maldosos como este: "Se existe em algum lugar do mundo mais estranha e inconseqüente concatenação de sons horríveis e ritmos distorcidos do que aqueles que o Sr. Copland reuniu em seu Concerto para piano, Boston teve a sorte de ser poupada de ouvi-los." (*Boston Post*, 1927).

Copland não se incomodou com reparos como esse, e continuou compondo no estilo "goste de mim se quiser, ou puder". Lá pela década de 30, porém, concluiu que entre as obrigações de um compositor para com seus ouvintes se inclui a de não desconcertá-los, e, ainda, que nada lhe impede de escrever boa música que eles possam apreciar e compreender. Simplificou radicalmente seu estilo e começou a compor obras para veículos de comunicação mais "populares", como o cinema, o balé, as orquestras colegiais, lançando mão de um idioma que combinava seriedade intelectual e apelo auditivo. O resultado disso foi uma obra que não se envergonha de provocar emoções diretas, buscar harmonização ampla e clara, usar desinibidos temas folclóricos, e estabeleceu de imediato um modo muito *americano* de se exprimir, enriquecendo-o com um punhado de verdadeiras obras-primas.

OBRAS Quatro sinfonias; Concerto para piano; Concerto para clarineta; *El Salón México*; *Quiet City*; *Fanfarra para o Homem Comum*; Variações Orquestrais; *Connotations* e diversas obras para orquestra; três balés (*Billy the Kid*; *Rodeo*; *Appalachian Spring*); ópera *The Tender Land*; Quinteto com piano; Sonata para violino e piano; Sonata para piano; Noneto para cordas e outras obras de câmara mais curtas; *Doze Poemas de Emily Dickinson*; *Velhas Canções Americanas*; três obras corais; *A Lincoln Portrait* ("Retrato de Lincoln"), para narrador e orquestra; partituras para numerosos filmes, entre os quais *Ratos e Homens*, *Nossa Cidade* e *O Pônei Vermelho*.

El Salón México (1936) Uma das primeiras composições "populares" de Copland, vívida impressão de um salão de baile no México, usando estilo jazzístico, temas folclóricos, instrumentação para orquestra de dança e atraentes ritmos latino-americanos. → *Rodeo* (*Quatro Episódios Dançáveis*); *España*, de Chabrier; balé *Fancy Free*, de Bernstein; *O Incrível Flautista*, de Piston.

Concerto para clarineta (1948) Escrito especialmente para o clarinetista e chefe de orquestra Benny Goodman (que era igualmente bom intérprete de *Mozart), este concerto explora ao mesmo tempo o som aveludado do instrumento e o estilo bem ritmado do mestre do jazz, que lhe granjeou o apelido *Rei do Swing*.

→ Ⓜ Sinfonia n. 3 (a mais extensa obra orquestral de Copland, cujo finale desenvolve o mesmo tema utilizado em sua famosa *Fanfarra para o Homem Comum*); *Billy the Kid*; Concerto para clarineta, de Finzi.

Ⓜ ***Appalachian Spring*** (1945) Inicialmente concebida como balé, esta obra é hoje mais ouvida em salões de concerto, e muitos a consideram a melhor dentre todas as escritas por Aaron Copland. O entrecho nos conta da vida austera e prosaica dos *Shakers* (uma variante da seita quacre) na região montanhosa dos Apalaches, e a música incorpora várias de suas canções e hinos religiosos (como, por exemplo, *The Gift to be Simple is the Gift to be Free*). À exceção de vigorosa quadrilha rústica, *Appalachian Spring* é predominantemente tranqüila, meditativa e luminosamente bela.

→ *Velhas Canções Americanas* para canto e piano, ou orquestra; *Impressões Brasileiras*, de Respighi; Sinfonia n. 3, de Ives.

Piano Variations (1930) Uma esplêndida amostra da música mais intelectualizada e menos acomodada de Copland. Compactamente estruturada (algo assim como a fuga das *Variações sobre um Tema de Händel*, de *Brahms), seu estilo é tenso, retórico e discordante. Pode ser ouvida igualmente no arranjo conhecido como *Variações Orquestrais*, talvez mais fácil de enfrentar, mas bem menos estimulante.

→ Sonata para piano; *Short Symphony*; Sonata para piano, de Bartók.

CORELLI, Archangelo (1653-1713). *Compositor e violinista italiano.*

Corelli passou a vida prestando serviços musicais à nobreza italiana, tendo se destacado como diretor de música da residência do Cardeal Ottoboni, em Roma. Foi um dos mais famosos violinistas da Europa, o Paganini de seu tempo, e morreu rico. O conjunto de suas composições foi relativamente pouco extenso (para a época em que viveu): seis números de *opus*, contendo doze obras cada. Poucos compositores, porém, exerceram tanta influência sobre os contemporâneos quanto ele. Corelli desenvolveu dois estilos, em particular: a *sonata e o *concerto grosso* (ver *concerto*), e ambos se transformaram em padrões de música instrumental durante o meio século seguinte. (Apenas a *sinfonia, um século mais tarde, chamou tanta atenção como eles.) Embora alguns dos mestres a quem tenha influenciado (*Vivaldi, *Bach, *Händel, por exemplo) chegassem a escrever obras mais refinadas do que as suas, as de Corelli têm sido injustamente esquecidas hoje em dia se as compararmos com as deles. São muito bem concebidas, em verdade, com suaves movimentos lentos (que exploram todo o potencial sonoro do violino como instrumento solista), admirável contraponto e animadas gigas; revelam extraordinário frescor e precisão, não tendo uma só nota longa demais.

OBRAS Quarenta e oito trio-sonatas; doze sonatas para violino e contínuo; doze *concerti grossi*.

Sonata para violino e contínuo op. 5 n. 10 (1700) As sonatas de Corelli (tanto as do *opus* 5, para violino solo, quanto as dos opp. 1-4, para dois violinos) são de dois tipos: "sonatas de igreja" (que consistem em quatro movimentos contrapontísticos, alternadamente lentos e rápidos) e "sonatas de câmara" (integradas por um movimento introdutório seguido de uma suíte de movimentos de dança). A n. 10 do op. 5 é uma sonata de câmara típica, cuja introdução lenta e elegante conduz a animada suíte integrada por *allemande*, *sarabanda*, *gavota* e *giga*.

→ Sonata op. 5 n. 11 (*La Folia*: sua forma inusitada — para Corelli — apresenta vinte e cinco variações vibrantes sobre um tema popular); Sonata op. 1 n. 15, de Händel; Sonata n. 4, para violino e cravo, de Bach.

Concerto grosso op. 6 n. 2 (1714) Esta obra jovial foi escrita para três solistas (dois violinos, um violoncelo) e orquestra de cordas. Tem sete movimentos, cada um deles subdividido em seções alternadamente rápidas e lentas, produzindo como que um mosaico de minúsculas experiências musicais. Além de ser um dos mais agradáveis concertos por ele escritos, esta peça constitui a base de uma obra marcante do século XX, que é a *Fantasia concertante sobre um Tema de Corelli*, de Tippett (cuja audição recomendamos).
→ *Concerto Grosso* op. 6 n. 8 (Concerto "de Natal"); *Concerto Grosso* op. 3 n. 3, de Geminiani; *Concerto Grosso* op. 6 n. 12, de Händel.

COUPERIN, François (1668-1733). *Compositor e cravista francês.*

Couperin foi o mais destacado membro de uma numerosa família de músicos, cuja tradição profissional, na França, rivaliza-se com a dos Bach, na Alemanha. Cravista e organista, ele passou grande parte da vida a serviço da corte francesa, onde seus deveres eram os de compor música de igreja para as devoções reais, e música de câmara para o seu entretenimento. Ao lado de peças muito bem concebidas de música eclesiástica, foi na área instrumental que ele mais se distinguiu: concertos, trio-sonatas, além de uma fantástica coleção de espirituosas peças para solo de cravo. (Seu livro *A Arte de Execução ao Cravo*, 1716, é um guia inestimável tanto para as composições dele próprio quanto as da extravagantemente ornamentada escola cravista francesa da época, que era muito mais floreada e excêntrica do que a italiana ou a alemã, onde pontificava uma figura tão austera como *Bach.)

OBRAS Duzentas e vinte peças para solo de cravo, agrupadas em vinte e sete *Ordres* (isto é, suítes); quarenta e duas peças para solo de órgão, em duas coleções chamadas *Masses*; peças camerísticas e orquestrais diversas, compreendendo quatro "Concertos Reais", dez concertos com o subtítulo de "Estilos Reunidos", quatro trio-sonatas e duas obras de grande escala, *L'Apothéose de Corelli* e *L'Apothéose de Lully*, para conjunto de câmara; uma dúzia de peças de música para igreja, incluindo motetos corais e as *Leçons de Ténèbres*, passagens das Lamentações de Jeremias, para duas vozes e contínuo.

Ordre n. 23 para cravo (publicada em 1730, mas escrita muitos anos antes) Como todas as demais *Ordres*, esta é uma coleção de brilhantes peças independentes, em um estilo tão fantasioso como seus títulos: *A Rapariga Audaciosa*, *As Tricoteiras*, *Arlequim*, *As Gôndolas de Delos*, *Sátiros*. Não há nelas qualquer grandeza *à la* *Scarlatti ou Bach: essas peças deliciosas são antepassadas das "paisagens pianísticas" de um *Albéniz ou dos *Prelúdios*, de *Debussy.
→ *Ordre* n. 2 (mais longa e sonora); *Ordre* n. 14 (lamentosa, inclui o famoso trecho *O Rouxinol Apaixonado*); *Peças para Cravo*, de Rameau (cinqüenta e seis obras pictóricas, agrupadas em suítes, com a mesma combinação de destreza virtuosística e atraente encanto).

Audite Omnes et Expavescite ("Ouvi, ó vós todos, e tremei") Este moteto de igreja para solo de canto, dois violinos e contínuo é menos uma composição devocional do que um concerto vocal, cujo objetivo é enlevar os ouvintes. Vale a pena especular sobre o significado das palavras: a música de Couperin (como de hábito) explora todas as oportunidades pictóricas possíveis. Pela disposição dos versos, pelo encantamento sensual que a voz provoca, esta obra rivaliza-se com as de *Purcell.
→ Ⓜ *Leçons de Ténèbres*; *Concert Royal* n. 2 (sem vozes: equivale a uma sonata para conjunto de câmara com colorido tipicamente händeliano); *The Queen's Epicedium*, de Purcell.

D

DAVIES, Peter Maxwell (1934). *Compositor inglês.*

O ensino (durante três anos ele foi diretor de música na Cirencester Grammar School) e a regência (foi diretor-fundador de um grupo de teatro e música, os Pierrot Players) deram a Davies uma arguta compreensão daquilo que faz uma música "funcionar" tanto para os intérpretes quanto para a platéia. Diversamente de alguns compositores de vanguarda, portanto, ele escreve para os amantes comuns da música, não para uma panelinha de especialistas, e, apesar de suas obras não serem nunca fáceis ao ouvido, são sempre objetivas, habilmente armadas e memoráveis. (Parece-se com *Boulez nisso, e também na qualidade.) Aplica os métodos de composição de *Webern a idéias e temas extraídos da Idade Média: a textura de sua música é uma névoa sonora sempre intrigante, como se velhos motetos de igreja e danças seculares tivessem sido despedaçados e fossem reconstituídos de forma espantosa ante nossos ouvidos. Suas peças mais notáveis são as de música para teatro (ver adiante *Eight Songs for a Mad King*); sua melhor música, no entanto, é abstrata, em escala grandiosa, e freqüentemente parece ser influenciada pelas soturnas paisagens marinhas que cercam sua casa em Orkney Islands.

OBRAS Quatro óperas (incluindo *Taverner*) e uma dúzia de peças musicais para teatro (incluindo *Eight Songs for a Mad King*, *Miss Donnithorne's Maggot* e *Revelation and Fall*); três sinfonias, duas *Fantasias on an In Nomine of John Taverner*, *Worlde's Bliss*, *A Mirror of Whitening Light* e outras obras orquestrais amplas; *Leopardi Fragments*, *Mass on L'Homme Armé*, *Stone Litany*, *Hymn to St. Magnus* e outras obras para voz solista; Quarteto de Cordas, Sonata para piano, Quinteto para metais, Sonata para trompete, *Stedman Doubles*, *Antechrist* e muitas outras obras de câmara, incluindo recomposições para orquestra de câmara de *Purcell, Gabrieli e outros compositores antigos, no estilo do *ragtime* da década de 20; canções, coros (incluindo a suíte natalina *O Magnum Mysterium*) e peças para piano solo (muitas para crianças).

Ⓜ ***Eight Songs for a Mad King*** (1969) Nesta obra singular e fascinante, um cantor solista representa o papel do louco rei Jorge, abordando, de um a um, um grupo de músicos em gaiolas (simbolizando pássaros que cantam), tentando através de gritos, gemidos, lamentos e sussurros ensinar-lhes as melodias que tem na mente. A peça acomete a platéia com o ímpeto de um filme de Ken Russell; é preciso ver (e não ouvir em disco) para acreditar; suas imagens, assim como seus sons, são inesquecíveis.

→ Ⓜ *Revelation and Fall* (para um locutor, representando o papel de médium em transe, e conjunto de câmara); Ⓜ *Stone Litany* (ciclo de canções, visualmente menos exótico, mas musicalmente também sensacional, para voz e orquestra); *Le Grand Macabre* (peça para teatro representando a Morte como uma feiticeira demente), de Ligeti.

Ⓜ ***First Fantasia on an In Nomine of John Taverner*** (1962) Esta obra, em um só movimento de 40 minutos, trata uma grande orquestra como se fosse uma coleção de grupos de música de câmara, e submete um tema do século XV a todo tipo imaginável de deslocamento e reagrupamento do século XX. O efeito é uma espécie de hipnose intelectual; tal como, digamos, *A Arte da Fuga*, de *Bach, seu propósito parece ser fazer o ouvinte tanto pensar quanto se entreter.

→ Ⓜ Sinfonia n. 1 (igualmente exigente para o ouvinte, mas com uma grandiosidade expansiva influenciada pela Sinfonia n. 5 de *Sibelius, que Davies tinha em mente ao planejar esta obra); *Points and Dances from Taverner* (excertos instrumentais da melhor ópera de Davies, uma boa introdução ao seu estilo); *Inori*, de Stockhausen.

DEBUSSY, Claude (1862-1918). *Compositor francês.*

A carreira de Debussy foi do tipo que estimula revelações tardias em toda parte. Ambicionando tornar-se pianista concertista, estudou com um aluno de *Chopin e entrou para o Conservatório de Paris com a idade precoce de dez anos. Foi então que sua ambição vacilou, e ele mudou de solista para pianista-acompanhador. Aos dezoito anos, tornou-se pianista profissional a serviço de Nadejda von Meck, a milionária russa que também patrocinou *Tchaikovsky; após seis anos de diligente aplicação, transformou-se num compositor suficientemente acadêmico e formal para ganhar o *Prix de Rome* do Conservatório (uma estada de três anos na Itália); não foi senão seis anos mais tarde, aos trinta e dois, que seu estilo próprio e original de composição (temperado não apenas pela tradição acadêmica francesa, mas também pelos gamelões de Bali, o cantochão medieval e o *ragtime* norte-americano) revelou-se finalmente ao mundo, com a bem-sucedida execução de estréia do *Prélude à l'Après-Midi d'un Faune*.

Poucos compositores possuíram melhor "ouvido" do que Debussy para os sons musicais. Suas obras são meticulosamente anotadas, com todas as nuanças de ritmo, harmonia ou textura exatamente calculadas e precisamente encaixadas. Mas ele usou essa técnica de relojoeiro suíço para criar uma música cujo efeito é, paradoxalmente, improvisatório e impreciso: peças como *Reflexos na Água* (*Reflets dans l'Eau*), *Nuvens* (*Nuages*) ou *O Jogo das Ondas* (*Jeux de Vagues*), apesar de construídas com lógica e solidez, soam tão impalpáveis quanto seus títulos sugerem. Os pintores impressionistas se dedicaram a colocar na tela não imagens objetivas, mas uma impressão minuciosamente controlada das cores e da luz conforme vistas por seus próprios olhos; o objetivo de Debussy no som era semelhante. Para criar efeitos tão fugidios e originais, ele desenvolveu novas escalas, novos meios de arranjar a orquestra (em blocos e jorros de som, em vez de melodia ou contraponto precisos) e, acima de tudo, novos modos de tocar o piano. Foi diferente de qualquer compositor anterior, foi o pai da música moderna; o apelo de sua obra reside na personalidade tranqüila, não-peremptória, que faz cada compasso parecer uma invenção recente, uma nova descoberta.

OBRAS PARA PIANO Vinte e quatro *Préludes*; doze Estudos; quatro Suítes (incluindo *Children's Corner*); dois conjuntos de *Images*; *L'Île Joyeuse*; dois *Arabesques*; *Petite Suite*, *Scottish March* e *Six Épigraphes Antiques* para duo de piano; suíte *En Blanc et Noir* e outras obras menores para dois pianos.

Clair de Lune (da *Suite Bergamasque*) (1895) Uma representação sonora da límpida luz do luar, a princípio tranqüila, depois ondulada pelo passar das nuvens. Essa peça costuma receber arranjos para outros meios, em seu detrimento: o original para piano é evocativo e limpo.

→ *La Fille aux Cheveux de Lin* (de *Préludes*, livro I); *Gymnopédie* n. 1, de Satie; *Pavana para uma Infanta Defunta*, de Ravel.

La Cathédrale Engloutie (de *Préludes*, livro I) Cada um dos vinte e quatro *Préludes* (dois livros de doze) de Debussy pinta um quadro poético singular; ainda assim, ele gostava que fossem ouvidos como música pura, sem "significados" externos, e por isso fez imprimir os títulos após a música, e não antes. Esta peça, sobre um sino de catedral dobrando no fundo do mar, junto com *La Fille aux Cheveux de Lin* (ver acima) e *Minstrels* (também do livro I), é a mais famosa; outras recomendações imediatas são: *Le Vent dans la Plaine* e *Des Pas sur la Neige*, do livro I; *Brouillards*, *Ondine* e *Feux d'Artifice*, do livro II.

→ *Reflets dans l'Eau* (de *Images*); o segundo *Arabesque*; *Mouvements Perpétuels*, de Poulenc.

Ⓜ ***Estampes*** (1903) Esta obra é característica das composições em larga escala para piano (e orquestrais) de Debussy: uma suíte de movimentos separados que, sem perder o fascínio ou a individualidade, entram em coesão num discurso maior, mais "sinfônico" do que uma mera coleção de miniaturas. Seus movimentos são *Pagodes*, *Soirée dans Granade* e *Jardins sous la Pluie*.

→ Suíte *Pour le Piano*; suíte *Decorations*, de Ireland; suíte *Miroirs*, de Ravel.

OBRAS ORQUESTRAIS E DE CÂMARA Três *Nocturnes*; três *Images*; *La Mer*; três balés (incluindo *Jeux*); *Prélude à l'Après-Midi d'un Faune*; *Printemps*; meia dúzia de obras menores, incluindo *Fantaisie* para piano e orquestra; Quarteto de Cordas; sonatas para violino e piano, violoncelo e piano, e flauta, viola e harpa; *Syrinx*, para flauta solo; *Rapsodie* para clarineta e piano.

Prélude à l'Après-Midi d'un Faune (1894) Uma impressão orquestral do poema de Mallarmé sobre devaneios adolescentes numa tarde de verão: o fauno é uma maliciosa criatura da floresta, metade garoto, metade bode. Na forma de um balé escandalosamente erótico (para os padrões de 1900), tornou Nijinsky famoso. Raramente Debussy superou o estilo lânguido e flutuante desta peça sensual.

→ Ⓜ *Nuages* (dos *Nocturnes*); *O Aprendiz de Feiticeiro*, de Dukas; *O Lago Encantado*, de Liadov.

Ⓜ ***La Mer*** (1904) "Três Esboços Sinfônicos" (*De l'Aube à Midi sur la Mer* – "Do Amanhecer ao Meio-Dia no Mar"; *Jeux de vagues* – "O Jogo das Ondas"; *Dialogue du Vent et de la Mer* – "Diálogo do Vento e do Mar") — e desta vez todos os títulos são incidentais: esta peça é uma persistente sinfonia em três movimentos, em tudo e por tudo, menos no nome.

→ *Images* (1909 – sem conexão com a suíte para piano do mesmo nome); *Taras Bulba*, de Janáček; *A Filha de Pohjola*, de Sibelius.

Jeux (1912) Partitura de balé originalmente encomendada para Nijinsky. Sua história trata de jogos e diversões (tênis, namoro) de um jovem e duas moças. A partitura mais sutil e mais evanescente de Debussy, que influenciou compositores posteriores; para o ouvinte, apesar de difícil de se penetrar a princípio, finalmente revela uma duradoura força poética.

→ Suíte *En Blanc et Noir*, para dois pianos; *La Valse*, de Ravel; Sinfonia n. 2, de Szymanowski.

Quarteto de cordas (1893) A música de câmara não era seu campo mais feliz, mas Debussy ainda assim deixou esta obra-prima isolada, mais pessoal que profunda, mais próxima de Borodin que de Beethoven, e cheia de sonoridades "não-quartetianas" que surpreendem e deliciam os ouvidos.

→ Sonata para flauta, viola e harpa; *Serenata Italiana*, de Wolf; Quarteto de Cordas n. 1, de Bartók.

MÚSICA VOCAL Ópera *Pelléas et Mélisande*; duas cantatas; oito ciclos de canções para voz e piano (incluindo dois conjuntos de *Fêtes Galantes*; *Chansons de Bilitis*; e *Proses Lyriques*); *Chansons de Charles d'Orléans*, para coro; outras obras menos significativas, incluindo a música incidental para *Rei Lear* e *O Martírio de São Sebastião*.

Ⓜ ***Fêtes Galantes*** (conjunto n. 1, 1903; conjunto n. 2, 1904) O poeta Verlaine dizia que, em sua poesia, "a música estava nas palavras"; nestes conjuntos, que se ajustam a seus versos límpidos ou fantásticos como a pele se ajusta à carne, Debussy provou que ele estava errado. De todos os autores de canções francesas, somente *Fauré alguma vez igualou a serenidade e o frescor do estilo de Debussy aqui.

→ *Trois Ballades de François Villon*; ciclo de canções de Verlaine *La Bonne Chanson*, de Fauré; *Au Pays où se Fait la Guerre* (uma única e extensa canção), de Duparc.

Ⓜ ***Pelléas et Mélisande*** (1902) (ópera completa) Apesar de ser quintessencialmente Debussy, *Pelléas* é diferente de qualquer outra ópera: uma longa, predominantemente calma e conversacional colocação em música da peça simbolista de Maeterlinck sobre amantes malfadados. Sua atmosfera traz à mente o filme de Cocteau *A Bela e a Fera* (ou até mesmo *O Ano Passado em Marienbad*, de Resnais) — uma obra evanescente, hipnótica e (talvez) perturbadora.

→ Cantata *Le Martyre de Saint Sébastien*; *Pénélope*, de Fauré; *O Castelo de Barba-Azul*, de Bartók.

DELIBES, Léo (1836-91). *Compositor francês.*

A maior parte da vida profissional de Delibes foi passada na tarefa ingrata de ensinar a cantores suas notas e tocar para ensaios na Ópera de Paris e no Théâtre Lyrique. Sua ambição era ter sucesso como compositor para o palco — e afinal ele o conseguiu, pois, apesar de seu nome não viver nos lábios de todo mundo, sua música (por ex.: *Coppélia*) é universalmente conhecida e amada.

OBRAS Cinco óperas (incluindo *Lakmé*); meia dúzia de operetas (com títulos como *Dois da Velha Guarda* e *A Escocesa de Chatou*); quatro balés (incluindo *Coppélia* e *Sylvia*); música incidental; diversas obras vocais em grande escala, incluindo uma cantata e uma missa; quinze canções.

"Canção do Sino" (da ópera *Lakmé*, 1883) Uma dessas peças de exibição que se reconhecem imediatamente, amada pelos grandes sopranos e suas platéias em toda parte; uma seqüência dulçorosa de trinados, volatas e volteios. Música açucarada? Da melhor qualidade.

→ *Pizzicato* (do balé *Sylvia*; sem voz, mas um dos sucessos perenes de Delibes — e da música ligeira); *Canção do Riso* (de *O Morcego*), de Strauss; *Valsa-Canção* (de *Romeu e Julieta*), de Gounod.

Coppélia (1870) Balé deliciosamente melodioso (sobre um jovem que se apaixona por uma linda boneca em tamanho natural, e a brincadeira de sua namorada quando descobre quem é a "rival"); a partitura é uma fieira de "números" isolados (por ex., valsa, bolero, mazurca) que costumam ser executados na forma de uma suíte de concerto.

→ *Sylvia* (o balé completo, e suíte de concerto); suíte *Le Roi s'Amuse*; *Gaîté Parisienne*, de Offenbach; *La Boutique Fantasque*, de Rossini/Respighi.

DELIUS, Frederick (1862-1934). *Compositor inglês.*

Quando jovem, Delius foi embarcado de Bradford, Yorkshire (então uma próspera cidade industrial de ruas pavimentadas com pedras redondas e usinas negras, satânicas), para dirigir um laranjal na Flórida. Em meados dos seus vinte anos, foi para a Europa, passando vários anos na Alemanha e na Escandinávia antes de se estabelecer em Grez-sur-Loing, no florido campo francês favorito dos pintores impressionistas. Durante seus dez últimos anos de vida, apesar de cego e paralítico, continuou a compor, ditando suas obras ao amanuense Eric Fenby (cujo livro *Delius As I Knew Him*, "O Delius que eu Conheci", descreve de forma interessante como isso era feito). Na década de 20, ele era um dos mais executados compositores ingleses; mais recentemente (e em especial desde a morte de seu maior paladino, o regente Sir Thomas Beecham), sua música saiu do repertório, o que é lamentável.

A música de Delius costuma soar como se tivesse sido composta por alguém completamente diferente do homem que viveu a sua vida: um excêntrico largado de lado, alheio a qualquer inovação em sua arte desde *Wagner ou César *Franck. Sua música é sonhadora, decadente, derretidamente romântica e orquestrada visando a efeitos arrebatadores. Ocasionalmente (em seus concertos, por exemplo) ele tentou acrescentar alguma robustez, o que liquidava com as obras. Seu melhor trabalho é singular: crepúsculos, devaneios e verões indianos transfixados em sons.

OBRAS Seis óperas; quatro concertos; vinte e uma obras orquestrais (incluindo *Brigg Fair*; *North-Country Sketches*; *A Song Before Sunrise*); doze obras para coro e orquestra (incluindo *Sea Drift*; *A Mass of Life*; *Songs of Sunset*); Quarteto de Cordas; três sonatas para violino e piano; Sonata para violoncelo e piano; umas duas dúzias de canções e nove peças para piano, nenhuma delas substancial.

Ⓜ ***On Hearing the First Cuckoo in Spring*** (1912) Apesar de ter como base uma canção folclórica norueguesa, e seu título explicitar com a maior clareza a estação do ano que Delius tinha em mente ("Ao Ouvir o Primeiro Cuco da Primavera"), esta pequena rapsódia orquestral é o próprio retrato de uma tarde de verão eduardiana, chá em gramados bem aparados ao lado de delfínios perfumados. Desde seu primeiro e inequívoco acorde deliusiano (uma dissonância sensualmente orquestrada), seu clima nunca vacila: é um poema em sons, uma inspiração única.

→ *Summer Night on the River*; *In a Summer Garden*; *The Banks of Green Willow*, de Butterworth.

Brigg Fair (1907) A forma desta "Rapsódia Inglesa" para orquestra é um conjunto de variações (sobre uma canção folclórica do Lincolnshire); mas as seções isoladas se aglutinam e se fundem na veia mais madura e sentida de Delius, como que na tentativa de captar uma visão única da felicidade rural em um passado distante. Os admiradores de Delius querem destacar suas obras mais amplas; mas sua melhor música é como esta peça, despretensiosa e exata, como a pintura de um campo de papoulas por Monet, transformada em notas musicais.

→ *Song Before Sunrise*; Concerto para violino; *Idílio de Siegfried*, de Wagner; *Noite de Verão*, de Kodály.

DONIZETTI, Gaetano (1797-1848). *Compositor italiano.*

Donizetti começou sua carreira musical tocando numa banda militar, e não foi senão aos 25 anos, quando sua quarta ópera triunfou em Roma, que ele pôde se dedicar em tempo integral ao teatro. A partir daí, e até se retirar (por doença) 22 anos depois, produziu óperas como um jornalista produz reportagens: depressa (duas a cinco óperas por ano), com eficiência e precisão, preocupando-se muito pouco com a posteridade (ou mesmo com o depois-de-amanhã). Muitas de suas óperas são vazias e untuosas, fieiras de árias de exibição feitas para agradar platéias ansiosas por novidades; um punhado de outras se eleva da simples competência à excelência (normalmente graças a diálogos aceitáveis e tramas intensas); muito poucas entre estas (*L'Elisir d'Amore*; *Don Pasquale*; *Lucia di Lammermoor*) são extraordinárias, e colocam seu compositor, por rápidos momentos, na mesma categoria de *Rossini ou *Bellini.

OBRAS Sessenta e duas óperas (incluindo as comédias *L'Elisir d'Amore*, *La Fille du Régiment* e *Don Pasquale*, e as óperas sérias *Lucia di Lammermoor* e *Lucrezia Borgia*); doze quartetos de cordas (encantadores mas superficiais); um punhado de canções solo e pequenas obras orquestrais (incluindo um Concertino para corne inglês e orquestra); *Requiem* (composto em memória de Bellini).

Una Furtiva Lagrima (de *L'Elisir d'Amore*, 1832) Esta é uma chorosa canção de amor para tenor, meio irônica (ele exagera a tristeza para convencer a jovem que ama), meio séria. A mistura de farsa, heroísmo de fancaria e melodias a plenos pulmões é o que a ópera cômica italiana (especialmente esta) faz de melhor.
→ *Spirto Gentil* (de *La Favorita*); *Celeste Aida* (de *Aída*), de Verdi; *O Mio Babbino Caro* (de *Gianni Schicchi*; para soprano), de Puccini.

Ⓜ *Lucia di Lammermoor* (1835) (a ópera completa) Uma história inflamada de paixão e traição, baseada na novela de Walter Scott *The Bride of Lammermoor* (*A Noiva de Lammermoor*). Uma esplêndida trapaça a respeito de cartas forjadas e um falso contrato de casamento (Donizetti era excelente para revestir intrigas melífluas com melodias); no soberbo clímax do terceiro ato, a heroína enlouquece (o que não surpreende) e tem visões do seu verdadeiro amor morto. *Nonsense* sublime, mas tratado seriamente por Donizetti, para um efeito sublime.
→ *Lucrezia Borgia* (a ópera completa, desta vez com poções, em vez de cartas, falsas); *La Sonnambula*, de Bellini; *La Forza del Destino*, de Verdi.

DUKAS, Paul. Ver *Compositores de obra singular.*

DVOŘÁK, Antonín (1841-1904). *Compositor tcheco.*

A vida de Dvořák se desenvolveu tão serenamente quanto uma de suas próprias sinfonias. Até os trinta e dois anos, trabalhou como violinista na orquestra do Teatro Nacional de Praga; a partir daí assumiu um emprego menos exigente a fim de poder passar mais tempo compondo. Depois disso, a fama de sua música se espalhou rapidamente: ganhou uma sucessão de prêmios; foi acolhido (por recomendação de *Brahms) pelo editor de Brahms; importantes intérpretes (por ex., o violinista Joachim e o maestro Richter) encomendaram-lhe novas obras. As honras choviam-lhe sobre a cabeça: um doutorado em Cambridge, as direções do Conservatório Nacional de Música de Nova York e do Conservatório de Praga. Ao final de sua vida, esse filho de um açougueiro de aldeia havia alcançado fama mundial e atingido o pináculo de sua profissão.

Não há nisso nada de extraordinário: a vida de Dvořák foi vivida, com pequenas variações, mil vezes. O que o torna tão especial é que, apesar de sua ascensão até a eminência social e profissional, ele nunca perdeu o inocente frescor de sua infância de aldeia, e o recuperou miraculosamente, vez após vez, em música. Tal como *Schubert, tinha o dom da melodia espontânea; apesar de raramente usar melodias folclóricas autênticas, sua música é tão embebida em seus fraseados que a verdadeira música folclórica da Boêmia, para ouvidos acostumados a Dvořák, tende a soar falsa. Sua admiração por Brahms e *Wagner e sua experiência como músico de orquestra ajudaram-no a disciplinar suas partituras: apesar de suas obras serem compactas de melodias, a tendência ao derramamento é em geral mantida à distância através de uma cuidadosa organização, um equilíbrio de acorde com acorde que (notavelmente) parece aumentar, em vez de estragar, o frescor de seus temas.

OBRAS ORQUESTRAIS Nove sinfonias; cinco poemas sinfônicos; cinco aberturas (incluindo *Carnaval*); Variações Sinfônicas; *Scherzo Capriccioso*; Concerto para violino; Concerto para piano; Concerto para violoncelo; diversas obras mais curtas, incluindo *Serenata para Cordas* e *Serenata para Sopros*.

Dança Eslava, op. 46 n. 8 (1878) Uma dança rápida e rítmica, em estilo cigano, concentrando em simples notas as imagens de todos os grupos de dança folclórica já vistos. Originariamente para duo de piano, funciona ainda melhor nessa inflamada versão orquestral.

→ *Dança Eslava*, op. 46 n. 1; *Polka e Furiant* (de *A Noiva Vendida*), de Smetana; *Dança dos Acrobatas* (de *A Donzela da Neve*), de Rimsky-Korsakov.

Serenata para Cordas, op. 22 (1875) Oficialmente uma suíte em cinco movimentos, esta peça soa mais como uma cadeia de intermináveis melodias, deliciosamente orquestradas. Como costuma ser o caso com Dvořák, a música é insidiosa: uma vez ouvida, é difícil tirá-la da cabeça.

→ *Serenata para Sopros*, op. 44; *Suíte Holberg*, de Grieg; *Serenata para Cordas*, de Wirén.

Ⓜ ***Sinfonia n. 9*** (***Novo Mundo***), op. 95 (1893) É um dos grandes cavalos de batalha orquestrais, tão amado quanto a Sinfonia n. 5 de *Beethoven, ou o Concerto para piano n. 1 de *Tchaikovsky — e, como eles, cada vez que é tocado ressurge com tanto frescor quanto uma pintura nova. Estimulante; entusiasmante; essencial.

→ Abertura *Carnaval*; Ⓜ Sinfonia n. 5; Sinfonia n. 4, de Tchaikovsky.

Concerto para Violoncelo, op. 104 (1895) No decorrer de toda a obra, os fogos de artifício de concerto assumem um segundo plano diante da melodia arrebatadora, com o violoncelo tratado como uma voz solista de ópera, cantando ao som da orquestra. É diferente de qualquer outro concerto, mas apesar disso — não deveriam ser assim todos os concertos? — parece expressar a própria alma do instrumento solista.

→ Concerto para violino; *Variações Rococó*, de Tchaikovsky; Concerto para violoncelo n. 1, de Saint-Saëns.

Ⓜ ***Scherzo Capriccioso***, op. 66 (1883) Melodias ritmadas, fanfarras heróicas e orquestração exuberante se combinam para formar uma peça que tanto satisfaz quanto nos deixa querendo mais. (Felizmente, as outras obras de Dvořák satisfazem precisamente tal desejo.)

→ Variações Sinfônicas; Abertura *Meu Lar*; *O Moldávia*, de Smetana.

Ⓜ ***Sinfonia n. 6***, op. 60 (1880) Injustamente negligenciada em favor das Sinfonias 7-9, esta é a obra-prima orquestral de Dvořák, tão cuidadosamente organizada (e tão satisfatória para o espírito) quanto qualquer sinfonia de Brahms, mas repleta de melodias, de uma forma que Brahms só poderia invejar. (Ele uma vez disse: "Se eu pudesse

simplesmente inventar um tema principal tão glorioso quanto os pensamentos passageiros de Dvořák...".)
→ Ⓜ Sinfonia n. 7; Sinfonia n. 5; Sinfonia *Inacabada*, de Schubert.

MÚSICA VOCAL Dez óperas (incluindo *Proezas de Camponês*; *O Jacobino*; *O Diabo e Catarina*; *Rusalka*); *Stabat Mater*, Missa, *Requiem*, *Te Deum* e outras obras mais curtas para coro e orquestra; *Em Meio à Natureza*, para coro; sete grupos de canções para voz solista e piano (incluindo *Ciprestes*; *Canções Ciganas*; *Canções Bíblicas*).

Canções que Minha Mãe me Ensinou (das *Canções Ciganas*, op. 55) (1880) Esta bela e sentimental balada é conhecida tanto como canção quanto como peça instrumental favorita dos executantes de cordas (Casals fez uma arrebatadora gravação no violoncelo em 1929). Ainda assim, não é a melhor das *Canções Ciganas*: o conjunto inteiro compensa uma exploração.
→ *Duetos da Morávia*, op. 32; *Von ewiger Liebe* ("Amor para sempre"), op. 43 n. 1, de Brahms; *Auf Flugeln des Gesanges* (*Nas Asas da Canção*), op. 34 n. 2, de Mendelssohn.

Ⓜ ***Dez Canções Bíblicas***, op. 99 (1894) Extratos dos Salmos, musicados por Dvořák no clímax de sua carreira, e tão variados em clima e estilo (dentro de sua moldura devocional) quanto os próprios Salmos.
→ *Quatro Canções*, op. 82; *Seis Canções*, op. 90, de Schumann; *Seis Canções*, op. 36, de Sibelius.

Hino à Lua (da ópera *Rusalka*) (1900) Esta ária com orquestra, de suave fluência, costuma ser executada isoladamente e é, com justiça, preferida pelos sopranos, por dar uma oportunidade sem igual de exibir uma contínua pureza de tom. O resto da ópera pode ser esquecido; esta ária é um glorioso exemplo da facilidade com que flui o estilo vocal lírico de Dvořák.
→ *Quatro Duetos*, op. 38 (duas vozes e piano); *Nas Profundezas do Templo* (*Os Pescadores de Pérolas*), de Bizet; "Un Bel Dì Vedremo" (*Madama Butterfly*), de Puccini; "Canção de Solveig" (de *Peer Gynt*), de Grieg.

Ⓜ ***O Jacobino*** (1889) (a ópera completa) Pouco conhecida, mas uma história do tipo "rapaz namora moça", de rústico apelo e tão animada quanto *A Noiva Vendida*, de Smetana. Diálogo lépido, canções melodiosas, conjuntos graciosos (por ex., a cena em que o herói tenta ensaiar uma banda de músicos de aldeia, dispostos mas exageradamente efervescentes).
→ *O Diabo e Catarina* (a ópera completa); *A Noiva Vendida*, de Smetana; *Schwanda, o Gaiteiro* (a ópera completa), de Weinberger.

Ⓜ ***Stabat Mater***, op. 58 (1877) A preferência atual pela música instrumental, em vez das obras vocais de grande escala, levou a uma injustificada negligência da música coral de Dvořák. Esta é uma partitura notavelmente melodiosa do que, em outras mãos, já foi um texto religioso pomposo, ultra-solene.
→ Ⓜ *Te Deum*; Missa em ré; Missa em lá bemol, de Schubert.

OBRAS DE CÂMARA E PARA PIANO Oito quartetos de cordas (mais vários outros, da juventude, só recentemente descobertos); dois quintetos de cordas; Sexteto de Cordas; quatro trios para violino, violoncelo e piano; dois quartetos para violino, viola, violoncelo e piano. Quinteto para piano e quarteto de cordas; Sonata e outras obras mais curtas para violino e piano; aproximadamente cem peças curtas para piano, agrupadas em conjuntos de *Mazurkas*, *Humoresques*, *Éclogas*, etc; dezesseis *Danças Eslavas*, *Lendas* e *Das Florestas da Boêmia*, para duo de piano; uma miscelânea de obras de câmara mais curtas.

Dança Eslava, op. 46 n. 4 (1886) Apesar de deliciosas em arranjos orquestrais (especialmente o grupo do op. 72), algumas das *Danças Eslavas* são igualmente

borbulhantes em sua forma original para duo de piano. (O sabor rítmico desta, por exemplo, é *amaciado* na orquestra.) Ambas as versões, em suma, valem ser exploradas.
→ *Dança Eslava*, op. 72 n. 6; *Lendas*, op. 59 (versão para duo de piano); *A Chegada da Rainha de Sabá* (versão para duo de piano), de Händel; *Três Danças Tchecas*, para dois pianos, de Martinů.

Ⓜ ***Trio n. 4*** para violino, violoncelo e piano (*Dumky*), op. 90 (1891) A *dumka* é uma dança folclórica tcheca com seções alternadas lentas e rápidas (freqüentemente adaptando o mesmo material básico). Dvořák mistura essa idéia com a forma sonata mais séria, com um efeito encantador. Tal como seu Concerto para violoncelo, o Trio *Dumky* é menos uma solene obra de concerto do que uma eventual exibição de melodia, grave e alegre.
→ Trio n. 2, op. 26; Trio n. 1 em si bemol, de Schubert; Trio op. 49, de Mendelssohn.

Ⓜ ***Quinteto para piano e cordas***, op. 81 (1887) Nesta luminosa obra em quatro movimentos, a brilhante tonalidade do piano é contrastada com linhas sinuosas ou enérgicas nas cordas, mas a sensação é mais de diálogo amigável do que de rivalidade. A música de câmara às vezes assume uma gravidade intimidante; esta obra sorri.
→ Quarteto para piano n. 2, op. 87; Quarteto de Cordas, op. 96 (*Americano*); Quarteto de Cordas n. 2, de Borodin.

E

ELGAR, Edward (1857-1934). *Compositor inglês.*

O compositor inglês mais substancial desde *Purcell, Elgar acabou com a constrangedora reputação da Inglaterra no século XIX de "terra sem música", e começou a gloriosa renascença dos últimos 100 anos. Exceto por ter ele trabalhado em artes, não em negócios, foi um excelente exemplo do *self-made man* vitoriano: por seu próprio esforço, abriu caminho da estaca zero (ensinando piano e violino e tocando em orquestras locais) até a eminência (fama internacional com as *Enigma Variations* em 1899, feito cavaleiro do Reino em 1904 e membro da Ordem do Mérito, a mais elevada honraria artística da Inglaterra, em 1911.)

A música de Elgar é formada com toda a habilidade de um profissional (ele foi, por exemplo, um orquestrador tão brilhante em seu estilo quanto Richard *Strauss foi no dele); apesar de a princípio sua música parecer ter a jactância da autoconfiança eduardiana, uma sensação persistente de autoquestionamento, aliada a uma capacidade profissional absolutamente não-eduardiana, corta pela raiz toda a sua pomposidade. (Mais ou menos um século antes, o gênio irreverente de *Haydn havia cortado pela raiz as tradições inflexíveis de forma semelhante.)

OBRAS Duas sinfonias, Concerto para violino, Concerto para violoncelo, *Enigma Variations, Falstaff, Introduction and Allegro, Serenade for Strings*, muitas marchas (incluindo cinco *Pompa e Circunstância*), aberturas (incluindo *Cockaigne* e *In the South*) e suítes (incluindo duas *Wand of Youth*) para orquestra; diversas peças para orquestra pequena ou "ligeira", incluindo *Chanson de Matin* e *Sospiri*; quatro oratórios (incluindo *The Dream of Gerontius*), três cantatas e outras obras extensas para coro e orquestra; Quarteto de Cordas, Quinteto para piano, Sonata para violino e piano e uma dúzia de obras mais curtas, de câmara ou para piano solo; muitas (hoje raramente executadas) canções corais, canções solo e obras para locutor e orquestra.

Land of Hope and Glory (*Pompa e Circunstância*, Marcha n. 1) (1901) Mesmo sem sua letra ultranacionalista (que Elgar desaprovava), esta é uma das mais adoradas peças patrióticas que existem, secundária apenas ao *Rule Britannia* como hino de inflamado orgulho nacional. É também uma música magnífica por seus próprios méritos: sua alternação de arrebatamento enérgico com uma melodia redonda e graciosa estabelece o estilo para mil imitações, e ela as supera todas.

→ *Pompa e Circunstância*, Marcha n. 4; "Grande Marcha" (*Aida*), de Verdi; *Joyeuse Marche*, de Chabrier; marcha *Crown Imperial*, de Walton.

Ⓜ ***Enigma Variations*** , op. 36 (1899) A inspirada idéia por trás desta obra (treze variações cada qual assumindo o caráter de alguém que Elgar conheceu, seguidas por um final descrevendo o próprio compositor) permite a mistura típica de Elgar de extroversão, música para o público e uma obsedante emoção particular. As variações vão do animado ao delicado; "Nimrod" (que costuma ser executada separadamente) é uma das mais sonoras músicas lentas jamais escritas por um inglês.
→ Abertura *Cockaigne*; *Variações Rococó* (violoncelo e orquestra), de Tchaikovsky; *Danças Polovitsianas*, de Borodin; *Till Eulenspiegel*, de Strauss.

Ⓜ ***Introdução e Allegro***, op. 47 (1904-5) Este é um opulento *concerto grosso* eduardiano: um solo de quarteto de cordas em contraste com uma completa orquestra de cordas. Boa parte da música foi planejada por Elgar durante caminhadas nas colinas de Malvern, é tão despojada e arejada quanto isso sugere; o quarteto solista contribui com melodias melancólicas em veia mais tranqüila, e a peça inteira termina com uma saltitante fuga.
→ *Serenata para cordas* (menor e mais ligeira); *Fantasia sobre um Tema de Thomas Tallis*, de Vaughan Williams; *Concertino Pastorale*, de Ireland.

Ⓜ ***Concerto para violoncelo***, op. 85 (1919) Esta obra eloqüente foi escrita no mais tocante estilo "crepúsculo do império": seu movimento lento, em particular, compunge o coração. Elgar o escreveu no final de sua vida de compositor, e a obra permanece como um sumário de tudo aquilo a que sua arte aspirava, e de tudo que ela podia conseguir.
→ *Concerto para violino* (maior e bem mais extrovertido); Sinfonia n. 1; Concerto para violoncelo, de Barber.

Sinfonia n. 2, op. 63 (1911) À parte seu movimento lento, marcha-fúnebre (escrito em memória de Eduardo VII e parecendo, hoje, um lamento por todas as certezas imperiais que ele representava), esta sinfonia é ebuliente, cheia de força, em marcante contraste com a elegíaca Sinfonia n. 1. Tal como na *Introdução e Allegro*, ela mostra o estilo público de Elgar, numa exibição de auto-segurança senhorial.
→ *Falstaff*; Sinfonia n. 2, de Brahms; *A Colour Simphony*, de Bliss.

The Dream of Gerontius, op. 38 (1900) Na época de Elgar, as obras corais dramáticas em ampla escala eram o auge das ambições de um compositor inglês (como as óperas o eram na Itália e as sinfonias na Alemanha). O próprio Elgar compôs meia dúzia delas; apesar de arrastadas, pelos padrões agitados de hoje, contêm muitas de suas melhores páginas. Menos um oratório (cf. *O Messias, Elias*) do que uma meditação sobre a imortalidade da alma (a letra é do Cardeal Newman), *The Dream of Gerontius* é predominantemente reflexivo, e ralentado, com alguns momentos primorosos (por ex., "O adeus dos anjos"), tanto para os solistas quanto para o coro.
→ *Sea Pictures* (obra mais vigorosa e arejada, para solista e orquestra); oratório *The Kingdom*; *Sancta civitas*, de Vaughan Williams.

F

FALLA, Manuel de (1876-1946). *Compositor espanhol.*

Embora tenha estudado no Conservatório de Madri e iniciado sua carreira escrevendo *zarzuelas* (óperas cômicas espanholas), Falla somente veio a encontrar seu estilo de compositor quando passou a morar em Paris, na primeira década do século XX, tornando-se amigo de *Stravinsky, Picasso, Nijinsky e outros colaboradores dos *Ballets Russes* de Diaghilev. Foi então que estabeleceu a síntese entre o intenso modernismo que eles lhe ensinaram (tão afilado quanto uma pintura cubista) e as prolongadas e plangentes melodias da música popular andaluza, com suas duras e secas harmonias de guitarra. Disso resultaram composições a um só tempo muito pessoais e tão *espanholas* como a música de um conjunto de danças *flamenco*. Acima de tudo, a música de Manuel de Falla transmite uma sensação de melancólico distanciamento, de aristocrático desdém, que marca a obra de muitos dos grandes artistas espanhóis, como, por exemplo, os retratos pintados por Goya, ou as naturezas-mortas de Zurbarán.

OBRAS Três óperas (entre as quais *La Vida Breve*); dois balés (*El Amor Brujo* e *El Sombrero de Três Picos*); *Noites nos Jardins de Espanha*, para piano e orquestra; Concerto para cravo; uma dúzia de peças para piano e orquestra; uma dúzia de peças para piano solo (entre elas as *Quatro Peças Espanholas* e a *Fantasia Bética*); dois ciclos de canções (*Três Canções, Sete Canções Populares Espanholas*); *L'Atlantida*, cantata inacabada, para coro e orquestra; um punhado de obras vocais de menor relevância.

Dança Ritual do Fogo (do balé *El Amor Brujo*) (1951) Escrita originariamente para orquestra, o próprio Falla fez um arranjo para piano, e outros músicos a transcreveram para todos os tipos de combinações instrumentais possíveis. É uma dança rápida, vigorosa, bem ritmada, concebida como o acompanhamento musical de uma vistosa cerimônia ritual. Sua aceitação é de tal ordem que ela se transformou num dos maiores clássicos populares de todos os tempos pelo que tem de entusiasmante e descontraída, notadamente como um extra de recital, quando leva as platéias ao delírio.

→ Todo esse balé; Dança Espanhola (de *La Vida Breve*); Tocata op. 11, de Prokofiev.

Ⓜ ***El Sombrero de Três Picos*** (1919) (o balé completo) Uma singela história da trapaça rústica, na qual um moleiro e sua mulher conseguem ludibriar um pomposo e devasso funcionário do governo. A música de Falla, freqüentemente no estilo folclórico, é viva e colorida. Suas passagens mais lentas (como a *Dança do Moleiro*, por exemplo) são particularmente sedutoras e envolventes quando executadas como peças de concerto, ou em arranjos.

→ *Noites nos Jardins de Espanha* (uma pictórica seqüência de exóticas peças noturnas, para piano e orquestra); *Quatro Peças Espanholas* (para piano solo); *Le Carnaval d'Aix*, de Milhaud.

Ⓜ ***Sete Canções Populares Espanholas*** (1922) Epigramáticas composições vocais, captando admiravelmente a atmosfera espanhola em melodias simples e breves, com acordes despojados. Há um arranjo dessas peças para violino e outro como uma suíte para piano.

Ⓜ ***Concerto para Cravo*** (1926) O instrumento solista vocifera e alterca num estilo vigoroso, *à la* século XVIII (algo assim como um *Scarlatti reescrito por *Stravinsky); os cinco instrumentos acompanhantes (não há uma orquestra) contribuem apenas com o fundo musical, em cores básicas. O movimento central é maravilhosamente solene, uma procissão em passos reverentes. Peça breve, de soberba realização técnica, ela é sem dúvida a obra-prima de Manuel de Falla no campo instrumental.
→ *Fantasia Bética* (piano solo); *Introdução e Allegro* (harpa e seis instrumentos), de Ravel; Concerto para cravo, de Martinů.

FAURÉ, Gabriel (1845-1924). *Compositor francês.*
Quando tinha nove anos de idade, Fauré foi um dos primeiros alunos da recém-inaugurada Escola de Música Religiosa e Clássica, que Niedermeyer fundara em Paris; tendo ali estudado onze anos, ele se transformou num organista altamente capacitado e preparador de coros, chegando mais tarde a professor-assistente, experiência que marcou sua vida. Depois de fazer o serviço militar e ter passado algum tempo no interior, como organista, Fauré regressou a Paris, onde passou a ter uma vida muito agitada: regia corais, tocava órgão em várias igrejas (inclusive na Madeleine), lecionava na Escola de Niedermeyer e também no Conservatório de Música de Paris. Ao se aposentar das incumbências magisteriais, em 1905, foi imediatamente nomeado Diretor do Conservatório, quando se transformou — algo inesperadamente, se for levado em conta seu passado bastante conservador — numa das figuras de vanguarda do cenário musical francês, abandonando as tradições mais acadêmicas e encorajando a "música nova" e o trabalho de jovens compositores "progressistas", como *Ravel, Koechlin e Florent Schmitt.

Até chegar aos sessenta anos, Fauré especializara-se em obras de pequeno porte; música incidental para teatro, peças para piano e canções (campo onde se tornou incomparável). Em suas duas últimas décadas, obras de maior vulto passam a interessá-lo: ciclos de canções, uma ópera (*Pénélope*) e sete grandes trabalhos de câmara. Se em sua primeira fase ficou conhecido como compositor de obras grandiosas, elegantes e ligeiras (descrição que se aplica adequadamente a peças tão conhecidas como a *Pavane* e a *Suíte Dolly*), na segunda, das obras longas que hoje em dia se tornam mais e mais estimadas, alcança a estatura de compositor de real substância, do mesmo nível de *Schumann ou *Chopin.

OBRAS Três obras para cena (inclusive a ópera *Pénélope*, baseada na *Odisséia*, de Homero); sete suítes orquestrais, algumas constituindo o desenvolvimento de música de fundo para espetáculos teatrais (entre elas *Masques et Bergamasques* e *Pelléas et Mélisande*); várias obras orquestrais curtas, como a *Pavane* e a *Ballade* para piano e orquestra; obras corais como o *Requiem* e outras mais curtas; noventa e seis canções (incluindo as reunidas nos ciclos *La Bonne Chanson*, *Mirages* e *L'Horizon Chimérique*); trinta e quatro peças avulsas para piano, como noturnos, improvisos, barcarolas e outras; *Suíte Dolly*, para dois pianos; Quarteto de Cordas; dois quintetos para piano; dois quartetos para piano; Trio para violino, violoncelo e piano; duas sonatas para violino e piano; duas sonatas para violoncelo e piano; muitas peças breves para conjuntos de câmara, entre as quais a *Élégie* para violoncelo e piano.

Pavane (1887) Fauré se interessava pela suave clareza da civilização grega e escreveu várias obras em estilo igualmente límpido e clássico. Esta é a mais conhecida de todas, uma bela melodia para flauta estendendo-se sobre cordas pinçadas, como aquelas danças solenes pintadas em vasos helênicos.
→ *Élégie* (violoncelo e piano); *Gymnopédie n. 1*, de Satie; *Syrinx* (solo de flauta), de Debussy.

Ⓜ ***Masques et Bergamasques*** (1919) Suíte em quatro movimentos curtos, em estilo muito animado. Como *Sibelius, Fauré produziu grande quantidade de obras ligeiras deliciosas, uma contrapartida sorridente de suas composições mais austeras. Embora despretensiosa, esta suíte é uma de suas melhores criações: a abertura, em particular, é uma miniatura quase perfeita, igualada apenas pela belíssima introdução à Suíte *O Quebra-nozes* de *Tchaikovsky.
→ *Suíte Dolly* (para dois pianos ou orquestra); *Petite Suite* (para dois pianos ou orquestra), de Debussy; Suíte *Rei Cristiano II*, de Sibelius.

Ⓜ ***Requiem*** (1888-9) Uma das mais estimadas obras de todo o repertório coral, esta música tranqüila e reflexiva evita deliberadamente a retórica que envolve a maioria dos réquiens. Um dos movimentos, *Piè Jesu*, para soprano solo (é comum ouvi-lo como peça de recital), parece-nos ser exatamente o tipo de música que os anjos estão cantando naqueles quadros renascentistas que retratam coros celestiais. Poderia ter resultado adocicado ou sentimentalóide, mas, graças à sinceridade e à curta duração, jamais chega a sê-lo.
→ *Cantique de Jean Racine*; *Ave Maria* (de *Quatro Peças Sacras*), de Verdi; *Missa em sol*, de Poulenc.

Peças para piano, op. 104 (1910) Fauré tomou conscientemente Chopin como modelo de sua obra pianística, dando títulos poéticos às peças que a integram (Improviso, Capricho, etc.) e elaborando-as de tal forma que se transformavam em composições substanciosas sem perderem seu aspecto rapsódico, improvisatório. Este conjunto contém várias demonstrações de seus estilos favoritos, Noturno e Barcarola.
→ *Trois Nocturnes*, op. 33; *Préludes*, op. 103; *Noturno*, op. 72, de Chopin.

Ⓜ ***Quinteto para piano*** n. 2, op. 115 (1921) São bastante incomuns os quintetos para piano, pois a combinação de forças parece requerer um estilo de composição muito sonoro, quase sinfônico. Este, de Fauré, é uma das três ou quatro verdadeiras obras-primas de gênero. Opaca e fugidia à primeira audição, ela se vai revelando solidamente constituída nas seguintes, apesar da aparência tranqüila de sua superfície.
→ Trio para piano, op. 120; Quinteto para piano, de Schumann; Quinteto para piano, de Elgar.

Ⓜ ***L'Horizon Chimérique*** (1921) Isoladamente, certas canções de Fauré (por exemplo: *Après un Rêve*, op. 7 n. 1; *Clair de Lune*, op. 46 n. 2; *Le Parfum Impérissable*, op. 76 n. 1) podem ser mais conhecidas, mas sua reputação de maior compositor de canções de toda a França, tão bom quanto Schumann ou *Wolf, repousa sobre os louros de sua meia dúzia de ciclos vocais, de que este é o último e o melhor. Quatro poemas de tumulto interior e anseio (a porfia de um amante comparada à de um viajante) estão ligados entre si em forma e essência, formando uma obra camerística una, coerente e substanciosa.
→ Ⓜ *Mirages*, ciclo de canções; *L'Invitation au voyage*; *Tel Jour, Telle Nuit*, ciclo de canções, de Poulenc.

FRANCK, César (1822-90). *Compositor belgo-francês.*

Como *Fauré, Franck dedicou ao ensino quase todas as horas não dedicadas à composição ou à interpretação organística. (Seu virtuosismo nesse instrumento era famoso; o Arcebispo de Paris, depois de ouvi-lo tocar, disse certa vez ao padre que o acompanhava: "Que maravilhoso intercessor temos aqui, meu filho! Ele conduzirá mais almas para perto de Deus do que jamais seremos capazes.") Sua carreira no magistério foi quase toda desenvolvida no Conservatório de Música de Paris. Ao contrário de Fauré, no entanto (que encorajava seus alunos a seguirem a própria inspiração, por mais que ela os afastasse dos caminhos usuais), Franck era adepto de estrita observância das regras conhecidas. Seus compositores favoritos sendo *Bach e *Liszt, ele recomendava obediência ao contraponto bachiano e à opulenta harmonização do mestre húngaro. Suas próprias obras demonstram claramente o que entendia por estilo musical: no seu nível mais baixo, elas divagam, lembrando-nos as improvisações de um organista competente após o término do serviço religioso; ao escrever sobre temas mais substanciosos (como nas recomendadas a seguir), ele realmente lhes deu asas e luz interior.

OBRAS Três óperas; uma sinfonia e três poemas sinfônicos; *Variações Sinfônicas*; duas Missas e seis outras obras corais religiosas (incluindo *Panis Angelicus*); Quarteto de Cordas; Quinteto para piano; quatro trios para violino, violoncelo e piano; Sonata para violino e piano; quarenta e sete peças para órgão (incluindo *Três Corais*) e cinqüenta e nove para harmônio (ou órgão sem pedais), todas para interpretação nas igrejas; seis obras para piano solo (inclusive Prelúdio, Coral e Fuga).

Variações Sinfônicas para piano e orquestra (1885) César Franck admirava a técnica lisztiana de compor algumas de suas obras sobre calidoscópicas variações de um ou de alguns poucos temas principais. Nesta peça uma idéia lânguida, suspirante, é tratada inicialmente com a solenidade de um *Wagner e depois com vivacidade crescente até o fim da obra, que chega ao clímax em um movimento vertiginoso de dança, o tema já transformado em algo que se possa até assoviar.
→ Poema sinfônico *Les Djinns* ("Os Duendes"), para piano e orquestra; *Capricho de Bolo de Noiva*, de Saint-Saëns; *Sinfonia sobre um Tema Montanhês da França*, de d'Indy.

Sinfonia (1888) Outrora executada em demasia, esta longa obra de concepção wagneriana se vê agora tristemente olvidada. É um tanto ou quanto rotineira, mas sua obstinada exploração de um único e memorável tema, e a tensão íntima que comunica, afetam-nos da mesma maneira que as obras orquestrais de *Bruckner, também de inspiração wagneriana.
→ Poema sinfônico *Le Chasseur Maudit*; Sinfonia *Fausto*, de Liszt; Sinfonia n. 3 (sinfonia "com órgão"), de Saint-Saëns.

Ⓜ ***Sonata para violino e piano*** (1886) Pensa-se que Franck tenha sido o inspirador do personagem Vinteuil, também compositor, do romance de Proust *Em busca do tempo perdido*, e que esta sonata tenha inspirado a referência àquela cuja "pequena frase" (as indagativas notas iniciais?, o alongado tema canônico do último movimento?) é imediatamente reconhecida como prova de bom gosto por toda a alta sociedade parisiense. Acrescente-se que é imediatamente reconhecível por não-proustianos também, pois se trata de uma das mais notórias e bem realizadas obras de todo o repertório camerístico. (Há versões desta sonata para viola, violoncelo e até para flauta, mas é indiscutível que Franck, ao escolher o violino, estava certo.)
→ Ⓜ *Prelúdio, Coral e Fuga* (obra que requer execução virtuosística da partitura de piano solo); Sonata para violino n. 3, de Grieg; Sonata para violino n. 1, de Saint-Saëns.

G

GERSHWIN, George (1898-1937). *Compositor norte-americano.*

Gershwin tinha seis anos quando ouviu um piano mecânico executando *Melodia em Fá*, de Rubinstein, e decidiu tornar-se músico profissional. Seus pais pensaram que ele fosse um concertista nato (e, de fato, quando adulto, freqüentemente executou as partes destinadas ao piano de seu próprio Concerto em fá e da *Rhapsody in Blue*), mas ao terminar os estudos foi trabalhar numa editora de música, como acompanhante dos "promotores de canções" (vendedores que se encarregavam de apresentar novas canções aos fregueses, nas lojas especializadas). Sua primeira composição foi publicada quando Gershwin tinha dezoito anos; seu primeiro sucesso (*Swanee*, tornada famosa por Al Jolson) foi escrita quando ele tinha dezenove anos; e seu primeiro musical da Broadway (*La La Lucille*) foi apresentado quando tinha vinte. A partir de então, até sua morte, produziu incessantemente canções de grande êxito popular, *shows* na Broadway e musicais cinematográficos. Gershwin especializou-se num estilo ligeiro, nos encontros amorosos dançantes, alternando suavidade e ritmo, imortalizados por Fred Astaire (para quem ele escreveu *Funny Face*, em 1927, e *Shall We Dance?*, em 1937). Mas convém logo realçar que suas canções, tendo grande êxito graças aos intérpretes populares e aos *crooners* de orquestras de dança, foram também muito prestigiadas pelos músicos de jazz, que encontravam em seus ritmos pouco convencionais e em suas harmonias criativas e ágeis (influenciadas, entre outros, por *Debussy e Richard *Strauss) inspiração e desafios técnicos que ultrapassavam de muito (assim como um tigre ultrapassa um gatinho) a produção corrente dos demais compositores de música popular.

Paralelamente a essa linha de criação, Gershwin também se dedicou a obras "sérias" (como as que se encontram a seguir recomendadas). Ele as temperou com os ritmos bem marcados do jazz e o estilo melancólico característico do canto de *blues*, mas, acima de tudo, deu-lhes linhas melódicas tão cantaroláveis que elas não tardaram em ser populares também.

OBRAS Óperas *Porgy and Bess* e *Blue Monday/135th Street*; dezenove musicais (entre eles *Lady Be Good, Funny Face* e *Girl Crazy*); seis musicais cinematográficos (incluindo *Shall We Dance?* e *The Goldwyn Follies*); Concerto, *Rhapsody in Blue*, Variações sobre *I Got Rhythm* e Segunda Rapsódia, todas para piano e orquestra; *Abertura Cubana*; *Um Americano em Paris*; Três Prelúdios, para piano; mais de 150 canções (entre elas *Swanee, Embraceable You, I Got Rhythm, S' Wonderful* e *Lady Be Good*).

Ⓜ ***Porgy and Bess*** (1935) Obra-prima do compositor, sendo ao mesmo tempo uma ópera capaz de nivelar-se a qualquer uma de, digamos, *Puccini, e um *show* musical repleto de canções inesquecíveis. Algumas delas (*Summertime, I Got Plenty of Nuttin', Bess, You is my Woman Now* e *It ain't Necessarily So*) volta e meia são cantadas isoladamente, como peças de recital. Passagens da ópera, em desenvolvimento só para orquestra, deram origem a duas suítes: *Porgy and Bess* – Quadros Sinfônicos e *Catfish Row*. São excelentes resumos, mas faltam-lhes o humor e o drama que as letras transmitem. No conjunto, a ópera (uma trágica história de amor que transcorre no Sul dos Estados Unidos, entre pretos pobres) supera seu potencial de pieguice e condescendência para tornar-se uma comovedora obra de arte.

→ Canções avulsas: *S' Wonderful*; Ⓜ *I Got Rhythm*; *Shall We Dance?*; o musical *Funny Face*; *Showboat*, de Kern; a ópera *La Bohème*, de Puccini.

Rhapsody in Blue (1924) Música no estilo de jazz, em andamento rápido; linha melódica de *blues* tradicional; escritura para piano e orquestra lembrando-nos a estrutura do Concerto n. 2 de Rachmaninov. A obra constitui exemplo marcante da combinação de música ligeira e música "séria" a que Gershwin se dedicava, com resultados excelentes. (Há uma fascinante gravação dessa obra tendo o próprio compositor como solista, transcrita de um rolo de 1920.)

→ *Um Americano em Paris* (só para orquestra); Concerto para piano; *Assassinato na 10ª Avenida*, de Rodgers.

GLINKA, Mikhail. Ver *Compositores de obra singular*.

GLUCK, Christoph Willibald (1714-87). *Compositor alemão.*

Depois da universidade (onde estudou filosofia e música), Gluck passou dezoito anos em viagens pela Europa, produzindo óperas e espetáculos de cena de todos os tipos, dando recitais de violoncelo e harmônica de vidro. Em 1754 tornou-se compositor-chefe do Teatro Imperial, em Viena, onde criou um grupo de ópera "reformada" com quatro colegas de concepções semelhantes às suas, um dos quais era o poeta e libretista Ranieri Calzabigi. O objetivo principal desse grupo era reverter a ópera a um estilo comparável ao da tragédia grega clássica (para melhor informar-se sobre sua origem, o leitor deve buscar o verbete *ópera*); em particular, pretendia despojá-la de árias vistosas e de todo e qualquer recitativo para voz e cravo (ver *recitativo* no Glossário) a fim de que se assegurasse um efeito continuamente dramático, ao invés de uma seqüência mal conectada de episódios.

Gluck compôs seis óperas "reformadas", todas com temas colhidos na mitologia grega, e elas o tornaram um dos compositores mais admirados em toda a Europa de seu tempo. (Ele era particularmente apreciado em Paris, onde as três últimas tiveram as *premières*.) Seu trabalho abriu caminho para as grandes óperas do século XIX (como, por exemplo, os dramas musicais de *Wagner e as obras de *Verdi e *Puccini); ao contrário dessas óperas cheias de som e fúria, no entanto, as dele são sóbrias e clássicas, muito adequadas aos mitos gregos que se dispôs a representar. Aos amantes de ópera cujos ouvidos se acostumaram com as criações dos compositores da geração seguinte, que ele tanto influenciou, os trabalhos de Gluck por vezes parecem comportados em demasia; para aqueles que apreciam seu estilo, porém, apresentam-se como monumentos de rara elegância e leveza, com a mesma diferença em intensidade e volume como a que há entre um copo de água cristalina e outro de encorpado vinho tinto.

OBRAS Trinta óperas (as seis "reformadas" são *Orfeu, Alceste, Páris e Helena, Ifigênia em Táurida, Ifigênia em Áulida* e *Armida*); dois balés (*Don Juan* e *Semíramis*); seis trio-sonatas; nove sinfonias; *De Profundis* para coro sem acompanhamento.

Divinités du Styx (da ópera Ⓜ *Alceste*, 1767) *Alceste* foi a segunda ópera "reformada" de Gluck, e é a mais *grega* de todas em matéria de estilo. Seu libreto (baseado na tragédia de Eurípides que narra a história de uma rainha que sacrifica sua vida para salvar a do esposo), a despeito de toda a paixão e intensidade que o caracterizam, é desenvolvido com melodias que deslizam tranqüilamente e harmonias serenas que, paradoxalmente, parecem antes realçar do que diminuir seu impacto emocional. (Este trecho se aproxima, em espírito, das tragédias clássicas francesas de Racine e Corneille, o que talvez explique o enorme prestígio popular que o compositor desfrutava na França.) A ópera completa requer algumas audições antes de nos transmitir todo o seu efeito; a ária referida constitui uma bela amostra do estilo suave e delicado que a domina, assim como a quase tudo que Gluck escreveu.

→ "O del Mio Dolce Amor" (da ópera *Páris e Helena*); "When I am Laid in Earth" (da ópera *Dido e Enéias*), de Purcell; "Ruhe sanft" (da ópera *Zaide*), de Mozart.

Ⓜ ***Orfeu*** (1762) (a ópera completa) A mais conhecida de quantas Gluck escreveu, conta-nos a história de Orfeu e Eurídice (que inspirou vários outros compositores, como Monteverdi e Offenbach). No estilo "reformado", embora ainda lance mão do hábito, característico do início do século XVIII, de atribuir a um soprano masculino o papel da heroína (hoje em dia a parte é confiada a uma cantora); tal artifício lhe atribui uma atmosfera remota, extraterrena, admiravelmente adequada à história. Sua beleza tranqüila consegue ser bem captada em gravações fonográficas: esta ópera é uma das raras que *funcionam* tão bem no teatro quanto no plano da imaginação. Dois fragmentos alcançaram a mais justificável popularidade: o lamento Ⓜ "Che Farò senza Eurydice" ("O que farei sem Eurídice") e a *Dança dos Espíritos Abençoados*, onde uma elegante melodia tocada na flauta é posta em contraste com as cordas em acelerado volume.

→ *Armida*; *Dido e Enéias*, de Purcell; *Pénélope*, de Fauré.

GOMES, Antônio Carlos (1836-1896). *Compositor brasileiro.*

Carlos Gomes tem um lugar muito especial entre os mestres da música brasileira: foi o primeiro a transpor, pela fama, as nossas fronteiras — sendo neste sentido a estréia de *Il Guarany*, em Milão, uma espécie de batismo internacional. Por isso, e também pelo gênero que cultivava, conquistou a condição de compositor nacional, com um magnífico monumento diante do Teatro Municipal de São Paulo, capital do seu estado (nasceu em Campinas). O nosso modernismo, iconoclasta por vocação, arremeteu contra ele, como contra todo o passado. Depois, Mário de Andrade reconheceu o erro, e fez um esforço talvez excessivo para demonstrar a brasilidade de Carlos Gomes. Essa brasilidade, fora das óperas, está comprovada em modinhas como a famosa *Quem Sabe?*. E mesmo nas óperas, escritas em italiano, sente-se fremir, aqui e ali, a paisagem e o sentimento do Brasil. Mas a questão nacionalista não tem muita importância na obra de um autor que escreveu — e muito bem — no idioma da sua época: o das óperas de Verdi, num período em que o Rio de Janeiro mal sabia o que era música sinfônica e enchia o Teatro Lírico para ovacionar as divas. O sucesso retumbante de *Il Guarany* recompensou os que tinham mandado o jovem campinense estudar na Itália (sendo o grande mecenas o imperador D. Pedro II). Carlos Gomes tentou prosseguir no mesmo caminho com a *Fosca*, de 1873; mas dessa vez a estréia no Scala foi um fracasso, o que nada tem a ver com a qualidade da ópera. O compositor procurou, então, reconquistar o público, sacrificando um pouco os seus ideais artísticos; e assim nasceram *Salvador Rosa* e *Maria Tudor*. *Lo Schiavo* beneficiou-se da campanha abolicionista que tomava impulso no Brasil, e a ópera pôde estrear com grande impacto no Rio de Janeiro em 1889. Sua última ópera — *Condor*, 1891 — revela uma inclinação no sentido do verismo. Em 1896 Carlos Gomes aceitou do governo da República a incumbência de dirigir o Conservatório de Belém, onde faleceu em poucos meses.

OBRAS Óperas de juventude como *A Noite do Castelo* e *Joana de Flandres*, se não são grandes realizações, serviram para garantir ao jovem mestre a bolsa de estudos que o levaria à Itália. Lá escreveu duas comédias musicais antes do sucesso de *Il Guarany*: *Se sa minga* e *Nella luna*. Além das óperas citadas, destaque-se o oratório *Colombo*, de 1892. Também escreveu peças para piano, canções com letra em italiano e diversas modinhas.

Il Guarany Passeando em Milão, Carlos Gomes encontrou à venda, em italiano, o *Guarany* de José de Alencar. Lido com entusiasmo, o livro acendeu-lhe a imaginação. Procurou o poeta Scalvini, seu colaborador, para que extraísse do romance um libreto. O próprio Scala de Milão depositava confiança no jovem compositor, já conhecido, pois encomendou o *Guarany* para a temporada 1869-70. A estréia, a 19 de março de 1870, foi um acontecimento. Um diplomata brasileiro registrou na ocasião: "Depois de cada ato, são quinze, dezesseis, dezoito chamadas ao autor e, no fim da ópera, público, adversários e maestros estão vencidos, subjugados, e rendem a devida glória ao novo astro que surge." Em fins de 1870 a ópera estreava no Rio, com a presença do imperador. Caracterizam-se, então, os trechos de maior sucesso: o dueto *Sento una Forza Indomita*, a balada do soprano *C'era una Volta un Principe*", o *Coro dos Caçadores*, a *Ave Maria*. Ressoa por toda a ópera a linguagem dramática e colorida do verdianismo; mas o ouvinte atento reconhecerá, aqui e ali, laivos de sentimento brasileiro, enquanto o musicólogo perceberá a qualidade da fatura: Carlos Gomes conhecia muito bem o seu ofício, o que garante, ao lado da inspiração melódica, a sobrevivência das suas óperas.
A produção de Verdi é o grande ponto de referência da obra de Carlos Gomes. Mas em seus anos finais, ele sentiu a presença do verismo, representado pelas óperas *Cavalleria Rusticana*, de Mascagni, e *I Pagliacci*, de Leoncavallo.

GOUNOD, Charles. Ver *Compositores de obra singular*.

GRANADOS, Enrique (1867-1916). *Pianista e compositor espanhol*.
Apesar de ter tido algum sucesso como compositor de teatro (com óperas ligeiras no estilo folclórico, equivalentes espanhóis de *A Noiva Vendida*), a vida musical de Granados centrou-se no piano. Ele dirigia uma academia de piano em Barcelona e foi um solista de concerto internacional, fazendo turnês em pontos tão distantes quanto EUA e Hungria. (Morreu a caminho da Espanha, voltando de uma dessas turnês, quando seu navio foi torpedeado, durante a Primeira Guerra Mundial.) Suas peças para piano mais ligeiras são imensamente populares, conhecidas de muita gente que nunca ouviu falar do próprio Granados: foram compostas num brilhante estilo "espanhol", próximo ao de *Albéniz. Mas Granados foi um compositor muito mais refinado do que isso implica, com uma sensibilidade e uma delicadeza reminiscentes de *Chopin. Este seu lado é melhor ouvido em suas langorosas *tonadillas* (canções, habitualmente com letras sobre tristonhos casos de amor) e em sua obra-prima, a suíte para piano *Goyescas*: sem sacrificar o caráter espanhol ou a melodiosidade, elas atingem mundos de sentimentos muito acima de suas obras mais ligeiras.

OBRAS Seis óperas; cinco suítes, *Três Danças Espanholas* e duas outras obras orquestrais; Trio para piano; oito conjuntos de peças para piano solo (incluindo *Goyescas*;

Doze Danças Espanholas); três conjuntos de canções (incluindo *La Maja Dolorosa* e *Canções no Estilo Antigo*) e um punhado de canções individuais.

Andaluza (*Dança Espanhola*, op. 37 n. 5) Originariamente um solo para piano, esta peça é mais popular em um altamente dedilhado arranjo para violão: parece a essência da Espanha, e do violão, em um punhado de acordes.
→ "La Maja de Goya" (*Tonadillas* n. 1) (canção, arr. violão); *Asturias*, op. 47 n. 5 (arr. violão), de Albéniz; Prelúdio para violão n. 1, de Villa-Lobos.

Ⓜ ***Goyescas*** (1911) Esta suíte de sete peças para piano, sobre pinturas de Goya, é melhor ouvida completa, apesar de que a n. 4, "A Jovem e o Rouxinol", um gentil lamento, costuma ser ouvida separadamente (às vezes como um interlúdio orquestral, tirado da ópera *Goyescas*, derivado destas peças).
→ *Cenas Poéticas*; *Quatro Peças Espanholas*, de Falla; *Barcarolles*, op. 105, de Fauré.

GRIEG, Edvard (1843-1907). *Compositor norueguês.*

Quando Grieg era menino, seus professores previram um brilhante futuro para ele como pianista concertista. Mas ele estudou tanto que arruinou a saúde e teve que se estabelecer numa vida mais tranqüila, ensinando e compondo em Oslo e Copenhague. Em 1874, no entanto, recebeu uma pensão vitalícia do governo norueguês e a segurança financeira que isso trouxe permitiu-lhe começar uma carreira de concertista mais tranqüila que a de um virtuose do piano: viajou em turnês com sua mulher (um soprano), dando recitais de canções e de peças para piano. Sua pensão também o libertou da necessidade de escrever nas formas de escala mais ampla (*sonata, *sinfonia, *ópera) que se esperavam dos principais compositores da época, e pôde se concentrar no tipo de obras mais curtas em que ele era excelente. Suas melhores peças são miniaturas românticas (canções, peças para piano, danças) em um estilo simples, derivado da música folclórica norueguesa. Reuniu muitas delas em grupos (suítes orquestrais; *Peças Líricas* para piano; conjunto de canções) e assim satisfez o gosto de sua época sem trair seu próprio estilo íntimo, poético.

OBRAS Concerto para piano; Sinfonia (da juventude; pouco característica); *Danças Sinfônicas*; abertura *No Outono*; nove suítes orquestrais (incluindo duas suítes *Peer Gynt*, *Suíte Sigurd Jorsalfa* e *Suíte Holberg*); sete obras para coro, ou voz solista, e orquestra; três sonatas para violino; Sonata para violoncelo; Quarteto de Cordas; Sonata e vinte e dois números de opus de peças individuais para piano (incluindo dez livros de *Peças Líricas*); *Quatro Danças Norueguesas* e três outras obras para dueto de piano; cento e quarenta e três canções solo em vinte e três conjuntos (incluindo o ciclo de canções *A Donzela da Montanha*).

Suíte Peer Gynt n. 1, op. 46 (versão final 1888) De sua música incidental para a enorme peça poética de Ibsen, Grieg fez duas suítes orquestrais auto-suficientes. Esta tem quatro movimentos ("Amanhecer"; "A Morte de Aase"; "Dança de Anitra"; "No Salão do Rei da Montanha"), e é uma das mais duradouras músicas ligeiras que ele compôs.
→ *Suíte Peer Gynt* n. 2, op. 55; suíte *Sigurd Jorsalfa*, op. 56; *L'Arlésienne*, suíte n. 1, de Bizet.

Canções: "Canção de Solveig", op. 23 n. 1; "Eu te Amo", op. 5 n. 3; *Haugtussa* ("A Donzela da Montanha") (ciclo de canções, op. 67) As canções de Grieg têm a simplicidade de canções folclóricas — melodias diretas acompanhadas por acordes descomplicados. Até mesmo as oito canções de *Haugtussa*, sua coleção mais elaborada (falando da vida e do amor de uma jovem pastora), se parecem mais com um grupo de canções folclóricas do que com os grandiosos grupos de canções de *Schumann ou *Brahms. A precisão é a mesma da poesia; a inspiração parece instantânea, exata, sem requerer qualquer artifício. Duas de suas canções mais sentidas, "Coração Ferido" e "Última Primavera" (do op. 33), existem também em plangentes arranjos orquestrais.

→ "Canção de Outono", op. 18 n. 3; "Do Monte Pincio", op. 39 n. 5; *Cancioneiro Italiano*, de Wolf.

Peças Líricas Existem no total sessenta e nove peças líricas para piano, em dez livros. Algumas (por ex., "A Borboleta", op. 43 n. 1; "Noturno", op. 54 n. 4) são peças de concerto em miniatura como as *Canções sem Palavras*, de Mendelssohn; outras (por ex., "Halling", op. 47 n. 4; "Marcha dos Anões", op. 54 n. 3; "Dia de Núpcias em Troldhaugen", op. 65 n. 6) são escritas no estilo mais pictórico, "norueguês", de Grieg. Diversas (incluindo "Dia de Núpcias" e quatro peças do op. 54, reagrupadas como a *Suíte Lírica*) também existem em vívidos arranjos orquestrais.

→ *Balada* (*Variações sobre uma Canção Folclórica Norueguesa*), op. 24; *Álbum para os Jovens*, op. 68, de Schumann; *Peças para piano*, op. 55, de Macdowell.

Danças Sinfônicas, op. 64 (1898) Originariamente para duos de piano, estas quatro peças foram mais tarde orquestradas. São um exato paralelo norueguês, por sua alegria e colorido, às *Danças Eslavas*, de *Dvořák.

→ *Quatro Danças Norueguesas*, op. 35; *Suíte Holberg*, op. 40; *Polca e Fuga* (de *Schwanda, o Gaiteiro*), de Weinberger.

Ⓜ ***Concerto para piano***, op. 16 (1868) A maior e mais popular obra de Grieg, este concerto combina a melancolia e a melodiosidade de seu estilo de canções folclóricas com toda a bravura heróica requerida pela forma de concerto. Está entre a meia dúzia de obras favoritas no repertório de concertos.

→ Sonata para piano; Concerto para piano, de Schumann; Concerto para piano n. 1, de Mendelssohn.

H

HÄNDEL, George Frideric (1685-1759). *Compositor alemão.*

Quando tinha dezessete anos de idade (e estudava direito na universidade), o talento de Händel como tecladista já era mais do que evidente, e não demorou muito para que ele se decidisse a concentrar seus esforços numa carreira musical. Dedicou-se de início à interpretação — e logo se tornou um dos mais famosos virtuoses de seu tempo, tanto de órgão quanto de cravo —, mas o grande êxito que teve com uma ópera no estilo italiano, quando tinha vinte anos, levou-o à composição de obras para o palco como atividade principal. Para isso, fixou residência na Itália, onde ao longo de quatro anos manteve contato com músicos renomados (o velho *Corelli, por exemplo, cuja técnica violinística considerava ultrapassada, embora muito admirasse suas composições) e escreveu suas primeiras grandes obras de música sacra e teatral. Em 1710, movido pela grande popularidade da ópera italiana em Londres, transferiu-se para a Inglaterra, onde viveu até o fim de seus dias. (Händel adotou a cidadania britânica em 1727.)

Seu prestígio nos melhores círculos da capital inglesa logo se impôs. A corte (primeiro a rainha Ana e depois o rei Jorge I) concedeu-lhe uma pensão substancial, lordes e *ladies* passaram a disputar sua presença, como artista, nas mais elegantes reuniões sociais, e suas óperas italianas, escritas para o Teatro Real no Haymarket (que ele próprio administrava), obtinham extraordinário sucesso. A tal ponto que, embora não oficialmente, Händel passou a ser uma espécie de Supervisor de Música da Corte, e suas obras para comemorações oficiais (por exemplo, a *Ode para o Aniversário da Rainha Ana*, o *Te Deum* e o *Jubilate* celebrando o Tratado de Paz em Utrecht, ou os quatro hinos homenageando a coroação do rei Jorge II) desfrutaram o mesmo êxito que, na geração anterior, havia premiado *Purcell. Compôs numerosas obras de câmara para festas aristocráticas, suítes e outras peças para estudo de tecladistas e, uma ou duas vezes por ano, uma nova ópera para o Teatro no Haymarket.

No início da década de 1730, começou a cair de moda o estilo operístico italiano, que era, sem dúvida, muito exibicionista e artificial, sendo mais famoso pelas acrobacias vocais dos intérpretes e pelos cenários e figurinos extravagantes do que propriamente pela música. A *Ópera dos Mendigos*, com libreto de John Gay (estreada em 1728), estabeleceu novo conceito para o teatro de ópera britânico, menos faustoso como espetáculo, mas muito mais interessante do ponto de vista dramático e muito mais fácil de acompanhar. Apesar disso, Händel ainda escreveu mais alguns trabalhos na linha tradicional enquanto desenvolvia uma nova forma de criação musical, o *oratório*, que vinha a ser a dramatização de passagens da Bíblia, cantadas em inglês, e musicadas com a mesma verve que caracterizava suas óperas, mas postas em linguagem bem mais direta e incorporando as majestosas passagens corais que haviam dado grandeza e dignidade às suas odes e obras sacras. Nos intervalos das apresentações desses oratórios, ele executava solos ou concertos de órgão, relembrando o virtuosismo tecladístico de sua juventude. Dessa forma, a nova receita incluía todos os ingredientes de seus sucessos anteriores e viria a premiá-lo com mais duas décadas de consagração pública. Apesar de sua saúde precária (e da cegueira que o vitimou nos últimos sete anos de vida), continuou musicalmente ativo até depois dos setenta anos de idade; quando morreu, era considerado o maior compositor que a Inglaterra já havia conhecido, e mais de 3.000 pessoas compareceram a seus funerais na Abadia de Westminster.

Händel foi um cristão muito devotado, e as raízes luteranas de seu estilo musical eram afins às de *Bach. (Isso se torna evidente quando ouvimos as suas composições de música sacra e cerimonial.) Sua grande experiência no gênero operístico, contudo, deu-lhe luminosidade e calor à veia criativa, capacitando-o a passar rapidamente da seriedade intelectual à manifestação dramática; o equilíbrio entre esses dois componentes dá-lhe à obra uma clareza de escritura que muitos de seus contemporâneos não possuíam. O volume da produção de Händel foi enorme, mesmo levando-se em conta a intensidade da criação musical àquela época, e ele ainda por cima adaptava ou recompunha obras de que gostava. (O mesmo tema, por exemplo, aparece no coro "Erguei Vossas Cabeças", do oratório *Messias* e, em andamento mais rápido, como um dos movimentos do *Concerto a Due Cori*, n. 2; a Sonata op. 1 n. 11, para flauta doce, reaparece depois como Concerto para órgão, n. 4). Durante um século e meio após a sua morte, a música sacra e os oratórios de Händel continuaram fascinando os ingleses, que os executavam num tom solene e pesado (com coros imensos e orquestras gigantescas) que pouco tinham a ver com seu estilo claro e direto. Foi só recentemente, quando o resto de sua obra se tornou conhecido (em particular as óperas e as peças camerísticas), e quando os intérpretes voltaram a tocá-la como fora escrita e não em seus enxundiosos arranjos vitorianos, que se constatou ter sido Händel um dos mais hábeis e espirituosos compositores de seu século. (Convém realçar, embora as produções de ambos tenham sido bem distintas uma da outra, que esse "desbastamento" resultou tão benéfico quanto o que se aplicou à música de Bach.)

OBRAS Quarenta e seis óperas (entre elas *Agripina*; *Ariodante*; *Berenice*; *Júlio César*; *Xerxes*); trinta oratórios e outras peças dramáticas de grande porte (incluindo *Ácis e Galatéia*; *O Festim de Alexandre*; *Judas Macabeu*; *Messias*; *Oratório Ocasional*; *Sansão*; *Saul*); onze hinos da capela de Chandos; quatro hinos da coroação; dois *Te Deum*, *Glória*, *Ode Natalícia*, *Ode Fúnebre* e diversas outras peças para coral; mais de 150 cantatas de câmara, duetos e canções para solista.

Oratórios e outras obras para coral Ⓜ *Messias* (1741) Poucas obras musicais conseguiram tão rapidamente conquistar a estima do público — e mantê-la inarredável — quanto esta dramática apresentação da vida e da natureza do Cristo. Isso se deve não apenas à própria natureza do tema, mas também à firmeza de convicção que transmite a seus ouvintes: a pureza da fé de Händel parece irradiar de todos os compassos, o que constitui notável feito musical, sem falarmos de toda a magnificência da música. *Messias* lança mão de formas operísticas (recitativos, árias e coros) e foi concebido para apresentação em concertos, não em palcos, como obra cênica. Isso permitiu ao compositor dar forma dramática à sua narrativa sem perturbá-la com a movimentação de atores no palco, ou a riqueza de vestuário. Os pontos altos da obra são os corais ("For unto Us a Child is Born", "All We Like Sheep", "Hallelujah!"), que obtêm dos ouvintes viva participação emocional, com intensidade fora do comum; as árias ("He Shall Feed His Flock"; "Why do the Nations so Furiously Rage Together?"; "I Know that my Redeemer Liveth"; "The Trumpet Shall Sound") personalizam a mensagem da obra de modo diferente, como se estivéssemos refletindo a experiência de testemunhos individuais de fidelidade aos princípios do cristianismo. Esse balanço entre o pessoal e o coletivo é que dá a *Messias* seu considerável poder de envolvimento; de obras semelhantes, apenas o oratório *A Paixão Segundo São Mateus*, de Bach, afeta os ouvintes de forma comparável. Os outros trabalhos de Händel no mesmo gênero, embora obras notáveis, não lhe chegam aos pés em termos de brilho e transcendência. Abordando temas bíblicos, os mais conhecidos (e melhores) são *Saul*, *Israel no Egito*, *Sansão*, Ⓜ *Judas Macabeu* e *Salomão*. Há, em todos eles, passagens magníficas (por exemplo: Ⓜ "Let the Bright Seraphim", de *Sansão*, "See the Conquering Hero Comes", de *Judas Macabeu*, ou, ainda, o contagiante trecho para cordas "A Chegada da Rainha de Sabá", de *Salomão*), mas nenhuma capaz de atingir a "cristalização", como ocorre com a experiência incomum proporcionada pela música do *Messias*. Se levamos em conta padrões de unidade e de magnificência musical como parâmetros, os oratórios não-bíblicos de Händel resultam mais bem realizados, convindo destacar dentre eles Ⓜ *O Festim de Alexandre* (1736), a primorosa concepção da *Ode para o Dia de Santa Cecília*, com palavras colhidas na obra de Dryden, que é borbulhantemente adequada à efeméride, e sua versão recitativo-coral de *L'Allegro, il Pensieroso*, de Milton, à qual juntou mais tarde (1740) uma seção adicional, *Il Moderato*, onde uma poesia profundamente filosófica ("Hence, loathed melancholy!") é tratada como se fosse vigoroso libreto operístico. As demais obras para coros, de Händel, são, em sua maioria odes solenes para igreja, ou uso cerimonial: os hinos da coroação (particularmente *My Heart is Inditing* e *Zadok the Priest*) são apropriadamente majestosos em seus andamentos lentos, se levarmos em conta as solenidades a que se destinavam; os onze hinos da capela de Chandos, escritos em homenagem ao Duque de Chandos, que contratara o compositor, são graciosos e intimistas, na verdade mais próximos de Purcell que de Bach.

→ As obras mencionadas acima têm maior afinidade umas com as outras do que com a música de outros compositores, pois todas elas nos oferecem esplendorosa festa händeliana aos ouvidos. Em todo caso, têm certo parentesco com elas, entre os oratórios, *O Dia do Julgamento*, de *Telemann, e *A Criação* e *As Estações*, de *Haydn; entre as obras corais de grande porte, *Ode ao Dia de Santa Cecília*, de Purcell, e o *Magnificat*, de Bach.

Óperas e cantatas *Ombra Mai Fù* (que é o famoso Largo, de Händel), da ópera *Xerxes* (1738) Por mais de 150 anos as óperas de Händel foram cavoucadas em busca de pequenos trechos isolados, como esta bela e lenta melodia, o minueto orquestral de *Berenice*, ou árias de exuberância pirotécnica, como a "V'Adoro Pupille", de *Júlio César*. Nos últimos cinqüenta anos, mais ou menos, passou-se a ouvir suas óperas *completas*, e algumas delas (como *Agripina*, 1709, *Júlio César*, 1724 e Ⓜ *Alcina*, 1735) tiveram esplêndida revivescência nos palcos. Mas é forçoso reconhecer que há problemas a enfrentar: as modas operísticas mudaram bastante (ver *ópera*), a tal ponto que o estilo dos libretos de Händel, e até mesmo de parte de sua música, fica desconfortavelmente solto no ar. As platéias da época adoravam os enredos, as marchas e contramarchas da narrativa, que lhes eram transmitidos por longos trechos de recitativo (ver, no Glossário, *recitativo*), que, no conjunto, ocupam mais da metade da duração da obra e exigem grande dose de paciência, particularmente de platéias que não entendem a língua italiana. As árias se sucedem com regularidade a cada dez minutos, mais ou menos, como se fossem prêmios pelo bom comportamento dos ouvintes, mas embora sejam extraordinárias algumas delas, seu efeito se vê limitado tanto pelas pesadas barreiras que as cercam quanto pela sua longuidão. Acrescente-se a isso a circunstância de que os principais papéis masculinos foram escritos quase sempre para *castrati* (sopranos masculinos), o que leva as produções correntes a adaptarem essas partes cantadas às interpretações por tenores, ou então por mulheres vestidas como homens, o que torna freqüentemente constrangedor assisti-las num teatro. As pessoas que conseguem superar tais obstáculos afirmam que as óperas de Händel contêm maravilhas musicais; a maioria dos ouvintes, porém, prefere mesmo estabelecer contato com elas através de extratos como os que já mencionamos, ou entrando por passagens menos estreitas, como o delicioso interlúdio pastoral (cantado *em inglês!*) de Ⓜ *Ácis e Galatéia* (1718), envolvendo o intercâmbio emocional de uma rapariga, um jovem e um monstro, baseado na mitologia grega, ou as breves cantatas dramáticas que equivalem a óperas de vinte minutos, para uma só voz, que o compositor escreveu especialmente para alguns intérpretes de sua predileção. (Bons exemplos disso teremos em *Ah, crudel!* ("Oh, ser cruel!"), profundo lamento de um amante frustrado, ou em *Mi Palpita il Cor* ("Meu coração estremece"), arroubo passional tão tocante quanto a ária de Cherubino na ópera *As Bodas de Figaro*, de *Mozart.

→ *La Serva Padrona*, de Pergolesi (ópera breve, cômica e debochada); *Cantata do Café*, de Bach (bucólica e satírica — uma rapariga voltada mais para o café do que para o amor); *Griselda*, ópera de Bononcini (cujo enredo rivaliza em elaborada complexidade com qualquer um dos de Händel, de quem ele foi grande rival).

OBRAS INSTRUMENTAIS *Water Music* (*Música Aquática*), *Music for the Royal Fireworks* (*Música para os Reais Fogos de Artifício*) e vinte e cinco *concerti grossi* para orquestra; dezoito concertos para órgão (diversos deles em arranjos especiais para outros instrumentos solistas); várias dúzias de sonatas e trio-sonatas para instrumentos de sopro (madeiras) ou de cordas e contínuo; dezesseis suítes, seis fugas e numerosas peças para solo de cravo.

Música orquestral e concertos Ⓜ *Water Music* (provavelmente 1717) Este grupo de vinte peças breves (airs, minuetos, fugas, *hornpipes* e árias) foi escrito para uma procissão aquática no Tâmisa, com a barcaça real à frente; a amplitude de espaço, que os oboés e trompas colorem e a simplicidade de temas e de harmonização realça, é bem transmitida aos ouvintes. Trata-se de música leve, sem maior ambição que a de entreter, mas sua agilidade contrapontística nos mostra um Händel na melhor forma de sua criatividade informal. Regentes de épocas posteriores dela se apropriaram a seu bel-prazer, retalhando-a em suítes de concerto. Uma das melhores é a preparada por Harty, vigorosíssima em trompas e percussão, utilizando cinco dos movimentos originais, mas nenhuma delas fez frente à obra de Händel, que hoje se ouve em sua seqüência natural, ou pode ser saboreada movimento após movimento, ou nos três *concerti grossi* em que ele próprio a transformou. Vivacidade comparável pode ser encontrada em seus concertos para órgão: embora escritos para apresentação como interlúdios de oratórios, não ostentam qualquer solenidade, que substituem por decorosos movimentos lentos alternados com outros rápidos, combinando fugas orquestrais com exibição de destreza manual do solista. (O de n. 13, apelidado *O Cuco e o Rouxinol*, é o mais freqüentemente ouvido; o n. 6 é também popular como concerto para harpa. Os melhores, do ponto de vista musical, são os de ns. 5, 6, 7 e 8.) Música orquestral de mais elevado calibre pode ser encontrada nos *concerti grossi*. Embora se alegue que Händel os escreveu apressadamente demais, até mesmo para os seus padrões usuais de rapidez ("mandava os originais à gráfica antes que a tinta secasse"), o fato é que eles são bastante substanciosos e muito bem arquitetados, estando mais próximos dos *Concertos de Brandenburgo*, de Bach, do que das suítes um tanto ou quanto aleatórias do próprio Händel. As partituras dos seis *concerti grossi* op. 3 (1734) prevêm orquestração para oboés, fagotes e cordas, tornando-os bastante afins, em termos de sonoridade, à *Water Music* ; os doze do Ⓜ op. 6 (1739), somente para cordas, são mais longos e sérios, contendo música a um tempo para reflexão e entretenimento.

→ Fazendo bom par com a *Water Music* encontramos a igualmente jovial *Music for the Royal Fireworks* (*Música para os Reais Fogos de Artifício*) (1749), em seis movimentos, e boas obras de outros compositores que escreveram música simples e direta, como a *Abdelazer Suite*, de Purcell, e a suíte/abertura *Fluxo e Refluxo em Hamburgo*, de Telemann. Para audição em seqüência a seus concertos recomenda-se o de Vivaldi, para *viola d'amore*, alaúde e cordas (RV 540), e o de Bach, para três cravos; fazendo *pendant* com seus *concerti grossi*, ouvir, dele próprio, os *Tre Concerti a Due Cori*, as encantadoras Sinfonias de William Boyce e, embora um pouco mais pesados, os *Doze concerti grossi* de Avison, inspirados por sonatas de Scarlatti.

Música de câmara Ⓜ Quinze Sonatas op. 1 (1724). A maior parte da música de câmara de Händel foi escrita para seus alunos, ou para apresentações avulsas em recitais noturnos, o que lhes dá peso e durabilidade menores no *corpus* de sua obra. Constituem exceção a tal julgamento, tanto em termos de audição quanto de execução, o conjunto de sonatas reunido e publicado como op. 1. (Seis delas são para violino e contínuo, quatro para flauta doce e contínuo, três para flauta e contínuo e duas para oboé e contínuo.) Como seus *concerti grossi* (ver acima), elas têm movimentos integrados, unidos por temperamento e estilo, e, quanto mais as ouvimos, maior é a atração que exercem sobre nós. Bons exemplos dessa qualidade são a op. 1 n. 4 (flauta doce) e op. 1 n. 10 (violino). As únicas peças camerísticas de Händel que rivalizam com as do op. 1 no que toca à qualidade são suas dezesseis suítes para cravo solista: embora a partitura de alguns movimentos revele de pronto sua intenção didática, a maioria apresenta brilhantes facetas do talento virtuosístico do compositor, e se dedica a proporcionar prazer tanto ao executante quanto aos ouvintes. (Amostras notáveis são a nona, bachiana em sua linguagem, e a jovial décima quarta; a quinta contém o famoso conjunto de variações conhecido como *O Ferreiro Harmonioso*.)
→ Todos aqueles que se encantem com as sonatas do op. 1 terão muito com que se deleitar nas várias dúzias de obras camerísticas escritas por Händel: as mais suculentas serão, talvez, os nove Trio-sonatas do op. 2. No que se refere a obras de outros compositores, vale a pena ouvir os Trio-sonatas de Quantz, e as sonatas para instrumentos solistas, de Telemann, reunidas nos *Essercizii musici*. Após as suítes para cravo, recomendam-se as oito sonatas, de Arne, as *Suítes Francesas* e o *Concerto Italiano*, de Bach.

HAYDN, Joseph (1732-1809). *Compositor austríaco.*

Quando Haydn tinha oito anos, ganhou uma bolsa de estudos para o coro-escola da Catedral de Santo Estêvão, em Viena. Ali ficou nove anos, e, se tivesse sido um aluno brilhante, poderia ter permanecido na música de igreja o resto de sua vida. Mas achava a matemática e os clássicos muito chatos, e seus mestres o consideravam um relapso, muito inferior a seu irmão mais moço, Michael. Por isso, quando fez dezessete anos e sua voz mudou, em vez de mantê-lo como tenor ou baixo do coro, da forma habitual, puseram-no no olho da rua. Estava sem um tostão — tudo que possuía era um capote, um manual de harmonia e três camisas — e passou a arranjar o suficiente para comer tocando em orquestras de bailes, dando aulas de música e finalmente aceitando um emprego de serviçal do idoso compositor Porpora, que lhe pagava com roupas usadas e aulas de harmonia. Haydn sobreviveu nessa vida durante dez anos, e, enquanto sobrevivia, compunha e aprendia seu ofício. Sua música gradualmente chamou a atenção de patronos aristocráticos, até que em 1760, no maior golpe de sorte de sua vida, foi indicado para a corte do príncipe Esterházy, um dos homens mais ricos da Europa e devotado amante da música.

Haydn serviu à família Esterházy durante trinta anos. A maior parte desse tempo foi passada no soberbo palácio da família em Esterháza, alojado numa velha cabana de caça à beira de um lago. Esterháza era uma cópia do palácio de Luís XIV em Versalhes, só que maior e ainda mais extravagante. Havia mais de 200 aposentos, e o vasto corpo de empregados (havia de tudo, desde lacaios até guarda-caças, de cantores de ópera a lavadeiras) fazia do palácio mais uma pequena cidade do que a residência particular de uma família. Haydn, como diretor de música, era encarregado de uma orquestra, um coro de capela, uma companhia de cantores de ópera e um conjunto de metais, talvez no total de 150 pessoas. Ele tinha que fornecer música, todas as semanas em que o príncipe se encontrava na residência (isto é, trinta ou quarenta semanas por ano), para dois concertos orquestrais de duas horas, duas récitas de ópera, uma peça de teatro de bonecos, três serviços religiosos de domingo e tantos concertos de música de câmara quanto o príncipe quisesse. Não espanta que Haydn tenha produzido tantas obras: o espanto é que ele tenha encontrado tempo para escrevê-las e sabido manter sua qualidade tão alta.

Em 1790, quando um Esterházy não-amante da música ascendeu ao trono principesco, a música de Haydn era famosa em toda a Europa. (Os príncipes viajavam muito, como embaixadores, por exemplo; as notícias do gênio de Haydn viajavam com eles, e muitos aristocratas europeus ouviram-no fazendo música em primeira mão, durante suas visitas a Esterháza.) Em 1791, portanto, quando seu novo empregador lhe concedeu licença de se ausentar, ele se viu coberto de convites. Escolheu ir para a Inglaterra, e fez duas turnês de concerto extensas, felizes e proveitosas, tocando e regendo em Londres (onde se apaixonou pela esposa de um de seus anfitriões), aceitando um título honorário da Universidade de Oxford, indo às corridas na Irlanda e comparecendo aos Highland Games. Foram feitas gestões para persuadi-lo a ficar na Inglaterra, mas ele, lealmente, voltou a seu patrão Esterházy em 1795, e permaneceu a seu serviço até se aposentar, em 1803. Estabeleceu-se então em Viena, onde manteve uma espécie de corte musical em sua residência, recebendo reis, príncipes e músicos visitantes de todos os tipos e qualidades. Existe um quadro que mostra Haydn num concerto dado em sua honra no começo da década de 1800: um velho frágil, usando roupas de dândi e peruca empoada, sentado em uma poltrona e cercado de admiradores.

Os últimos quinze anos da vida de Haydn, apesar de deverem ter sido pessoalmente gratificantes, não são o período de sua verdadeira grandeza. Isso ocorreu nos trinta anos passados em Esterháza. Ele ficou afastado das experiências de vanguarda no resto do mundo — disse uma vez que foi "forçado pelo isolamento a se tornar original". (*Mozart atingiu os mesmos objetivos pelos meios exatamente opostos, recusando-se a ficar ligado a qualquer patrono.) Tinha tudo o que necessitava: podia escrever uma peça pela manhã, ouvi-la executada à tarde e alargar sua arte tanto pela experiência diária quanto pela imaginação. Acima de tudo, a magnificência dos Esterházy deu-lhe a oportunidade de escrever música de praticamente todos os tipos, desde danças até óperas longas, e o entusiasmo musical do próprio príncipe era uma garantia de louvor a seus esforços e de constante estímulo a erguer-se acima da rotina, a fazer com que cada nova obra superasse a anterior. Seus músicos chamavam-no afetuosamente de "papai", e poucos compositores foram tão industriosos, tão tranqüilos e tão bem-amados.

OBRAS ORQUESTRAIS Mais de 100 sinfonias (o número oficial é 104, mas existe uma dúzia de outras, principalmente do início da carreira); vinte e quatro concertos, incluindo oito para órgão, dois para violoncelo e um para trompete; *Sinfonia Concertante* para quatro solistas e orquestra.

Sinfonias Ⓜ Sinfonia n. 48 (*Maria Teresa*) (c. 1769). Uma das mais efervescentes das sinfonias Esterházy de Haydn, esta foi executada durante uma visita oficial da imperatriz da Áustria, e é adequadamente provida de fanfarras e alegres brados nas trompas. Como na maior parte de suas primeiras sinfonias, os movimentos das pontas são borbulhantes, há um gracioso movimento lento e um minueto e trio tão rigidamente decoroso quanto soldados em desfile. (Algumas das primeiras sinfonias também incorporam partes solistas, para a exibição de membros favorecidos da orquestra Esterházy: uma idéia tipicamente haydniana, combinando o interesse musical com a amizade. As ns. 6-8, apelidadas *Manhã, Tarde* e *Noite* são excelentes exemplos.) À época da sinfonia *Maria Teresa*, Haydn ficou sob a influência de um movimento literário alemão conhecido como *Stürm und Drang* (ver *música do século XVIII*): era uma espécie de protótipo do romantismo, uma tentativa de romper com o formalismo do século XVIII e expressar a emoção direta. As sinfonias de Haydn que usam esta idéia (por ex., n. 49, *La Passione*; n. 52) encontram-se entre os trabalhos mais impressionantes de seu período intermediário, da mesma estatura de peças tão conhecidas quanto a Ⓜ sinfonia n. 45, *Do Adeus*, ou a majestosa sinfonia n. 22, *O Filósofo*. Para suas visitas à Inglaterra na década de 1790, ele compôs doze novas sinfonias (ns. 93-104) em seu estilo mais maduro e habilidoso. Através de todo o século XIX, elas eclipsaram completamente suas outras obras, e algumas (por ex., a n. 100, a *Militar*; a n. 104, a *Londres*) igualaram as sinfonias de *Mozart em popularidade. São obras excelentes, mas demonstram sinais ocasionais de pressa (por ex., o último movimento da n. 104), de forma que algumas das sinfonias menos conhecidas são ainda melhores. (A Ⓜ sinfonia n. 99 e a Ⓜ sinfonia n. 102 se equiparam, respectivamente, à sinfonia n. 39 e à sinfonia n. 41 de Mozart.) Nos anos recentes, as primeiras sinfonias compostas por Haydn foram desempoeiradas, tocadas em instrumentos originais, e descobriu-se que eram encantadoras. Foram escritas antes de Esterháza, para o patrono anterior de Haydn, o conde Morzin, e são obras curtas e bonitas, num estilo de notável elegância. (As ns. 10 e 18 são típicas.)

→ Há tantas riquezas musicais nas sinfonias de Haydn que elas são as melhores obras correlatas umas das outras. Entre as mais belas não mencionadas acima estão a n. 44 (*Tristeza*), no estilo *Stürm und Drang*, a ebuliente n. 63 (*La Roxolane*), a Ⓜ n. 95 e a n. 92 (*Oxford*), esta última uma de suas obras mais felizes. Das sinfonias de outros compositores, as sinfonias 1-5 de Schubert seguem Haydn no que ele tem de mais elegante (a melhor é a n. 5), e as sinfonias do período médio de Mozart (especialmente as ns. 33 e 36) rivalizam com as de Haydn em melodiosidade e vigor.

Concertos Com duas exceções, os concertos de Haydn são muito menos bons do que suas sinfonias. Ele parece ter se esquivado do elemento de exibição necessário a um concerto, preferindo integrar essa exibição na textura de obras mais longas. Seus concertos mais freqüentemente executados são os para violoncelo, mas os seus melhores são o Concerto para trompete (onde a natureza incomum do instrumento solista, equipado com as recém-inventadas chaves e por isso capaz de uma destreza antes desconhecida, inspirou uma das obras mais extrovertidas de Haydn), e a Ⓜ *Sinfonia Concertante* (1794), composta para Londres e aproveitando não apenas os excelentes primeiro-oboísta, fagotista, violinista e violoncelista, mas todos os membros da famosa orquestra de Salomon[1]. Esta peça, junto com as sinfonias 99 e 102, é uma de suas melhores obras de qualquer tipo.

→ A melhor obra correlata ao Concerto para trompete é o Concerto para trompete de Hummel, modelado muito diretamente no de Haydn e com uma melodia no último movimento tão assobiável quanto as de seu inspirador. Boas obras correlatas à *Sinfonia Concertante* são a *Sinfonia Concertante* K 297b, para quatro instrumentos de sopro (madeiras) e orquestra, de Mozart, e o Concerto para Quarteto de Cordas e Orquestra, de Spohr.

MÚSICA DE CÂMARA E OBRAS PARA PIANO Oitenta e três quartetos de cordas; trinta e dois trios para piano, violino e violoncelo; 126 trios para barítono (viola bastarda), viola e violoncelo; dúzias de partitas, serenatas, divertimentos e outras obras de entretenimento em pequena escala; cinqüenta e duas sonatas e o *Andante e Variações* para piano solo.

[1] Salomon foi o empresário das turnês de Haydn em Londres, e era tão famoso na época quanto Sol Hurok foi no nosso século. (N. do T.)

Obras de câmara menores Trio n. 63 para barítono (data desconhecida). A maior parte da música de câmara de Haydn é como esta peça deliciosa: escrita para uso instantâneo e prazer imediato, sem nenhuma preocupação com a grandeza ou a posteridade. (O barítono era um instrumento em parte violoncelo, em parte violão, hoje obsoleto; o patrono de Haydn o executava, e estes trios foram escritos para exibir sua habilidade. Haydn tocava a parte da viola, e deu a si mesmo — e ao terceiro músico, um violoncelista da corte — um papel discreto e profissional de apoio à destreza real. As obras são um triunfo de tato tanto quanto de musicalidade.) Do mesmo modo agradável, Haydn escreveu muitas de suas sonatas para piano e trios para piano como presentes para executantes de talento (freqüentemente belas jovens: ele sabia o caminho para o coração de uma donzela musical), e os fez eficientes e atraentes sem muitas exigências técnicas. Seus divertimentos e serenatas (por ex., o Divertimento em si bemol para instrumentos de sopro, em cujo movimento lento *Brahms baseou suas *Variações sobre o Coral de Santo Antônio*) eram música de festa pura e simples. Mas, apesar de muitas de suas obras de câmara serem apresentáveis e pouco mais que isso, sem nada que as distinga das peças de uma dúzia de seus contemporâneos (por ex., o próprio irmão de Haydn, Michael, ou o violoncelista-compositor Boccherini), a última dúzia mais ou menos de trios para piano (por ex., o merecidamente famoso Trio em sol, apelidado de *Rondó Cigano*) é tão substancial quanto melodiosa, mais perto das sinfonias que dos divertimentos, e a última meia dúzia de sonatas para piano são difíceis, sonoras e excelentes. (A Ⓜ Sonata n. 52, por exemplo, é tão sombriamente romântica quanto qualquer das primeiras sonatas de Beethoven.)
→ Boas obras de interesse correlato à música de câmara mais ligeira de Haydn são o Noneto, op. 79 (para instrumentos de sopro), de Krommer, e o Divertimento K 138 (para cordas), de Mozart; existe uma rica audição de tipo semelhante nas obras de câmara de Boccherini e Dittersdorf. As primeiras sonatas para piano podem levar às sonatas para piano de C.P.E. *Bach e às seis Sonatinas, op. 36, de Clementi, e as últimas sonatas para piano ao *Andante e Variações* do próprio Haydn e à Sonata para piano n. 4, op. 7, de Beethoven. Os trios para piano são, agradavelmente, como os de Mozart (por ex., n. 2, K 496), para não mencionar seu soberbo Quarteto com piano, K 493.

Quartetos de cordas De toda a música de câmara de Haydn, a melhor é para o meio que ele aperfeiçoou, o quarteto de cordas. Quando começou a escrevê-los, os quartetos eram pouco mais que cadências acompanhadas para o primeiro violino, vazias e frívolas; ele construiu as outras partes, notavelmente as da viola e do segundo violino, até que os quartetos se tornaram sólidos diálogos musicais. (A mudança começa com os seis quartetos do op. 33 (os *Quartetos Russos*), admirados e imitados por, entre outros, Mozart, que os tocou com Haydn e dois amigos, e ficou tão impressionado que revisou seu próprio estilo de composição de quartetos.) Os últimos quartetos de Haydn (os seis do Ⓜ op. 76 e os dois do Ⓜ op. 77) estão entre as glórias do repertório. Têm o intimismo de todas as suas obras de câmara — ele nunca esqueceu que a música de câmara deveria primeiro e principalmente ser divertida de se tocar — mas são musicalmente ricos e intelectualmente compactos, e, sem uma vez sequer extrapolar as maneiras civilizadas do século XVIII, eles são uma antecipação impressionante do sentimento romântico do século XIX.
→ Uma vez que o quarteto de cordas é em boa parte uma invenção de Haydn, as melhores recomendações de audição são suas próprias obras. O op. 20 n. 4 é alegre e vivaz (especialmente para o primeiro violino); o op. 64 n. 5 (*A Cotovia*) e o op. 76 n. 3 (*Imperador*) mostram toda a extensão de seu talento maduro. Há poucas obras correlatas de outros autores melhores do que o conjunto de seis quartetos que Mozart escreveu após ter tocado o op. 33 de Haydn: são os Quartetos ns. 14-19, os seis quartetos "Haydn" (o Quarteto *A Caça*, K 458, é o mais haydniano de todos.)

OBRAS VOCAIS Vinte óperas (incluindo *No Mundo da Lua* e *A Ilha Deserta*); treze Missas (incluindo a *Missa em Tempo de Guerra*, a *Missa Nelson* e a *Harmoniemesse*); seis oratórios (incluindo *A Criação* e *As Estações*); cantatas, canções e outras obras para voz solo (incluindo doze *English Canzonets* e 450 arranjos de canções folclóricas inglesas).

Ⓜ ***Harmoniemesse*** (1802) Apesar de ter escrito um grande número de peças vocais, Haydn raramente sentia-se confiante com vozes. Sua música nesse campo é antes hábil que dramática, mais bem-comportada que fantasiosa, limpa, em vez de apaixonada — e essas qualidades lutam contra o impulso das letras. Sua melhor obra vocal são as seis grandes Missas que compôs após suas turnês na década de 1790. (Seu novo patrão Esterházy era mais devotado à igreja do que à música, e essas Missas foram criadas para servir de adorno tão suntuoso da capela Esterháza quanto as sinfonias ou quartetos o foram da sala de concerto.) Haydn (que abandonara a composição de sinfonias) deu unidade sinfônica à forma normalmente derramada da Missa: isso torna suas Missas virtualmente inúteis para a igreja (onde precisam ser interrompidas para preces e cânticos), mas ideais para a sala de concerto. A *Harmoniemesse*, ou *Missa da Banda de Sopros* (assim chamada por causa do papel proeminente nela desempenhado pelos sopros), é exuberante e radiante, cheia de sabor cristão; a Ⓜ *Missa Nelson* e a *Missa em Tempo de Guerra* são mais reflexivas, a *Missa de Santa Teresa* e a *Holy Mass* (*Santa Missa*) são mais grandiosamente cerimoniais. Todas elas eclipsam os oratórios de Haydn (até mesmo *As Estações*; até mesmo *A Criação*), os quais têm esplêndidos momentos individuais (por ex., a abertura de *A Criação* e coros tais como "The Heavens Are Telling the Glory of God"), mas aos quais falta senso de unidade ou convicção. Da mesma forma, as óperas de Haydn têm charme, mas são irremediavelmente não-dramáticas, obras ideais para concerto ou disco. (Suas aberturas, por ex., a chispante abertura de *L'Infidelità Delusa*, e árias individuais tais como "Dice Benissimo", da farsa inspirada em Molière *La Scuola di Gelosi*, são o que elas têm de melhor.) As *English Canzonets* (por ex., "My Mother Bids me Bind my Hair"), como é natural, sempre foram populares na Inglaterra, mas são mais bonitinhas que inspiradas. Em suma, a música vocal de Haydn foi composta para gostos diferentes dos de hoje, e suas melhores obras vocais — as Missas, a cantata solo Ⓜ *Ariadne on Naxos* (1789) — vivem não por terem servido às tendências de sua época, mas porque romperam com elas.

→ Os mais próximos equivalentes sonoros das Missas de Haydn são as Missas de Schubert (por ex., a Missa em lá bemol), e suas obras vocais solo encontram um paralelo quase exato nas de Beethoven (a cena dramática *Ah, Perfido!*; as quarenta e nove *Canções Escocesas*). As melhores obras de interesse correlato às suas óperas são as de *Rossini (por ex., *A Italiana na Argélia*), que acrescentam à distinção musical de Haydn um senso audacioso daquilo que funciona bem no palco.

HENZE, Hans Werner (1926). *Compositor alemão.*

Durante os anos de formação do compositor, o nazismo esteve no poder e, conseqüentemente, o modernismo se viu banido. Em 1945, com o colapso do regime (Henze tinha acabado de completar 19 anos), tudo se passou como no rompimento de um dique: ele mergulhou de cabeça na correnteza vertiginosa que lhe trazia (e revelava) *Debussy, Richard *Strauss, *Bartók, *Stravinsky, *Schoenberg e *Weill, entre outros, e suas primeiras composições denotam a influência de quase todos eles. Foi apenas em 1952, com a ópera *Boulevard Solitude*, que conseguiu fincar os pés e revelar seu próprio estilo: é uma tragédia (basicamente a mesma história usada por *Puccini em *Manon Lescaut*, sobre um caso de amor fadado a insucesso) e sua música contrasta vivo lirismo emocional para as passagens cantadas com sóbria e severa partitura orquestral, algo semelhante ao que se encontra nas obras de Weill ou *Britten. *Boulevard Solitude* tornou conhecido o nome de Henze, e desde então ele tem produzido incessantemente óperas, concertos, cantatas, obras de câmara e sinfonias, sendo um dos mais prolíficos compositores de nosso tempo.

Nas décadas de 50 e 60, Henze passou longos períodos na Itália, e suas obras dessa época (como *As Musas da Sicília* — ver adiante) se contam entre as mais tranqüilas e sensuais de todas as que escreveu até agora. Os movimentos estudantis de 1968, em contrapartida, tornaram-no fervoroso revolucionário de esquerda: ele se mudou para Cuba e produziu uma série de peças de temática vigorosamente política (como, por exemplo, *El Cimarrón*, sobre um escravo que rompe os grilhões e foge em busca de liberdade), destinadas a platéias integradas por elementos da classe trabalhadora; são tão confusas e dissonantes, no entanto, que não lograram alcançar o sucesso popular que buscavam. A melhor música de Henze nada tem a ver com essas peças: é calorosa, elegante e se adapta tão bem à voz humana como bem cortadas vestimentas que usemos. Política de esquerda à parte, ele é um novo Britten, e suas composições têm o mesmo encanto e vigor que as dele.

OBRAS Treze óperas, destacando-se *O Gamo Real*, *Elegia para Jovens Apaixonados*, *Os Bassáridas*, *Chegamos ao Rio*; onze balés, entre os quais *Undine* e *Orpheus*; dez cantatas ou ciclos de canções para vozes e instrumentos, incluindo *Novae de Infinito Laudes* e *A Balsa de Medusa*); seis sinfonias, dez concertos, entre os quais o *Concerto Duplo* e o *Concerto para Contrabaixo*, e cerca de uma dúzia de outras peças menos extensas, para orquestra; cinco quartetos de cordas, um quinteto de sopros e numerosas peças curtas de câmara, destacando-se *Música Real de Inverno* e *Música para Shakespeare*, para solo de guitarra.

Ⓜ ***Elegia para Jovens Apaixonados*** (1961) (a ópera completa) Tendo por cenário os Alpes suíços em 1910, o libreto nos conta o drama de um escritor que, num momento de impasse criativo, encontra inspiração promovendo um caso amoroso entre seu enteado e a própria amante. A atmosfera claustrofóbica relembra os romances de Thomas Mann, e o estilo musical é muito afim ao de Britten (particularmente em sua ópera *Peter Grimes*). As óperas do século XX são quase sempre ásperas, e nesta, para não fugir à norma, não encontraremos árias exuberantes; diga-se, no entanto, que os admiradores de *Turandot*, de Puccini, terão aqui música não menos atraente e tão refinada quanto a que ela lhes proporciona.

→ Ⓜ *Os Bassáridas* (ópera baseada na peça *As Bacantes*, de Eurípides); *O Santo da Rua Bleecker*, ópera de Menotti; *Morte em Veneza*, ópera de Britten.

Ⓜ ***As Musas da Sicília*** (1966) Arrebatada criação para coro, instrumentos de sopro, dois pianos e percussão, utilizando um poema pastoral de Virgílio, repleto de imagens bucólicas, brisas suaves e canções tranqüilas — apresentando-nos os esforços de Henze para extrair de sua arte os mais refinados sons que seja possível alcançar com a técnica orquestral e a harmonização de nossos dias.

→ Sinfonia n. 4 (1955, baseada em sua ópera "conto de fadas" *O Gamo Real* e, como ela, plena de sonoridades fascinantes); *Ser Encantador* (1963, musicando poema perturbador e sensual de Rimbaud); *Cenas e Árias*, de Maw, para vozes solistas e orquestra.

Concerto Duplo para oboé, harpa e orquestra (1966) A combinação incomum dos instrumentos solistas (resultante de encomenda especial dos artistas Heinz e Ursula Holliger) inspirou tanto a veia lírica de Henze quanto sua aguda capacidade rítmica e harmônica, daí resultando uma composição que tem certo parentesco com as de Stravinsky. A primeira impressão que nos causa é a de ser uma obra moderna que se pode ouvir sem grande esforço (como acontece com a maior parte de sua obra não-motivada ideologicamente); audições sucessivas realçarão continuamente suas qualidades intrínsecas, o que constitui outra característica do que tem produzido.

→ *Compases para Preguntas Ensimismadas* (1970, que é um concerto para viola e pequena orquestra); Concerto para oboé, de Martinů; Concerto Duplo para flauta, oboé e orquestra, de Ligeti.

HINDEMITH, Paul (1895-1963). *Compositor e professor alemão.*

Mesmo numa profissão em que o sucesso que chega cedo é um lugar-comum, as realizações de Hindemith foram extraordinárias. Aos vinte e um anos era violinista profissional, aos vinte e cinco era solista de viola e músico de quarteto de cordas de primeira classe e na época em que tinha trinta anos havia produzido umas duas dúzias das obras mais notórias de uma década especialmente movimentada, e era considerado um líder de vanguarda. Então, em 1927, assumiu um posto de professor na Academia de Música de Berlim, e a vitalidade criativa deu lugar ao zelo pedagógico. Determinou-se a criar música para todos aqueles que dela precisavam, e (mais ou menos como *Copland fez mais tarde nos EUA) simplificou seu estilo para tornar suas obras mais acessíveis.

A simplificação de Copland levou-o às suas melhores obras; a de Hindemith não. Ele produzia uma dúzia de peças novas a cada ano, de todos os tipos e tamanhos, de óperas até trios para flauta doce, e desenvolveu um estilo para elas que era eficiente, funcional e aborrecido, beirando com regularidade o apenas muito bom. (Escreveu sonatas, por exemplo, para praticamente todos os instrumentos disponíveis, e, exceto por sua técnica de composição, em nada se destacam.) O contraste entre essa previsibilidade plástica e sua vigorosa produção da década dc 20 é total (como se os dois tipos de música tivessem sido compostos por pessoas diferentes); ele seria lembrado não como compositor, mas como um professor genial, não fosse pelo fato de que, quando suas obras *são* boas, elas se colocam entre as mais características e impressionantes do século.

OBRAS Nove óperas e três obras infantis para palco; quatro balés (incluindo *Nobilissima Visione*, obra tão límpida quanto as de *Vaughan Williams sobre a vida de São Francisco); seis grandes obras corais (incluindo o comovente réquiem *When Lilacs Last in the Dooryard Bloom' d*, com letra de Whitman) e duas dúzias de conjuntos de madrigais, motetos, coros e outras obras para coro; *Lieder* e canções solo (incluindo o belo ciclo *A Vida de Maria*); sete *Kammermusiken* ("Músicas de câmara") para instrumentos solistas e grupos de câmara; quatro sinfonias (incluindo *Mathis der Maler*), doze concertos e mais de uma dúzia de outras grandes obras orquestrais (incluindo *Quatro Temperamentos* para piano e cordas, *Metamorfoses Sinfônicas* e *Konzertmusik* para cordas e metais); seis quartetos de cordas, quarenta sonatas solo (para quase todos os instrumentos, da flauta até a tuba, do corne inglês ao violino), octeto, septeto, quinteto de sopros e muitas outras obras de câmara; *Dever de Casa, Música para Ouvir e Cantar, Solos para Cantar em Grupo* e outras obras educativas. Hindemith também escreveu diversos manuais universitários, incluindo *A Técnica da Composição Musical.*

Metamorfoses Sinfônicas sobre Temas de Carl Maria von Weber (1943) O título é a única coisa chata desta obra, que consiste em uma alegre suíte em quatro movimentos, atualizando algumas peças para piano de *Weber. A partitura é extrovertida, as melodias (as de Hindemith tanto quanto as de Weber) são deliciosas e a harmonia é cheia do tempero do século XX. Exceto por sua sonoridade levemente "moderna", esta é uma obra que pertence ao mesmo e delicioso setor do repertório em que estão as *Danças Polovitsianas*, de *Borodin, ou a *Abertura Carnaval*, de *Dvořák.

→ *Os Quatro Temperamentos*; suíte *O Moscardo*, de Shostakovich; suíte *Revue de Cuisine*, de Martinů.

Ⓜ ***Der Schwanendreher*** ("O Cisneiro") (1935) Trata-se de um meditativo e suave concerto para viola baseado em velhas canções folclóricas alemãs (incluindo a que lhe dá título). Escrevendo para o seu próprio instrumento preferido, e usando amadas canções tradicionais, Hindemith produziu uma obra de terna inspiração, melancólica, eloqüente e com nenhuma nota longa demais.

→ Sonata para órgão n. 3 (também baseada em melodias folclóricas); Ⓜ *Kammermusik* op. 46 n. 1 (concerto para *viola d'amore*, em seu estilo mais enérgico dos anos vinte); Honegger, *Concerto da Câmara* para flauta, corne inglês e cordas.

Ⓜ ***Mathis der Maler*** (*Matias, o Pintor*) (sinfonia) (1934) Os três movimentos desta sinfonia são baseados em partes de uma ópera sobre o pintor do século XVI Mathias Grünewald (e os movimentos da sinfonia reinterpretam suas pinturas religiosas *Concerto Angélico, Sepultamento de Cristo* e *A Tentação de Santo Antônio*). Há melodias efervescentes e harmonias estridentes, mas o clima da sinfonia é principalmente lírico, compartilhando (apesar de toda a sua sonoridade de século XX) a simplicidade luterana e a intensidade das obras corais de *Bach.
→ Ⓜ *Konzertmusik* para cordas e metais (1930); Ⓜ *Das Marienleben* ("A Vida de Maria": ciclo de canções, a versão para voz e orquestra é recomendada); Sinfonia n. 3, de Roussel.

HOLST, Gustav (1874-1934). *Compositor inglês.*

Até os vinte e nove anos de idade, Holst era trombonista de orquestra; então passou para o ensino e trabalhou em duas escolas femininas de Londres (Dulwich; St Paul's), no Morley College (um instituto noturno para adultos) e no Royal College of Music. Em cada um deles escreveu peças para seus alunos muito além do âmbito normal das obras estudantis (as mais conhecidas são a *Suite St Paul* e *Hymn of Jesus*: ver adiante). Era fascinado pela música folclórica inglesa, pelo oculto e, acima de tudo, pelo misticismo religioso. (Ele musicou os apócrifos *Atos de São João*, na "dança da divina graça de Cristo", e aprendeu sânscrito especialmente para estudar e musicar textos religiosos hindus.) É mundialmente famoso por uma obra, *Os Planetas* (ver adiante); ao contrário de algumas de suas outras músicas (que são emocionalmente reticentes), esta fervilha de humanidade, cheia do calor da vida.

OBRAS Quatro óperas curtas (incluindo *Savitri* e *At The Boar's Head*); dois concertos, dez suítes (incluindo *Os Planetas*) e diversas obras menores para orquestra (entre elas o meditativo poema tonal Egdon Heath); várias centenas de coros, canções para diversas vozes e outras obras para coros (muitas em pequena escala, para coros de alunos, mas incluindo uma *sinfonia coral*, uma *Fantasia Coral* e, em pequena escala, o *Hymn of Jesus*); uma dúzia de canções, incluindo *Hinos do Rig Veda* e o magistral *Doze Canções de Humbert Wolfe*); variadas obras pequenas de câmara (incluindo um *Terzetto* em três tonalidades ao mesmo tempo) e peças para piano baseadas em canções folclóricas.

Ⓜ ***Os Planetas***, op. 32 (1916) Uma das obras orquestrais mais populares do século, esta suíte pega sete planetas (a Terra é excluída; também Plutão, ainda não descoberto quando Holst escrevia) e pinta quadros sonoros de suas associações astrológicas: Marte é guerreiro, Júpiter é folgazão, Netuno é místico, e assim por diante. A música é cativante e cheia de personalidade, e a obra é uma peça de exibição tão extrovertida quanto qualquer coisa produzida por Chabrier (ver *compositores de obra singular*) ou *Rimsky-Korsakov.
→ Música de balé de *The Perfect Fool*; Ⓜ *Hymn of Jesus* (uma cantata religiosa maravilhosamente não-solene, cheia de ritmos martelantes e acordes "mágicos"); *Sheherazade*, de Rimsky-Korsakov; *O Moldávia*, de Smetana.

Ⓜ ***Suíte St Paul***, para cordas, op. 29 n. 2 (1913) Toda orquestra de escola deveria propiciar música tão boa quanto esta. Seus quatro movimentos curtos (Giga; Moto perpétuo; Ária; Final) estimulam os intérpretes sem exigir demais deles, e proporcionam um prazer fácil ao ouvinte. Holst entremeou melodias folclóricas na textura da obra, com uma destreza entusiasmante: no último movimento, por exemplo, ele misturou a rápida e hipnoticamente repetida *Dargason* com *Greensleeves*, que surge majestosa e inesperadamente do tumulto — um efeito mágico.
→ *Suíte Brook Green* (escrita para forças semelhantes, e igualmente alegre); *Concerto Fugal* (cujo título é a única coisa intimidante que a peça tem; é um concerto ao gênero de *Bach para dois violinos e orquestra); *Five Variants of "Dives and Lazarus"*, de Vaughan Williams.

I

INSTRUMENTOS DE CORDAS

Existem dois tipos de instrumentos de cordas: tocados (com o arco) e tangidos (com os dedos). Os instrumentos tocados com o arco usados até o final do século XVII eram os da família da viola (violas soprano, tenor e baixo) e, após o século XVII, os da família do violino (violino, viola, violoncelo e contrabaixo). Os instrumentos tangidos mais comumente usados são o alaúde e o violão.

FAMÍLIA DA VIOLA A viola foi aperfeiçoada no começo do século XVI e foi o principal instrumento de arco da música européia durante duzentos anos. Ela existe em três tamanhos diferentes, soprano, tenor e baixo, e é presa não sob o queixo, mas no joelho do executante ou, no caso da viola baixo, entre as pernas, como um violoncelo — daí o nome italiano *viola da gamba*, "viola de perna".

No século XVI as pessoas achavam que o som de uma "camerata" de violas (um grupo consistindo em duas de cada tamanho diferente) era um equivalente instrumental aproximado de um coro de vozes. Escreviam música de acordo com isso: ornamentada, entremeada e polifônica (ver *música do século XVI*). Os ingleses gostavam particularmente desse tipo de música, e suas fantasias para viola contam-se entre as únicas músicas instrumentais da época a rivalizar com as Missas ou os madrigais em qualidade. (*Byrd e Morley foram os principais compositores para viola elisabetanos; no século XVII, Gibbons, Jenkins e *Purcell continuaram a tradição.)

Havia poucas obras solo para as violas mais altas: apesar de seu som se entrosar bem num conjunto, era plácido demais para as obras solo, muito menos satisfatório do que o de um violino. Mas a viola baixo foi um instrumento solista favorito especialmente na França do século XVII. Muitos compositores escreveram para ela (por ex., Marin Marais), e suas peças — similares, exceto pela orquestração, às fantasiosas peças para cravo de *Couperin — ainda são hoje freqüentemente ouvidas. Os melhores de todos os solos para viola baixo são as três sonatas BWV 1027-9 de *Bach. Elas são, no entanto, o final de uma linhagem. Com exceção da música de câmara (onde ela aparecia como parte do contínuo: ver *sonata*) a viola baixo foi raramente usada após cerca de 1725.

FAMÍLIA DO VIOLINO A razão para o declínio das violas no final do século XVII foi a crescente popularidade da família do violino. Esta foi a época dos principais fabricantes, como Guarnieri e Stradivari, que lançaram mão da "rabeca", ou *viella* medieval, melhorando-a e reforçando-a para criar os poderosos e lindamente entonados instrumentos que conhecemos hoje. Os violinos eram os mais populares, com os violoncelos em seguida, as violas em terceiro e o contrabaixo ao fim.

O aperfeiçoamento da família do violino mudou a face da música. As orquestras de cordas se tornaram comuns (um grande grupo de cordas é ainda hoje o cerne da orquestra), e sua força e versatilidade levou muitos compositores a trocar a escrita da música vocal pela orquestral. Novas formas (*sonata e trio-sonata, *concerto) se desenvolveram e, durante cerca de cinqüenta anos (da década de 1670 em diante) elas foram o centro do repertório instrumental: as sonatas para cordas e os concertos de *Corelli, *Telemann, *Vivaldi e Bach contam-se entre a melhor música dessa época.

A crescente popularidade do piano no século XVIII (ver *instrumentos de teclado*) significou que os membros da família do violino, por sua vez, entraram em eclipse como instrumentos solo. Os compositores que escreviam concertos ou sonatas "de exibição" o faziam para o teclado; obras solo para violino e violoncelo (havia poucas para viola, menos ainda para o contrabaixo) eram em menor escala, escritas principalmente para músicos amadores ou para efeitos didáticos. (Os concertos para violino de *Mozart e os concertos para violoncelo de *Haydn são típicos: leves e insubstanciais, em nada parecidos com o âmbito dos concertos para piano de Mozart ou das sinfonias de Haydn compostas na mesma época.) Paradoxalmente, esse afastamento da música para cordas solo levou ao desenvolvimento de duas das mais magníficas de todas as formas musicais, ambas centradas no som da família do violino: o quarteto de cordas (ver *música de câmara*) e a *sinfonia. Se a música solo estava comparativamente em maré baixa — e havia poucas exceções, por ex., a sublime *Sinfonia Concertante* K 364, de Mozart — a música de conjuntos de cordas agora assumia o lugar dominante no repertório, que ainda mantém hoje.

No século XIX, a idéia de um solista de cordas virtuose ressurgiu e — particularmente após Paganini, o mais impressionante concertista de violino do século — os violinistas chegaram a rivalizar com os pianistas e os cantores de ópera como os intérpretes mais bombásticos daquela época. Sua popularidade e sua impressionante destreza inspirou os compositores e, do tempo de *Beethoven em diante, sonatas e concertos para cordas voltaram a ser obras de concerto grandiosas e maduras. No século XIX o violino liderava as cordas, com magníficos concertos (por ex., os de Beethoven, *Mendelssohn, *Brahms e *Tchaikovsky) e sonatas (por ex., as de Beethoven e Brahms); havia poucas obras solistas para outros instrumentos de cordas (por ex., as sonatas para violoncelo de Beethoven e Brahms, o Concerto para violoncelo de Dvořák e o Concerto Duplo de Brahms, para violino e violoncelo), mas de uma maneira geral os intérpretes das cordas baixo tinham que se contentar com o trabalho na orquestra ou em quartetos de cordas. Os compositores do século XX, no entanto, corrigiram esta situação: ao mesmo tempo que não negligenciaram do violino (poucos grandes compositores não contam em sua obra com um concerto ou sonata para violino), produziram obras solo para viola, violoncelo e até mesmo (nos últimos dez anos) para contrabaixo. Os concertos para violoncelo de *Elgar, *Shostakovich e *Lutoslawski, os concertos para viola de *Bartók e *Walton são obras-primas, tão boas quanto quaisquer outras compostas para piano ou violino.

INSTRUMENTOS DE CORDAS TANGIDAS No século XVI, o instrumento de cordas tangidas preferido era o alaúde. Na maior parte dos casos ele tinha onze pares (ou "pistas") de cordas, e permitia que se tocassem não apenas acordes (dedilhados, como um violão moderno), mas também música polifônica de considerável complexidade. Seu uso principal era na música de câmara (como um dos instrumentos de um "consort"), mas, especialmente na Inglaterra, era usado para acompanhar canções (as "canções para alaúde" de Dowland, Campion e Rosseter são magníficas) e para movimentos de danças solo ou fantasias em estilo polifônico (por ex., *Lachrimae*, de Dowland). Compositores posteriores ocasionalmente usaram o alaúde, mas no auge das sonatas e concertos para cordas ele saiu de moda e obras tais como as cinco suítes para alaúde de Bach e o punhado de concertos para alaúde de Vivaldi, apesar de música deliciosa, seriam encaradas como curiosidades, para um instrumento de museu, até mesmo em sua própria época.

Até o final do século XVIII, o violão era praticamente desconhecido na música clássica. Era um instrumento popular, para se dedilhar no acompanhamento de canções. Até mesmo no século XIX, os músicos que o tocavam (entre eles *Schubert, *Berlioz, Paganini e *Wagner) encaravam-no mais como um brinquedo do que como um instrumento musical sério, e os compositores especialistas em violão (por ex., Fernando Sor, 1778-1839) eram poucos, e raramente de primeira classe. A grande era do violão começou com a estréia em concertos de Andrés Segovia (nascido em 1893), um gênio virtuose capaz de rivalizar com *Chopin no piano ou Paganini no violino. Inspirado por suas execuções, os fabricantes melhoraram e reforçaram o instrumento (até que ele tocasse alto o bastante para se segurar sozinho numa sala de concerto), os promotores de concertos começaram a programar recitalistas de violão, a música de alaúde do passado foi redescoberta e publicada e centenas de novas obras para violão foram compostas. A esta altura, passados mais de setenta anos, o violão é um instrumento de concerto favorito, e existe uma dúzia de solistas de primeiro time e um amplo repertório de músicas de todos os tipos, desde os melodiosos concertos, estudos e sonatas de Ponce, Arnold, Villa-Lobos e Rodrigo (ver *compositores de obra singular*), até as composições em grande escala de mestres de vanguarda tais como *Henze, *Tippett e Berio.

Para ouvir ***Família da viola***: *In Nomine a 5* n. 2, de Byrd, *Pavana*, de Gibbons, e *Fantasia sobre uma nota* (todas para conjunto de violas), de Purcell; *Sonate à la Marésienne*, de Marais, e Sonata n. 1, BWV 1027 (ambas para viola baixo e cravo), de Bach. Ver também *música de câmara*. ***Família do violino***: Sonata op. 1 n. 15, de Händel, Sonatina n. 1 D 384, de Schubert, *Tzigane* (todas para violino e piano), de Ravel; Concerto para violino n. 2, BWV 1042, de Bach, *As Quatro Estações*, de Vivaldi, Concerto para violino n. 5, de Mozart; Concerto para violino, de Mendelssohn, e Concerto para violoncelo, de Dvořák. Para outras recomendações, ver os verbetes sobre J.S. Bach, Bartók, Beethoven, Berg, Bloch, Boccherini, Brahms, *concerto*, Corelli, Delius, Dvořák, Elgar, Franck, Händel, Haydn, Mendelssohn, Mozart, *música de câmara*, *música do século XVII*, *música do século XVIII*, *música do século XIX*, *música do século XX*, Nielsen, Schubert, *sonata*, Stravinsky, Telemann, Vivaldi e Walton. ***Alaúde e violão***: *Semper Dowland Semper Dolens*, de Dowland, e Suíte n. 3, BWV 1006, de Bach (ambas para solo de alaúde); *Variações sobre um Tema de Mozart*, de Sor, Prelúdio n. 1, de Villa-Lobos (ambos para solo de violão); *Concierto de Aranjuez* (violão e orquestra), de Rodrigo.

INSTRUMENTOS DE SOPRO (MADEIRAS)

Os instrumentos de sopro (madeiras) mais comumente encontrados na música "séria" são a flauta, o oboé, a clarineta e o fagote. Cada um deles pertence a uma família que contém outros instrumentos (flautas piccolo, contralto e baixo; corne inglês; clarinetas em mi bemol e baixo; contrafagote), e uns outros poucos instrumentos (por ex., flauta doce e saxofone) ocasionalmente aparecem, mas o grosso da música de sopro é escrita para os quatro principais instrumentos. (Nota da edição brasileira: no original esse naipe de uma orquestra está referido como "*woodwind instruments*", ou seja, sopros de madeira, e o naipe é normalmente conhecido como "as madeiras". Mas a designação hoje é inadequada, pois os instrumentos não são mais, há muito, fabricados desse material, mas sim de metal.)

OS PRIMEIROS INSTRUMENTOS DE SOPRO (MADEIRAS) Até o final do século XVII, poucos compositores levavam os instrumentos de sopro a sério. Eram instrumentos de camponeses, freqüentemente desafinados, restritos quanto às notas que conseguiam produzir e mais adequados à execução ao ar livre (por ex., acompanhando danças) do que à audição em interiores. Alguns poucos compositores (por ex., *Monteverdi) usaram instrumentos de sopro (madeiras) de forma esparsa em suas orquestras, acrescentando ao som seu tom barulhento e áspero, tão cuidadosamente quanto um cozinheiro adiciona sal ao guisado.

No final do século XVII, as coisas mudaram. Por essa época, as orquestras de cordas já estavam bem estabelecidas como um meio de entretenimento, e o *concerto era uma forma favorita. Devido a seu som contrastar bem com o das cordas, os instrumentos de sopro (madeiras) tornavam-se solistas ideais para concertos, e muitos compositores (por ex., *Telemann e *Vivaldi) se apressaram em aproveitá-los, escrevendo concertos solo, duplos, tríplices e quádruplos para cada instrumento em que pusessem os olhos. (O próprio Telemann era um executante de sopros, e seus concertos são magníficos.) Algumas dessas experiências são estranhas (por ex., os concertos de Vivaldi para gaita de foles), mas outras (especialmente concertos para flauta doce e oboé) funcionaram bem, e levaram os sopros a serem gradualmente aceitos na orquestra. À medida que cresceu o padrão da execução (de forma que um instrumento de sopro podia tocar afinado com um instrumento de afinação fixa, como o cravo), sonatas e outras obras similares foram acrescentadas ao repertório: entre as primeiras e as melhores estão as sonatas para flauta de *Bach, e as sonatas para flauta doce, flauta e oboé de Telemann e *Händel.

MÚSICA DE INSTRUMENTOS DE SOPRO (MADEIRAS) DO SÉCULO XVIII Em meados do século XVIII, cada orquestra, de qualquer dimensão, incluía oboés e fagotes, e muitas também tinham flautas. A clarineta, que já fora o mais instável dos instrumentos de sopro, foi padronizada e melhorada no início do século XVIII, e começou a aparecer num número cada vez maior de orquestras, até que, por volta da década de 1790, era um instrumento padrão na orquestra.

Os instrumentos de sopro (madeiras) mais confiáveis (e por isso mesmo mais favorecidos) no século XVIII eram a flauta e o oboé. Alguns compositores (por ex., Quantz e C.P.E. *Bach, os quais trabalharam ambos para o rei Frederico II da Prússia, que tocava flauta) concentraram-se na música para flauta, construindo um vívido repertório de sonatas, concertos e obras de câmara. Outros achavam a tonalidade da flauta insípida, e preferiam o oboé. O Quarteto para oboé e o Concerto para oboé, de *Mozart, por exemplo, são obras caprichadas, de tom brilhante, bem diferentes de seus quartetos envolvendo a flauta, mais suaves — e menos inspirados. (Mozart também escreveu um Concerto para fagote, e três obras sublimes para solo de clarineta, o Trio, o Quinteto e o Concerto, inspirado por um amigo que a tocava, as primeiras obras de gênio a serem escritas para esse instrumento.)

MÚSICA DE INSTRUMENTOS DE SOPRO (MADEIRAS) DOS SÉCULOS XIX E XX Esta abordagem casual dos sopros (madeiras) continuou até boa parte do século XIX: *Berlioz, por exemplo, contava histórias divertidas sobre suas dificuldades de encontrar músicos que tocassem contrafagote ou corne inglês nas cidades européias cujas orquestras ele regia, e o problema (ainda maior) de lhes conseguir instrumentos adequados para se tocar. Na década de 1840, entretanto, inventores voltaram sua atenção para a melhoria dos instrumentos de sopro, e Boehm e outros criaram sistemas de chaves, tubos e palhetas que aumentaram o número de notas disponíveis e tornaram possível tocar esses instrumentos sem que se tivesse que torcer os dedos. Essas invenções liberaram os instrumentos de sopro da mesma forma que as válvulas e pistões liberaram os metais (ver *instrumentos de sopro (metais)*): de meados do século em diante, os virtuoses de sopros eram tão hábeis quanto os pianistas e violinistas, e dezenas de compositores menores puseram mãos à obra, provendo-lhes peças para que pudessem tocar.

Não obstante excelentes instrumentos e seus executantes passarem a estar disponíveis, e apesar de a maior parte dos compositores do século XIX os encararem como membros essenciais da orquestra, muito pouca música de qualidade para solistas foi composta. *Schumann escreveu um punhado de obras para sopros (por ex., *Peças de Fantasia*, para clarineta, *Três Romances*, para oboé), Weber escreveu concertos para clarineta e fagote, e *Brahms (inspirado, como Mozart, por ter um amigo que a tocava) escreveu duas sonatas para clarineta, o Trio para clarineta e o soberbo Quinteto para clarineta — mas, entre os grandes compositores, são os únicos. Não foi senão no século XX, quando o interesse por instrumentos de concerto "incomuns" tornou-se tão grande quanto já fora no século XVII, que o repertório para sopros solistas voltou a crescer. Entre muitos outros compositores, *Nielsen escreveu um ótimo quinteto, bem como concertos para clarineta e flauta; *Vaughan Williams, Richard *Strauss e *Henze escreveram concertos para oboé; *Martinů e *Hindemith escreveram concertos para flauta, oboé e clarineta; outros compositores produziram sonatas, quartetos, quintetos e outras obras de câmara às dúzias. (O único instrumento de sopro deixado de lado nessa festa foi o fagote: seu repertório solo é ainda diminuto.)

CONJUNTOS DE INSTRUMENTOS DE SOPRO (MADEIRAS) Apesar de as obras solistas para sopros nunca terem sido numerosas, do século XVIII em diante as obras para conjunto de sopros se tornaram muito populares. Seu grupamento favorito é um quinteto para sopros (flauta, oboé, clarineta, trompa e fagote), mas trios, quartetos e grupos maiores também são comuns. A partir dos séculos XVIII e XIX, os compositores desse tipo de música incluem Haydn (divertimentos e partitas), Mozart (serenatas, entre as melhores de todas as obras para sopros), *Beethoven (um esplêndido Quinteto para sopros e piano), *Dvořák, Gounod e Richard Strauss (serenatas e "sinfonias" para grandes grupos de sopros). Entre as mais luminosas obras para conjunto de sopros do século XX, encontram-se o Quinteto para sopros, de Nielsen, os sextetos de Poulenc e Janáček, as *Trois Pièces Brèves*, de Ibert, e *La Cheminée du Roi René*, de Milhaud; na outra ponta da escala de seriedade estão as obras de câmara de *Schoenberg, *Davies, Henze e *Berg (cujo concerto de câmara, para violino, piano e treze instrumentos de sopro é uma de suas maiores e melhores obras).

Para ouvir Boas introduções à música de sopros do século XVIII são a Sonata para flauta doce op. 1 n. 4, de Händel, a Sonata para flauta BWV 1035, de Bach, e o Concerto para oboé, op. 9 n. 2, de Albinoni; boas para se continuar são as obras para sopros de Mozart (começando com o Quarteto para Oboé K 370 e o Concerto para clarineta, passando então à Serenata para sopros K 388). Boas introduções à música de sopros do século XIX são o Quinteto para sopros op. 91 n. 5, de Reicha, e as *Peças de Fantasia* op. 73, de Schumann; boas para se continuar são o Quinteto op. 16, de Beethoven, a Serenata op. 44, de Dvořák, e o Quinteto para clarineta de Brahms. Boas introduções à música de sopros do século XX são as *Trois Pièces Brèves*, de Ibert, e o Sexteto, de Poulenc; boas para continuar são o Concerto para oboé, de Strauss, *Sinfonias de Instrumentos de Sopro*, de Stravinsky, e os concertos para clarineta, de Nielsen e Copland. Para outras recomendações, ver os verbetes sobre C.P.E. Bach, J.S. Bach, Brahms, Carter, *concerto*, Händel, Milhaud, Mozart, *música de câmara*, *música do século XVIII*, Poulenc, *sonata*, Telemann e Vivaldi.

INSTRUMENTOS DE SOPRO (METAIS)

Os instrumentos de sopro de metal remontam a milhares de anos: trompetes que ainda podiam ser tocados foram encontrados no túmulo do faraó Tutankamon, e a história bíblica de Josué e das muralhas de Jericó mostra quão eficientes podiam ser os metais bem organizados do século XII antes de Cristo. Mas os instrumentos de sopro de metal que conhecemos hoje são infinitamente mais recentes, datando de apenas cerca de 200 anos. Até então, os executantes ficavam restritos à "série harmônica" (cerca de oito notas, e uma breve escala, tudo feito só com os lábios, como no moderno bugle, uma corneta de pistões); no século XVIII, a invenção das válvulas e pistões possibilitou-lhes tocar seis ou sete vezes mais notas, e permitiu volatas e trinados com tanta liberdade quanto os executantes de qualquer outro instrumento.

MÚSICA DE *CONSORT* Os compositores antigos não gostavam de fornecer música muito complexa ou de muita exibição para os executantes de metais. Escreviam fanfarras ou outras peças curtas para eventos ao ar livre (tais como procissões ou funerais), confiando que o amplo espaço aberto absorveria quaisquer imperfeições tonais. Não se pode saber, só conjeturar, como essas peças soavam na época; quando executantes modernos as abordam (seja em instrumentos modernos, seja utilizando técnicas modernas em instrumentos antigos), elas são um deslumbramento espetacular e de tantalizante brevidade. Uma das mais famosas de todas as peças antigas para metais, a *Sonata Pian' e Forte* ("Peça para Soar Suave e Forte"), de Giovanni Gabrieli, foi escrita no começo do século XVII para a catedral de São Marcos, de Veneza, e envolve dois *consorts* de metais, respondendo um ao outro através do centro ressonante da catedral; como o título sugere, seu efeito provém mais do contraste cromático do que de rajadas de som ou notas rápidas. Os anos recentes assistiram à moda de se reviverem as peças deste tipo (pequenas fantasias, fanfarras, sonatas e ricercares de compositores como *Josquin, Tylman Susato, Samuel Scheidt e Matthew Locke). Há uma enorme quantidade de discos, e, apesar dessas peças serem muito curtas, o som é satisfatoriamente limpo e redondo. (Diferentemente dos conjuntos de alguns outros instrumentos, por ex., *consorts* de violas, os grupos de metais não têm membros de sonoridade fraca, por isso cada parte na textura tem peso igual.) A popularidade do gênero incentivou compositores do século XX a fazerem arranjos de todo tipo de música para esse meio (desde as peças para virginal de *Byrd até os *Quadros de uma Exposição*, de *Mussorgsky) e a comporem esplêndidas peças novas: o cativante Quinteto de Metais, de Malcolm Arnold, e a Sinfonia para metais e percussão, de Gunther Schuller, são exemplos de um gênero em ascensão. Só dois outros tipos de grupos de metais são secundários em interesse: as bandas de metais e as bandas militares. Inicialmente restritas a marchas, e a hinos religiosos em funerais, seus executantes (normalmente amadores) agora abordam uma imensa variedade de músicas com um *panache* quase profissional: em uma das pontas do repertório encontram-se clássicos merecidamente populares, como as marchas de Sousa, ou a abertura *Zampa*, de Hérold; na outra, obras da mais extrema vanguarda, como a sussurrante *Chuva de Outubro*, de Takemitsu. Em alguns países (especialmente nos EUA) as "bandas sinfônicas" têm muita popularidade. Consistem em uma mistura de instrumentos de sopro dos dois tipos (madeiras e metais), isto é, uma orquestra sem cordas, e muitos compositores criaram obras para elas, incluindo gigantes tais como *Hindemith e *Copland, cujas Sinfonia em si bemol e *Fanfarra para o Homem Comum* (respectivamente) mostram com precisão do que esse meio é capaz. Infelizmente para a música de metais de estatura "sinfônica", as obras longas para metais podem soar monótonas (resultado, talvez, do perfeito equilíbrio do som). As melhores peças para metais estabelecem um único clima, exploram-no com energia e se encerram.

MÚSICA SOLO E DE CÂMARA Devido à dificuldade de tocar os instrumentos de metal antigos, e a seu diapasão pouco seguro, a música solo para eles era extremamente rara. As poucas exceções (por ex., os concertos para trompete de Giuseppe Torelli, do século XVII, e os concertos de *Vivaldi para grupos de trompetes e/ou trompas, do século XVIII) são revividas hoje em dia mais para atender à curiosidade do que ao prazer, e o *Concerto de Brandenburgo* n. 2, de *Bach (que apresenta um solo alto para trompete, tratando-o impiedosamente como a qualquer outro instrumento de sopro de madeira solista), as coloca todas "no chinelo". Os primeiros concertos para metais de estatura notável são os quatro concertos para trompa de *Mozart: alegres e melodiosos, exploram o tom cantante da trompa, e fazem concessões à sua natureza tradicional nos finales tipo "ao ar livre", em "estilo de caça". (Para o mesmo solista, ele escreveu um Quinteto para trompa e cordas, K 407: pouco conhecido, mas uma de suas melhores obras de câmara.) Os concertos para trompa de *Haydn são menos inspirados que os de Mozart, mas seu Concerto para trompete é uma obra-prima, e seu último movimento (um cadenciado rondó) é, com justiça, uma de suas obras mais conhecidas. No século XIX, os compositores devotaram mais tempo a experiências com as tonalidades dos metais na orquestra do que aos concertos ou sonatas solo. As principais exceções são o Concerto para trompete, de Hummel (quase tão bom quanto o de Haydn), no começo do século, bem como o alegre Concerto para trombone, de *Rimsky-Korsakov, e o Concerto n. 1 para trompa, de Richard *Strauss, no final. (Sessenta anos depois, Strauss escreveria um segundo Concerto para trompa, no estilo doce de seu Concerto para oboé e das *Quatro Últimas Canções*.) Alguns compositores escreveram partes para metais em suas obras de câmara. A mistura sonora de metais e piano é insatisfatória, e até mesmo obras instigantes em outros aspectos, como a Sonata para trompa de *Beethoven, tendem a cansar o ouvido. Mas, "amaciado" por outros instrumentos, os metais soam de forma excelente: o *Septeto Militar*, de Hummel, e o *Grande Septeto*, de *Saint-Saëns, são dominados pelo som do trompete solista, e o Trio para trompa, de *Brahms (para trompa, violino e piano), mostram o quanto os metais podem ser doces e musicais. No século XX, além do Concerto n. 2 para trompa, de Strauss, as melhores obras solo são o Concerto para trompa, de *Hindemith (poético), o Concerto para trompete, de Boris Blacher (jazzístico), e o Concerto para tuba, de *Vaughan Williams (vigoroso). Os metais — como o *Octeto*, de *Stravinsky, inspirado no jazz, demonstra — encontram-se hoje tão à vontade no meio da música de câmara quanto quaisquer outros instrumentos, e diversas obras peso-pesado (a Sonata para quatro trompas, de *Tippet; o Quinteto de Metais, de Maxwell *Davies; a *Sequenza* para trombone, de Berio) simplesmente ignoram os possíveis problemas dos executantes e tratam os instrumentos com tão poucas concessões como se estivessem escrevendo para quarteto de cordas — um claro sinal de que os metais, um dia a Gata Borralheira da música, já se engalanaram e correram para o baile.

Para ouvir As melhores obras para metais a serem selecionadas de início são as pequenas peças reunidas em discos com títulos do gênero "Metais da Renascença"; boas seqüências são as peças para conjuntos mencionadas no texto, os Septetos de Hummel e Saint-Saëns e o Trio para trompa de Brahms. Para a música solo, as melhores obras a se ouvir em primeiro lugar são os concertos de Mozart e Haydn, seguidos pelo Concerto para trompa n. 1, de Strauss, deixando as obras do século XX para mais tarde (quando o Concerto para trompa, de Hindemith, pode abrir a festa).

INSTRUMENTOS DE TECLADO

Em bom número de instrumentos, os executantes produzem as notas diretamente com seu fôlego ou com a força muscular. Os instrumentos de teclado dão-lhes auxílio mecânico (ou, hoje em dia, até eletrônico), tornando possível mais ampla variedade de sons e número bem maior de notas. Todos os instrumentos musicais são exemplos do uso de tecnologia, pelo espírito humano, para o controle dos sons naturais; os instrumentos de teclado constituem o refinamento maior dessa tecnologia.

A FAMÍLIA DO ÓRGÃO Nos ***órgãos de tubos***, conjuntos de tubos de diferentes tamanhos são agrupados em fileiras (como se fossem instrumentos de sopro colocados em pé), cada qual correspondendo a uma nota diferente. Quando o executante pressiona uma tecla, a válvula que a ela está ligada permite a entrada de ar sob pressão num determinado tubo, produzindo um som. Nos ***órgãos de palheta*** (como os harmônios e acordeões), o ar não passa por um tubo, mas por uma cânula torneada (como ocorre, por exemplo, numa clarineta ou num oboé); nos ***órgãos eletrônicos***, não há tubos nem cânulas: o calcar de uma tecla completa um circuito elétrico e permite a geração de som por intermédio de um alto-falante.

De início, os órgãos eram instrumentos bem rústicos. Na Grécia antiga, usava-se água para comprimir o ar; na Idade Média, era freqüentemente necessário o concurso de uma pessoa para abastecê-lo, de outra para pressionar os foles e de uma terceira para o manejo das teclas. Somente por volta do século XVI foi que se conseguiu desenvolver o órgão de tubos, e mais cento e cinqüenta anos foram exigidos para incorporá-lo às igrejas como instrumento utilizado em cerimônias religiosas. Compositores desse século e do seguinte usavam-no alternativamente com o cravo: se desejassem sons contínuos de instrumentos de sopro, preferiam o órgão; se preferissem sons mais secos e diretos, como os de um instrumento de cordas, usavam o cravo. O órgão conquistou logo seu lugar de prestígio na música de câmara (onde exercia a função de *contínuo*, ou seja, de acompanhamento harmônico, mas dispunha de repertório nada extenso como instrumento solista, geralmente constituído de fantasias, tocatas e ricercares semelhantes àqueles escritos para cravo ou virginal. Três dos mais destacados compositores dessas então despretensiosas peças foram Bull, Frescobaldi e Sweelinck, entre os grandes mestres da época, apenas *Byrd se dedicou ao órgão, escrevendo obras que competissem com as deles.

Os primeiros momentos de glória do instrumento surgiram ao final do século XVII e início do XVIII, quando os organistas das igrejas luteranas, particularmente na Alemanha, começaram a utilizá-lo não apenas no acompanhamento de coros, mas na apresentação de interlúdios e outras peças em que figuravam como instrumentos solistas. Tais obras não passavam de simples desenvolvimentos de temas corais, usualmente ao início e ao final dos serviços religiosos, e eram com freqüência improvisações ao sabor do momento. Com o correr do tempo, foram-se tornando mais e mais elaboradas, e isso levou muitos compositores a dedicarem maior atenção a elas, escrevendo-lhes as partituras, o que gerou magnífico repertório de tocatas, fantasias, prelúdios, fugas, *passacaglias* e sonatas. Seus mais prolíficos autores foram Buxtehude e Johann Sebastian *Bach. Outros compositores, notadamente na Inglaterra, passaram a utilizar o órgão não apenas na música de igreja, mas na profana também. Uma das formas favoritas nesse campo foi o *concerto, em que os sopros dos órgãos se contrapunham aos acordes de uma orquestra de cordas, exigindo dos solistas escalas, trinados e arpejos da maior dificuldade técnica. (Os concertos para órgão de Händel bem demonstram como podem ser agradáveis tais obras.)

No século XVIII e início do XIX, os compositores se voltaram para outros tipos de música (especialmente a orquestral e a pianística), deixando o órgão cair no ostracismo. (Os oito exuberantes concertos que Haydn escreveu para o instrumento constituem, por exemplo, menos do que um milésimo do total de suas obras.) Ao mesmo tempo, porém, institucionalizaram-se os concertos públicos, e grandes salas especiais foram construídas para que eles se pudessem realizar em local adequado. Quase todas elas eram equipadas com um órgão, e, quanto maior a sala, maior o órgão. Em meados do século XIX a técnica de construção desse instrumento alcançou tal nível de grandeza e magnificência que os órgãos então produzidos são os maiores e melhores de todos os tempos. (Alguns deles eram acionados por meio de vapor. O uso da eletricidade só se impôs ao final do século.) Foi o seu segundo momento de glória: um só executante, tendo diante de si um desses fabulosos instrumentos, poderia competir com toda uma orquestra, seja em volume, seja em variedade de som, e os compositores voltaram a tratá-lo com grande respeito, redescobrindo obras de Bach e outros mestres, e compondo especialmente para ele obras de tão grande vulto quanto as maiores sonatas para piano ou sinfonias. Nos últimos cento e cinqüenta anos, compositores muito bons (Reubke, Rheinberger, Vierne e Widor, por exemplo) especializaram-se em criações para esse instrumento, e vários outros, embora sem dedicação exclusiva, compuseram para ele obras tão magníficas quanto as melhores que escreveram para os demais. (*Franck, *Liszt e *Messiaen figuram entre eles; *Mendelssohn, *Elgar e *Hindemith escreveram belas sonatas para órgão; a Sinfonia para órgão, de *Saint-Saëns e o Concerto para órgão, de *Poulenc, são peças de concerto que caíram no gosto do público desde o momento em que foram executadas pela primeira vez.)

A FAMÍLIA DO CRAVO Neste grupo de instrumentos (o *cravo* e seus parentes menores, a *espineta* e o *virginal*), as teclas operam um jaque de madeira apoiado em sua extremidade oposta; um plectro de cálamo ou couro preso ao topo do jaque belisca por sua vez a corda adjacente quando ela se eleva. (Em outro instrumento aparentado, o *clavicórdio*, as cordas não são beliscadas, mas suavemente percutidas por "tangentes" a fim de produzirem um som assemelhado ao do cravo, embora mais suave.) O som do cravo é de pequena ressonância, como o da harpa, e logo evanesce; por esse preciso motivo, as cordas são dispostas numa caixa de madeira que reverbera e amplifica o som produzido por elas. O cravo, que tem uma caixa maior do que a dos demais instrumentos de sua família, é o mais sonoro deles; a espineta, o virginal e o clavicórdio destinam-se antes a ambientes menores do que a salas de concerto.

A rainha Elizabeth I, da Inglaterra, era excelente intérprete ao virginal, e os aristocratas ingleses o preferiam a todos os demais instrumentos. As variações, fantasias e peças circunstanciais (com títulos como *Humour*, *A Palavra do Conde X* ou *Os Sinos*) de compositores da "escola inglesa de virginais" (como *Byrd, Bull, Morley, Farnaby) figuram entre as primeiras e mais belas peças para instrumentos de teclado ainda executados em nossos dias. Em outros países, era acentuada a preferência pelo cravo: Sweelinck, na Holanda, e Frescobaldi, na Itália, foram seus grandes intérpretes. Como o órgão, o cravo alcançou seu ápice de popularidade ao final do século XVII: ele era não apenas um importante instrumento de concertos de câmara (ver *sonata*), mas dispunha de amplo repertório próprio, compreendendo desde peças circunstanciais de compositores franceses como *Rameau e *Couperin e as sonatas de um só movimento de *Scarlatti até suítes, tocatas e fugas bem mais substanciais (como as de Johann Sebastian Bach, por exemplo) e aos concertos de grande porte para um, dois, três e até quatro cravos e orquestra de cordas. (Além dos de J.S. Bach, os mais executados ainda hoje são os de *Vivaldi e Carl Philip Emmanuel *Bach.)

Durante a primeira metade do século XVIII o cravo e o piano existiram lado a lado. Mas, enquanto o piano continuou a crescer, tanto em tamanho quanto em confiabilidade, o mesmo não ocorreu com o cravo (que alcançou sua maturidade séculos antes). Ao tempo de Mozart e Beethoven, o piano já se transformara no instrumento padrão para concertos, sonatas e peças de câmara. O abandono progressivo da família do cravo persistiu ao longo de todo o século XIX: se alguém se dispusesse a tocar obras escritas para cravo, por certo que as executaria ao piano. Foi somente no início do século XX que o interesse pelo cravo reviveu um pouco: velhos instrumentos foram recuperados, novos foram construídos, e surgiu a primeira geração de modernos cravistas profissionais. Seu objetivo inicial foi o de redescobrir composição de outras eras e de recriar seu som original à luz do que poderíamos classificar como arqueologia musical. Dentro em pouco, no entanto, as pessoas começaram a tratar o cravo não mais como curiosidade, mas como um instrumento de bela e invulgar sonoridade; ao invés de ser considerado um ancestral do piano, ele se apresentava como alternativa interessante. Vários compositores começaram a utilizá-lo especialmente em seus trabalhos, e hoje ele de novo conquistou seu lugar, adequado tanto a obras escritas antes do século XIX como a criações contemporâneas, das quais há bom número à escolha. (*Falla, *Martinů, *Poulenc, *Martin, *Milhaud e *Carter escreveram esplêndidos concertos para cravo, acompanhado ou não por outros instrumentos solistas; *Henze, Ligeti e Berio também se dedicaram a ele, com notáveis composições para cravo desacompanhado.)

O PIANO Pressionando-se uma tecla do piano, faz-se funcionar todo um sistema de alavancas e molas que levam um pequeno martelo de madeira, com a cabeça coberta por feltro, a percutir as cordas. Nos instrumentos modernos, há geralmente três cordas para cada uma das notas agudas e médias e uma ou duas para as de registro grave; abafadores (acionados por um pedal) permitem que o executante interrompa a vibração das cordas ou, soltando-as, prolongue seu som pelo tempo que quiser. Esse poder de sustentar o som e o fato de que uma percussão mais vigorosa da tecla produz maior volume sonoro do que um toque suave (daí resulta o nome *pianoforte*: suave-forte) constituem as diferenças fundamentais entre o piano e o cravo, pois neste o som tem curta duração e volume uniforme.

O piano foi inventado por volta de 1709, e ao final do século já havia praticamente substituído o cravo. Além de sua superioridade mecânica, uma das principais razões da vitória foi o surgimento de uma série de obras-primas escritas para ele nos últimos anos do século XVIII: nenhuma composição para cravo chegava, digamos, à grandeza dos concertos de Mozart para piano, ou da primeira meia dúzia de sonatas de *Beethoven. O caminho trilhado pelos gênios logo atrai outros compositores, e quase todos se puseram a escrever para o novo instrumento. Além disso, nos primeiros trinta anos do século XIX os fabricantes de piano não cessaram de aprimorá-lo o quanto pudessem, esticando as cordas em armações de ferro, por exemplo, em substituição às de madeira, e com isso triplicando, ou até quadruplicando o volume sonoro. Compositores como Clementi, Field e Czerny ampliaram a técnica e o estilo da execução pianística em direções sequer suspeitadas antes deles.

Não demorou muito, e o piano estava por toda parte. Pianos verticais, chamados *de armário*, passaram a ser instrumentos de ampla utilização doméstica: música de câmara com piano passou a ser uma forma favorita de concerto; nenhuma sala de concertos que se prezasse podia deixar de ter um imponente piano de cauda, poderoso o bastante para suportar a companhia duma grande orquestra sinfônica e enfrentar os mais demoníacos solistas de recital. Se o violino fora durante anos o instrumento dos virtuoses, o preferido dos grandes exibicionistas da mais empolgante técnica, o piano agora lhe disputava a supremacia. Resmas e resmas de música para a exibição de virtuoses foram escritas; a maior parte já caiu no olvido, mas não se pode ignorar que tais peças prepararam o caminho para alguns dos maiores entre os numerosos compositores do século XIX, que, com melhor gosto e criatividade, lançaram mão das técnicas desses virtuoses em suas obras mais requintadas. Os scherzi, estudos e baladas de *Chopin e as suítes para piano de *Schumann, por exemplo, são tão poéticos quanto difíceis de interpretar; as peças de *Liszt para esse instrumento são a um só tempo espetaculares e demonstrativas do mais tocante romantismo do século XIX; as sonatas de *Beethoven e *Schubert, bem como as obras de *Brahms para piano, evidenciam as mais extraordinárias idéias musicais de seus autores.

A enorme popularidade do piano se tem mantido desde então. Nenhuma obra dá tanto interesse a um espetáculo musical quanto um concerto para piano. Lembremo-nos, por exemplo, do Concerto para piano, de Grieg, do Concerto n. 1, de Tchaikovsky, ou do n. 2, de Rachmaninov. Os grandes intérpretes ao piano são, ao lado dos maestros famosos, os mais admirados e bajulados astros do cenário musical do século XX. Poucos instrumentos além dele podem ostentar, contemporaneamente, tão rico e variado repertório: das suítes de *Granados, *Debussy e *Ravel aos concertos de *Bartók, dos Prelúdios neo-românticos de Rachmaninov a peças de vanguarda como a Sonata n. 1, de *Boulez, a *Catalogue d'Oiseaux*, de *Messiaen, a *Peça para Piano II*, de *Stockhausen, a biblioteca do pianista moderno está repleta de obras-primas.

Para ouvir As melhores obras representativas dos estágios iniciais da história dos instrumentos de teclado que se deve ouvir são as peças para virginal de Byrd e Farnaby, bem como as criações de Sweelinck para órgão; em seguida, as fantasias de Gibbons, as tocatas e *ricercari* de Frescobaldi.

Música para órgão Do século XVIII, o Concerto para Órgão n. 13, de Händel (conhecido como *O Cuco e o Rouxinol*) e a Fantasia para órgão mecânico, K 608, de Mozart, são recomendáveis para começar, seguindo-se os prelúdios e fugas de Buxtehude e, por certo, da obra de Johann Sebastian Bach (iniciada sua audição pelo Trio-Sonata n. 6 e a Tocata e Fuga em ré menor). Do século XIX, a Sonata n. 2, de Mendelssohn (que diz logo ao que veio) e a *Pièce Héroïque*, de César Franck (extrovertida), constituem bom intróito a peças mais sombrias e exigentes como a *Fantasia sobre "Ad nos ad Salutarem Undam"*, de Liszt e a Sinfonia n. 5, para órgão solo, de Widor (cujo último movimento, *Toccata*, é hoje um clássico popular). A Sinfonia n. 3 para órgão e orquestra, de Saint-Saëns, é uma esfuziante contrapartida, do século XIX, aos concertos de Händel. Do século XX, o Concerto para órgão, de Poulenc, segue afavelmente os passos de Saint-Saëns; a Sonata n. 2, de Hindemith, é uma boa introdução às obras para solistas; *Volumina*, de Ligeti, é fascinante e murmurosa obra de vanguarda, assim como as obras de Messiaen para órgão (por exemplo: *Les Corps Glorieux*), todas são integrantes do repertório específico, embora no que ele tenha de mais acessível e espetacular.

Música para cravo A melhor introdução à música do século XVIII é dada pelas sonatas de Scarlatti e pelo Concerto n. 1 para cravo e cordas, de Bach; bom seguimento se terá com a *Ordre n. 24*, de Couperin, o *Concerto Italiano* e a Partita n. 1, de Bach. Do século XX, os concertos de Falla e Martinů e a *Petite Symphonie Concertante*, de Martin.

Música para piano É tão imenso o repertório pianístico, e sua apreciação depende tanto do gosto individual de cada ouvinte, que a recomendação de obras específicas ocuparia este livro inteiro. No que se refere a compositores cuja obra pianística ocupa parte importantíssima de sua produção total, ver Albéniz, Chopin, Debussy, Granados, Liszt,

Rachmaninov, Ravel, Schumann e Scriabin; outros mestres das composições para piano são Bartók, Beethoven, Brahms, Fauré, Grieg, Haydn, Mendelssohn, Mozart, Prokofiev, Satie e Schubert. Como recomendações adicionais de música para teclados, ver *compositores ingleses e irlandeses, compositores de obra singular* (Litolff, Sinding), *concerto, música do século XVI, música do século XVII, música do século XVIII, música do século XIX, música do século XX* e *sonata*.

ITIBERÊ DA CUNHA, Brasílio. Ver *Compositores de obra singular*.

IVES, Charles (1874-1954). *Compositor norte-americano*.

Embora tenha estudado música, Ives dedicou-se profissionalmente ao negócio de seguros (que, por sinal, fez dele um milionário). Entregava-se à composição apenas nos fins de semana, ou durante as viagens de trèm, mantendo-se totalmente indiferente à publicação e execução de suas obras, ou às manifestações críticas a respeito delas. (A maioria de seus trabalhos só veio a ser descoberta depois da morte do compositor.) Sua falta de interesse pelas tendências predominantes na época, bem como o fato de que teve formação musical nada ortodoxa — seu pai, integrante de uma banda, era dado a experiências extravagantes, como a invenção de instrumentos, a composição de canções que deviam ser executadas em várias claves ao mesmo tempo, além de incorporarem trinados de pássaros, sons de campanário e assovios de garotos —, tornaram Ives um dos grandes excêntricos da criação artística. Nada o continha: se lhe dava na veneta acrescentar uma dúzia de compassos para flauta a uma sonata de piano, escrever fugas sobre temas de hinos religiosos, que repentinamente se transformavam em música popular como *Columbia, Gem of the Ocean* ou *Darktown Strutters Ball*, ou indicar aos instrumentistas que tocassem *con fistiwatto*[1], era exatamente isso o que fazia.

As obras de Ives, por isso mesmo, são uma espécie de colcha de retalhos musical. Oscilam num minuto entre a genialidade e a inconseqüência; podem ser tão bem harmonizadas como um hino religioso, ou tão insuportáveis como a mais chocante dissonância; vale notar, entretanto, que elas formam uma antologia integrada por passagens de *music-hall*, acordes organísticos de música sacra e fragmentos de marchas militares, tudo compondo algo *tão americano*, que (é forçoso admiti-lo) certos ouvintes as acham mais atraentes do que outros. Na década de 50, quando se tornaram mais amplamente conhecidas, as composições de Ives chegaram a influenciar toda uma geração de colegas seus. Tal prestígio já decaiu bastante, e hoje em dia ele pode estar para a música assim como a pintora primitiva *Grandma* Moses está para as artes plásticas norte-americanas.

OBRAS Quatro sinfonias, *Holidays Symphony, Three Places in New England, Central Park in the Dark, Tone Roads 1-3, The Unanswered Question, Orchestral Set 2* e outras peças orquestrais mais curtas; dois quartetos para cordas, três sonatas para violino, *Sonata Concord*, para piano, Trio para piano e numerosas obras camerísticas mais breves; mais de cem obras corais, desde o imenso oratório *Lincoln, the Great Commoner* aos despretensiosos *Three Harvest-Home Chorales*; mais de 120 canções para solista.

[1] *Con fistiwatto*: rubrica jocosa que se poderia traduzir, livremente, por *com porretada*. (N. do T.)

Ⓜ ***The Unanswered Question*** (1908) Três coisas acontecem simultaneamente nesta peça de pequena extensão: um trompete solta apelos e arpejos, ora agressivamente, ora lamurientos; flautas assobiam, assim como quem não quer nada; serenas como uma procissão de nuvens no céu azul, cordas entram discretamente em pleno fragor orquestral. É uma peça marcante (até mesmo entre as composições de Ives) e irresistível, sem a menor dúvida. O que é que ele quis dizer com ela? — Talvez a resposta seja dada pelo próprio título.

→ *The Housatonic at Strockbridge* (um belo movimento *fluvial*, calmo e deslizante da suíte *Three Places in New England*); Sinfonia n. 2 (metade Dvořák, metade reunião de temas rurais, hinos religiosos para harmônio e citações de melodias de *music-hall*: cf. Quarteto para cordas n. 1 — mas cuidado com o Quarteto n. 2!); *Quiet City*, de Copland.

Ⓜ ***Sinfonia n. 3*** (***The Camp Meeting***) (1911) Uma delicada obra em três movimentos, baseada em hinos religiosos. Ives conseguiu unir, como nenhum outro compositor, a simplicidade doméstica e a dignidade do século XIX. Ao ouvi-la, vem-nos à mente o povo da Nova Inglaterra, tão intensamente religioso, suas casas de madeira e as botas rústicas que usava, mas o milagre é que a música não se limita a essa rósea banalidade: sem perder as qualidades de franqueza e retidão moral, ela é ao mesmo tempo inspirada e intelectualmente sedutora.

→ *Central Park in the Dark in the Good ol' Summertime* (outra peça tranqüila, de emocionante evocação orquestral); Ⓜ*Sonata Concord*, para piano (evocação musical de figuras do passado da Nova Inglaterra, como Hawthorne, Thoreau e os Alcotts; é extremamente difícil de executar — um virtuose levou dez anos para aprendê-la —, mas considerada por muitos a melhor criação de Ives); Sinfonia n. 1, de Virgil Thompson.

J

JANÁČEK, Leoš (1854-1928). *Compositor tcheco.*

Até completar sessenta e dois anos, Janáček levou uma vida ocupada, mas pouco notável, como professor de órgão na cidade onde nasceu e regente de corais e orquestras da região. Sua música era despretensiosa, basicamente arranjos de canções folclóricas para conjuntos vocais e de dança, ou obras do mesmo nível para piano e orquestra. Em 1916, no entanto, sua ópera *Jenufa* foi apresentada em Praga com retumbante sucesso e o compositor iniciou um caso de amor — epistolar, mas não menos ardoroso apesar disso — com uma jovem quarenta anos mais moça do que ele. Esses dois acontecimentos mudaram por completo sua vida, e os próximos doze anos ele os passou como se fosse um estudante de grande talento, escrevendo centenas de cartas amorosas à sua eleita e compondo obras musicais inspiradas por ela, num estilo impetuoso e apaixonado totalmente distinto de tudo o que havia criado até então, ou de qualquer outro compositor, antes ou depois dele.

A base da música de Janáček é a vibrante harmonia do século XIX, mas ele a reveste dos joviais e deslizantes atropelos de notas que emanavam dos ritmos irregulares da própria língua tcheca. Dá-nos a impressão de alguém ansioso por revelar ao mundo toda a grande paixão que lhe domina a alma, mas incapaz de completar a declaração, interrompendo-a no meio da frase e deixando-a suspensa no ar. Pois isso é de grande estilo em termos operísticos, e não é por menos que as criações líricas constituem o melhor de sua produção. Mas Janáček também fez bom uso dessa técnica em sua obra camerística (em particular nos dois quartetos de cordas também inspirados por sua amada: – ver adiante) e na *Sinfonietta* plena de vivacidade que compôs em louvor de um torneio de atletismo.

OBRAS Nove óperas (entre as quais *Jenufa*, *Katya Kabanova*, *A Raposinha Astuta*, *O Caso Makropoulos* e *Da Casa dos Mortos*); *Sinfonietta*; a rapsódia *Taras Bulba* e numerosas outras peças orquestrais mais curtas; *Concertino* e *Capriccio* para piano e conjunto de câmara; dois quartetos para cordas, Sonata para violino, Sonata para violoncelo e outras obras de câmara; Sonata 1:x:1905, suíte *Pelas Trilhas Exuberantes* e outras obras para piano; *Missa eslava (Glagolítica)* e numerosos trabalhos para coros, além de canções (incluindo-se entre elas o ciclo para coral feminino e piano, *Diário de Alguém que Desapareceu*).

Ⓜ ***Sinfonietta*** (1926) A inspiração desta obra — um torneio de atletismo, como dissemos acima — se torna patente nas robustas fanfarras executadas pelo amplo naipe de metais (incluindo nada menos do que doze trompetes); os instrumentos de sopro se elevam, penetrantes, por cima deles, e as cordas avançam impetuosamente, produzindo extraordinário efeito de euforia. Sublinhando tudo isso, como tranqüila corrente marítima que desliza por debaixo das ondas, uma bela e calma suíte inspirada em canções folclóricas tchecas.

→ *Taras Bulba* (esfuziante rapsódia orquestral sobre um herói popular cossaco); Concertino para piano e conjunto de câmara; *Variações Pavão*, de Kodály.

Ⓜ ***A Raposinha Astuta*** (a ópera completa) (1923) As óperas de Janáček têm um sabor todo especial: seu estilo musical um tanto quanto abrupto e seu entrosamento perfeito com a língua tcheca exigem certo esforço do ouvinte antes de revelarem seus tesouros ocultos. Esta a que nos referimos talvez seja a melhor introdução ao gênero: trata-se de uma narrativa folclórica envolvendo uma raposinha feliz, seus filhotes inocentes e brincalhões, o lenhador que se apaixona por ela e a prende numa jaula, bem como os seres humanos pesadões e algo ridículos que habitam a aldeia ao pé da floresta. Quem tiver à mão um libreto bilingüe, por certo poderá apreciá-la bem melhor.

→ *Katya Kabanova* (a ópera completa: tocante, séria, mas repleta de impactos emocionais); *Missa Glagolítica* (enorme, mas exuberante missa, com texto escrito na antiga língua eslava utilizada nos serviços religiosos, para coro e orquestra); *L'Enfant et les Sortilèges*, de Ravel.

Ⓜ ***Quarteto de cordas n. 2*** (*Cartas Íntimas*) (1928) Poucos compositores, tenham ou não setenta e quatro anos, poderiam conceber um quarteto para cordas como este. Cada um de seus quatro movimentos é uma carta de amor posta em termos musicais, e Janáček as escreveu exprimindo tanto o temperamento de sua amada — doce, vivaz, bem-humorado — quanto o desejo que ela lhe inspirava.

→ Quarteto de cordas n. 1 (*Sonata a Kreutzer*, baseada na novela de Tolstoi sobre um amor infeliz; seu tom é mais angustiado do que no outro quarteto, e por isso mesmo algo estridente no que diz respeito à música, mas contendo passagens de grande radiância); *Mládi* ("Juventude") (1924) uma suíte ligeira, pastoral na forma e na essência, para seis instrumentos de sopro; *Quarteto de Cordas*, de Delius.

JOSÉ MAURÍCIO (padre) (1767-1830). *Compositor brasileiro.*

Se agora o Brasil começa a tomar contato com a produção vastíssima dos mestres do chamado barroco mineiro, até bem pouco tempo o que se conhecia da nossa "música antiga" resumia-se apenas à obra do padre José Maurício — e mesmo assim, representada apenas por uma ou outra obra, como o famoso *Requiem*, de dignidade mozartiana. Trabalhos de pesquisa realizados por Cleophe Person de Mattos resultaram num importante catálogo temático, e na percepção de que José Maurício é um dos três ou quatro maiores mestres da nossa música. O interesse em torno dele também cresce na medida em que sua produção está concentrada num período crucial da história brasileira: o que gira em torno da chegada do príncipe D. João, logo em seguida rei de Portugal e do Brasil. Filho de um modesto alfaiate que prestou serviços ao exército e de uma negra, José Maurício teve (por esforço próprio) excelente formação, estudando filosofia, línguas, retórica e teologia, antes de ordenar-se padre em 1792. A carreira eclesiástica não o impediu, segundo os costumes da época, de ter mulher e filhos. Em 1784 participou da criação da Irmandade de Santa Cecília, uma das mais importantes organizações musicais do seu tempo, e em 1798 foi nomeado mestre de capela da Catedral do Rio de Janeiro. Antes disso, tinha inaugurado um curso gratuito de música na rua das Marrecas (transversal da rua do Passeio), que manteria durante 28 anos. Com a vinda de D. João VI para o Brasil, cresceu muito a atividade musical na cidade, e José Maurício teve os seus méritos reconhecidos pelo próprio rei e pelos músicos que tinham vindo com ele de Portugal.

Sigismund Neukomm, compositor austríaco que viveu na corte de 1816 a 1821, referiu-se ao padre-mestre como sendo "o maior improvisador do mundo". Em 1811, entretanto, chegava ao Rio de Janeiro Marcos Portugal, o mais famoso compositor português de sua época, e a posição de José Maurício começou a eclipsar-se. Seu temperamento pacífico inibia-o de reagir às intrigas palacianas. Preferiu dedicar-se ao trabalho para as irmandades da cidade, mantendo uma posição nominal na Corte. Por volta de 1812 sua saúde começou a declinar, reduzindo-lhe a produção artística. E em 1821 a partida de D. João VI reduziu ainda mais as atividades musicais. José Maurício morreu em condições de penúria extrema.

OBRAS A produção de José Maurício consiste basicamente em obras sacras, e segue, em linhas gerais, o estilo da música sacra italiana, onde fundamentos barrocos vão sendo modificados pela influência do classicismo vienense. Mas em José Maurício também se sente a influência da ópera italiana — de impacto avassalador em sua época, e, antes disso, da modinha brasileira. Há 20 Missas catalogadas, ao lado de graduais, ofícios, responsórios, matinas, hinos, antífonas, motetos, música para a Semana Santa e o imponente *Ofício e Missa de Réquiem* de 1816. Das Missas para orquestra, coro e solistas são famosas a Missa de Santa Cecília (1826), Missa de N.S. da Conceição (1810), Missa de N.S. do Carmo (1818), Missa em si bemol (1801), Missa Pastoril (1808-11), Missa Mimosa (1820). Compôs, para coro a capella, obras de intensa expressividade destinadas à Semana Santa, como *Crux Fidelis*, *Judas Mercator Pessimus*, *Domine tu mihi lavas pedes*, *Exsurge Domine*. Mas também compôs alguma música profana, que inclui modinhas, música de cena para duas peças teatrais e 12 Divertimentos para o conjunto instrumental que acompanhou a princesa Leopoldina em sua vinda ao Brasil. Na música orquestral, mencione-se uma *Sinfonia Fúnebre* (1790) e a abertura *Zemira*, bastante executada.

Missa de Réquiem Data de 1816, e teria sido encomendada por D. João VI para as exéquias de D. Maria I. É uma obra imponente, composta para coro a quatro vozes, solistas e orquestra; e a qualidade da inspiração tem algo da sensibilidade mozartiana. Depois de um Kyrie ricamente contrapontístico, alternam, no Gradual, o quarteto vocal e o coro, pedindo absolvição e luz eterna. O Dies Irae é de enorme dramaticidade, que culmina no "Rex tremendae majestatis". Há um delicado Agnus Dei; um Ingemisco de notáveis inflexões melódicas, e um Communio conclusivo onde uma nota obsessiva se repete, em expressividade dolorosa. A obra é uma das grandes realizações da arte brasileira no período pós-colonial.

→ Missa em Dó Menor, de Mozart; música sacra de Haydn e Mozart; obras do barroco mineiro.

JOSQUIN DES PREZ (c. 1440-1521). *Compositor francês.*

No tempo de Josquin des Prez era comum achar-se que toda e qualquer habilidade artística era uma dádiva de Deus, a que se deveria retribuir com total dedicação ao serviço divino: a parábola do Cristo sobre os criados e os talentos causava forte impressão ao espírito das pessoas, e Josquin também deve ter reagido de forma semelhante. Embora seus contemporâneos o saudassem como o príncipe dos compositores, como o astro dos astros musicais, ele passou a vida inteira humildemente a serviço da Igreja, de início como integrante de coros (na catedral de Milão e na Capela Papal, em Roma, onde esteve sob as ordens de Alexandre VI, o Pontífice da família Borgia) e, muito depois, entre os sessenta e setenta anos de idade, como preboste (isto é, administrador) de uma igreja e escola coral da Irmandade de Nossa Senhora (a quem sempre dedicara a mais fervorosa devoção). Relatada assim, sua vida parece um modelo de austeridade, mas é bom que se saiba não ter sido ele infenso aos prazeres terrenos também, pois com eles se regalava. Sentia-se perfeitamente à vontade entre reis e nobres, dedicava-se à caça, aos bons pratos e aos bons vinhos, e tinha queda especial pela música popular de sua época (as danças movimentadas com acompanhamento de gaitas-de-fole que tantas vezes figuram nos quadros pintados por seu notável contemporâneo Breughel.

Os interesses seculares de Josquin des Prez não poderiam deixar de influir em sua música. Embora compusesse no estilo erudito ensinado por Ockeghem, o grande mestre da época, ele aquecia seu contraponto com harmonias "terrenas", apaixonadas, que jamais antes se ouvira em igreja alguma. (Quando um moteto de Josquin se refere ao amor pela Virgem Maria, por exemplo, a música acrescenta algo mais do que mera sugestão sensual às formais palavras latinas.) Pela habilidade técnica (tão brilhante a seu tempo como a de *Bach o foi mais tarde), ele despertava o respeito de quem ouvisse suas obras. A humanidade e a paixão de que se revestem mantêm-nas vivas em nossos dias.

OBRAS Josquin era tão famoso que muitas composições lhe foram atribuídas em seu tempo e anos depois de sua morte, embora — afirmam hoje os pesquisadores — jamais tivessem sido escritas por ele. (O mesmo se passou com *Beethoven, no século XIX: imprimiam seu nome numa partitura para assegurar-lhe boa vendagem.) As obras hoje existentes que se sabe serem mesmo de sua autoria são dezoito missas (entre as quais *Pange Lingua* e *L'Homme Armé*) e oitenta motetos (como o *Ave Maria*, por exemplo) para coro a cappella, e mais de cem canções breves e peças dançantes para vozes e/ou instrumentos musicais.

Ⓜ *Missa Pange Lingua* para coro e quatro vozes (data ignorada) O cantochão com as palavras *Pange Lingua* (que significam "Conte, língua, a gloriosa história") era freqüentemente utilizado em suas Missas pelos compositores do século XV, e inspirou uma das mais suntuosas obras de Josquin des Prez. (Uma de suas qualidades notáveis é o rico espectro harmônico das notas em cantochão, tão distinto das áridas sugestões contrapontísticas de outros cantos.) A obra foi concebida nas cinco partes usuais, e a *Agnus Dei* ("O Cordeiro de Deus", com a qual conclui, evocando em seu acabamento aprimorado o finale de uma sinfonia) é particularmente sonora. Assim como ocorre com as Missas de *Palestrina, esta obra de Josquin requer uma acústica natural plena de ressonâncias que faça justiça, nas apresentações ao vivo, aos seus desdobrados efeitos sonoros; em gravações, paradoxalmente, um coro reduzido, com acompanhamento instrumental, produz resultados bastante apreciáveis.
→ Missa *L'Homme Armé*; moteto *Benedicta es Coelorum Regina* ("Bendita sede Vós, ó Rainha dos Céus"); Missa *Western Wind*, de Taverner.

Ⓜ *Basiez-moy* ("Beija-me") (data ignorada) Esta canção de dois minutos (um flerte entre pastor e pastora) é três coisas distintas numa só: um duplo cânone, para aqueles que se agradam de tecnicalidades (as mesmas palavras em delirante repetição, em vozes diversas, como os murmúrios amorosos), uma canção maliciosa e um arrebatamento de paixão. (Se há músicas excitantes, esta é sem dúvida uma delas.) As quase cem canções seculares de Josquin, todas escritas para o entretenimento de platéias palacianas, são ora leves e atraentes, ora esplendidamente melodramáticas, tornando-se verdadeiros lamentos onde as harmonias são esticadas ou compactadas de propósito a fim de se fazerem o mais comovedoras que seja possível (por exemplo: *Plain de Deuil*, "Luto fechado"). Mas convém notar que em todas essas peças o desejo de agradar é um de seus traços mais encantadores.
→ *Bergerette Savoyenne*; *Cœurs desolés* ("Corações desolados", um lamento no qual Rubbra se inspirou para compor uma bela peça de música de nossos dias para flauta doce e cravo, intitulada *Meditazioni*, que neste livro recomendamos); canções francesas de Jannequim (tais como *Ce Mois de May* e *Resveillez-vous*).

K

KHATCHATURIAN, Aram (1903-78). *Compositor soviético.*

Nascido na Armênia, Khatchaturian foi sempre tão fascinado pela música folclórica de sua região que desde menino decidiu tornar-se compositor. Só começou a estudar música, no entanto, aos dezenove anos, e consumiu mais sete em seu aprendizado. Essa demora parece ter-lhe sido útil, pois tão logo se lançou os prêmios não cessaram de homenageá-lo, e ele ascendeu com o mesmo ímpeto à hierarquia artística do Partido Comunista, sobrevivendo a desacordos com o próprio Stalin e conseguindo auxiliar com seu apoio tanto aos compositores mais jovens quanto aos grandes nomes em momentânea desgraça, como *Prokofiev e *Shostakovich. Suas composições alcançaram grande êxito internacional nas décadas de 30 e 40, e algumas delas (o Adagio de *Espártaco*, por exemplo) ainda o conseguem até hoje. Ao seu mais baixo nível de qualidade (como no *Poema sobre Stalin*), mostram-se bombásticas e irrelevantes; no mais alto (Sinfonia n. 1, Concerto para piano e orquestra — ver adiante), combinam a exuberância armênia com as formas tradicionais, alcançando efeitos tecnicoloridos reminiscentes de *Rimsky-Korsakov ou *Borodin pela sua vitalidade.

OBRAS Dois balés (*Gayane*, *Espártaco*), três sinfonias e várias suítes (entre as quais *Masquerade*) para orquestra; concertos e rapsódias-concertantes para piano, violino e violoncelo; Sonata para violino, Trio para violino, clarineta e piano, Sonata para piano e numerosas peças mais curtas de música de câmara; música para cinema (*A Batalha de Stalingrado*, por exemplo) e teatro (como a que escreveu para *Macbeth*).

Suíte Gayane n. 1 (1943) Por melhor que fosse em alguns terrenos, certamente a escolha de temas para balé não era o ponto alto de Khatchaturian. *Espártaco* refere-se à revolta desse gladiador nos tempos de Roma antiga, uma espécie de *Ben Hur* com saltos e rodopios; e *Gayane*, embora melodramaticamente adequado à história de uma traição amorosa, de pusilanimidade e de triunfo final do amor verdadeiro, decorre de modo um tanto ou quanto claudicante numa fazenda coletiva. Os amantes da música, para sua felicidade, irão no entanto encontrar temas tão banais como esses sob roupagens musicais onde há o brilho e a frescura de melodias armênias: as partituras de Khatchaturian resultam numa livre reunião de temas folclóricos, e funcionam magnificamente como suítes orquestrais de concerto. A *Suíte Gayane* n. 1 compõe-se de oito movimentos, entre os quais o Acalanto, a vigorosa Dança dos Jovens Curdos e a frenética Dança do Sabre, que só encontra paralelo em seu bárbaro esplendor na *Dança Ritual do Fogo*, de *Falla.
→ *Espártaco* (cujo oitavo movimento, uma dança amorosa plena de sensualidade, é o famoso Adagio); *Suíte Masquerade* (incluindo os famosos Valsa e Galope); Suíte *Os Comediantes*, de Kabalevsky.

Concerto para Piano (1936) É uma obra vistosa e suculenta: a sensação que nos transmite de uma queda de braço entre o solista e a orquestra é um dos seus principais atrativos. Os temas de Khatchaturian evocam canções folclóricas e sua orquestração nos faz pensar em fundo musical cinematográfico. O inesperado encontro de *Liszt com um trem de acrobatas circenses da Armênia é por certo extravagante, mas produz efeitos espetacularmente divertidos.

→ Sinfonia n. 1; Concerto para violino (também com seu quê folclórico mas menos pirotécnica do que outras obras); *Rhapsody in Blue*, de Gershwin; Concerto para piano, de Grieg.

KODÁLY, Zoltán (1882-1967). *Compositor e educador musical húngaro.*

Composição era apenas uma das muitas atividades musicais de Kodály: ele foi também um dedicado pesquisador de música folclórica e o criador de um sistema de educação musical que até hoje vem sendo utilizado internacionalmente. Suas obras abrangem centenas de canções e trabalhos corais para todos os tipos de conjuntos, dos coros infantis aos de concerto, e em boa parte se baseiam no material popular recolhido por ele e por *Bartók na região dos Cárpatos, antes da Primeira Guerra Mundial. Sua música de concerto também lança mão de temas folclóricos, que inspiram obras de grande porte, como ocorreria a um *Dvořák do século XX. O *magiarismo* de sua música é bastante acentuado, assim como o foram o *anglicanismo* de *Vaughan Williams, ou o *finlandismo* de *Sibelius, e isso lhe dá uma característica sonora própria. Ao ouvirmos qualquer peça de sua autoria teremos desde o início uma idéia aproximada de como se desenvolverá, mas por certo nos surpreenderemos agradavelmente quando Kodály nos revelar as maravilhas que se acham ocultas no bojo de material sobejamente conhecido.

OBRAS Paralelamente a suas coleções de peças vocais, resultantes de extensas pesquisas folclóricas e ao portentoso conjunto de trabalhos para uso didático, Kodály escreveu diversas obras corais de grande vulto (entre elas *Psalmus Hungaricus*, *Te Deum* e *Missa Brevis*), a Sinfonia, o Concerto para Orquestra, as *Variações Pavão* e uma dúzia de peças orquestrais de menor porte; dois quartetos para cordas, Sonata para violoncelo e piano, Sonata para violoncelo solo, diversas suítes para piano e outras obras de câmara, bem como as óperas de tema popular *Háry János*, *O Salão Giratório* e *Czinka Panna*.

Suíte Háry János (1930) Esta ópera de Kodály tem diálogos falados, que dificilmente resistem às traduções. Por isso, é na suíte de concerto dela extraída que sua música sobrevive mais à vontade. Refere-se à história de um soldado fanfarrão, dado à bebida, e os movimentos refletem suas aventuras amorosas, sua pretensa vitória contra Napoleão, os imaginados feitos pessoais na libertação de Viena e seu deslumbramento diante das maravilhas da capital do império, em particular de um relógio mecânico. A utilização de temas folclóricos e de um címbalo ao longo da partitura dão à obra um tom acentuadamente húngaro, que o compositor tempera com espirituosa ironia que é bem sua.

→ *Danças de Galánta*; Concerto para orquestra; abertura *Tam o'Shanter*, de Arnold; suíte *El Sombrero de Trés Picos*, de Falla.

Ⓜ ***Psalmus Hungaricus*** (1923) Escrita para comemorar o quinqüagésimo aniversário da união administrativa das cidades de Buda e Pest, que se transformou na capital do país, esta peça é uma exuberante transposição musical do Salmo 55 (*Dá ouvido à minha prece, ó Deus!*), em húngaro, para tenor solo, coro e orquestra. O casamento de nacionalismo com fervor religioso raramente dá certo, mas resultou admirável aqui, nessa música de grande intensidade que a um só tempo abafa e empolga todos os auditórios. (O oratório *Zadok, o Padre*, de *Händel, apesar das diferenças temáticas é o que mais de perto se equivale a ela em termos de majestade e envolvimento.)

→ *Missa Brevis*; *Te Deum*, de Dvořák; *Chichester Psalms*, de Bernstein.

L

LEONCAVALLO, Ruggero. Ver *Compositores de obra singular*.

LISZT, Ferenc/Franz (1811-86). *Compositor e pianista húngaro.*

O pai de Liszt demitiu-se do emprego que tinha no palácio da família Esterházy (outrora exercido por *Haydn) a fim de exibir seu filho, pianista-prodígio, numa extensa turnê de concertos pela Europa. O menino havia estudado com Czerny (o mais destacado professor de seu tempo), era festejado pela realeza e conquistara a amizade de compositores eminentes como *Chopin e *Berlioz. Franz tinha quinze anos quando seu pai faleceu subitamente (de febre tifóide), e ele decidiu permanecer na Europa ocidental para fazer carreira como intérprete. Não lhe faltaram convites para recitais, alunos de piano e, logo, uma amante muito rica (a primeira de numerosas que teve ao longo de sua vida); nos dezesseis anos seguintes, ele se consagrou como um dos mais brilhantes virtuoses de sua época e foi tema freqüente de caricaturistas, que o mostravam ora como um domador de feras, diante do qual o piano se prostrava, ora como um ferreiro reduzindo a pedaços o instrumento, ora — em outra veia — como um poeta muito mimado, desmaiando sob a pilha de flores lançadas sobre ele pelos admiradores fervorosos.

Liszt foi para o piano o que Paganini havia sido para o violino. Nada era impossível para ele: lia à primeira vista partituras que outros levavam meses para aprender; suas próprias composições eram tão difíceis de executar que se lhe atribuía o uso de aparelhos especiais e secretos (talvez elétricos) para conseguir maior abertura dos dedos. Afirmava-se que ele tinha parte com o diabo, ou tocava em estado de hipnose. (Como esperto homem de negócios que era, Liszt encorajava a propagação de tais rumores.) A verdade, porém, é que ele elevou a execução pianística européia a níveis que nem mesmo Chopin havia alcançado: todos os intérpretes e compositores para piano que surgiram depois dele muito lhe devem. Além disso, ele deliberadamente lançou mão de sua popularidade para revelar às mais diversas audiências músicas que elas de outra forma talvez jamais tivessem oportunidade de ouvir: canções de *Schubert, peças para órgão de *Bach; sinfonias de *Beethoven e *Berlioz (em arranjos para piano solo) eram freqüentemente apresentadas nos concertos de Liszt, o que muito contribuiu para torná-las conhecidas.

Apesar de seu enorme sucesso, Liszt era um homem intranqüilo e insatisfeito. Abandonando em 1848 sua carreira de concertista, tornou-se diretor-musical da corte, em Weimar, onde permaneceu treze anos dedicando-se à regência e à composição, desenvolvendo as possibilidades da orquestra com o mesmo vigor que aplicou à técnica pianística. Inventou estilos de harmonia e orquestração, bem como uma nova forma romântica de obra musical, o *poema sinfônico*; apresentou obras orquestrais de *Schumann, *Wagner e Berlioz e pôs auditórios alemães em contato com a ópera italiana (*Bellini, *Donizetti, *Verdi).

Em 1861 deixa a corte de Weimar, com o declarado propósito de se tornar padre da Igreja Católica. Não o realizou integralmente, embora por algum tempo se autodenominasse "Abade" Liszt, e em breve estava de volta aos seus concertos, às aulas e aos casos amorosos cada vez mais comentados. Suas pesquisas musicais levavam-no agora a resultados que nem mesmo seus admiradores incondicionais podiam compreender, a harmonias e a métodos de construção que a Europa só voltaria a ouvir com *Debussy e os primeiros atonalistas do século XX. Liszt realizou a última turnê de concertos aos setenta e cinco anos de idade, e faleceu logo depois dela. Em seu funeral, pessoas lançaram flores sobre o cortejo e se prostraram, soluçantes, à sua frente, algumas chegando a tentativas de suicídio. Liszt, o exibicionista, teria adorado tudo isso; Liszt, o músico, teria tido o recôndito orgulho de concluir que avançara com sua arte até um ponto que nenhum outro compositor do século XIX, salvo Beethoven, conseguira alcançar.

OBRAS Sonata, vinte *Rapsódias Húngaras*, *Estudos Transcendentais*, quatro álbuns de *Anos de Peregrinação*, *Consolações*, *Valsas Mefisto*, numerosas outras obras originais e transcrições para piano da música de Bach, *Mozart, Schubert, Berlioz, *Rossini, Beethoven, Wagner e outros; muitas peças para órgão — incluindo a *Fantasia e Fuga sobre as Notas B, A, C, H* (as letras do nome do compositor correspondendo, na notação alemã, às seguintes notas: *B* ao si bemol; *A* ao lá; *C* ao dó; *H* ao si. *N. do T.*); Sinfonia *Fausto*, Sinfonia *Dante*, doze poemas sinfônicos, dois concertos para piano e uma dúzia de outras obras orquestrais; música coral (incluindo duas Missas, vários salmos e o oratório *Cristo*) e cinqüenta e sete canções.

La Campanella ("O Sino", *Estudo Transcendental n. 3*, 1851) Quando se pensa nas peças que Liszt, como virtuose, escreveu para piano, logo se imagina um rápido e explosivo bombardeio de notas. Esta peça, contudo — originalmente o desenvolvimento de um estudo de Paganini para violino —, é muito mais típica do compositor do que se poderia crer. Tranqüila, ela concentra seu virtuosismo numa brilhante seqüência de semicolcheias e em intervalos bem marcados, cuja delicadeza a um tempo desafia e comprova a destreza do executante, que é levado a realizar incríveis malabarismos sonoros. *La Campanella* é, por isso mesmo, uma peça de grande efeito, ótima como um extra de concerto, um *soufflé* cujo objetivo é antes deleitar do que nutrir; a substituição de fragor por leveza, em tais circunstâncias, diz muito sobre o temperamento de Liszt.
→ *La Leggierezza* (Estudo de Concerto n. 2); Scherzo de *Sonho de Uma Noite de Verão*, de Mendelssohn/Rachmaninov; *Estudo de Concerto n. 6*, de Saint-Saëns.

Ⓜ ***Fontes da Villa d'Este*** (*Anos de Peregrinação*, Álbum 3 n. 4, publicado em 1890) Nos quatro álbuns sob o título *Anos de Peregrinação*, Liszt reuniu vinte e seis peças, retratos sonoros de lugares que conheceu em suas viagens. (O Álbum I reflete ambientes suíços; o II e o III são predominantemente italianos como fundo.) A obra aqui referida retrata uma tremeluzente jóia aquática, permitindo-nos imaginar o deslumbrante jogo dos raios solares na espuma do chafariz, revelando calidoscópicas alterações numa textura aparentemente imutável. Esta peça e as demais que integram os álbuns que as contêm são música de recital, onde Liszt se revela mais elaborado e impressionista do que nunca, auto-reflexão poética transformando-se em declaração pública.

→ *Lenda* n. 2 (*São Francisco de Paula Andando sobre as Águas*); Fantasia op. 17, de Schumann; *Jeux d'Eau*, de Ravel.

Ⓜ ***Sonata para Piano*** (1853) Embora bastante difícil de executar, esta obra é menos uma peça de efeito do que uma sinfonia num só movimento para piano, oferecendo-nos em doses iguais profundidade de pensamento musical e exibição de apurada técnica pianística. Liszt construiu-a de acordo com seus padrões favoritos, transformando e incessantemente reelaborando um grupo de temas básicos. (Esse método ele talvez o tenha aprendido através do estudo das fugas e fantasias de Bach, mas embora os temas — como os de Bach — sejam desenvolvidos a partir de meros punhados de notas, sua poetização meditativa e a melancólica harmonização romântica que suscitam resultam em obras certamente não-bachianas.) À primeira audição, a Sonata aparenta ser uma colagem de episódios virtuosísticos e de tristes meditações; nas subseqüentes, o incessante jogo de tema e transformação revela conexões e inter-relacionamentos insuspeitados, que lhe dão peso e tensão emocional.
→ *Sonata Dante* (*Anos de Peregrinação*, Álbum 2 n. 7); Concerto para piano solo, de Alkan; Sonata n. 2, de Rachmaninov.

Concerto para Piano n. 1 (1849, revisto em 1853) Esta é uma obra esplendorosa, destinada a levar os ouvintes ao delírio do aplauso frenético. Cadências ponderosas, temas emotivos ornados de acompanhamento sussurrante, marchas retinentes e caprichosos volteios, tudo nela se pode encontrar, mas, como acontece na Sonata para piano — embora em tom menos austero —, sua inteireza decorre do fato de que a obra toda resulta da incessante transformação de apenas dois temas, bastante simples por sinal. Liszt por certo escreveu obras mais sutis do que esta, mas poucas foram tão habilmente concebidas: se seu propósito foi o de *abafar* os auditórios, ele o conseguiu.
→ Ⓜ *Concerto para piano n. 2* (menos espalhafatoso, muito mais poético); Concerto para piano n. 1, de Rachmaninov; Concerto para piano n. 2, de Saint-Saëns.

Os Prelúdios (1856) Inspirado num poema de Lamartine, que nos diz ser a vida terrena uma série de prelúdios para uma futura existência cujas características ignoramos, este poema sinfônico se dispõe a delinear a completa e ambiciosa jornada da raça humana em sua ascensão. Amor, honra, paixão e pompa influenciam passagens da música, desenvolvendo-se em torno de um suntuoso tema central que dá à obra (e, por afinidade, à espécie humana?) um sentimento de vigoroso otimismo.
→ Poema sinfônico *Mazeppa* (celebrando o heroísmo militar); *Taras Bulba*, de Janáček; *Abertura Cockaigne*, de Elgar; *Don Juan*, de Strauss.

Ⓜ ***Sinfonia Fausto*** (1854-7) Esta obra de grandes proporções, para solistas, coro e orquestra, ordena passagens do *Fausto*, de Goethe, não como um drama, mas como sinfonia, com toda a solene seriedade que isso implica. O tema falava de perto ao coração de Liszt: a história se adequava perfeitamente ao tipo de empenho romântico associado ao seu trabalho e, além disso, o caráter de Fausto era marcadamente comparável ao do compositor. Os movimentos inicial e final, *Fausto* e *Mefistófeles*, representam respectivamente os conceitos de perseverança e de guardada certeza que se ligam à natureza humana; o movimento central, *Gretchen*, é uma encantadora realização de simplicidade e beleza, que freqüentemente se vê apresentada como peça avulsa.
→ *Sinfonia Dante* (que é uma ordenação semelhante dos temas *Inferno* e *Paraíso*, de *A Divina Comédia*); poema sinfônico *Hamlet*; fantasia sinfônica *Francesca da Rimini*, de Tchaikovsky.

LITOLFF, Henry. Ver *Compositores de obra singular*.

LORENZO FERNANDEZ, Oscar. Ver *Compositores de obra singular*.

LUTOSLAWSKI, Witold (1913). *Compositor polonês.*

Lutoslawski sofreu os mesmos efeitos sufocantes que a censura artística, sob os nazistas, impôs à obra de *Henze, e somente chegou a definir um estilo próprio bem mais tarde em sua vida. É por isso que, paradoxalmente, as obras de seus cinqüenta e sessenta anos revelam mais a energia experimental de um jovem do que suas composições iniciais. (Entre os compositores do século XX, a propósito, apenas *Janáček e *Tippett podem ser também citados como exemplo de tardio desabrochar criativo.) Para Lutoslawski, ele ocorreu quando começou a lançar mão de métodos aleatórios (isto é, dizendo aos executantes quais as notas que deveriam tocar, mas deixando a seu critério questões como tempo e intervalo). O compositor moldura essas seções com fanfarras precisamente controladas, que os metais executam, vertiginosas torrentes dos instrumentos de sopro (madeiras), e acordes maciços das cordas. Aos freqüentadores habituais de concertos (não nos referimos aos especialistas em música moderna), Lutoslawski se apresentou como uma revelação recente, mas sua obra já está firmemente integrada ao repertório contemporâneo (assim como a de Tippett, com cuja sonoridade mantém parentesco) e nos demonstra que, pelo menos sob certos aspectos, paixões tardias são melhores do que outras.

OBRAS Três sinfonias, Concerto para orquestra, *Jogos Venezianos*, *Livre* (Livro), *Mi Parti* e outras peças orquestrais; Concerto para violoncelo; *Paroles Tissées* (para tenor e orquestra de câmara, um ciclo de canções *à la* Britten, composto para Peter Pears), *Os Espaços do Sono*, *Tríptico Siciliano* e diversas obras menores para canto; Quarteto de Cordas, *Variações sobre um Tema de Paganini* para dois pianos e um grupo de obras de câmara mais curtas.

Variações sobre um Tema de Paganini (1941) Durante a ocupação de Varsóvia pelos nazistas, Lutoslawski ganhou a vida como pianista de um café, impedido de fazer qualquer experiência em terreno criativo. Numa postura contestatória, entretanto, reunia-se depois das horas de trabalho a um colega, para tocarem e criarem peças a quatro mãos. Foi assim que se originou esta peça. Usa o mesmo tema que as *Variações de Paganini*, de *Brahms, e a *Rapsódia sobre um Tema de Paganini*, de Rachmaninov, mas exibe facetas que nenhum deles — nem mesmo o próprio Paganini — poderia ter imaginado: a jazzística, uma paródia de *Stravinsky, uma dança popular *à la* *Bartók. É uma obra ligeira, mas não menos deliciosa por esse motivo. (Dela há, também, uma eletrizante versão orquestral.)
→ *Prelúdios de Dança* (para clarineta e piano); *Três Peças Fáceis* e *Cinco Peças Fáceis*, de Stravinsky, para dois pianos (também conhecidas como *Duas Suítes* para pequena orquestra); *L'Embarquement pour Cythère*, de Poulenc.

Ⓜ ***Concerto para Orquestra*** (1954) Como o título bem sugere, esta obra mantém direto parentesco com sua homônima, de Bartók, e, como ela, tempera seu virtuosismo orquestral com temas folclóricos ricamente melodiosos. A harmonia de Lutoslawski, no entanto, tem consciência de sua "deleitabilidade" (como *Ravel, ele se propôs seduzir seus ouvintes) e a orquestração é mais sedosa e agarradiça a um só tempo.
→ *Jogos Venezianos*; *Suíte Provençal*, de Milhaud; Sinfonia n. 6, de Piston.

Ⓜ ***Concerto para Violoncelo*** (1970) Uma obra atordoante: escrita para Rostropovich (e constituindo vivo desafio até mesmo para seus músculos de virtuose), está repleta de sonoridades orquestrais verdadeiramente fora do comum. (Trompetes e trompas se mantêm em rebeldia o tempo todo, como os convidados a uma festa infantil; as cordas compõem um *background* resvalante e misterioso para a enlevada linha melódica desenvolvida pelo solista.)
→ Sinfonia n. 1; Concerto para contrabaixo, de Schuller; Concerto para orquestra, de Tippett.

M

MADEIRAS. Ver *Instrumentos de sopro (madeiras).*

MAHLER, Gustav (1860-1911). *Regente e compositor austríaco.* A ambição inicial de Mahler era ser compositor. Mas as obras que ele queria escrever eram de grande escala, autobiográficas, intelectuais (equivalentes musicais dos escritos filosóficos de Nietzsche), e não havia mercado para elas. Por isso, voltou-se para a regência e, à época em que tinha vinte e cinco anos, era um dos principais maestros de ópera de seu tempo. Durante o resto de sua vida, passou nove meses de cada ano no teatro de ópera ou na sala de concerto, e compunha durante suas férias de verão. Como *Wagner, achava que uma produção operística deveria ser uma experiência única e integrada, tanto quanto possível sob o controle de uma só pessoa: além de ensaiar a música, portanto, ele organizou a realização dos cenários, a iluminação e a movimentação no palco, e estendeu seus interesses até mesmo à contratação dos artistas, à venda das entradas, ao *design* dos cartazes e à eficiência do pessoal da limpeza e das coxias. (Seus dez anos na função de diretor da Ópera da Corte de Viena ainda são lembrados, oitenta anos depois: era mordaz com cantores ou instrumentistas que se atribuíam muita importância, e despedia sumariamente quem quer que não estivesse à altura de seus padrões.)

Mahler nunca escreveu sua própria ópera. Como compositor, ele teve duas principais vertentes musicais. Uma foi o trabalho nietzschiano, que buscava tudo abranger, e que planejara desde a infância, e para isso escolheu não a música de palco, mas as sinfonias. (Ele disse que uma sinfonia "deveria conter o mundo".) O segundo foi a poesia popular alemã, com seus ritmos simples e diretos, suas imagens de amor e morte cheias de melancolia. Quando escrevia canções, costumava ligar um vocabulário popular a melodias ingênuas e queixosas como as canções folclóricas. Quando escrevia sinfonias, usava orquestras imensas (e às vezes também coros), e compunha em formas e harmonias "avançadas", derivadas de *Berlioz e *Liszt, bem como de Wagner. Esses trabalhos orquestrais costumam incluir temas melancólicos de inspiração folclórica, lágrimas de gigante; ou então são impetuosos, dramáticos e apaixonados, com a intenção de exprimir todo o empreendimento heróico e nostálgica meditação da humanidade. Dos outros compositores, somente *Tchaikovsky transformou, de forma tão crua e tão magnífica, obsessões e emoções particulares numa arte tão pública.

OBRAS Dez sinfonias (A n. 10 completada por Deryck Cooke); *Das Klagende Lied* e *Das Lied von der Erde*; ciclo de canções com orquestra, *Lieder eines fahrenden Gesellen* e *Kindertotenlieder*; dezenas de canções com acompanhamento de piano, vários conjuntos de poemas folclóricos; música de câmara (da juventude; imatura), incluindo um Quinteto para piano.

Lieder eines fahrenden Gesellen (Canções de um caminhante) (1885, revista na década de 1890) Essas quatro canções, sobre poemas do próprio Mahler inspirados por um caso de amor infeliz, evocam as florestas frondosas, as donzelas de bochechas coradas e os meninos camponeses de coração partido dos contos de fadas de Grimm — e a música é adequadamente pastoral e suave, combinando com a letra em sua visão de uma felicidade feita de momentos mais além da simples evocação. (As versões originais tinham acompanhamento de piano; as versões revistas, com orquestra, são melhores.)
→ *"Ich atmet' einen linden Duft"* ("Aspirei uma delicada fragrância") (das *Cinco Canções Rückert*; novamente o acompanhamento orquestral é preferível ao original para piano); Sinfonia n. 4 (especialmente o final); *Suíte Hansel e Gretel* (especialmente o "Sonho-pantomima": esta ópera sobre um conto de fadas de Grimm não é de forma alguma um mero trabalho para crianças), de Humperdinck.

Sinfonia n. 1 (1888) Devido a suas melodias folclóricas, este é, entre os trabalhos de ampla escala de Mahler, o mais facilmente abordável: seu movimento lento, Marcha Fúnebre (baseada numa versão lúgubre, em tom menor, de "Frère Jacques"), e seu scherzo ao mesmo tempo doce e amargo, em forma de valsa vienense, são Mahler no que tem de mais inesperado e inspirado. Próxima a ela em charme e simplicidade é a Ⓜ Sinfonia n. 4 (1901): esta começa com sinos de trenó e termina com uma canção infantil sobre as delícias do paraíso, um lugar onde São Pedro pesca e os abençoados cantam e dançam, enquanto anjos assam pão para uma festa. A Sinfonia n. 3 (1896) usa poemas folclóricos igualmente melodramáticos, para coro infantil e orquestra; mas também é matizada pela outra principal preocupação de Mahler, a morte. Marchas fúnebres e sabás de feiticeiras são as principais forças na Ⓜ Quinta, Ⓜ Sexta e Ⓜ Sétima Sinfonias (1902; 1904; 1905), uma trilogia de obras vastas somente para orquestra, cada qual apropriada para preencher a maior parte de uma noite de música e para dominar qualquer concerto em que apareçam. Para muitos amantes de Mahler, a Sinfonia n. 6 é a melhor de todas, um de seus mais extraordinários trabalhos; uma boa primeira abordagem dessas sinfonias é o *adagietto*, o movimento lento da Quinta Sinfonia, famoso isoladamente graças ao seu uso na trilha sonora do filme de Visconti, *Morte em Veneza.* As Sinfonias 2 e 8 (1894; 1906) são na verdade cantatas corais na mais ampla escala: o tema da n. 2 é a Ressurreição, e a n. 8, envolvendo tantos intérpretes que recebeu o apelido de *Sinfonia dos Mil*, utiliza com ardor partes do *Fausto* de Goethe. A morte paira sobre a Ⓜ Nona e a Ⓜ Décima Sinfonias (1908-11; 1910), somente para orquestra: são meditações prolongadas, elegíacas, com um sentimento outonal próximo (exceto por serem audivelmente austríacas, e não inglesas) às elucubrações de fim de império de *Elgar.
→ Obras de interesse correlato às sinfonias mais leves são as próprias canções de Mahler, as *Canções Folclóricas* para coro, de Reger, e *Carmina Burana*, de Orff; de interesse correlato às obras sérias são: *Ein Heldenleben* (heróico), de Strauss; *Prelúdios Palestrina* e Sinfonia (místicos), de Pfitzner, e, do próprio Mahler, o ciclo de canções elegíacas para duas vozes e orquestra, Ⓜ *Das Lied von der Erde* (*A Canção da Terra*).

MARTINŮ, Bohuslav (1890-1959). *Compositor tcheco.*

Martinů começou sua carreira como violinista na Orquestra Filarmônica Tcheca, mas mudou-se para o estrangeiro em 1923, onde viveu, daí em diante, da composição e do ensino. A princípio, na Paris da década de 20, seguiu as vogas musicais predominantes: o ritmo do *ragtime*, vivazes discordâncias apimentando harmonias de resto simples, orquestrações untuosas e melodias de brinquedos de corda, sem nem um fio de cabelo fora do lugar e com qualquer emoção fora de vista. Mas, enquanto continuava seu exílio (auto-imposto), começou a rechear seus trabalhos com reminiscências da música folclórica e dos ritmos das músicas camponesas de sua terra natal, e isto mudou completamente seu estilo. O sentimento "tcheco" de sua música, acrescentado a melodias arrebatadas, harmonia direta e orquestração sedutora, fez com que alguns críticos o chamassem de *Smetana do século XX — e assim é: suas obras são igualmente agradáveis, igualmente equilibradas e, com freqüência, igualmente inspiradas.

OBRAS Seis sinfonias, Concerto Duplo, *Concerto grosso*, *Afrescos*, *Parábolas* e dezenas de outras obras orquestrais; dezesseis concertos (incluindo cinco para piano e dois para violino); nove óperas (incluindo *Julietta*, séria, e *Comédia na Ponte*, farsesca); seis balés (incluindo *La Revue de Cuisine*); *Missa Campal*, *A Epopéia de Gilgamés* e diversos outros trabalhos corais (muitos baseados na poesia popular tcheca); sete quartetos de cordas, duas sonatas para violino, duas sonatas para violoncelo, dois trios para piano, Quinteto de sopro e dezenas de outras obras de câmara; conjuntos de peças para piano (por ex., *Danças Tchecas*; *Estudos e Polcas*) e um punhado de canções.

La Revue de Cuisine ("A Revista da cozinha") (1927) Este balé falsamente jazzístico (sobre utensílios de cozinha que ganham vida) é típico do primeiro Martinů: divertimento atrevido e picante, uma farra musical.
→ Suíte de balé *Spaliček*; *Divertissement*, de Ibert; *Le Boeuf sur le Toit*, de Milhaud.

Ⓜ ***Afrescos de Piero della Francesca*** (1955) Suave reminiscência de três pinturas do Renascimento, a delicadeza da inspiração de Piero encontrando aqui uma bizarra equivalência sonora.
→ Ⓜ *Sinfonietta Giocosa*; *Tríptico Botticelli* (igualmente límpido, mas com harmonia mais antiquada), de Respighi; *Sete Estudos sobre um Tema de Paul Klee*, de Schuller.

Ⓜ ***Concerto duplo*** (1938) Este excelente *concerto grosso* (para duas orquestras de cordas, piano e tímpanos) foi escrito à época da invasão alemã da Tchecoslováquia, e a tragédia fez Martinů mudar seu plano original, de uma simples obra de entretenimento (como tantas que ele produziu na década de 30), para um lamento cheio de dor. O movimento lento, grave e emotivo costuma ser usado para acompanhar filmes de paisagens devastadas pela guerra ou de campos de concentração, para o que se adequa perfeitamente. Mas os movimentos extremos são rápidos e vigorosos, com um tipo de jovialidade séria que é um dos climas mais característicos de Martinu.
→ Ⓜ *Memorial de Lidiče*; *Música de Funeral*, de Lutoslawski; Sinfonia n. 2, de Honegger.

MASCAGNI, Pietro. Ver em "Leoncavallo", *Compositores de obra singular*.

MAXWELL DAVIES. Ver *Davies, Peter Maxwell*.

MENDELSSOHN, Felix (1809-47). *Compositor alemão*.

O nome Felix significa "feliz", e se ajusta a Mendelssohn com perfeição. Sua família era grande e amorosa, seus pais ricos e seu lar sempre cheio de visitas interessantes e divertidas: políticos, poetas, homens de negócios, artistas e músicos. Ele próprio era notavelmente bem dotado: tinha memória fotográfica (só precisava ler um documento uma única vez para lembrá-lo para sempre), sabia falar meia dúzia de línguas, escrevia poesia e desenhava, era interessado em filosofia (que estudou na universidade). Poderia ter seguido qualquer uma entre dezenas de carreiras. Mas desde a infância, seus supremos dons eram musicais. Tocava piano (em níveis de virtuose), órgão e violino, regia e, acima de tudo, compunha: aos quinze anos havia escrito uma ópera, uma dúzia de sinfonias e mais de cem peças de câmara e canções; aos dezessete, graças a seu Octeto e à abertura *Sonho de uma Noite de Verão*, já era um dos compositores mais admirados da Europa.

Terminada a universidade, Mendelssohn decidiu seguir a carreira musical. Seu presente de formatura dos pais foi uma grande viagem de três anos pela Europa, que ele utilizou para fazer amigos e contatos por toda parte (tornou-se um favorito especial da família real britânica) e para recolher impressões a serem usadas em suas obras musicais (a abertura *A Gruta de Fingal*, as sinfonias *Escocesa* e *Italiana*). Aos vinte e quatro anos tornou-se regente do Festival de Música do Baixo Reno, e aos vinte e seis era nomeado regente da Orquestra da Gewandhaus de Leipzig, posto que conservou pelo resto da vida. Foi o primeiro maestro a dispensar a antiga tradição dos concertos tipo loja de variedades (em que uma sinfonia de, digamos, *Beethoven podia ter seus movimentos interrompidos por canções, solos instrumentais, e até interlúdios com novidades tais como o canto do *yodel*): ele fazia questão de que as obras fossem executadas completas, e resgatou músicas de *Bach, *Händel, *Haydn, *Mozart e outros da obscuridade para o favor do público. Passava semanas e meses, todos os anos, viajando (visitou a Grã-Bretanha, por exemplo, dez vezes em doze anos) e, a fim de encaixar a composição em sua agenda, levantava-se às cinco da manhã todos os dias e trabalhava até a hora do café. Ninguém poderia levar uma vida dessas para sempre. Em 1847, já sofrendo de exaustão, e no meio de uma cansativa viagem à Inglaterra, teve um choque ao saber da morte de uma irmã muito amada, voltou correndo para casa e, pouco depois, sofreu dois derrames, vindo a morrer.

A música que Mendelssohn escreveu na adolescência e até os vinte e poucos anos é inspirada: tão saborosa quanto a de *Schubert e com a mesma capacidade de soar absolutamente inevitável, como se tivesse sido descoberta já inteiramente formada, necessitando apenas de ser posta no papel. Preferia as formas disciplinadas do século XVIII, mais do que as explorações românticas dos sentimentos: o bom gosto elegante de sua música é um de seus maiores charmes. Em seus últimos e movimentados anos escreveu no mesmo estilo limpo, mas perdeu um pouco do frescor inicial; mesmo assim, sempre que voltou à forma máxima (como no Concerto para violino), poucos compositores fizeram música com tamanho poder de enlevar o coração.

OBRAS Cinco sinfonias (incluindo a *Escocesa* e a *Italiana*); seis aberturas (incluindo *Sonho de uma Noite de Verão*, *A Gruta de Fingal* e *Mar Calmo e Viagem Próspera*); doze sinfonias curtas para cordas; seis concertos (três para piano, dois para violino, um para dois pianos) e diversos trabalhos mais curtos para solista e orquestra; uma ópera e vários conjuntos de música incidental (incluindo o *Sonho de uma Noite de Verão*); seis grandes obras corais e orquestrais (incluindo *Elias*, *São Paulo* e *Hino de Louvor*); seis quartetos de cordas, três quartetos para piano, dois quintetos de cordas, Sexteto, Octeto, duas sonatas para violino, dois trios para piano, violino e violoncelo, e diversas obras mais curtas de música de câmara; três sonatas para piano, seis sonatas para órgão, *Canções sem Palavras* para piano, e umas duas dúzias de outras obras para teclado (incluindo *Variations Sérieuses* para piano e *Três Prelúdios e Fugas* para órgão); cinqüenta e cinco canções para coro e sessenta e oito canções para solista.

Ⓜ ***A Gruta de Fingal*** (ou *As Hébridas*), op. 26 (1830) Inspirada pela visita de Mendelssohn à Escócia em 1829, esta cena marinha começa com suaves ondulações, cresce até uma tempestade espetacular, para em seguida recair numa calma radiosa. A idéia é altamente romântica — os artistas criadores do século XIX encontravam inspiração na natureza tão facilmente quanto o resto de nós respira — mas o uso feito por Mendelssohn da forma sonata do século XVIII (as calmas ondulações são a exposição, a tempestade o desenvolvimento) dá à música tanto impulso intelectual quanto encanto poético.

→ Ⓜ Abertura *Sonho de uma Noite de Verão* (descrevendo as fadas, os mortais e os orgulhosos camponeses de Shakespeare; melodiosa, maravilhosamente orquestrada — e seguida, dezessete anos depois, por uma suíte de música incidental, incluindo o picante, endiabrado Ⓜ scherzo); abertura *Ruy Blas* (heróica e cavaleiresca); abertura *Rosamunde*, de Schubert; abertura *A Noiva Vendida*, de Smetana.

Ⓜ ***Sinfonia n. 4*** (*Italiana*), op. 90 (1833) Tal como a abertura *A Gruta de Fingal*, esta sinfonia emoldura quadros sonoros (olivais ensolarados, peregrinos em direção a Roma, camponeses nas colinas toscanas, dançarinos do carnaval) no estilo do século XVIII; é ao mesmo tempo poema tonal e sinfonia. Poucas outras obras, mesmo do próprio Mendelssohn, igualam a efervescência do primeiro movimento, ou o ritmo alegre e a fluência do scherzo; a sinfonia inteira é pura felicidade transformada em notas.

→ Sinfonia n. 3 (*Escocesa*); "O Moldávia", de *Minha Terra*, de Smetana; Sinfonia n. 1 (*Primavera*), de Schumann.

Canções sem Palavras Existem quarenta e oito *Canções sem Palavras*, em oito livros. São pequenas peças para piano, às vezes com títulos descritivos (por ex., "Canção da Gôndola Veneziana", op. 19 n. 6), mas geralmente explorando um estado de espírito, mais do que um tema: cada livro contém uma peça de calma fluência, outra agitada, outra vivaz e assim por diante. A fama de duas delas ("Canção da Primavera", op. 62 n. 6, e "O Casamento da Abelha", op. 67 n. 4) superou de longe a das demais. As outras (especialmente meditações ao gênero de *Schumann, como as op. 19 n. 1, op. 53 n. 4 e op. 85 n. 4) valem a pena de uma redescoberta.

→ *Andante e Rondó Caprichoso*; *Peças Líricas*, de Grieg; *Jogos Infantis* (versão para dois pianos), de Bizet.

Ⓜ ***Concerto para Violino n. 2***, op. 64 (1844) O primeiro concerto para violino de Mendelssohn foi obra de aprendiz e hoje é raramente tocado; seu segundo é um dos concertos favoritos de todo o repertório. Há nele muito pouco do heroísmo dos grandes concertos: seu movimento lento é delicadamente sentimental e os movimentos extremos se derramam onde os de outros concertos se empertigam. O Mendelssohn adulto raramente recobrou a elegância de elfo que se encontra em obras juvenis, tais como a abertura *Sonho de uma Noite de Verão*; neste concerto, ele despe a casaca solene da idade, e dança.

→ Concerto para piano n. 1; Concerto para violino n. 3, de Mozart; Concerto para violino n. 1, de Paganini.

Ⓜ ***Octeto***, op. 20 (1825) Mendelssohn tinha dezesseis anos quando escreveu esta obra, e cuidou de fazê-la a sua mais grandiosa até então: a distribuição é incomum (dois quartetos de cordas), o esquema é espaçoso (quatro extensos movimentos, com quarenta minutos de duração), seus antecessores são obras de música de câmara de peso, tais como os quintetos de cordas, de *Mozart, e os quartetos *Razumovsky*, de Beethoven. Mendelssohn iguala seus modelos com facilidade, tanto na originalidade quanto na habilidade da composição, e acrescenta um encanto novo que é muito seu: é como se ele tivesse acabado de descobrir como cada volteio do fraseado, cada harmonia, cada melodia podiam ser maravilhosos, e ardesse no ímpeto de partilhar seu entusiasmo.

→ Ⓜ Quinteto de cordas n. 1; Quinteto de Cordas K 174, de Mozart; Sexteto de Cordas, de Dvořák.

Elias, op. 70 (1846) Em sua época, esta foi a obra mais popular de Mendelssohn (especialmente na Grã-Bretanha, onde estabeleceu uma tendência da música coral durante cem anos). É um oratório dramático no estilo de *Händel, contando a vida do profeta Elias (do Velho Testamento bíblico) em recitativos, árias e coros poderosos, monumentais. Seu efeito fica claramente reduzido quando ouvido em casa. Foi composto para ocupar uma noite inteira numa sala de concertos, e o prazer solene de ver os solistas em traje de noite, a platéia repleta e uma orquestra sinfônica completa é parte importante de seu atrativo. Hoje em dia a pompa está fora de moda; mas era algo que as pessoas no tempo de Mendelssohn apreciavam imensamente, e poucos oratórios do século XIX são mais gloriosamente pomposos.

→ Oratório *São Paulo*; *Sansão*, de Händel; *O Reino*, de Elgar.

MESSIAEN, Olivier (1908). *Compositor e professor francês.*

Tal como *Franck antes dele, Messiaen combinou a composição com uma brilhante carreira de organista e professor de composição. Em 1931, foi nomeado organista-chefe da Igreja da Trindade, Paris, e desde então tocou ali regularmente. Seus alunos de composição cobriram três gerações de compositores europeus (incluindo figuras importantes da vanguarda, como *Stockhausen e *Boulez), e seus ensaios sobre harmonia e ritmo influenciaram incontáveis músicos que nunca o conheceram pessoalmente. Fora de sua movimentada vida profissional, dedicou-se a uma fenomenal variedade de interesses: catalogou o canto de cada pássaro francês conhecido, tal como outros catalogam canções folclóricas, e também os de pássaros tropicais da África, Índia e América do Sul; escreveu poemas e tornou-se especialista em poesia arcaica grega e indiana; é um filósofo religioso, com amplas leituras tanto no campo do pensamento cristão católico quanto nas crenças e ideais de todas as outras principais religiões do mundo.

Todos os interesses de Messiaen colorem sua música. O catolicismo romano é inspiração de uma boa parte delas: uma celebração do amor de Deus pelos seres humanos e dos anseios pela divindade na alma dos homens. (Messiaen costuma dar a seus movimentos títulos como "Louvor à Eternidade de Jesus", ou "Serenos aleluias de uma alma que anseia pelo paraíso".) Mesmo quando as obras não são cristãs, costumam dizer respeito ao amor ou à religião: o assunto de *Turangalîla*, por exemplo, é o amor sexual; *Des Canyons aux Étoiles* ("Dos canyons às estrelas") retrata o mundo inteiro unido às estrelas e galáxias para louvar o poder amoroso que os criou. Muitas das obras de Messiaen usam o canto dos pássaros, que ele molda em suas próprias formas de criação, orquestrando-os para instrumentos; outras usam os ritmos não-ocidentais da poesia grega e da música indiana; outras ainda empregam o *ondes martenot*, um instrumento eletrônico cujo som é um lamento arrebatado, sobrenatural, que o intérprete pode manipular do princípio ao fim da escala.

A música de Messiaen é tão complicada e tão fascinante quanto tudo isso sugere. Cada peça é como uma caixa cheia de doces, e leva tempo para desembrulhá-los e saboreá-los todos. Mas ele é também, entre todos os compositores modernos, um dos mais fáceis para uma pessoa simplesmente se sentar e se deleitar: o som puro de sua música é luxuriante, suntuoso e infinitamente variado, com a intenção de arrebatar seus ouvintes até o ponto de ampliar suas mentes.

OBRAS A ópera *São Francisco de Assis*; *A Transfiguração de Nosso Senhor*, cantata para coro e orquestra; *Turangalîla*, *Et Exspecto Resurrectionem Mortuorum*, *Chronochromie*, *Des Canyons aux Étoiles* e diversas outras obras orquestrais mais curtas;

Réveil des Oiseaux e *Oiseaux Exotiques* para piano e orquestra; *Regards sur l'Enfant Jésus, Catalogue d'Oiseaux* e diversas obras menores para piano solo; *Visions de l'Amen* para dois pianos; *Quatuor pour la Fin du Temps*, para conjunto de câmara; *Ascensão, Natividade, Méditations sur le Mystère de la Sainte Trinité* e muitas outras obras para órgão; *Poèmes pour Mi, Harawi, Cinq Rechants* e outras obras vocais.

Ⓜ ***Réveil des Oiseaux*** ("Coro do amanhecer") para piano e orquestra (1953). Esta obra curta (15 minutos) é uma abordagem ideal do mundo sonoro de Messiaen. Começa com o canto de um rouxinol, continua com a quietude da noite (interrompida apenas por corujas, cotovias e ruídos noturnos), e então, repentinamente, ao aproximar-se o amanhecer e o despertar dos pássaros, abre-se em som, até que cada instrumento da orquestra parece estar assobiando, piando, chilreando, pipilando e sussurrando. O sol se levanta e o som decai para um único canto do cuco. É um mistério a forma como semelhante mistura de cantos (autênticos) de pássaros, harmonia avançada e ritmos gregos e indianos consegue ser uma peça musical coerente (até mesmo um "adequado" concerto para piano), para não dizer uma obra-prima. É música diferente da de qualquer outra pessoa, esplendidamente abordável, e inesquecível.
→ *Oiseaux Exotiques* (peça companheira, também para piano e orquestra, descrevendo pássaros exóticos num ambiente selvagem); Ⓜ *Catalogue d'Oiseaux* ("Catálogo de pássaros", para piano solo: vinte e um pássaros individuais, cada um recebendo uma peça própria e cercada por sons da floresta e os gritos das aves associadas com seu habitat); Concerto para orquestra, de Tippett.

Ⓜ ***Quatuor pour la Fin du Temps*** ("Quarteto para o fim dos tempos") (1940) Este quarteto para piano, violino, violoncelo e clarineta é um quadro sonoro do Dia do Juízo Final (quando, segundo acreditam os cristãos, Deus chamará todas as almas humanas a responder por seus atos na Terra). Seus oito movimentos têm títulos como "Canção do anjo anunciando o dia do Juízo", "Dança da fúria para sete trompetes" e "Prece à imortalidade de Jesus". É em parte uma descrição do pânico e do terror ao fim do tempo dos mortais na Terra, e em parte uma meditação sobre a vida por vir, o arrebatamento das almas cristãs finalmente unidas com Deus. Como sempre no caso de Messiaen, a música é comovente e excitante por si mesma, totalmente isolada de sua inspiração: os movimentos citados acima são particularmente bons.
→ *L'Ascension* ("Ascensão", para solo de órgão: visionária, poderosa e espetacularmente discordante; ao mesmo tempo típica das obras para órgão de Messiaen e uma das melhores); *Et Exspecto Resurrectionem Mortuorum* ("E espero a ressurreição dos mortos", obra paralela ao *Quarteto para o Fim dos Tempos*, mas sem orquestra completa); Quarteto para clarineta, violino, violoncelo e piano, de Hindemith.

Ⓜ ***Turangalîla-symphonie*** (1948) Sinfonia em dez movimentos para solos de piano e de *ondes martenot*, e enorme orquestra. Sua inspiração musical é o ritmo indiano, e a idéia por trás de tudo é uma série de canções de amor interligadas, usando em particular a habilidade de *ondes martenot* em sugerir êxtase elevado. (O Movimento 6, "Jardim do sono do amor", cerne de toda a obra, é especialmente sensual.) O piano, com as cordas e metais da orquestra, transforma os ritmos irregulares indianos em algo sincopado e vivo como um jazz de gigante. A sinfonia completa, tal como a Sinfonia n. 8 de *Mahler, é feita para preencher um concerto inteiro e "para conter o mundo": bastante absorvente em discos, torna-se uma experiência soberbamente arrebatadora na sala de concerto.
→ Ⓜ *Chronochromie* ("Cronocromia", para solistas e orquestra); Sinfonia n. 2, de Szymanovski; *Poema do Êxtase*, de Scriabin.

METAIS. Ver *Instrumentos de sopro (metais).*

MIGNONE, Francisco. Ver *Compositores de obra singular.*

MILHAUD, Darius (1892-1974). *Compositor francês.*

À parte um ano no Brasil como secretário do embaixador francês (seu amigo, o poeta Claudel), Milhaud ganhou a vida exclusivamente com a música. Na década de 20, era um dos membros do grupo parisiense de vanguarda *Les Six*, "Os Seis", e compôs alegres obras de *nonsense* com os melhores deles. (Bons exemplos são os balés *Le Boeuf sur le Toit*, "O boi no telhado", e *Les Mariés de la Tour Eiffel*, "Os recém-casados da Torre Eiffel", nos quais teve a colaboração de outros membros de *Les Six*: são como comédias cinematográficas da Keystone postas em música.) Em 1940 emigrou para os EUA, onde ensinou composição, tocou e regeu sua própria música, e produziu obras de todos os tipos, de sonatas a trilhas de cinema.

Apesar de ter escrito dezenas de obras de grande escala, óperas, concertos e sinfonias, a melhor música de Milhaud é curta e doce: era um *showman*, mais do que um pensador. Sua mente era uma caverna de Aladim abarrotada com as descobertas de outras pessoas: jazz, danças folclóricas do Brasil, cantos religiosos judaicos, a harmonia de *Debussy e o ritmo de *Stravinsky, e sua música é reminiscente das colagens cubistas de Picasso ou Braque, fundos suaves totalmente decorados com retalhos exóticos ali colocados por nenhuma outra razão senão as formas bonitas que produzem. Beleza é o ponto: quanto menos a sério Milhaud se leva, e menos a sério leva a sua obra, mais garantidamente ela agrada.

OBRAS Doze balés (incluindo *A Criação do Mundo*, *Le Boeuf sur le Toit*); dez óperas (incluindo *A Orestíada*, *Colombo* e *Davi*); doze sinfonias, dezesseis concertos (incluindo cinco para piano e três para violino), diversas suítes (incluindo *Souvenirs du Brésil*) e outras obras orquestrais; Septeto, dezoito quartetos de cordas, Trio, uma dúzia de sonatas, suítes e outras obras de câmara; Sonata, *Scaramouche* (para dois pianos) e muitas outras peças para piano; mais de duzentas canções e obras corais.

Ⓜ ***Scaramouche*** (1939) Esta suíte para dois pianos, adaptada de música incidental para a farsa de Molière, *Médico à força*, tem um movimento lento pastoral (como ternos murmúrios de amor) emoldurado por um primeiro movimento nervoso, jazzístico, e um samba finale, que costuma ser executado separadamente (uma pena, pois os outros movimentos são igualmente divertidos). Se a farsa francesa tivesse notas, em vez de palavras, é assim que ela soaria.

→ *Le Bal Martiniquais* (animada suíte para dois pianos, baseada em melodias do Caribe); Ⓜ *Le Carnaval d'Aix* (feita para piano e orquestra, baseada em canções populares francesas arranjadas jazzisticamente); *Jamaican Rumba*, de Benjamin.

Ⓜ ***La Cheminée du Roi René*** (1939) Típica do estilo mais tranqüilo de Milhaud, esta suíte suave (para quinteto de sopro) é uma evocação do campo em torno de Aix-en-Provence, onde ele nasceu, e da pompa moderada do "Rei René", soberano medieval que governava a cidade. Diferente de (digamos) *Scaramouche*, esta peça evita os ritmos inflamados: suas harmonias são mais frias, suas melodias calmas e sua orquestração notavelmente serena.

→ *Suíte d'Après Corrette* (para quinteto de cordas; baseada em melodias de danças do Renascimento); Ⓜ *La Muse Ménagère* (para piano solo: uma suíte encantadora descrevendo as atividades comuns do trabalho de casa diário, como passar a roupa, varrer, lavar, etc.); *Trois Pièces Brèves*, de Ibert.

Ⓜ ***La Création du Monde*** (1923) Este balé conta a história da criação bíblica em termos do jazz dos anos 20, com Adão e Eva negros e as criaturas do Éden transformadas em rebolativos dançarinos de um clube noturno. A música vai desde o blues lento (no saxofone) a uma agitada fuga em forma de jazz (explorando a bateria, o contrabaixo e o trombone em *glissando*). Existem muito poucas obras (sérias) que fazem um amplo uso do jazz; esta é uma das melhores.

→ *Le Boeuf sur le Toit* (balé jocoso, sem nenhuma sutileza musical, mas tremendamente divertido, especialmente na sala de concerto); Concerto para percussão; *Um Americano em Paris*, de Gershwin.

MONTEVERDI, Claudio (1567-1643). *Compositor italiano.*

Foi um extraordinário golpe de sorte para Monteverdi ter sido indicado, com pouco mais de vinte anos, como um dos músicos da corte do Duque de Mântua. Monteverdi (filho de um farmacêutico de aldeia) era famoso (como instrumentista de cordas e compositor de madrigais), mas sem um tostão; o Duque era um dos príncipes mais ricos e cultos da Itália. A associação deles durou mais de vinte anos. O Duque levava seus músicos a toda parte: foram para Flandres quando ele fez um tratamento de águas para a gota; seguiram-no até o campo de batalha na Hungria, tocando para seu relaxamento ao final de cada dia de luta. Ele fez de Monteverdi o chefe de seu *foyer* musical, financiou a publicação de sua música e lhe deu carta branca para escrever as obras que quisesse (por ex., óperas — um modismo musical novo e ainda não-testado — para a corte de Mântua). Monteverdi casou-se com uma cantora de ópera em 1599, e viveu uma vida próspera e satisfeita.

Então, quando estava no final de seus quarenta anos, tudo deu errado. A amada esposa morreu, ele teve um colapso nervoso e levou muitos anos para se recuperar; seu mecenas morreu e o novo Duque, apesar de toda a fama de Monteverdi, despediu-o sem a menor cerimônia; ficou desempregado durante um ano e teve de ir morar com seus pais idosos; um incêndio destruiu todas as partituras de doze de suas óperas; quando finalmente encontrou emprego, como diretor de música em São Marcos de Veneza, foi atacado por salteadores na estrada, a caminho da cidade, que lhe roubaram tudo o que possuía. Este capítulo da miséria mudou-lhe o caráter. Voltou-se da música de cena e dos madrigais para as obras de igreja, e ocupou-se menos com a brilhante vida social de Veneza do que com o serviço de Deus e a direção tranqüila e eficiente de São Marcos. Em 1630, com a abertura de casas de ópera para o público em Veneza, voltou rapidamente à música secular, para escrever quatro óperas novas, entre elas suas duas obras-primas, *Orfeu* e *O Retorno de Ulisses*.

Tal como sua vida, a música de Monteverdi se divide em metades distintas. Em Mântua, escreveu principalmente obras seculares: madrigais, canções e, acima de tudo, óperas. Em Veneza, concentrou-se principalmente na música religiosa. Mas apesar desta divisão de propósitos, seu trabalho sempre foi unificado em estilo: toda a sua música, de igreja ou secular, busca oferecer aos cantores sonoridades deliciosas e tecnicamente exigentes, e revestir o drama com ricas harmonias orquestrais ou corais. Até a época de Monteverdi, a maior parte da música vocal italiana era governada pelas estritas regras polifônicas (ver *música do século XVI*); seu estilo suntuoso — tão revolucionário em sua época quanto o de *Bellini no século XIX — desempenhou um papel muito importante no desenvolvimento de um idioma musical novo e "dramático".

OBRAS Três óperas sobreviveram (*Orfeo*, *Il Ritorno d'Ulisse*, *L'Incoronazione di Poppea*, "A coroação de Popéia") e uma dúzia de obras menores para o palco (principalmente balés corais sobre histórias tiradas dos mitos gregos); doze livros de obras locais seculares (que ele chamava de "madrigais", "cançonetas" ou "humores musicais"), canções corais sobre a luta dos sexos, muitas com acompanhamento instrumental; *Vésperas*, Missas, Salmos e um punhado de obras religiosas mais curtas.

"Hor che'l Ciel e la Terra" ("Agora que o céu e a terra estão em silêncio", publicada em 1638) A noite é tranqüila, mas uma tempestade de paixão fervilha no coração do amante; a briga que teve com sua amada o dilacera, tal como uma guerra dilacera um país. Monteverdi orquestra esta cena altamente dramática (tão romântica quanto qualquer coisa produzida no século XIX, trezentos anos depois) com discordâncias angustiadas, explosões de paixão que rasgam a melodia como gritos, e notas rápidas, tamborilantes, para representar as batidas do coração do amante, tudo isso contrastado com harmonias de doce fluência, descrevendo o silêncio da noite. É uma ópera de seis minutos para coro de câmara, típica de seus madrigais, naquilo que têm de mais intenso e comovente.
→ Madrigal "O Primavera, Gioventù del Anno" ("Ó Primavera, juventude do ano"); "La Nuit Froide et Sombre", de Lassus; "O Care, thou Wilt Despatch me", de Weelkes.

Ⓜ ***Vésperas da Santíssima Virgem*** (1610) Este grupo de motetos vespertinos compõe versos sacros para solistas, coro e orquestra no novo estilo operístico da época. A música de Monteverdi é ampla, rápida e cheia de harmonias dramáticas, muito diferente do estilo eclesiástico fluente de compositores como *Palestrina: uma das árias solo ("Nigra sum", "Sou morena") é uma operística e direta canção de amor; o dueto "Dois Serafins" mostra-nos os dois anjos em meio a uma discussão musical, um tentando superar o outro em trinados, escalas e sustentação de notas. Essas *Vésperas* resultaram muito ao gosto veneziano (provavelmente foram elas que garantiram a Monteverdi o seu emprego em São Marcos); são seu melhor trabalho e uma das obras-primas da época. Duas seções, o "Magnificat" e "Sancta Maria", costumam ser interpretadas em separado, e representam amostras esplêndidas da obra completa.
→ Missa *In Illo Tempore*; moteto *Iste Confessor*; *Jubilate Deo*, de Gabrieli.

Ⓜ ***Orfeo*** (1607) A história desta ópera — a busca de Orfeu no submundo, para resgatar sua esposa amada, Eurídice, sua conquista do Mundo das Sombras pela beleza de seu canto e seu desespero quando olha para trás e perde Eurídice para sempre — era, claramente, muito cara ao coração de Monteverdi. Escreveu-a no ano da morte de sua própria esposa, e a cena chave, em que Orfeu canta no Hades para tentar conseguir Eurídice de volta, é emocionante e pungente, de uma forma nunca igualada na ópera durante os duzentos anos seguintes. Para os ouvintes modernos, uma das grandes felicidades de *Orfeu* são seus agradabilíssimos interlúdios instrumentais, que não têm nada a ver com a Grécia antiga, mas evocam de forma magnífica a pompa e a sofisticação da Itália renascentista.
→ *Il Combattimento di Tancredi e Clorinda* ("O combate entre Tancredo e Clorinda", ópera de câmara, com vinte minutos de duração, introdução ideal ao estilo dramático de Monteverdi); Ⓜ *L'Incoronazione di Poppea* (ópera de intriga ambientada na antiga Roma, com personagens menores esplendidamente divertidos); *La Calisto* (ópera cômica baseada na história tirada de um mito grego), de Cavalli.

MOZART, Wolfgang Amadeus (1756-91). *Compositor austríaco.*

Aos três anos, Mozart conseguia tirar melodias no cravo, e chorava quando alguém tocava alto demais ou de forma muito discordante. Aos quatro, sabia tocar cravo e violino tão fluentemente quanto as crianças comuns com o triplo da sua idade; aos cinco, começou a compor minuetos e outras peças pequenas. Eram dons fenomenais, e devem ter enchido seu pai (um homem azedo, sem imaginação) tanto de alegria quanto de alarme. Não tinha a menor idéia de como "ensinar" ao filho — o garoto era capaz de passar meia hora trabalhando até mesmo no mais complexo problema, até dominá-lo perfeitamente — e nunca lhe ocorreu dar-lhe a criação de um garoto normal, em vez de um monstrinho. Levava-o em viagem pelas casas principescas e aristocráticas da Europa, executando jogos musicais e fazendo uma fortuna. Quando Mozart tinha doze anos, já havia visitado doze países, proposto casamento à rainha Maria Antonieta da França (que respondeu, sorrindo: "Peça-me de novo quando for mais velho"), escrito três óperas, meia dúzia de sinfonias e cem outras obras, espantado a Europa musical com o seu talento (um admirador escreveu: "Se eu tivesse ficado mais tempo na presença de seu gênio acho que enlouqueceria de admiração") — e vivido a vida não num lar seguro e feliz, mas em carruagens, hospedagens estranhas e nos salões brilhantes de gente que o tratava menos como ser humano do que como uma espécie de brinquedo divertido. Continuou a viajar por mais dez anos, na esperança (vã) de que, quando ficasse mais velho, alguém lhe ofereceria não só admiração, mas também um emprego.

Esta infância incrível deixou sua marca na personalidade de Mozart. Ele era alegre e encantador, ficava imediatamente à vontade com as pessoas que conhecia, mas achava muito difícil formar amizades permanentes ou relações profundas. Não conseguia jamais parar: mesmo na vida adulta, casado e com família, mudava de residência várias vezes por ano (o recorde foi nove vezes). Era absolutamente incapaz de gerir seu dinheiro e, apesar de ter ganho grandes somas (de suas óperas e de suas apresentações em concertos), gastava-as tão rapidamente quanto as ganhava. Até a morte de seu pai (em 1787, quando Mozart tinha trinta e um anos), dependeu dele para orientação e aprovação (suas cartas ainda existem e permitem uma percepção fascinante de um relacionamento desgastante, mas cheio de afeição); se tivesse se casado com uma mulher capaz de dirigir os assuntos da família, toda a sua carreira poderia ter sido diferente, mas Constanza era tão leviana a respeito de dinheiro quanto ele próprio. Seus últimos quatro anos, apesar de musicalmente ricos, se passaram em meio a dívidas e uma tremenda pobreza.

Nada deste desajuste pessoal transparece na música de Mozart. Desde mais ou menos os doze anos ele já era um compositor plenamente desenvolvido, senhor de sua arte: apesar de sua música sempre crescer em maturidade e magnificência, seu estilo permaneceu basicamente o mesmo através de sua vida. Seus anos de viagem deram-lhe um método de compor que impressionava todos que o conheciam: planejava as obras na cabeça até o menor detalhe (freqüentemente enquanto fazia alguma outra coisa, como ensinar, comer ou jogar bilhar), e assim que conseguia sentar-se diante de uma folha de papel, escrevia tão rapidamente quanto a maior parte das pessoas escreve uma carta. Ele dava a impressão de que a música fluía-lhe de forma irreprimível — e essa impressão era verdadeira, pois nos dezessete anos de sua vida profissional madura (entre dezoito e trinta e cinco anos de idade) produziu uma média de quatro composições (incluindo pelo menos uma obra-prima) por mês.

Se houvesse prevalecido a vontade do pai de Mozart — ele reclamava a respeito disso incessantemente até o dia de sua morte — Mozart teria se estabelecido com um único empregador e talhado sua inspiração para atender ao trabalho. Mas ele se recusava terminantemente. Preferia a variedade e a liberdade da vida de *freelance*, apesar de todo o risco financeiro que isso implicava. Era-lhe conveniente receber novas encomendas praticamente caídas do céu, para obras de todos os tipos. (Se o dinheiro servisse, ou se ele se sentisse atraído pela idéia, escreveria com satisfação para qualquer coisa, até mesmo um órgão mecânico ou um conjunto de copos de vinho cheios com diferentes níveis de água e organizados para fazerem soar uma escala.) Escreveu música para dança, peças didáticas, árias de exibição para *esquentar* as óperas de outros autores, até mesmo uma *Missa de Réquiem* para um nobre que pretendia fazê-la passar por sua própria composição — e todas as vezes ele transformava trabalho mercenário em obra de gênio. Seu gênio maior, no entanto, ele o preservou para suas próprias composições, ou para suas formas musicais preferidas. Via a si mesmo, antes de qualquer outra coisa, como um compositor de ópera, e suas óperas (especialmente *As Bodas de Fígaro*, *Don Giovanni*, *Così Fan Tutte* e *A Flauta Mágica*) são, de todas as suas obras, aquelas que ele próprio mais admirava. Passou uma boa parte de sua vida adulta dando concertos, e escreveu soberbos concertos para pianos e sinfonias, a fim de executá-los nessas apresentações. Seu instrumento favorito era a viola, que ele costumava tocar em música de câmara com amigos (tais como *Haydn): seus quartetos e quintetos de cordas, e suas obras de câmara com piano, estão não apenas entre seus melhores trabalhos, mas se colocam, pela genial imaginação e pela excelência da música, vários furos acima de tudo o que se escreveu naquele século. Um de seus biógrafos (após deplorar sua vida infeliz, na qual ele foi "adulto no decorrer da infância e criança no decorrer da vida adulta"), descreveu-o como "o músico mais consumado que jamais viveu" — e até hoje são incontáveis os amantes da música que concordam com esse juízo.

(As obras da maior parte dos compositores são identificadas por números de opus [por ex., Concerto para piano n. 1, op. 15; *opus* significa obra], ou pela colocação da data da publicação após o título [por ex., Sinfonia em dó (1940)]. As obras de Mozart, em vez disso, receberam uma numeração iniciada pela letra K [(por ex., Concerto para piano n. 27, K 595]. K é a abreviatura de Ludwig Köchel, um erudito do século XIX que catalogou as obras de Mozart.)

OBRAS ORQUESTRAIS Quarenta e uma sinfonias; vinte e sete concertos para piano; cinco concertos para violino; quatro concertos para trompas; Concerto para flauta; Concerto para oboé; Concerto para clarineta; Concerto para fagote; *Sinfonia Concertante* para violino, viola e orquestra; *Sinfonia Concertante* para quatro instrumentos de sopro e orquestra; Concerto para dois pianos; Concerto para três pianos; Concerto para flauta e harpa; *Concertone* para dois violinos; dezessete divertimentos, treze serenatas (incluindo *Eine kleine Nachtmusik*), mais de cem minuetos, gavotas, marchas e outras peças para dança, freqüentemente agrupadas em conjuntos de seis; *Música Funeral Maçônica.*

Obras orquestrais mais ligeiras *Eine kleine Nachtmusik* ("Pequeno serão musical"), K 525 (1787) Mozart escreveu suas serenatas, divertimentos e conjuntos de danças para o prazer dos aristocratas: algumas (por ex., a Serenata "Haffner", K 250, escrita para acompanhar uma festa de casamento) eram obras amplas para grandes ocasiões; outras (por ex., as danças: *Eine kleine Nachtmusik*) eram em menor escala, criadas para dançar ou para servir como fundo agradável a jogos de cartas ou conversações. Construiu essas obras num esquema-padrão de quatro movimentos (rápido movimento de abertura, movimento lento, minueto, rondó), acrescentando movimentos extras (normalmente conjunto de variações ou segundos minuetos), caso fossem necessários trabalhos mais longos, às vezes começando e terminando com uma marcha. A maior parte era trabalho feito sob encomenda e ele se surpreenderia caso descobrisse obras como *Eine kleine Nachtmusik* populares ainda hoje. (A vida vigorosa dessas obras é prova de que até mesmo "musak", em mãos de gênio, pode ser magnífica, e o prejuízo é dos patronos, que provavelmente nunca as ouviram com atenção suficiente para apreciar as delícias que estavam recebendo em troca de seu dinheiro.) Ocasionalmente, em suas serenatas para mentos de cordas, Mozart intensificava seu estilo com inspiração mais profunda: a Serenata n. 10, K 320 (1781), para treze instrumentos de sopro, por exemplo, é uma de suas mais sublimes composições de qualquer tipo, com um movimento lento de arrebatar a alma, um soberbo conjunto de variações e um final galhofeiro. (Como é possível que as pessoas tenham conversado durante música dessa qualidade?)

→ Depois de *Eine kleine Nachtmusik*, as mais melodiosas entre as obras ligeiras são a *Serenata Notturna*, K 239, e *Seis Danças Alemãs*, K 600; obras de interesse correlato à Serenata para treze instrumentos de sopro são a Serenata n. 12, K 388 (sombria), e a Serenata n. 11, K 375 (alegre). Na música de outros compositores, os equivalentes mais próximos ainda ouvidos hoje em dia são os Divertimentos e as Danças Alemãs, de Haydn, o Septeto, de Beethoven, e (para as serenatas de instrumento de sopro) a Serenata op. 44, de Dvořák, e a *Petite Symphonie*, de Gounod.

Concertos Ⓜ Concerto para piano n. 21, K 467 (1785) Através de toda a sua vida, Mozart escreveu concertos de piano para utilizar em suas próprias apresentações: compôs o primeiro quando tinha onze anos e o último em 1791, ano de sua morte. Os últimos dez são obras-primas. Ele costumava dar concertos nas cidades onde suas óperas estavam sendo representadas, e escreveu, com esse propósito, concertos para piano combinando uma idéia "séria" (o discurso musical é tão elaborado quanto numa sinfonia) com temas extrovertidos, assobiáveis, tão borbulhantes quanto as melodias de sucesso de suas óperas. (No n. 21 — apelidado de "Elvira Madigan", não na época de Mozart, mas devido a um filme que usou o movimento lento — o primeiro movimento é rápido e em forma de marcha, o movimento lento lança uma melodia suave, sublime, contra um pulsante acompanhamento de cordas, e o finale é um rondó trepidante, com meia dúzia de temas, cada qual mais chilreante e ousado do que o outro.) Dos concertos de Mozart para outros instrumentos, somente o Concerto para clarineta e a Ⓜ *Sinfonia Concertante* K 364 (uma de suas melhores obras) atingem as mesmas alturas; os outros são alegres e encantadores, música para se relaxar, nunca meditativa. (Os mais soltos de todos são o Concerto para trompa n. 3 e o Concerto para flauta n. 1; os melhores são o Concerto para dois pianos e o Concerto para violino n. 3.)

→ As obras correlatas ideais para o Concerto para piano n. 21 são os números 17, 19 e 23; os números 25 e 27 podem muito bem vir em seguida. Boas obras correlatas aos concertos mais ligeiros são o Concerto para violino n. 5 e o Concerto para oboé K 314 (também arranjado, por Mozart, como o Concerto para flauta n. 2). Dos concertos de outros autores, os melhores correlatos às obras mais ligeiras de Mozart são o Concerto para violoncelo em Dó e o Concerto para trompete, de Haydn; os concertos mais sérios podem levar o ouvinte ao Concerto para piano n. 1, de Beethoven.

Sinfonias Ⓜ Sinfonia n. 29, K 201 (1774) A maior parte das sinfonias de Mozart foi composta como música de entretenimento, um contraponto alegre aos seus divertimentos e serenatas (apesar de serem concebidas para a audição em concerto, e não para servir de fundo a conversas). Mesmo em seus últimos dez anos, sua forma orquestral favorita não era a sinfonia, mas o concerto para piano, e suas sinfonias tendem a ser melodiosas, fluentes e não exigem muito do ouvinte (apesar de a n. 29 abrir com uma dezena de compassos de um contraponto deliciosamente tortuoso e terminar com um grito extrovertido das trompas). As exceções são a Sinfonia n. 38 (a *Praga*), escrita para uma visita a Praga, quando produziu *As Bodas de Fígaro*, dividindo com aquela obra-prima todo o seu sabor bem-humorado, e suas três últimas sinfonias, escritas não para patronos ou para ocasiões públicas específicas, mas para agradar a si mesmo. A Ⓜ n. 39 é um doce contraponto às sinfonias de Haydn, em estilo igualmente engenhoso, do tipo "nem uma nota perdida"; a Ⓜ n. 40 é sentida e sombria; a Ⓜ n. 41 (a *Júpiter*) começa cerimoniosamente e termina com uma gloriosa brincadeira intelectual, meia dúzia de temas exibindo suas possibilidades como animais amestrados. As três sinfonias juntas são não apenas o ápice do próprio trabalho criativo de Mozart, mas também tornam diminuta a maior parte da música daquele século: elas resumem exatamente o que a música orquestral do século

XVIII estava tentando fazer e o que — pelo menos nas mãos de um gênio — ela podia conseguir.

→ Depois da n. 29, as melhores correlatas são a n. 31 (*Paris*) e a n. 33; a n. 38 pode levar até à mais estatuesca, mas não menos melodiosa, n. 36 (*Linz*). Das sinfonias de outros compositores, boas correlatas às obras mais alegres são as Sinfonias n. 2 e n. 3, de Schubert, e a Sinfonia *Italiana*, de Mendelssohn; a sinfonia de Bizet é um bom contraponto à n. 39 de Mozart, assim como a Sinfonia n. 95, de Haydn, é para a n. 40, também de Mozart; a n. 41 de Mozart é um bom caminho para a Primeira, de Beethoven.

MÚSICA VOCAL Dezenove Missas (incluindo o *Requiem*), quatro cantatas, *Vésperas* e uma dezena de obras corais e orquestrais menores; vinte e quatro óperas e outras obras para o palco (incluindo *Idomeneo, O Rapto no Serralho, As Bodas de Fígaro, Così Fan Tutte, Don Giovanni* e *A Flauta Mágica*); doze árias de concerto, a cantata *Exsultate, Jubilate* e um punhado de peças menores para voz solista e orquestra; cinqüenta canções para voz e piano.

Missas e outras obras religiosas Ⓜ Missa n. 16 (*da Coroação*), K 317 (1779). Tal como Haydn e Schubert, Mozart tinha pouco tempo para pôr solenidade em sua música religiosa. Suas Missas são alegres e brilhantes, com vívidos acompanhamentos orquestrais, árias em estilo operístico e coros tão terra-a-terra e compactos quanto os de qualquer oratório de *Händel. A Missa *da Coroação*, como seu título sugere, foi escrita para uma ocasião brilhante e é adequadamente triunfante e cerimonial; outras (por ex., Missa n. 6, K 192) são mais curtas, mais ligeiras e criadas para uso nos domingos comuns; somente uma, o inacabado Ⓜ *Requiem*, K 626 (1791, completado por Süssmayr), é de estilo solene e devoto. Suas obras vocais mais curtas incluem um comovente conjunto dos Salmos das *Vésperas* (Ⓜ*Vesperae Solemnes de Confessore*, K 339); uma alegre cantata para voz solo e orquestra, *Exsultate, Jubilate*, K 165, como um concerto vocal em três movimentos; e um moteto pequeno mas muito especial Ⓜ*Ave Verum Corpus*, K 618, para coro sem acompanhamento.

→ Missa n. 10, K 220; Haydn, Missa n. 3 (Missa *de Santa Cecília* n. 1); Missa em dó, de Beethoven.

Óperas Ⓜ*Le Nozze di Figaro* (*As Bodas de Fígaro*) (1786) (a ópera completa) Apesar de todas as suas delícias de melodia e harmonia, as óperas (cerca de uma dúzia) que Mozart escreveu na juventude são amarradas aos estilos comuns à época: *Mitridate* é séria e heróica, *La Finta Giardiniera* é uma farsa borbulhante, e assim por diante. Até mesmo em Ⓜ*Idomeneo*, a mais magnífica de suas grandes óperas, ele se ateve às convenções: apesar do esplendor da música, o libreto é dramaticamente fraco, o diálogo é rígido e os personagens não têm mais vida do que os de uma história em quadrinhos. A exceção é *Die Entführung aus dem Serail* (*O Rapto no Serralho*), uma espécie de comédia das Mil e Uma Noites, ambientada na Turquia: o diálogo falado torna os personagens plausíveis e as árias são Mozart no que ele tem de mais inteligente e mais cheio de sentimento. Em 1786, começou a trabalhar com o libretista Da Ponte, e seu estilo de composição operística mudou. Continuou a usar as velhas convenções (recitativos, árias, duetos formais e canções cheias de ritmo), mas estendeu-as e transformou-as em algo inteiramente novo. Suas últimas óperas são *opera buffa*, isto é, comédias com histórias implausíveis de sedução, logro, disfarce e truques de mágica (ou falsa mágica), mas, em vez dos habituais personagens de papelão, ele faz com que suas criaturas, pelo puro poder de sua música, pareçam ter emoções da vida real, tocando nossos corações apesar das coisas ridículas que fazem. (Os mais próximos equivalentes não-musicais são as comédias ao mesmo tempo doces e amargas de Shakespeare, tais como *Noite de Reis* ou *Como quiseres*.) *As Bodas de Fígaro* lida com o defraudamento de um Conde metido a importante, mas Mozart está menos interessado na história que nos personagens, a infeliz Condessa, o amoroso pajem Cherubino, o iludido e zangado Conde e, acima de tudo, Fígaro, um serviçal muito vivo, e a terrível Suzanna, que manipula os outros como se fossem marionetes, criando situações extremamente enroladas, aparentemente só pelo prazer de escapar delas. Ⓜ*Don Giovanni* é uma tragicomédia mais sombria, mais séria, sobre o sedutor Don Giovanni, que não liga a mínima para o mundo, faz o que lhe agrada e chega ao ponto de caminhar para a sua condenação (ele é arrastado para o Inferno ao final do último ato) com um grito de orgulhoso desafio. Ⓜ *Così Fan Tutte* ("São todas assim") é, musicalmente, a mais bela das últimas óperas de Mozart. O enredo é ainda menos ligado à vida real do que o de qualquer das outras, mas poucos personagens operísticos foram mais tocantemente retratados, ou receberam melodias mais maravilhosas para cantar, do que os quatro amantes no auge da ação. Ⓜ *A Flauta Mágica* é uma mistura de comédia (as aventuras de Papageno, um caçador de pássaros) e acontecimentos do outro mundo, de conto de fadas, envolvendo uma luta mágica entre os poderes da luz e das trevas.

→ Ninguém jamais escreveu óperas como as quatro grandes obras-primas de Mozart: *As Bodas de Fígaro*, *Don Giovanni*, *Così Fan Tutte* e *A Flauta Mágica* são as obras de maior interesse correlato umas das outras. *O Barbeiro de Sevilha*, de Rossini, tem vários dos mesmos personagens de *As Bodas de Fígaro*, e seu enredo é (no mínimo) mais rápido e mais engraçado, mas à música falta a profundidade da de Mozart. No século XX, Strauss (em *Der Rosenkavalier*) e Stravinsky (em *The Rake's Progress*) escreveram comédias de costumes no modelo de *Così Fan Tutte* e *Don Giovanni*, e *The Midsummer Marriage*, de Tippett, é uma ópera "mágica", no modelo de *A Flauta Mágica*, mas em cada um desses casos, apesar do clima ser semelhante, a música soa profundamente não-mozartiana. Talvez as melhores obras de interesse correlato do século XVIII sejam as óperas cômicas de Haydn, *No Mundo da Lua* e *A Ilha Deserta*, e as árias de concerto do próprio Mozart (compostas como peças de exibição individual para cantores que ele admirava ou como árias substitutas para suas próprias óperas ou de outros autores): entre as melhores estão Ⓜ*Ch'io mi Scordi di te*, K 505, e *Bella mia Fiamma*, K 528.

OBRAS PARA PIANO E DE CÂMARA Dezessete sonatas, treze grupos de variações, quatro fantasias e um conjunto de obras menores para piano solo; cinco sonatas, variações e outras obras menores para dois pianos; Sonata, Adágio e Fuga, para dois pianos; seis quintetos de cordas; vinte e três quartetos de cordas; Quinteto para clarineta; Quinteto para trompa; Quinteto para piano e sopros; Quarteto para oboé; seis quartetos para flauta; dois quartetos para piano; seis trios para piano; Trio para clarineta, viola e piano; Trio para cordas; Divertimento para violino, viola e violoncelo; Sonata para fagote e violoncelo; dois duos para violino e viola; trinta e cinco sonatas para violino; uma dúzia de minuetos, adágios e outros movimentos curtos para vários grupos de câmara.

Música para piano Ⓜ Sonata para piano n. 11, K 331 (1778) As composições para piano de Mozart vão desde as peças didáticas (bonitas mas triviais) até obras amplas, inspiradas, para seu próprio uso pessoal. Nesta sonata, uma das melhores, um conjunto de variações é seguido por um minueto e um enérgico rondó "à moda turca", freqüentemente tocado em separado. Das outras sonatas para piano solo, as melhores são a Ⓜ Fantasia K 396 e Sonata n. 14 (K 457), escritas em épocas diferentes mas habitualmente tocadas como um único grupo, e as suaves sonatas Ⓜ n. 10, K 330, e Ⓜ n. 16, K 570, notáveis ambas por seus próprios méritos e porque influenciaram as primeiras sonatas para piano de Beethoven. As obras de Mozart para dueto de pianos e dois pianos foram quase todas escritas para serem tocadas com sua irmã Nannerl; são extrovertidas e domésticas ao mesmo tempo, cheias de "recados" dissimulados entre os dois executantes, ambos pegando e repetindo a mesma música em modos diferentes e deliciosos. A maior parte das obras são de pequena escala, mas duas, a Ⓜ Sonata n. 5 para dois pianos, K 521, e a Ⓜ Sonata para dois pianos, K 448, são magníficas sinfonias para teclado.

→ Sonata para piano n. 8, K 310 (grandiosa), Sonata para piano n. 12, K 332 (descontraída); *Variações sobre "Unser dummer Pöbel meint"*, K 455 (extrovertida; também conhecida na forma de um arranjo orquestral, como último movimento da Suíte n. 4 de *Tchaikovsky). Na música para piano de outros compositores, as melhores correlatas às sonatas para piano solo são as sonatas n. 4 e 6, de Beethoven, e para as sonatas-duetos, a Sonata em si bemol, de Schubert.

Música de câmara Ⓜ Quinteto n. 3, K 515 (1787). Mozart compôs mais de duzentas obras de câmara; cem são composições substanciais (quintetos, quartetos, etc.); mais de quarenta peças são da mais alta qualidade. Em tais circunstâncias, escolher as melhores é, mais do que habitualmente, uma questão de gosto pessoal. De um modo geral, a primeira dúzia de quartetos de cordas, as vinte primeiras sonatas para violino, todos os quartetos para flauta e os trios para piano são música ligeira, peças didáticas ou para distração. Os melhores quartetos de cordas são os seis inspirados por, e dedicados a, Haydn (ns 14-19; o Ⓜ n. 19, da "Dissonância", K 465, é magnífico) e os três Quartetos "Rei da Prússia" (ns. 21-23), cuja textura é enriquecida devido à proeminente participação do violoncelo (foram escritos para que o próprio rei os executasse), e pelo peso extra dado às outras partes, a fim de equilibrá-lo. A exploração do resto do repertório poderia muito bem começar com o deliciosamente afiado Ⓜ Quarteto para oboé e o sedoso Ⓜ Quinteto para clarineta, passando-se em seguida para o Ⓜ Quinteto para piano e sopros, K 452. A maior música de câmara de Mozart, para muitas pessoas até mesmo as mais sublimes de todas as suas composições, são o Ⓜ Divertimento para violino, viola e violoncelo, K 563, e os quintetos de cordas 3-6. São autêntica música de câmara, escritas para o prazer particular dos executantes, tanto quanto para a platéia; sua riqueza vem principalmente do fato de que o próprio Mozart tocava neles a parte da viola e, ao dar a si mesmo música tão interessante, tanto enriqueceu as partes internas quanto elevou-se a alturas de inspiração nem sempre alcançadas na música que fez para outros. (O mesmo é válido para outras obras que escreveu para si mesmo, por ex., os concertos para piano.) O Quinteto n. 3 é a mais extrovertida de todas as suas obras; o Ⓜ n. 4 é um primo sombrio da Sinfonia n. 40, com a qual reparte a tonalidade; os Ⓜ Quintetos 5 e 6 são repletos de ingenuidade contrapontística, à maneira de sua Serenata para treze instrumentos de sopro.

→ Quartetos para piano 1 e 2; Sonata para violino n. 35, K 547; Quinteto para trompa. Da música de câmara de outros compositores, a de Haydn é a que mais se iguala à dele em qualidade: seus trios para piano são, no mínimo, melhores do que os de Mozart, e seus últimos quartetos para cordas igualam os quintetos de Mozart no gênio inventivo e na alegre musicalidade. (Os mais mozartianos de todos são os ns. 81-2, op. 77.)

MÚSICA ANTIGA

Os músicos profissionais usam este termo para a música composta antes da virada do século XVII, executada hoje em dia em estilos e instrumentos o mais próximos possível dos originais. O crescimento dos métodos de execução "autênticos" foi particularmente forte nos últimos vinte anos mais ou menos, e estes começaram a ser aplicados, com resultados impressionantes e muito estimulantes, também à música de compositores posteriores, especialmente *Bach, *Händel, *Haydn e compositores do começo do século dezenove. Mas, enquanto este aspecto da "música antiga" conquistou a imaginação do público em geral, a música anterior ao século dezessete ainda permanece como uma espécie de interesse de especialistas e a obra até mesmo de seus maiores mestres (Dufay, *Josquin des Prez, *Monteverdi) está levando mais tempo para entrar na corrente principal da música do que os seus devotos desejariam. Para recomendações de audição, ver os artigos sobre Byrd, Corelli, Josquin des Prez, Monteverdi e Palestrina, e especialmente os compositores de obras mencionadas em *música do século XV*, *música do século XVI*, *música do século XVII* e as partes apropriadas dos verbetes *compositores ingleses e irlandeses*, *instrumentos de cordas*, *instrumentos de sopro (metais)*, *instrumentos de teclado*, *música coral*, *música de câmara* e *música vocal*.

MÚSICA CONTEMPORÂNEA

Para músicos profissionais, essa expressão tem sentido distinto tanto de "música moderna" quanto de "música de vanguarda". Refere-se a obras compostas no século XX, em estilo experimental que foge à tradição e requer não apenas estudo, mas certa base de conhecimento para ser adequadamente apreciada. Assim como ocorre com a **música antiga*, muitas criações que se enquadram nessa classificação acabaram por deixar o âmbito restrito dos especialistas para cair no gosto de amplas audiências, tanto assim que são hoje muito apreciadas pelos freqüentadores de concertos. Para encontrar recomendações sobre as melhores delas, ver os verbetes sobre Berg, Boulez, Carter, Davies, Henze, Lutoslawski, Messiaen, Schoenberg, Tippett e Webern. Ver também *música de vanguarda* e *música do século XX*.

MÚSICA CORAL

Diferentemente da *música vocal, que usa vozes solistas, a música coral é executada por um coro — uma orquestra de vozes em que diversas pessoas cantam a mesma linha de notas ao mesmo tempo. Sua história é longa e variada, indo dos festivais competitivos na antiga Atenas, passando pelos coros de eunucos com que Cleópatra deliciava Júlio Cesar e os hinos corais que precediam os sacrifícios humanos astecas, chegando até os coros de milhares de pessoas que comemoram cada aniversário da Revolução Russa.

MÚSICA CORAL E A IGREJA CRISTÃ Desde os primórdios da religião, a música coral desempenhou um papel-chave no ritual. Freqüentemente um solista (o sacerdote) entoava (isto é, metade fala, metade canto) as palavras do serviço, e todos os demais entoavam em resposta. Nas igrejas cristãs esse entoar sem adornos, sem harmonia, é chamado de cantochão, e foi usado durante dezessete séculos. Em fins da Idade Média algumas experiências começaram a enriquecê-lo, acrescentando linhas de acompanhamento de diferentes notas (em harmonia ou contraponto), e por volta dos séculos XV e XVI já haviam transformado a música de igreja em uma emocionante e suntuosa forma de arte. As missas, motetos e outras obras corais de *Josquin, *Palestrina, *Lassus e outros são tão distantes do cantochão em que se baseiam quanto as catedrais são distantes da madeira e da pedra sem adornos.

Nenhum estilo musical subseqüente se adaptou tão bem à Igreja Cristã quanto o canto coral sem acompanhamento. Desde a Renascença, o uso pelos compositores católicos de estilos posteriores (por ex., acrescentando solistas e orquestras) transformou suas missas e outras obras religiosas em peças mais adequadas para salas de concertos do que para igrejas. (As obras multicorais do século XVII, por exemplo, de Giovanni Gabrieli, *Monteverdi e outros, transformaram a Catedral de São Marcos, de Veneza, numa espécie de picadeiro religioso: elas fascinavam a congregação com seu espetáculo, fazendo-a constantemente voltar as cabeças para ver de onde cada novo som provinha.) Existem Missas muito agradáveis escritas por *Mozart, *Haydn e *Schubert, mas elas fazem com que as belezas musicais se intrometam no significado religioso, e assim (como pode ser argumentado) deixam de cumprir seu propósito devocional. Essa tendência foi levada até os seus limites por compositores posteriores, em obras-primas capazes de atrair tanta atenção quanto a *Missa Solemnis*, de *Beethoven, as Missas, de *Bruckner, e os Réquiens, de *Berlioz, *Verdi e *Britten.

Uma progressão similar aconteceu na música protestante. No século XVII, após as reformas de Lutero, surgiu uma florescente música de igreja, baseada em hinos e especificamente voltada para envolver os corações, mentes e vozes de toda a congregação. Foi então que grandes compositores (tais como Heinrich Schütz e Dietrich Buxtehude) assumiram-na e estenderam seu âmbito musical e emocional até o ponto em que, graças à complexidade do som, a congregação tinha que ouvir, em vez de tomar parte. As cantatas de *Bach, e as Paixões de Bach e de outros autores, são musicalmente supremas, mas religiosas apenas na intenção. No oratório (inventado no século XVIII) compositores tais como *Händel foram ainda mais longe: um oratório, para todos os fins e propósitos, é uma ópera sobre um tema bíblico, com amplos coros, e não foi feito para ser executado em igreja. Desde então, ele se tornou, com a Missa católica, a preferida entre as formas musicais corais de grandes proporções, e muitos compositores de gênio o abordaram. Mas o *Elias*, de *Mendelssohn, *The Dream of Gerontius*, de *Elgar, *Joana d'Arc*, de Honegger, e o irresistível (e notavelmente pagão) *Belshazzar's Feast* ("O Festim de Baltasar"), de *Walton, são obras religiosas apenas no tema.

MÚSICA CORAL SECULAR Assim como a música religiosa celebra (pelo menos na teoria) o relacionamento entre os seres humanos e Deus, assim a música secular (isto é, não-religiosa) celebra temas mais terrenos (tais como amor, paisagem, batalha, até mesmo comida e bebida). Durante muitos séculos esses assuntos eram considerados mais apropriados para execuções particulares, domésticas, do que para coros públicos, e a música era adequadamente em pequena escala: canções solo, madrigais, rondas (cânones) e *glees* (canções ligeiras, sem acompanhamento, em geral para três ou mais vozes masculinas). (Para detalhes, ver *música vocal*.) Quando esse tipo de música deixou os salões, os compositores passaram a usar as mesmas formas amplas e estilos que dedicavam às suas obras religiosas, limitando-se a suavizar a textura para se adequar a temas mais ligeiros. Existe pouca coisa que permita distinguir as obras seculares de Palestrina ou de Monteverdi de suas obras sacras: eles usam os mesmos métodos, da mesma forma e com a mesma segurança.

Na Inglaterra dos séculos XVII e XVIII, *Purcell e seus sucessores como Mestres da Música Real desenvolveram um tipo particularmente suntuoso de música coral secular. Era a ode, ocasional ou cerimonial, uma obra ampla para solista, coro e orquestra, visando a marcar uma grande ocasião (tal como uma coroação), ou uma ocasião trivial (tal como a travessia segura do canal inglês por um monarca). As *Odes de Aniversário*, de Purcell, e os *Hinos Chandos*, de Händel, encontram-se entre as mais sonoras de todas as obras corais, e essa tradição tanto continuou na Inglaterra quanto se espalhou por outros países (a *Sinfonia Triunfal e Fúnebre*, de Berlioz, e a chauvinista *Canção do Triunfo*, de *Brahms, são exemplos bem diversos).

No século XVIII, quando a maior parte dos compositores ainda pelo menos professava uma convicção religiosa, a música coral secular era rara. (As cantatas "do Café" e "dos Camponeses", de Bach, e *As Estações*, de Haydn, são excelentes exemplos de uma espécie rara.) Mas nos séculos XIX e XX, quando o agnosticismo ou o ateísmo se tornaram mais aceitáveis, a música coral não-religiosa floresceu. A tradição começou com Beethoven (cuja Sinfonia *Coral* inclui a *Ode à Alegria*, de Schiller), continuou com as gigantescas obras corais e orquestrais de Berlioz, baseadas em Virgílio e Shakespeare, e seguiu em frente com as partituras de *Liszt, *Schumann, Brahms e *Mahler sobre textos de Goethe. (A Sinfonia n. 8, de Mahler, é uma das mais poderosas obras corais não-religiosas de qualquer época.) Uma das obras corais preferidas do século XX, *Carmina Burana*, de *Orff, distancia-se da Igreja tanto quanto parece possível: é a colocação em música ritmada e sensual de poemas celebrando as alegrias da primavera, do jogo, da bebida e do prazer erótico. *The Lament for Beowulf*, de Howard Hanson, põe em música a poesia anglo-saxônica, com tanta solenidade e magnificência como se fosse o *Gênese*; *A Child of Our Time*, de *Tippett, é um grito contra a atrocidade nazista, que toma sua forma emprestada à mais devota de todas as obras de igreja, *A Paixão Segundo São Mateus*, de Bach. Outros compositores trabalharam com igual confiança nos estilos tanto eclesiástico quanto secular. *Perséfone*, de *Stravinsky, por exemplo, se baseia no antigo mito grego, e seu *Les Voces* retrata uma festa de núpcias entre camponeses russos, mas poucas obras devocionais do século XX conseguem chegar aos pés de sua *Sinfonia dos Salmos* e *Cânticos de Réquiem*.

Para ouvir Um excelente e rápido exemplo do estilo coral sem acompanhamento de Palestrina — e da música de igreja da Renascença no que tem de melhor — é o seu *Stabat Mater*. (E também proporciona um fascinante contraste estilístico com o *Stabat Mater*, de Pergolesi, dois séculos posterior, e o de Poulenc, de mais dois séculos após.) Em pólos opostos no século XVIII encontram-se o hino de coroação *Zadok the Priest*, de Händel, e a efervescente *Missa Brevis*, K 192, de Mozart. Boas introduções para a música coral do século XIX são *O Adeus do Pastor*, da enorme cantata *A Infância de Cristo*, de Berlioz, a *Petite Messe Solenelle* ("Pequena Missa Solene"), de Rossini, e o etéreo *Requiem*, de Fauré. A música religiosa do século XX vai da austera *Missa*, de Stravinsky, até os vivazes *Chichester Psalms*, de Bernstein, e poucas obras corais seculares podem rivalizar com a *Serenade to Music* (versão coral), de Vaughan Williams, em beleza plácida, ou com a Sinfonia n. 4 ("Sinfonia da Canção Folclórica") de Harris, em sua verve enxuta. Para obras corais de maior importância, dos maiores compositores, ver os verbetes sobre J.S. Bach, Beethoven, Berlioz, Brahms, Britten, Bruckner, Elgar, Händel, Haydn, Josquin, Mahler, Mendelssohn, Monteverdi, Mozart, Orff, Palestrina, Penderecki, Purcell, Schubert, Stravinsky, Vaughan Williams e Walton; ver também *música do século XV*, *música do século XVI*, *música do século XVII* e *música do século XVIII*.

MÚSICA DE BALÉ

SÉCULO XVII Embora o balé seja uma das mais antigas artes cênicas — havia balé no Egito antigo e também na Grécia e Roma antigas — as primeiras partituras que conhecemos de música especialmente composta para o gênero se originam da França do século XVII, mais precisamente da corte de Luís XIV, grande amante da dança. Jean-Baptiste Lully (1632-87) compôs dúzias de peças para o deleite do rei, compreendendo desde minuetos e sarabandas individuais até obras bem mais complexas, associando dança, canto e diálogo. As composições mais conhecidas de Lully nesse terreno são uma série de comédias-balé baseadas em textos de Molière; a mais famosa de todas elas é *Le bourgeois gentilhomme*, da qual temos hoje tanto a sua versão original como outra, ainda mais farsesca e borbulhante, com letra de Hofmannstahl e música de Richard Strauss.

SÉCULOS XVIII E XIX No século XVIII e início do seguinte, o balé teve um prolongado período de recesso como gênero, poucas obras de vulto tendo sido reveladas — entre elas a criação ligeira de Mozart que é *Les Petits Riens*, e a pesada *As Criaturas de Prometeu*, de Beethoven —, embora dessa época tenham sido conservadas aquelas que foram compostas como entreatos operísticos: desde as peças relativamente breves como a *Dança dos Espíritos Abençoados*, da ópera *Orfeu*, de Gluck, até suítes bem mais longas, como a famosíssima música de balé da ópera *Fausto*, de Gounod.
Os parisienses do século XIX eram grandes apreciadores da inclusão de balés em óperas, tendo estabelecido então a voga de que qualquer obra montada pelo Théatre de l'Opéra, fosse qual fosse o seu compositor, ou o seu tema, deveria conter obrigatoriamente uma seqüência de dança. (Alguns compositores, como Meyerbeer, a isso se dedicaram com entusiasmo; outros, como *Rossini e *Verdi, escreviam seqüências como essas apenas para as apresentações na capital francesa.) Mas o balé floresceu também em locais menos augustos de Paris: no teatro Bouffles-Parisiens, por exemplo, as operetas de *Offenbach incluíam cancãs, polcas e barcarolas que tinham tanto sucesso popular quanto as valsas, marchas e polcas da família *Strauss encantavam as platéias vienenses. Outro compositor de operetas, Adolphe Adam, escreveu um dos primeiros balés de longa duração que até hoje fazem parte do repertório internacional: *Giselle* (1841). Apesar de seu argumento bobo (jovem camponesa apaixona-se por um conde anônimo e morre de tristeza ao descobrir a sua verdadeira identidade; depois, dança com ele a noite inteira para salvá-lo de inimigos sobrenaturais), a obra proporciona numerosas oportunidades de dança nos mais variados estilos, sem jamais descambar para o ridículo. Sua música é uma sucessão de pequenas peças belamente orquestradas, e o conjunto, em se tratando de uma opereta, realiza muito bem seus propósitos. Trinta anos mais tarde, duas outras obras vieram

juntar-se triunfantemente a *Giselle* nesse repertório "de confeitaria": *Coppélia* (1870) e *Sylvia* (1876), de *Delibes.

BALÉS DRAMÁTICOS Praticamente todos os balés escritos desde os tempos de Lully até os de Delibes consistiam em fragmentos musicais alinhavados uns aos outros para formar um todo mais ou menos narrativo. Foi então que se deu, na Rússia, um significativo passo à frente: as companhias de dança, bem como os *divertissements* (suíte de danças encadeadas) passaram a dar ênfase a narrativas dramáticas que se pudessem contar em termos de dança. (Algo semelhante ao que também se passava em meados do século XIX, com a ópera, quando deixou de ser uma seqüência de árias isoladas para transformar-se num todo coerente de "música dramática".) Os balés dramáticos desse tipo necessitavam, pois, de música com alguma substância sinfônica, e os compositores russos responderam admiravelmente a esse desafio: a tradição inclui entre tais obras o *Don Quixote*, de Minkus: *As Estações* e *Raymonda*, de Glazunov, e, acima de todos, *A Bela Adormecida, O Quebra-Nozes* e *O Lago do Cisne*, de *Tchaikovsky. Paralelamente a essas obras relevantes, as companhias russas de balé ofereciam também apetitosos *hors d'oeuvres*, como as *Danças Polovtsianas* da ópera *Príncipe Igor*, de *Borodin, e *Les Sylphides*, de *Chopin (arranjo orquestral de várias peças para piano muito apreciadas). No início do século XX, Diaghilev levou o balé russo para a França, e foi graças a ele que, a partir de então, o balé se transformou num espetáculo que somente a ópera consegue ultrapassar em opulência, exuberância e estima popular. Entre os numerosos grandes balés que sua companhia produziu figuram *O Espectro da Rosa* (sustentado pela obra de *Weber, *Convite à Valsa*), *Daphnis et Chloé*, de *Ravel, *El Sombrero de Tres Picos*, de *Falla, *O Pássaro de Fogo*, de Petruchka e *A Sagração da Primavera*, de *Stravinsky.

SÉCULO XX Compositores do século XX continuaram a desenvolver o repertório com obras totalmente concebidas para esse fim (*Cinderela* e *Romeu e Julieta*, de Prokofiev, são belos exemplos disso) ou com arranjos de *divertissements* a partir de suas próprias composições ou das de terceiros (*Pineapple Poll*, de Mackerras, baseado em músicas de Sullivan, e *The Prodigal Son*, de Hossack, baseada em pequenas peças de Scott Joplin, são deliciosos e divertidos balés). Na década de 30 uma nova forma surge em cena: o *balé sinfônico*: são balés montados a partir de música de concerto preexistente, quer fosse adequada ao gênero (como, por exemplo, a *Sinfonia Fantástica*, de *Berlioz), quer não (como ocorre com o decorrente das *Variações Goldberg*, de Bach, ou da Sinfonia *Coral*, de Beethoven). O uso de obras sinfônicas dessa maneira, bem como a alta qualidade de algumas composições específicas para esse fim, como as de Tchaikovsky, Stravinsky e outros, acabou por desfazer a impressão de que a música de balé fosse irrelevante ou de segunda categoria, mera coadjuvante da dança. Obras compostas por encomenda por companhias de balé resultaram em verdadeiros marcos musicais do nosso século, como *O Mandarim Maravilhoso*, de *Bartók, *Apollon Musagète*, de Stravinsky, *Appalachian Spring*, de *Copland. Formou-se então um círculo perfeito: ao invés da música de balé ser meramente ouvida a partir do poço da orquestra e servindo apenas para reunir os dançarinos em seu trabalho, ela pulou para o palco das salas de concerto, libertando-se da coreografia e passando a ser aceita em seus próprios e puros termos sonoros. Sem qualquer preconceito, nada nos parece tão absurdo do que ouvir, seja em gravações, seja em concertos, música originalmente escrita para *acompanhar* alguma atividade artística qualquer — incluímos neste reparo as partituras musicais de filmes cinematográficos — mas quem, apesar disso, se poderá, em sã consciência, privar do prazer de ouvir obras tão encantadoras como *O Pássaro de Fogo*, *Romeu e Julieta* ou a suíte *Quebra-Nozes*?

Para ouvir **A música da maioria dos balés mencionados acima é regularmente executada, seja em sua integridade, seja em suítes de concerto. A suíte *Coppélia*, de Delibes, e a suíte *Giselle*, de Adam, são excelentes introduções; *Les Sylphides*, de Chopin, e**

Pineapple Poll, de Sullivan, continuam agradavelmente a linha tradicional. Balés de maior substância, como *O Lago do Cisne* e *Cinderela*, talvez sejam até melhor apreciados como suítes orquestrais antes de serem vistos como espetáculo completo num teatro; certas partituras de balé (por exemplo, *Petruchka*, *Appalachian Spring*; *Jeux*, de Debussy, e *Job*, de Vaughan Williams) têm tal força como peças de concerto que alguns ouvintes chegam a achar perturbadora sua montagem cênica. ("Balés sinfônicos", exceção feita daquelas pessoas que não se incomodam em ter sua música clássica vestida com as interpretações dramáticas de terceiros, são talvez melhor apreciados por baletômanos, como também ocorre com os "balés abstratos", aqueles em que movimentos *ginásticos*, e *não* o enredo, são o mais importante! *Agon*, de Stravinsky, e *Secular Games*, de Starer, são exemplos típicos.) No entanto, há toda uma quantidade de adocicadas peças de concerto favoritas do público que devem sua existência ao balé e são apreciadas pela comunicação *musical* direta que estabelecem com os ouvintes: o sapateado de *La Fille Mal Gardée*, de Hérold (em arranjo de Lanchbery), o Adagio, de *Espártaco*, de Khatchaturian (assim como a *Dança do Sabre*, de seu balé *Goyane*) e — com um pouco mais de substância — os balés *Gaîté Parisienne*, adaptado do original de Offenbach por Manuel Rosenthal, *La Boutique Fantasque*, de Respighi, *Matinées/Soirés Musicales*, de Britten (arranjos de peças de Rossini) e os *Four Dance Episodes* do *Rodeo*, de Copland. Para pormenores de obras de grandes compositores de música de balé, ver os verbetes sobre Bartók, Debussy, Falla, Milhaud, Prokofiev, Stravinsky e Tchaikovsky. Ver também, para informação sobre assuntos variados, o verbete *compositores de obra singular*.

MÚSICA DE CÂMARA

Como seu nome sugere, a música de câmara é adequada à execução em espaços menores (ao contrário de *sinfonias ou *óperas, cujo maior número de participantes requer ambientes mais amplos). Geralmente envolve a participação de dois até doze executantes, e a *duplicação* (mais de um intérprete tocando a mesma parte, como ocorre numa orquestra) é excepcional. Precisamente por isso, a música de câmara é a forma mais aconchegante e reservada de manifestação musical, e até o século XVIII era predominantemente escrita para a interpretação de amadores.

CONSORTS, SONATAS E TRIO-SONATAS As mais antigas peças de música de câmara ainda hoje executadas são os *consorts* instrumentais escritos nos tempos medievais e da Renascença. São de curta duração, geralmente para dois até cinco intérpretes, e contrapontísticas (ver, no Glossário: *contraponto*). O conjunto mais freqüente é o de instrumentos da mesma família (por exemplo: flautas doces ou violas bastardas de vários tamanhos); os conjuntos mistos — ou *broken consorts* em inglês, língua em que se tornou conhecida a designação — reuniam instrumentos de famílias distintas. Na Europa do século XVII, essa forma altamente requintada e intimista cedeu lugar a outra, bem mais extrovertida, a *sonata. Sonatas para instrumento solista tornaram-se então extremamente populares, mas foram desbancadas no século seguinte, primeiro pela trio-sonata (ver *sonata*) e, depois, pelo quarteto de cordas (ver mais adiante); mas as preferências vão e voltam, e no século XIX as sonatas para um só instrumento tiveram triunfante revivescência, e se têm mantido até hoje em posição de destaque no repertório musical de câmara.

QUARTETOS, QUINTETOS, ETC. Com o avançar do século XVIII, muitos compositores começaram a substituir o baixo contínuo (violoncelo e cravo) em suas obras de câmara, pois os cravos estavam cedendo lugar aos pianos, e o tom desses instrumentos, de início, era suave demais para integrar uma satisfatória combinação musical. Como alternativa ao contínuo, passaram a utilizar instrumentos de voz mais encorpada (violas, entre os de corda, e trompas ou clarinetas, entre os de sopro), e tão logo seus executantes lhes dominaram os segredos técnicos, os novos *consorts* eclipsaram todas as combinações anteriores. Formas favoritas passaram a ser os quartetos e quintetos de cordas, bem como os quintetos de sopro (para mais detalhes, ler o último parágrafo deste verbete). Inicialmente simples e jovial, tal estilo de composição passou a ser, na segunda metade do século XVIII, graças às obras de vários compositores importantes, bem mais complexo e capaz de desenvolver estruturas musicais tão densas como as de qualquer sinfonia. Os quartetos de cordas de *Haydn, assim como os quartetos e quintetos de *Mozart, por exemplo, figuram entre as obras mais notáveis desses músicos.

MÚSICA DE CÂMARA DO SÉCULO XIX Dada a sua crescente complexidade, o inevitável aconteceu: os amadores não mais puderam acompanhar o desenvolvimento do repertório, que passou a exigir intérpretes de real capacidade profissional. Estes, por sua vez, não tocavam de graça, o que levou a música de câmara a deixar os salões das casas de família e ganhar as salas de concertos. Apesar disso, continuava muito maior o brilho do solista virtuose do que o do bom executante que subordinasse sua personalidade às imposições de tocar em conjunto, como em um quarteto, mesmo que este fosse tão exigente em termos de técnica como os de *Beethoven, por exemplo. Os músicos em busca de notoriedade pessoal começaram, por isso mesmo, a dedicar menos interesse à música de câmara, e ela caiu bastante de moda, sendo mantida viva por alguns poucos compositores (principalmente *Brahms), que ainda se dedicavam a ela por prazer pessoal e para o deleite de amigos mais chegados.

MÚSICA DE CÂMARA DO SÉCULO XX No século corrente, a música de câmara voltou ao cartaz. À medida que as orquestras se expandiam e a música que executavam apresentava dificuldade crescente, muitos instrumentistas se voltaram uma vez mais para as obras camerísticas como alternativa menos complicada. Alguns deles chegaram mesmo a organizar conjuntos para interpretá-la profissionalmente e ela se viu outra vez em plena voga, com audiências entusiásticas e bom número de intérpretes especializados. Reconquistou seu *status*, portanto, e as melhores obras contemporâneas do gênero (os quartetos para cordas, de Bartók, por exemplo) provocam a mesma interação emocional que uma sinfonia ou uma ópera, no sentido em que executantes e ouvintes se reúnem para a criação e a compartilhação de uma experiência verdadeiramente preciosa. Não deixa de ser paradoxal, por outro lado, que a música de câmara tenha retornado ao âmbito doméstico: as emissoras de rádio e as gravações fonográficas revelaram suas recônditas belezas e contribuíram para que elas fossem devidamente apreciadas em ambientes mais íntimos e tranqüilos, de uma forma como já não ocorria (a não ser por alguns poucos aficionados autênticos) desde os tempos de Beethoven.

Para ouvir Boas amostras da música de câmara do século XVII nos são dadas pelos joviais *consorts* de Anthony Holborne (cujos títulos característicos são *Ronda Noturna*, *Paz de Espírito*, *Ah, é Feriado!*) e pelas Fantasias em três e quatro partes, para viola bastarda, de *Purcell, que figuram sem favor entre as mais nobres de todas as obras contrapontísticas escritas antes de *Bach. O imenso repertório de sonatas e trio-sonatas, que preenche uma das mais agradáveis fases da história da música de todos os tempos, tem breve descrição no estudo dedicado à *sonata neste livro. Sugestões auditivas quanto a outros tipos de música de câmara são as seguintes:
Trios para piano (violino, violoncelo e piano) Trio em sol (*Rondó Cigano*, de Haydn); Trio n. 4, op. 90 (*Dumky*), de Dvořák; Ⓜ Trio n. 7, op. 97 (*Arquiduque*), de Beethoven.
Quartetos para cordas (dois violinos, viola e violoncelo) Ⓜ Quarteto n. 17, K 458 (*A Caça*), de Mozart; Quarteto n. 12, op. 96 (*Americano*), de Dvořák; *Serenata Italiana*, de Wolf.
Quintetos para cordas (quarteto de cordas mais uma segunda viola, ou um segundo violoncelo) Quinteto, op. 30 n. 6, de Boccherini; Ⓜ Quinteto n. 4, K 516, de Mozart; Ⓜ Quinteto n. 2, op. 111, de Brahms.

Quintetos para sopro (flauta, oboé, clarineta, trompa e fagote) Quinteto, op. 56 n. 3, de Danzi; *Trois Pièces Brèves*, de Ibert; Ⓜ *Quinteto de Sopro*, de Nielsen.
Outras peças Ⓜ Quarteto para oboé, K 370 (oboé, violino, viola e violoncelo), de Mozart; Septeto, de Beethoven (clarineta, trompa, fagote, quarteto de cordas); Quinteto *A Truta*, de Schubert (piano, violino, viola, violoncelo e contrabaixo); Ⓜ Octeto, de Mendelssohn (dois quartetos de cordas); Ⓜ Octeto, de Schubert (clarineta, trompa, fagote, quarteto de cordas, contrabaixo); Ⓜ Quinteto para clarineta, K 581, de Mozart (clarineta e quarteto de cordas).
Para outras recomendações de obras escritas pelos maiores compositores de música de câmara, ver os verbetes sobre J.S. Bach, Bartók, Beethoven, Brahms, Corelli, Dvořák, Fauré, Händel, Haydn, Mozart, Schubert, Telemann e Tippett. Ver também *sonata*.

MÚSICA DE IGREJA

Para comentários sobre aspectos gerais, ver *música coral*. Para análise da obra de alguns dos melhores compositores de música de igreja, ver os verbetes J.S. Bach, Byrd, Josquin, Monteverdi, Palestrina, Purcell e Stravinsky.

MÚSICA DE VANGUARDA

A palavra *vanguarda*, do francês *avant-garde*, significava originalmente as forças avançadas de um exército, as tropas que iam à frente, preparando caminho para o corpo principal e dando à população civil uma amostra do que estava por vir. No campo das artes, a vanguarda lança mão dos estilos mais recentes ou até experimentais, que abrem caminho para outros, sendo recebida com a mesma simpatia que civis intranqüilos dedicariam a soldados invasores.

Na música, sempre houve uma vanguarda, e ela sempre foi mal recebida. Na Idade Média, compositores de música sacra que se dispusessem a experiências com o modernoso conceito de harmonia (a utilização simultânea de várias notas) seriam considerados como poluidores da verdadeira adoração a Deus, e alguns até chegaram a ser excomungados por isso; no século XVI, um concílio da Igreja Católica Romana censurou o fato de que o acompanhamento musical das missas estava sendo sufocado pela moda de atribuir-se dúzias de notas a cada palavra e determinou que a cada sílaba fosse atribuído um único som; o imperador José II, da Áustria, cortesmente comunicou a *Mozart que sua música "tinha notas em demasia"; um crítico londrino escreveu que a Oitava Sinfonia de *Beethoven era "excêntrica sem ser divertida, e muito elaborada sem ter resultados significativos"; um comentarista francês, fazendo piada, disse que *A Sagração (Le Sacre) da Primavera* deveria mudar seu título para *O Massacre (Le Massacre) da Primavera*; um crítico nova-iorquino disse que, para ter escrito *Pierrot lunaire*, *Schoenberg deveria ser "um doido varrido ou um vigarista muito esperto"; uma peça para piano, de *Bartók, deu a um ouvinte a impressão de que "o compositor passeava pelo teclado usando pesadas botas"; o próprio *Chopin, apesar de toda a sua delicadeza, foi denunciado em seu tempo como "alguém que se compraz nas mais absurdas e hiperbólicas extravagâncias", e cujas obras apresentavam "uma mistura heterogênea de palavrosa hipérbole e insuportável cacofonia".

SÉCULO XX No início do século XX, a procura de "novos sons para uma nova era" conduziu os compositores de vanguarda a dois caminhos distintos. Alguns deles usaram harmonias e estruturas do século XIX de maneira desordenada, até que uma linguagem que *Wagner ou *Liszt teriam aplaudido viesse à tona envolta no que um crítico (descrevendo uma peça de Richard *Strauss) chamaria de "barulho orgíaco". Outros conceberam sons de modelo completamente novo: o "futurista" italiano Luigi Ruscolo escreveu obras que utilizavam guinchos, pancadas ou sons plangentes, entre outros, produzidos por estranhos aparelhos; Alois Hába adaptou instrumentos tradicionais a fim de que admitissem quartos de tom, sétimos de tom ou intervalos ainda menores; Pierre Schaeffer emendou gravações em fita magnética de efeitos sonoros naturais, para chegar ao que chamou de *musique concrète* (música concreta). Nos Estados Unidos, na década de 40, John Cage colocou pedaços de borracha, de pano ou de madeira entre as cordas do piano e compôs um *Concerto* e outras obras para "piano preparado" — peças que chocaram bastante a seu tempo, mas hoje são recebidas com a tolerância que nos dispomos a conceder a música suave, serena, aconchegante, própria para meditação. Na Polônia, Penderecki leva seus naipes de cordas a usar os arcos tanto acima como abaixo da ponte, e seus trabalhos *A Paixão Segundo São Lucas* e *Trenódia para as Vítimas de Hiroxima* são obras-primas.

Ocorre algumas vezes que certos compositores, parecendo de vanguarda em sua época, no fundo foram mesmo de grande talento criador, e capazes de granjear considerável número de adeptos. Foi o que aconteceu com Beethoven e Wagner, no século XIX, e com figuras a certa altura tão vilipendiadas como Bartók, Schoenberg, *Webern e Stravinsky, no século XX. Outros compositores de vanguarda fizeram relativamente pouco, para o progresso da arte musical, mas suas experimentações deram vitalidade e características muito pessoais ao que criaram. Bons exemplos disso, neste século, são *Ives, *Satie e György Ligeti. Com referência a outros nomes, as opiniões ainda permanecem divididas: para uns, Edgard Varèse foi, mesmo, o gênio solitário que seus admiradores apregoam; para outros, suas obras (por exemplo, *Ionisation*, para percussão, e *Intégrale*, para orquestra) não passam de mediocridades que nos dilaceram os tímpanos. Será que no futuro algum ser humano se recordará de Milton Babbitt e Iannis Xenakis — que se utilizaram de computadores para o planejamento de suas seqüências de notas (ouvir, a propósito, *Ensembles for Synthesizer*, de Babbitt, e *Antikhthon*, de Xenakis) — ou apenas os computadores o farão? A vanguarda de hoje está favorecendo o que chama de "música infinita", torrentes de acordes ou notas incessantemente repetidas, com alterações mínimas a interromper de quando em quando o fluxo. Algumas dessas composições — *Drumming*, de Steve Reich; *Melodien*, de Ligeti, ou *Four Pianos*, de Brian Chapple — são atraentes e antes acariciam do que alarmam os nossos ouvidos. Será que nossos bisnetos recordarão esses nomes e pesquisas com a mesma reverência que hoje temos por Berlioz ou Tchaikovsky, que foram bichos-papões para nossos bisavós?

Para ouvir A menos clangorosa introdução à vanguarda musical do início do século XX poderá ser dada por intermédio de Satie (por ex., *Parade*) ou de Ives (por ex., *The Unanswered Question*). Do meio do século, *Sonatas and Interludes*, de Cage, e *Baroque Variations*, de Foss, são peças recomendadas; e criações mais recentes são Concerto Duplo, de Ligeti, *Projections*, de Feldman, e *Sinfonia*, de Berio. Quem desejar pratos mais fortes poderá ouvir a música microtônica de Hába, as obras de Varèse e peças de música cênica como *Eight Songs for a Mad King*, de Maxwell *Davies, ou *A Balsa de Medusa*, de *Henze. Sobre outras recomendações, ver os verbetes sobre Boulez, Carter, Lotoslawski, Messiaen, *música do século XX*, Schoenberg, Stokhausen e Webern.

MÚSICA DO SÉCULO XV

Para os historiadores da música, poucos períodos são mais gratificantes do que o século XV. Até então, apesar de ter havido alguns poucos músicos individuais de gênio (por ex., Guillaume de Machaut, cuja música de igreja ainda é ocasionalmente ouvida), a maior parte da música era anônima, e a função a que servia (culto na igreja ou diversão secular) era mais importante do que qualquer contribuição artística individual. Por volta do final do século, no entanto, as coisas haviam mudado completamente. Não somente a arte da composição se desenvolvera ao ponto em que a música tendia a dominar as ocasiões em que era executada, e não apenas havia sido lançada a semente para as glórias da música de igreja do século XVI (uma das mais suntuosas de todas as realizações artísticas humanas), como também diversos compositores de nível internacional — Dufay, Ockeghem, *Josquin des Prez — haviam produzido uma obra tão individual e impressionante para sua época quanto a de *Haydn ou *Mozart foi para a deles.

Uma das principais razões para esse aumento de excelência foi a existência de centenas de pequenas cortes européias (mais de trezentas somente na Alemanha), cada qual buscando superar as outras em magnificência. Os príncipes do século XV empregavam artistas de todos os tipos, incluindo músicos, e os estimulavam a fazer avançar suas artes das formas mais suntuosas e extravagantes que era possível. As capelas ducais, em particular, e os mosteiros, aliados às cortes ou favorecidos por elas, eram lugares para extravagantes exibições públicas, para formas de culto tão exuberantes quanto uma coroação moderna. Para servir a toda essa grandiosidade, os compositores das cortes começaram a usar um elaborado e sinuoso contraponto e o tipo de calorosa harmonia que as pessoas antes consideravam mais adequada a canções de amor seculares do que à adoração de Deus. Coros foram formados (freqüentemente a partir das próprias escolas corais, oferecendo um magnífico treino para os meninos com habilidade musical: e, quanto mais habilidosos se tornavam, mais desafiadoras eram as músicas que os compositores escreviam para eles.

Na vida social longe da igreja, a música fornecia tanto a cerimônia quanto o entretenimento. A música cerimonial consistia em fanfarras, canções de louvor, comemorações de nascimentos, casamentos e vitórias (por ex., a jovial *Canção de Agincourt*, popular, pelo menos na Inglaterra, desde 1415 até os tempos de Shakespeare), e — uma forma favorita na época — *deplorations*, ou lamentos, pela morte de alguma pessoa de distinção. A música de entretenimento visava a servir tanto como um fundo para refeições, caçadas, bordados ou conversação (e era adequadamente discreta), quanto para ser ouvida e desfrutada por si mesma. Uma parte dessa música secular permaneceu robustamente simples, mas os compositores das cortes mais extravagantes combinavam novos e ricos estilos de igreja com ritmos de danças folclóricas, instrumentos do dia-a-dia (banidos da igreja) e letras claramente frívolas e não-religiosas (por ex., a respeito de caçadas, sexo e amor), produzindo um estilo secular mais "artístico" e elegante do que qualquer outra coisa que já se tivesse conhecido em música.

Para ouvir Para o ouvinte moderno, seja em concertos ou através de gravações, o modo mais fácil de entrar em contato com o repertório do século XV é através de antologias. Nos últimos trinta anos houve um interesse enorme pela "música antiga", e muitos solistas e grupos hoje em dia se especializam em executar obras cortesãs, cerimoniais e religiosas pré-renascentistas. (Uma vez que muitas das peças são curtas, costumam ser agrupadas de uma forma que nenhum ouvinte do século XV teria esperado ou compreendido, mas a música perde muito pouco com isso.) A corte da Borgonha no século XV era particularmente rica em compositores, e as antologias de música borgonhesa são recomendadas acima de todas as outras.

O segundo caminho para esse período é ouvir a música de quatro de seus principais compositores. Guillaume Dufay (c. 1400-1474) foi um compositor borgonhês, famoso em sua época pela música de igreja (por ex., a Missa *Se la face ay pale*), mas também lembrado hoje em dia pelo ritmo sincopado, a brilhante harmonia e as ágeis melodias de suas canções e outras obras seculares. Antoine Busnois (morto em 1492) foi compositor da corte de Carlos, o Temerário, da Borgonha, e especializou-se em alegres canções corais, ancestrais do mais divertido tipo de madrigal (ver *música vocal*) ou das canções galopantes das óperas cômicas. Johannes Ockeghem (c. 1410 - 1497), mestre da Real Capela Francesa, era considerado o melhor compositor de igreja de sua época. Seus alunos (entre eles Josquin) difundiram seu estilo por toda a Europa; ele é o verdadeiro pai do sensual contraponto que dominou a música de igreja nos dois séculos seguintes e suas próprias obras (por ex., a Missa *Ecce ancilla Domini*) encontram-se entre as jóias do gênero. Para a música do quarto e maior compositor, o *Beethoven do século XV, ver o artigo sobre Josquin des Prez.

MÚSICA DO SÉCULO XVI

Na maior parte da Europa, a velha divisão do século XV entre a música sacra e a secular ainda tinha validade. A música sacra era feita em grande escala e de forma séria. Usava vozes, na maior parte desacompanhadas — os instrumentos eram considerados frívolos demais para a igreja — e era a arte mais elevada a que um compositor poderia aspirar. A música secular era mais curta, mais simples e mais alegre. Usava instrumentos e vozes (ao acaso: as peças eram descritas como "próprias para instrumentos ou vozes"), e freqüentemente era na forma de dança da época (pavana, galharda, corrente), e incorporava canções folclóricas e melodias populares (por ex., *Greensleeves*, um sucesso na Grã-Bretanha durante a maior parte do século). Não foi senão ao final da década de 1580 que os compositores começaram a tratar a música como uma arte única e indivisa (ver Monteverdi), e não foi senão no século seguinte que essas experiências produziram frutos reais (ver *música do século XVII*).

MÚSICA POLIFÔNICA PARA IGREJA Uma vez ou duas na história da música ocidental, os compositores desenvolveram formas musicais quase perfeitas, ideais para seus propósitos e aparentemente acima de qualquer melhoria. Os exemplos são os quartetos de cordas e as sinfonias do século XVIII, a grande ópera italiana do século XIX e a música polifônica da Igreja Católica Romana no século XVI.

Polifônico significa "de muitas vozes": a música polifônica é como uma tapeçaria de linhas vocais entretecidas. É como se cada grupo de vozes no coro (sopranos, contraltos, tenores, baixos) tivesse uma melodia separada durante toda a música, e as melodias se misturassem e se harmonizassem para produzir o efeito final. Normalmente, uma linha vocal começa sozinha e as outras se seguem, a princípio imitando as notas do primeiro grupo, mas logo se ramificando em suas próprias novas melodias. A experiência total é como uma oração dirigida, com as vozes pegando, repetindo e variando as idéias propostas pelo líder; elas também sugerem a alguns ouvintes as pilastras ramificadas e os tetos com vigas em formas de arcos das catedrais, para as quais eram compostas.

A música polifônica desenvolveu-se lentamente, através das obras de compositores tais como Machaut, Dufay e *Josquin, para atingir um auge emocional e devocional no século XVI. Seu apogeu foi breve (a vida de *Palestrina, ou Lassus) e no século XVII ela teve um desenrolar glorioso, porém decadente, com os compositores (por ex., Gibbons ou Schütz: ver *música do século XVII*) adaptando-a a novas idéias tanto em música quanto em religião, dessa forma corrompendo-a no mesmo momento em que a praticavam. Da mesma maneira como ocorreu com formas posteriores, como a sinfonia ou a ópera, essa música tinha um estilo internacional com regras bem estabelecidas, e isso significa que, à primeira audição, a música de compositores de segunda classe poderia parecer muito pouco diferente daquela dos grandes mestres. Mas as missas de Palestrina, Lassus e *Byrd tocam a alma e o intelecto do ouvinte de formas que obras mais fracas não conseguem. A música é descontraída e incansável, desafiando e satisfazendo tudo a uma só vez, um paralelo exato da experiência religiosa que ela glorifica. A Missa (com suas cinco partes, Kyrie, Gloria, Credo, Sanctus e Agnus Dei, tão unidas e compactamente organizadas quanto os movimentos de uma sinfonia) mostram o estilo polifônico em sua melhor forma, mas ela também é ideal para obras menores: grupos de salmos, orações (por ex., *Ave Maria*), cânticos (por ex., *Magnificat*), hinos e motetos.

MÚSICA SECULAR Em sua música vocal secular, muitos compositores do século XVI tentaram encontrar equivalentes para as estruturas polifônicas religiosas. Escreveram madrigais, por exemplo, como uma tapeçaria imitando o autêntico estilo polifônico. Mas a maior parte dela, faltando-lhe a inspiração dos textos sacros, soa pretensiosa e vazia. Os madrigais de Palestrina, por exemplo, são tão habilidosos quanto sua música religiosa, mas são um corpo feito só de cabeça, sem coração: simulam a descrição do amor ou da perda sem jamais convencer o ouvinte de que Palestrina estivesse ligando a mínima importância ao significado do que escrevia.

A música vocal secular de maior sucesso costumava ser feita num estilo firme e direto, baseado menos no entretecer de melodias do que nos acordes e nas harmonias dedilhadas usadas pelos alaúdes, violões e instrumentos de teclado. As *chansons* de Claude le Jeune, as *chansons* e madrigais de Lassus ou *Monteverdi e os madrigais da "escola inglesa" (Byrd, Morley e outros) encontram-se entre as glórias dessa era — e sua glória vem da contenção, de uma equivalência emocional entre texto e música e, acima de tudo, da brevidade: são tão precisos quanto poemas.

Os compositores de música instrumental, sem a restrição das palavras, tiveram mais sucesso com a polifonia, escrevendo fantasias e tocatas em um estilo "erudito" tão rico quanto o das fugas de *Bach, de cento e cinqüenta anos depois. Para a música não-polifônica, eles preferiam grupos de variações, freqüentemente sobre canções folclóricas ou melodias populares (um adorável exemplo é *Mein junges Leben hat ein End'*, de Sweelinck), e "peças climáticas" (por ex., *The Battel*, de Byrd, para solo de cravo, com tudo a que tem direito, imitações do toque de trompetes, cascos em galope, armas se entrechocando e gritos de vitória).

Para ouvir Como acontece com a música do século XV, as gravações de antologias fornecem um bom exemplo sonoro da música do século XVI: madrigais, peças instrumentais e pequenas obras de igreja são particularmente bem servidos. A obra de três compositores em particular demonstra o âmbito e o alcance dos estilos do século XVI, oferecendo ao ouvinte delícias de rara qualidade. Orlando de Lassus (c. 1532-1594) foi o *Telemann de sua era: enormemente prolífico (há mais de duas mil obras que sobreviveram), era fluente em todos os estilos, desde as Missas à moda de Palestrina (por ex., a excelente *Missa pro Defunctis*, de 1580), passando por madrigais e canções em dialeto (por ex., a serenata do soldado bêbado *Matona mia Cara*), até danças instrumentais e fantasias didáticas no estilo mais erudito. Tomás Victoria (1548-1611) escreveu música de igreja com uma sonoridade e paixão que perdem apenas para a de Palestrina: seus motetos (por ex., *Vexilla Regis* ou *O quam Gloriosum est Regnum*) são contraponto polifônico naquilo que este pode ter de mais emocionante e ornamentado. Jan Pieterszoon Sweelinck (1562-1621) especializou-se em obras instrumentais e suas fantasias (por ex., *Echo Fantasia 12*) e grupos de variações (por ex., *Mein junges Leben hat ein End'*, sobre uma melodia folclórica ou *Puer Nobis Natus Est*, sobre um hino de Natal) são miniaturas perfeitas. Para muitos ouvintes, a música britânica do século XVI é uma das melhores em toda a história daquele país; para recomendações, ver o verbete sobre *compositores ingleses e irlandeses*. Para a música dos melhores compositores do século XVI, ver os verbetes sobre Byrd, Monteverdi e Palestrina.

MÚSICA DO SÉCULO XVII

No século XVII, a música ocidental mudou de direção. Até então, a ênfase dos compositores sérios se concentrara em elaboradas obras sacras, oferendas cheias de dignidade à casa de Deus, com a música para entretenimento desempenhando um papel bastante secundário. Agora a balança mudava. À parte uns poucos indivíduos de gênio (Gibbons, Schütz, Buxtehude), os músicos de igreja eram obscuros e os principais compositores preferiam as formas seculares recém-aperfeiçoadas da **ópera*, **concerto* e **sonata*. O eclipse da música da Igreja Católica significou o declínio do suntuoso estilo polifônico para ela criado (ver *música do século XVI*), e a música harmônica, usando instrumentos, tomou o seu lugar. Para os ouvidos modernos, enquanto a música do século XVI consegue soar magnífica, porém remota, arte de uma era estranha, a música do século XVII é mais próxima da arte que conhecemos hoje.

MÚSICA DE IGREJA O declínio da polifonia teve duas causas. A primeira foi a reforma religiosa iniciada por Martinho Lutero (1483-1546). Entre outras mudanças, Lutero propunha que os serviços da igreja se dessem nas línguas nativas, compreensíveis por todos, e deveriam envolver a congregação tanto quanto os padres profissionais e os coros. De um golpe, isto acabou com os serviços em latim e com a intricada música escrita para eles. Em vez disso, os luteranos baseavam o seu culto em sermões e na leitura da Bíblia, e em corais: hinos em versos rimados e com melodias simples e lentas que todos conseguiam cantar. Foi somente no final do século XVII, com Buxtehude, que algum tipo de música luterana de igreja foi escrita para igualar a que havia substituído — e ainda assim Buxtehude ainda é lembrado principalmente porque preparou o caminho para J.S. *Bach.

A segunda causa do declínio da polifonia foi um único edifício, a igreja de São Marcos, em Vezena. Como todas as grandes igrejas e catedrais, ela empregava alguns dos principais compositores da época, e dois deles, Giovanni Gabrieli (que trabalhou lá a partir de 1585) e *Monteverdi (que trabalhou lá a partir de 1613), mudaram o estilo da música da Igreja Católica Romana de forma tão radical, e escreveram obras de tamanho poder imaginativo que influenciaram todos os compositores que os seguiram. São Marcos não é feita em forma de cruz, como a maior parte das catedrais, mas é circular, e os assentos dos músicos não ficam todos em uma das pontas, mas em torno das paredes, alguns ao nível do chão, outros em galerias elevadas. Isto sugere um estilo de música de igreja que cerca a congregação com som, os coros de cada galeria ecoando e respondendo uns aos outros por toda a igreja. Diferentemente da maior parte dos freqüentadores de igrejas católicas (por ex., aqueles da Capela Papal em Roma onde *Palestrina trabalhava), os venezianos gostavam dos instrumentos tanto quanto das vozes, e por isso seus "coros" nas galerias de São Marcos incluíam tanto instrumentistas quanto cantores. Através da experiência, os compositores descobriram que o contraponto polifônico não se adequava nem aos instrumentos nem à necessidade de blocos superpostos de som; de acordo com isso, eles substituíram as longas linhas de melodia com pequenos grupos de acordes e harmonias, pedacinhos independentes de som que podiam ser contrastados e repetidos intatos, em vez dos rendilhados em infinita ondulação do estilo polifônico.

Nem todo mundo gostava da música de igreja veneziana. Os católicos de fala espanhola, em particular, preferiam as velhas formas polifônicas e continuaram a usá-las desde então. Mas nas capelas reais e da nobreza por toda a França e Itália, a música veneziana estabeleceu o tom da moda e os compositores em toda parte imitavam o seu modo de combinar instrumentos e vozes, e o estilo de composição harmônico que ela trazia. (Essa tendência foi particularmente bem recebida pelos nobres interessados em novos estilos de música secular, como a ópera, na medida em que lhes permitia empregar os mesmos músicos, e desfrutar o mesmo tipo de música, tanto dentro quanto fora da igreja.)

MÚSICA PARA O PALCO Até o século XVII, a música para o palco não passara de pequenas canções ou danças (por ex., jigas para palhaços) embutidas nas peças. Mas, na década de 1580, escritores e compositores italianos, trabalhando em Florença, se propuseram recriar o esplendor da antiga dramaturgia grega, com sua mistura de palavras, dança e canção — e inventaram a *ópera. A moda se espalhou como fogo: por volta de 1630, havia apresentações regulares de ópera em uma dúzia de cidades italianas, vários compositores as escreviam, e diversas obras-primas duradouras (por ex., as óperas de Monteverdi) já haviam sido compostas. A ópera oferecia aos aristocratas pedantes e vidrados em moda daquela época um entretenimento ideal: era variada e colorida, acrescentando o canto e a dança aos enredos bem conhecidos das histórias de Roma ou da mitologia grega, ensinadas em todas as salas de aula, ou a elas aludindo de uma forma deliciosamente astuta. A ópera tornou-se o principal meio de entretenimento do século, e, apesar de poucas obras daquela época serem hoje em dia ouvidas inteiras, foram compostas mais óperas entre 1600 e 1700 do que em qualquer outro período, antes ou depois.

A ópera italiana espalhou-se para muitos lugares fora da Itália. Mas no Norte da Europa (especialmente a França e a Grã-Bretanha) as pessoas favoreciam também outros entretenimentos musicais no palco. Um deles era a mascarada, uma mistura de canção e dança, mais parecida com a pantomima moderna ou com os nossos musicais do que com a ópera (mas com música mais séria do que isso sugere): era especialmente apreciada na Inglaterra, onde autores da distinção de um Milton ou de um Dryden escreveram libretos, e compositores como *Purcell forneceram a música. A outra forma era o balé, histórias contadas apenas em dança e música, sem palavras. Esta era uma forma favorita entre os cortesãos de Luís XIV da França, que também gostavam daquilo que poderíamos chamar de eventos de *mixed media*: óperas-balés (tais como aqueles com letras de Molière e música de Lully), balés-pantomimas e peças com elaborados interlúdios operísticos.

MÚSICA PARA INSTRUMENTOS Uma vez que os instrumentos começaram a ser usados na igreja, e para acompanhar óperas e outros espetáculos de palco, o padrão dos intérpretes melhorou rapidamente. Sempre houve uns poucos virtuoses, famosos por sua habilidade no alaúde, na viola ou no cravo, mas de uma maneira geral a interpretação de instrumentos, no passado, tendia a ser uma atividade de pequena escala e pouca importância, como acompanhamento para dança ou um passatempo de amadores. Agora, à medida que profissionais mais bem treinados surgiam, e à medida que os instrumentos se aperfeiçoavam em sua qualidade material e sonora, as pessoas começavam a achar que ouvir música instrumental, assim como tocá-la, poderia valer a pena. Os patronos começaram a pedir aos seus instrumentistas de igreja ou de palco que dessem concertos, e os compositores criaram novas formas de música para exibir suas habilidades.

A música instrumental era de três tipos principais. Primeiro havia as fantasias, conjuntos de variações e peças curtas bem ao gênero das que havia nos séculos anteriores. (Bons exemplos são as peças para cravo de Couperin, e as *Fantasias a Três, Quatro, Cinco e Seis Partes*, de Purcell.) O segundo eram as suítes. Estas costumavam ser grupos de danças, desconectadas a não ser pelo fato de serem em tonalidade similar: bons exemplos são as suítes de danças que Lully compôs para a orquestra da corte de Luís XIV, ou as suítes para grupos de metais, de Locke, na Grã-Bretanha, e Petzold, na Alemanha (ainda hoje presenças regulares nos concertos de conjuntos de metais). Gradualmente, no entanto, os compositores começaram a ligar os movimentos da suíte baseando-os na mesma melodia do começo ao fim, ecoando e repetindo frases, ou, deliberadamente, propondo-se a criar um único clima. (As suítes para cravo de Purcell são desta espécie; a forma atingiria o seu pique no começo do século seguinte com as suítes orquestrais de *Telemann e as suítes para instrumentos solistas e partitas de J.S. Bach.) O terceiro eram as *sonatas. Estas eram ainda mais altamente organizadas do que as suítes, com os movimentos (normalmente quatro ou cinco) seguindo uma ordem e um estilo padrão. No último quartel do século, compositores como *Corelli desenvolveram a sonata ao ponto dela (e seus equivalentes de grande escala, os concertos e os *concerti grossi*) poder rivalizar com a ópera como a mais popular de todas as formas de entretenimento musical.

Para ouvir Peças venezianas típicas de Giovanni Gabrieli (c. 1555-1612) são suas canzonas e sonatas em um movimento para múltiplos grupos instrumentais (por ex., *Sonata Pian' e Forte* para metais), e seus motetos para grupos de vozes e instrumentos combinados (por ex., *In Ecclesiis*; *Jubilate Deo*). O melhor compositor luterano do século XVII foi Buxtehude (c. 1637-1707): suas obras para órgão (por ex., Prelúdio e

Fuga em sol menor) antecipam as de J.S. Bach, e suas cantatas (por ex., a cantata de Natal para voz solista *In Dulce Jubilo*) têm um charme vivo e novo que até mesmo Bach poucas vezes igualou. A música devocional mais austera é de autoria de Schütz (1585-1672): seu *Requiem* (*Musikalische Exequien*) e *A Paixão Segundo São Mateus*, para vozes sem acompanhamento, combinam a grandiosidade do estilo polifônico de Palestrina com a letra em alemão e os sentimentos luteranos, de uma forma comovente e sem igual. O estilo operístico italiano é ouvido em sua forma mais vivaz através dos trabalhos de Alessandro Scarlatti (1660-1725), pai do virtuose do cravo *Scarlatti. Bons exemplos de sua obra são árias isoladas como "Gia il Sole del Gange", da ópera *Pompéia*, e as obras religiosas do final de sua vida, por ex., o *Stabat Mater*, num alegre estilo operístico como o de *Pergolesi. O maior compositor de mascaradas inglês foi Henry Lawes (1596-1662): suas canções individuais (por ex., *Gather Your Rosebuds*) são tão leves e encantadoras quanto quaisquer canções de Purcell, que o admirava grandemente. Os "conjuntos" de Lawes e as suítes de Schmelzer (c. 1623-1680) são esplêndidos exemplos de tipo mais ligeiro de música instrumental. Para a música dos grandes compositores do século, ver os verbetes sobre Corelli, Couperin, Monteverdi e Purcell; ver também *compositores britânicos e irlandeses, instrumentos de cordas, instrumentos de sopro (madeiras), música de balé, música de câmara, ópera, sonata.*

MÚSICA DO SÉCULO XVIII

ESTILO E FORMA Os compositores do século XVIII se preocupavam, acima de qualquer outra coisa, com o estilo e a forma: não era tanto o que a música "dizia", quanto a forma como ela o fazia. No começo do século havia três estilos principais, cada qual associado a uma das grandes nações européias, e tão distintos quanto uma língua. A música francesa era em geral graciosa; a música alemã era em geral séria; a música italiana em geral favorecia a exibição dos virtuoses. Um compositor podia escolher um estilo como se escolhesse novas roupas, e deixar que as regras desse estilo governassem sua inspiração: o *Concerto Italiano* para cravo, de *Bach, por exemplo, é uma peça de exibição, enquanto suas *Suítes Francesas* são melodiosas e suaves, e suas partitas no estilo germânico combinam volatas e floreios com um solene contraponto.

Menos nacionais do que esses estilos, mas igualmente dominantes para os compositores, eram algumas formas musicais estritamente organizadas, desenvolvidas no século XVII e atualmente num tão alto ponto de perfeição que levou a maior parte dos compositores a usá-las acima de todas as outras. A *ópera consistia em recitativos e árias alternados, cada qual escrito de acordo com regras específicas. A música religiosa (fossem Paixões no estilo germânico, Missas no estilo italiano ou Oratórios no estilo inglês) também usava recitativos e árias, mas acrescentando coros de ampla escala e interlúdios orquestrais. A música para instrumentos usava principalmente as formas da suíte, *sonata e *concerto. Cada uma dessas formas principais, e um conjunto de outras menores, era seguida tão estritamente quanto um cozinheiro segue uma receita, e havia muitos livros de instrução para garantir que todos usassem os ingredientes corretos da forma adequada.

CONVENÇÃO E INDIVIDUALISMO O controle estrito do estilo e da forma homogeneizou a música: os ouvintes eram paparicados contra os experimentalismos, mais ou menos como o são hoje os leitores de novelas românticas ou de suspense. A princípio, quando os estilos nacionais eram dominantes, cada peça para cravo no estilo francês, cada *concerto grosso* no estilo italiano, ou cada moteto no estilo germânico se parecia muito com os outros. Mais tarde, quando os estilos nacionais começaram a desaparecer (graças à facilidade com que os músicos podiam viajar para o estrangeiro, e à avidez dos amantes da música em todos os países por ouvir e copiar as mais recentes modas estrangeiras), os compositores criaram um estilo internacional que se tornou popular em toda parte. Chamaram-no de *le style galant*, o estilo "galante", ou "elegante", que era notável por seus bons modos, sua fluência sem exigências e — comparado até mesmo à mais ligeira peça de *Mozart ou *Händel — pela decidida segunda classe da música que inspirava. J.C. Bach (ver o artigo sobre C.P.E. Bach) era o compositor *galante* que todo mundo admirava, e, ao mesmo tempo que as semelhanças entre a sua linguagem musical e a de, digamos, *Haydn são óbvias, a diferença em qualidade é igualmente clara. J.C. Bach respeitava as regras, e estas o separavam de toda e qualquer grandeza. Haydn usava as regras como ponto de partida, e era quando fugia delas que sua música dava um salto de qualidade. Fugir das regras não era problema para Haydn: seus mecenas compreendiam que o gênio dele residia precisamente nessa individualidade, e o estimulavam. Mas a maior parte dos patronos e amantes da música assumiam um ponto de vista exatamente oposto. Desconfiavam do individualismo e achavam que os artesãos musicais, tal como os artesãos de qualquer outra espécie, deveriam respeitar as regras de seu negócio. Assim como uma carroça de rodas quadradas, não importa o quanto pudesse expressar os sentimentos de quem a criou, dificilmente faria com que as pessoas corressem para comprá-la, assim os compositores que manipulavam as formas e os estilos padronizados, para adequá-los às suas próprias personalidades, tinham problemas com seus fregueses. Bach brigava sistematicamente com as autoridades; Mozart achava impossível permanecer em qualquer emprego regular; não importa o que possamos pensar hoje, eram considerados os maiores compositores de sua época homens como *Vivaldi, *Telemann e J.C. Bach, cujas carroças musicais, por mais deliciosas que sejam, eram fabricadas sempre com exatamente o número e a forma regular de rodas.

PATRONOS, CONCERTOS E EDITORES Pode parecer extraordinário, dadas essas condições, que qualquer originalidade musical pudesse ter sobrevivido. É um dos milagres da música do século XVIII que os grandes compositores não apenas perseveraram, mas neste processo mudaram totalmente o ponto de vista do público sobre o que era realmente a música "boa", convencendo-o a deixar de lado as boas maneiras artesanais, em troca da aceitação do direito do artista à auto-expressão em sua obra. O século XIX foi a grande era do individualismo musical, mas suas raízes se fincam na obra de um punhado de não-conformistas do século XVIII, entre eles alguns dos maiores gênios na história dessa arte. A principal razão para seu sucesso foi a evidente qualidade soberta do que escreviam. Diante de uma ópera de Mozart, de um quarteto de cordas de Haydn ou de uma das primeiras sonatas para piano de *Beethoven, quem poderia, a sério, ficar discutindo qualidade? Mas havia uma segunda razão, quase tão importante: uma mudança substantiva na forma como os compositores ganhavam a vida. Antes, os patronos os empregavam e naturalmente esperavam ter voz sobre o que eles produziam. Isso tendia a alimentar o conformismo: se você não conseguia escrever o tipo de música que seu patrono exigia, podia perder o emprego. Mas, durante o século XVIII, esse tipo de patronato foi gradualmente saindo de moda: um número cada vez maior de pessoas começou a ir a concertos, e para muitos compositores dar concertos se tornou importante fonte de lucro. Os freqüentadores de concertos são patronos de uma única ocasião, e naqueles dias (diferentemente dos dias de hoje) viviam sedentos de novidades, pela sensação de que o dinheiro de seu ingresso havia comprado algo único: o crescimento dos concertos foi assim um poderoso incentivo à experimentação. A publicação também, que um dia foi um meio de adular o patrono (enviando-lhe exemplares lindamente impressos, com dedicatórias extravagantes), tornou-se uma especulação rendosa: tanto Händel, no começo do século, quanto Beethoven, no final, passaram boa parte de seu tempo não-dedicado à composição discutindo com seus editores, e a viúva de Mozart sustentou a família durante anos após a morte do marido através do cuidadoso controle de seus direitos de publicação.

Para ouvir Poucos tipos de músicas "ligeiras" se adequam melhor ao aparelho de som do que as obras de entretenimento do século XVIII. Foram escritas com nenhum outro objetivo mais substancial do que o de fornecer prazer, e nisso são admiravelmente bem-sucedidas. Uma vez que forma e estilo exerciam um controle tão abrangente, existe uma deliciosa continuidade: todas as obras, para qualquer meio dado, não importa de quem sejam, oferecem prazeres semelhantes. Três compositores, líderes do segundo time, valem particularmente a pena serem explorados. Jean-Philippe Rameau (1683-1764) escreveu peças para cravo no mesmo estilo francês, fantasioso e ornamentado de *Couperin, e duas dúzias de óperas aproveitando habilmente tramas da história antiga ou da mitologia: *Les Indes Galantes* e *Platée* encontram-se entre as mais agradáveis. Johann Quantz (1697-1773) foi para a flauta o que Paganini seria mais tarde para o violino; seus concertos e obras de câmara (sonatas e trio-sonatas) são numerosos (mais de quatrocentos), habilmente escritos e agradam infalivelmente. Michael Haydn (1737-1806) foi eclipsado por seu irmão Joseph e por Mozart (que trabalhou — durante algum tempo — para o mesmo empregador, o Arcebispo de Salzburg); ele foi um dos mais fluentes autores de música de entretenimento do século, e suas sinfonias, concertos (especialmente o Concerto para cravo e viola) e obras de igreja merecem mais audições do que obtêm. Para mais música do mesmo tipo, ainda que de compositores de maior renome, ver os verbetes sobre C.P.E. Bach, Boccherini, Gluck, Pergolesi, Telemann e Vivaldi. Para a música mais substancial do século, ver os verbetes sobre Bach, *compositores de obra singular* (Albinoni), Couperin, Händel, Haydn, Mozart e Scarlatti. Ver também *concerto*, *sonata* e *sinfonia*.

MÚSICA DO SÉCULO XIX

O CRESCIMENTO DA MÚSICA A música foi provavelmente mais popular no século XIX do que em qualquer outra era da história. O advento da era industrial trouxe prosperidade às cidades em toda parte, e criou vastos centros com populações ávidas por entretenimentos. Para muitos dos verdadeiros trabalhadores, as pessoas que lidavam com as máquinas, havia pouco tempo de lazer, que eles preenchiam com canções nos bares, idas à igreja (alguns dos hinos mais populares jamais escritos datam dessa época), visitas ao teatro, às tavernas, ou aos *music-halls* e, em ocasiões especiais, bailes. Muitas firmas industriais tinham salas de concerto e criaram bandas ou orquestras ligeiras para tocar nelas. Para quem pudesse se dar ao luxo de férias, havia uma florescente indústria de lazer (que ainda sobrevive em locais à beira-mar e parques públicos), oferecendo entretenimento musical de toda espécie.

Para as pessoas que dispunham de mais lazer — gerentes de fábrica, de lojas, professores, ministros da igreja, advogados e outros — a música significava algo bem diferente. Apreciar a música era sinal de que tinham cultura, de que se importavam com as coisas melhores da vida, possuindo dinheiro e tempo para gastar com elas. As pessoas se apropriaram das atividades musicais dos velhos aristocratas, a ópera, a dança, os concertos orquestrais e os recitais de música de câmara. Construíram teatros de ópera e salas de concerto, e acorriam em multidão para ouvir os músicos que ali tocavam. A música feita em casa (especialmente o canto e o piano) tornou-se um passatempo comum nos lares comuns, como fora antes nos palácios da nobreza, e surgiram centenas de editores de música, imprimindo tudo, desde fantasias operísticas para piano até marchas e canções sentimentais.

Em tal atmosfera, aqueles que faziam música imperavam supremos. Os grandes intérpretes eram idolatrados como hoje são as estrelas pop. Multidões de adoradores despejavam beijos sobre Paganini onde quer que ele tocasse, e atiravam rosas em seus pés; as pessoas gritavam e desmaiavam por amor a *Liszt, e brigavam pelo lenço de seda que ele usava para enxugar a testa; a cantora Melba viajava num trem particular e teve até uma sobremesa (Peach Melba) e uma espécie de torrada (Melba Toast) batizados em sua homenagem. Com o advento dos trens e navios a vapor, os intérpretes podiam viajar pelo mundo com rapidez e facilidade. Melba (uma australiana) triunfou não somente em sua terra, mas também na Europa e nos EUA; outro cantor (Caruso) tinha um conjunto de camarotes permanentemente reservados para travessia transatlântica; *Albéniz fez uma turnê pela América do Sul tão calmamente como se fosse na sua Espanha natal.

MÚSICA "SÉRIA" E "LIGEIRA" Para os compositores, toda essa atividade teve dois efeitos. Primeiro, eles agora escreviam para o público em geral e não para um estreito círculo de patronos aristocráticos. Os intérpretes e editores clamavam por novas obras, e o sucesso podia trazer fortuna e enorme fama. (*Rossini começou a vida pobre, mas aposentou-se rico aos trinta e oito anos; *Mendelssohn e *Wagner tratavam a realeza como seus iguais; *Brahms era uma celebridade internacional cujas menores ações viravam notícia.) A arte da música partiu-se em dois. No grandioso final da escala estavam os autores de óperas, sinfonias, concertos e música de câmara: eram os artistas "sérios", e suas obras eram um equivalente musical das obras-primas dos pintores, arquitetos ou poetas. Na outra ponta estavam os compositores comuns, produzindo música de salão, danças, hinos, canções de *music-hall* e outras peças do mesmo tipo. Alguns compositores "sérios" voltaram-se para a música popular (*Schubert escreveu danças, por exemplo); alguns compositores "ligeiros" também escreveram obras de larga escala (*Sullivan, por exemplo, compôs oratórios e uma sinfonia); mas, de uma maneira geral, os dois tipos de música permaneciam separados, e assim continuam desde então.

O segundo efeito da popularidade da música, pelo menos para os compositores "sérios", foi que ela mudou completamente o modo como pensavam a respeito de si mesmos. No século XVIII havia tido início a idéia de que os compositores não eram apenas artesãos trabalhando por encomenda, mas indivíduos que expressavam suas próprias personalidades nas notas que escreviam. Agora, no século XIX, esta idéia tornou-se de suprema importância. O que importava acima de tudo mais era o conteúdo de uma obra: o que ela tinha a dizer, o modo como expressava as emoções do seu autor e a forma com que despertava emoções em seus ouvintes. Esta forma de música, cheia de sentimentos pessoais, é chamada de "romântica"; o "movimento romântico" cobriu os campos da poesia, da pintura, da ficção e também da dramaturgia.

Quando o conteúdo é o que mais importa na música, a forma e a harmonia se tornam secundárias e podem ser mudadas para se adequar a ele. Alguns compositores (por ex., Mendelssohn) ainda achavam ideais as formas do século XVIII, e as usaram sem maiores mudanças. Outros (por ex., *Beethoven) usaram as formas do século XVIII (sonata, sinfonia, concerto) como ponto de partida, mas expandiram-nas ou adaptaram-nas à medida que a música seguia o seu próprio caminho. Outros ainda (por ex., *Berlioz e Liszt) abandonaram as idéias iniciais, inventando uma forma, estilo e linguagem musical adequados às necessidades emocionais de cada nova peça. (Às vezes iam buscar suas idéias na arte ou na literatura. *Romeu e Julieta*, de Berlioz, por exemplo, é uma "sinfonia dramática", baseada na peça de Shakespeare; *O Massacre dos Hunos*, de Liszt, é a narrativa musical de uma imensa pintura de batalha. Outros compositores, que costumavam ser chamados de "nacionalistas", tentaram expressar o caráter de sua terra natal na música: as obras de *Smetana, por exemplo, são deliberadamente "tchecas", as de *Borodin, "russas", as de *Grieg, "norueguesas", e assim por diante).

Uma vez que cada obra que um compositor escreve é encarada como algo inteiramente novo, sem referência a estilos e idéias anteriores, o sentimento de unidade, típico da música do século XVIII, é substituído por um sentimento de extrema adversidade. Cada sinfonia ou ópera romântica exige ser considerada inteiramente por si mesma, como uma obra que cria e satisfaz seus próprios padrões. Alguns compositores achavam que essa ênfase no caráter único tornava difícil escrever obras grandes, longas, e preferiram se expressar em formas mais curtas. As canções (às vezes reunidas em grupos ou "ciclos"; ver *música vocal*) tornaram-se uma parte substancial da produção de muitos compositores, muito mais do que no século XVIII. As peças instrumentais costumavam ter títulos como "Noturno" (literalmente "peça para ser tocada à noite", mas aplicado mais geralmente à música que expressava um sentimento de calma e tranqüilidade), ou "Fantasia" (uma peça semelhante a um passeio pelo campo, curto ou longo, parecendo vagar em qualquer direção que o compositor decide, à medida que segue em frente). O grande número de tais peças mostra, antes de qualquer outra coisa, como foi marcante a mudança da disciplina externa para a disciplina do próprio compositor, fosse esta refinada e delicada (como a de *Chopin), apaixonada (como a de *Tchaikovsky) ou atormentada (como a de *Mahler). A própria variedade de estados de espírito, na música romântica do século XIX, é uma parte muito importante de seu apelo.

Para ouvir Não há espaço neste livro para se fazer justiça ao enorme âmbito da música popular do século XIX; felizmente, muitos dos hinos (por ex., "Rock of Ages"), baladas (por ex., "The Old Folks at Home"), música de salão (por ex., "Lar, Doce Lar") e canções de *music-hall* (por ex., "Daisy, Daisy") ainda são bem conhecidas hoje e não precisam de apresentação. Para um pouco da melhor música "ligeira" do século, ver os verbetes sobre *compositores de obra singular* (Adam, Hérold), Delibes, Offenbach, Strauss (a família) e Sullivan. Dos compositores "sérios", os melhores para se ouvir primeiro são Bizet, Borodin, Chopin, Grieg, Mendelssohn e Saint-Saëns; a exploração pode continuar na direção de Dvořák, Rimsky-Korsakov e Schumann, e a partir desses para gigantes tais como Beethoven, Brahms, Schubert, Tchaikovsky, Verdi e Wagner. Ver também Albéniz, Balakirev, Bellini, Berlioz, *canção, compositores de obra singular* (Bruch, Chabrier, Leoncavallo, Litolff, Mascagni), *compositores norte-americanos, concerto*, Farré, Franck, Granados, *instrumentos de sopro (madeiras)*, Liszt, Mahler, *música coral, música de câmara, música de cordas, música orquestral, música para teclado, música vocal*, ópera, Rossini, Scriabin, *sinfonia*, Smetana, sonata, Weber e Wolf.

MÚSICA DO SÉCULO XX

GRAVAÇÕES As experiências com as gravações sonoras começaram na década de 1880; as estrelas do music-hall começaram a gravar suas canções de sucesso nas décadas de 1890 e 1900; a primeira gravação de uma sinfonia completa (a n. 5 de *Beethoven) foi feita em 1909. Desde então, música e gravação progrediram lado a lado — e nenhuma outra invenção mudou tanto uma arte. Ela tornou possível, sem que se alugassem cadeiras, estantes de música e salas enormes, convidar os intérpretes preferidos, até mesmo orquestras inteiras e companhias de ópera, à sua casa, e ouvir suas peças favoritas não apenas uma ou duas vezes por ano, mas tão freqüentemente quanto o possuidor de uma gravação o desejasse. Pela primeira vez na história da música, alguém podia ouvir qualquer coisa que escolhesse, de forma barata, fácil e em qualquer parte.

O efeito sobre os amantes da música (novamente pela primeira vez na história dessa arte) foi fazê-los recuar das novidades. Antes, as pessoas acorriam para ouvir os sons mais recentes e a música do passado era dificilmente conhecida. Mas, agora, a música do passado (o tipo mais freqüentemente gravado) se tornou o grande sucesso, e a música nova, "música moderna", transformou-se num prazer de especialistas, ignorada ou rejeitada pela maioria dos amantes da música. Da mesma forma, uma vez que as pessoas tinham a liberdade de escolher, o abismo entre a música "séria" e "popular" alargou-se espetacularmente. A maior parte das pessoas escolheu a popular e nunca ouviu uma única nota de música "séria" em sua vida; os amantes da música "séria" permaneceram igualmente ignorantes da música popular. Foi um novo tipo de esnobismo, que ainda existe.

Ninguém se beneficiou mais das gravações do que os intérpretes. As vendas de discos trouxeram *royalties* e o trabalho de um dia podia transformar o intérprete de sorte em um milionário. Os discos levaram a fama dos intérpretes a todos os cantos do mundo, a centenas de lugares que eles poderiam muito bem nunca ver. Muitas estrelas *pop* hoje em dia gastam a maior parte de suas energias fazendo discos (e os vídeos que os acompanham); turnês e apresentações ao vivo são eventos mais raros e seu propósito é promover os discos, tanto quanto estar perto dos fãs. Na música "séria", os discos são quase tão importantes: para muitos solistas e orquestras, eles pagam as contas e popularizam obras em particular e formas particulares de executá-las, acima de todas as outras. (Nós nos referimos ao "Beethoven de X" ou ao "Rachmaninov de Y", como se os intérpretes possuíssem os compositores, em vez de meramente tocar suas obras.)

COMPOSITORES A disponibilidade em disco de um número tão grande de música do passado, e a popularidade, graças aos discos, de estilos musicais "ligeiros" tais como ragtime, jazz, swing, pop e rock, deram aos compositores"sérios" do século XX imensa inspiração. Alguns (por ex., *Nielsen, *Rachmaninov ou *Respighi) seguiram o desenvolvimento de idéias ou estilos do passado, escrevendo obras "neo-românticas" (à maneira do século XIX) ou "neoclássicas" (baseadas nos estilos do século XVIII ou anteriores). Outros (por ex., *Copland ou *Milhaud) tomaram emprestadas idéias do jazz e do swing, dando às suas obras ritmos coloridos e harmonias desconhecidas na música "séria" anterior a este século. Outros (por ex., *Falla, *Sibelius, *Vaughan Williams) encontraram inspiração no cenário, na lenda ou na música folclórica de suas terras natais. Outros ainda (incluindo dois dos maiores músicos do século, *Bartók e *Stravinsky) encontraram inspiração em todas estas fontes e as fundiram em estilos novos e profundamente pessoais.

A obra de todos estes compositores, por ter alguma conexão audível com a corrente principal da música, foi aceita pela maior parte das platéias e é hoje regularmente executada ao lado de músicas de *Mozart, *Beethoven, *Tchaikovsky e outros grandes compositores do passado. Mas existe um outro tipo, igualmente florescente, de música do século XX, que o amante da música mediano raramente ouve. É a música experimental, uma tentativa de organizar o som de formas completamente novas, desconhecidas das gerações anteriores. Às vezes, os sons são notas comuns produzidas por instrumentos comuns, e é o modo de organização que é novo: *Schoenberg, por exemplo, abandonou escalas e tonalidades e tratou todos os doze semitons da oitava de forma exatamente igual na criação de harmonias e melodias. Outras vezes, os próprios sons são produzidos de formas novas por novos instrumentos: *Boulez, *Stockhausen e outros, por exemplo, usam sintetizadores e computadores, quer ao lado de, quer em vez de instrumentos convencionais.

Um número considerável dessas experiências resulta em coisas muito estranhas. Alguns músicos de orquestra, treinados para tocar *Bach ou *Brahms, as acham difíceis e horrorosas; as platéias odeiam ouvi-las. (Para algumas idéias extravagantes e algumas reações extremas, ver *música de vanguarda*.) Leva em média uma geração para que o verdadeiro valor de um compositor se torne óbvio, para que as pessoas se acostumem ao trabalho dele ou dela, e recebam bem o som assim produzido. Alguns dos melhores compositores do século (Bartók, Stravinsky, Schoenberg, *Webern, *Tippett, *Messiaen, Boulez) foram um dia injuriados, e somente o tempo mostrou-os como os gigantes que realmente são. De todos os compositores do século XX, este grupo foi o que mais se beneficiou de ter sido gravado. Os discos nos dão tempo de nos familiarizarmos com o que eles escreveram e, mesmo que ainda assim terminemos por detestá-los, temos tempo de estender a tolerância de nossos ouvidos e dar aos novos sons uma oportunidade.

Para ouvir Uma boa introdução à música do século XX é a obra de compositores que misturam novas idéias (por ex., jazz) com estilos e harmonias tradicionais: os melhores para se começar são Falla, Milhaud e Walton, e a exploração pode continuar, primeiro com Britten, Debussy e Vaughan Williams, e depois com Sibelius, Stravinsky e Bartók. (Ver também Bernstein, Bloch, *compositores de obra singular* (Benjamin, Canteloube, Dukas, Rodrigo), Gershwin, Henze, Hindemith, Ives, Janáček, Kodály, Martinů, Orff, Poulenc, Prokofiev, Ravel, Satie, Shostakovich, Richard Strauss, Tippett e Villa-Lobos.) Os melhores compositores de "novos sons" para se ouvir primeiro são Berg e Lutolawski, seguidos por Boulez e Messiaen e depois por Webern, Davies e Schoenberg. (Ver também Carter e Stockhausen.) Para os compositores no estilo mais tradicional ver Barber, Delius, Elgar, Holst, Khachaturian, Nielsen, Rachmaninov e Respighi; para recomendações gerais sobre o século XX, ver *compositores ingleses e irlandeses, compositores norte-americanos, concerto, instrumentos de cordas, instrumentos de sopro, música coral, música de balé, música de câmara, música de vanguarda, música orquestral, música vocal, ópera, sinfonia* e *sonata*.

MÚSICA ORQUESTRAL

A palavra "orquestra" originalmente não se referia a pessoas, mas a um lugar: a parte diante do palco onde o coro cantava e dançava no antigo teatro grego. Na

Renascença, os músicos ocupavam a mesma área, sendo sua função acompanhar os cantores e emoldurar a ação cênica com prelúdios, interlúdios e poslúdios. Não foi senão no século XVII que "orquestra" assumiu o significado que tem hoje.

PRIMEIRAS ORQUESTRAS A moda crescente da ópera no século XVII tornou as orquestras igualmente populares. Compositores como *Purcell e Lully extraíram música para suas obras de teatro e as arranjaram na forma de suítes orquestrais, para serem executadas em festas e outras reuniões aristocráticas. Outros compositores desenvolveram a idéia de obras com acompanhamento orquestral em duas formas diferentes: alguns escreveram música de igreja em estilo operístico (com solistas, coros e orquestras); outros usaram instrumentos solistas em vez de cantores (e assim criaram o *concerto).

ORQUESTRAS DO SÉCULO XVIII No começo do século XVIII, a música orquestral era popular em toda parte, sendo amplamente disponível nas formas de suítes (já era normal, a essa altura, serem escritas especialmente, e não reunidas a partir de obras teatrais), concertos e *concerti grossi*. A orquestra-padrão da época era um grupo de cordas com cravo ou órgão, reforçado, caso necessário, por sopros (oboés e fagotes em movimentos rápidos, flautas ou flautas doces em movimentos lentos) e, nas obras mais grandiosas, por trompas, trompetes e tambores. Os principais compositores orquestrais da época foram *Corelli (*concerti grossi*), *Telemann (suítes e concertos), *Bach e *Vivaldi (concertos) e *Händel (concertos e *concerti grossi*).

À medida que o século avançava, cada vez mais as pessoas passavam a preferir a música orquestral à de todos os outros tipos, e os executantes, em vez de dividir seu tempo entre o teatro de ópera, a igreja e a orquestra, começaram a se especializar. Por toda a Europa formavam-se orquestras amplas e bem treinadas; o padrão de execução melhorou muito (especialmente em instrumentos que já tiveram o seu dia de glória, como a viola, o fagote e o contrabaixo), e os compositores começaram a escrever obras orquestrais de virtuosidade, exibindo todas as habilidades de uma orquestra completa, tal como os concertos exibiam as dos solistas. Uma orquestra em particular, em Mannheim, na Alemanha, impressionava a todos que a ouviam. Era grande (mais de quarenta músicos, duas vezes o tamanho habitual na época); usava regularmente instrumentos de sopro e de metal, assim como cordas (e recebia de braços abertos instrumentos tornados respeitáveis, tais como clarinetas); seus músicos tocavam com tanta habilidade que, como um assombrado visitante observou, eram "como um exército de generais". Os compositores que trabalharam para essa orquestra desenvolveram uma nova forma musical, a *sinfonia, criada especialmente para exibi-la. Orquestras foram formadas em todas as partes para igualá-la (*Mozart aprovava inteiramente as orquestras de Paris e Praga; *Haydn achava uma orquestra de Londres ainda melhor que a sua própria em Esterháza), e por volta do final do século os concertos orquestrais públicos eram comuns em toda parte.

ORQUESTRAS DO SÉCULO XIX Na época de Mozart, Haydn e do jovem *Beethoven, uma orquestra podia consistir em duas dúzias de cordas (oito primeiros violinos, oito segundos violinos, quatro violas, três violoncelos e um contrabaixo), uma flauta, dois oboés, duas trompas, dois trompetes e *timpani* (tambores). Este grupo fornecia uma imensa variedade de som e colorido tonal; não era muito grande para as salas de concerto da época e tinha o tamanho exato para acompanhar instrumentos solistas razoavelmente tranqüilos (tais como pianos com quadros de madeira e violinos com cordas de tripas). Mas, à medida que salas de concerto mais amplas foram sendo construídas e pianos e violinos foram se tornando mais fortes e mais altos, as orquestras também começaram a crescer. Beethoven usava regularmente duas flautas e duas clarinetas, e freqüentemente acrescentava uma terceira trompa e dois trombones à formação básica; *Berlioz padronizou os sopros e metais, acrescentou harpa(s) e percussão e dobrou ou triplicou o número de cordas para equilibrar o som. (Ele também fixou com firmeza o tipo e o número de instrumentos na orquestra, escrevendo um livro sobre como orquestrar.) Por volta da década de 1830, a orquestra era o grupo básico que conhecemos hoje: sopros (flautas, oboés, clarinetas e fagotes, dois ou três de cada), metais (quatro trompas, dois ou três trompetes e três trombones), harpa, *timpani*, percussão e cordas — cerca de sessenta a oitenta músicos no total.

Essas orquestras amplas e altamente treinadas estimularam os compositores a escrever sons cada vez mais suntuosos e espetaculares. Vários compositores (por ex., *Liszt, escrevendo para a orquestra de Weimar) criaram novas formas musicais (abertura de concerto; poema sinfônico), especificamente para exibir o poder expressivo da orquestra; *Wagner e *Verdi usaram a orquestra em suas obras para o palco não como um acompanhamento, mas como um participante principal, estabelecendo o clima emocional e dirigindo a emoção da platéia. Outros compositores (por ex., *Mendelssohn, escrevendo para a Gewandhaus de Leipzig) usaram as formas-padrão da sinfonia e do concerto, mas embutiram em sua música os novos e coloridos sons disponíveis na orquestra moderna. Nas mãos de alguns compositores (*Bruckner, *Mahler, Richard *Strauss) as orquestras se tornaram imensas, usando até duzentos músicos e incorporando instrumentos anteriormente raros, como o corne inglês, a clarineta baixo, a tuba baixo e o gongo chinês. A arte da orquestração se tornou uma perícia composicional de máxima importância: algumas das mais magníficas peças de exibição orquestral (de compositores tais como Richard Strauss, *Tchaikovsky, *Rimsky-Korsakov e *Debussy) datam dessa época.

ORQUESTRAS DO SÉCULO XX Houve dois desenvolvimentos orquestrais separados neste século: grande e pequeno. Quando o século começou, a maior parte das cidades e capitais da Europa e América tinham salas de concerto e muitas contavam com orquestras profissionais para tocar nelas. Quando a transmissão radiofônica se tornou comum, a maior parte das redes estabeleceu novas orquestras para seu uso próprio; o rádio e os discos tornaram a música orquestral mais amplamente popular neste século do que jamais antes. A maior parte dessas orquestras eram amplas (de oitenta a cento e vinte músicos) e se especializava nas grandes obras-primas orquestrais dos séculos XVIII e XIX. Os compositores do século XX também fizeram uso de sua especialização e continuaram a escrever obras "grandes", complexas de se tocar e cheias de sonoridades brilhantes. (A suíte *O Pássaro de Fogo*, de *Stravinsky, a Sinfonia n. 1, de *Walton, e *Turangalîla*, de *Messiaen, são exemplos suntuosos.) Ao mesmo tempo, a redescoberta da "música antiga" levou a um interesse pelos pequenos grupos orquestrais dos séculos XVII e XVIII e à composição de muitas obras do século XX para forças similares. Este século foi a grande era da orquestra de câmara (nove a vinte e cinco músicos), e os compositores hoje em dia podem especificar exatamente o tamanho de orquestra que desejam, tendo a certeza de encontrar grupos profissionais que possam lidar com a tarefa. (A *Sinfonia* de *Webern requer nove instrumentos, em comparação com suas *Seis Peças para Orquestra*, que precisam de cento e vinte; *A Sagração da Primavera*, de Stravinsky, usa cento e cinqüenta músicos, e seu *Dumbarton Oaks*, dezesseis.)

À medida que o século se aproxima do fim, não há nenhum sinal de que as orquestras estejam diminuindo em popularidade: as obras orquestrais são, para muitas pessoas, as mais deleitáveis de toda a música clássica, e as sinfonias, concertos, aberturas e outras obras orquestrais dos séculos XVIII, XIX e XX fornecem a maior parte do seu prazer de audição. Compositores dos dias atuais, mesmo os de vanguarda, continuam a descobrir novos sons e novos modos de usar os antigos (por ex., nas obras de *Boulez e *Stockhausen, modificando-os através de computadores). Levou um século para que a orquestra deixasse o teatro de ópera e amadurecesse; mas desde então ela tem inspirado alguns dos melhores compositores do mundo em suas melhores obras; os concertos orquestrais são, com a ópera, a arte da música naquilo que ela tem de mais espetacular.

Para ouvir Nos últimos vinte e cinco anos, a pesquisa da música antiga de dança revelou algumas deliciosas suítes "pré-orquestrais": as gravações de Susato e Praetorius são particularmente agradáveis. Boas introduções para a música orquestral do século XVII são as aberturas de Purcell (por ex., *The Married Beau*) e suítes e música para teatro (por ex., *Distressed Innocence*). Podem ser seguidas pelas suítes de Telemann (por ex., *Hamburg*

Ebb and Flow), o *Concerto de Brandenburgo* n. 1, de Bach, e *A Chegada da Rainha de Sabá* e o *concerto grosso* de *O Festim de Alexandre*, de Händel. Boas introduções para a música tardia do século XVIII são a Sinfonia op. 9 n. 1, de J.C. Bach, e a Sinfonia n. 3, de Clementi; típica da música orquestral do século XVIII no que tem de mais grandioso são a Sinfonia n. 97, de Haydn, e a Sinfonia *Júpiter* e *Sinfonia Concertante*, K 297b, para quatro instrumentos de sopro e orquestra, de Mozart. (Para outras recomendações do século XVIII, ver C.P.E. Bach, J.S. Bach, Boccherini, *compositores ingleses e irlandeses*, *concerto*, Corelli, Händel, Haydn, Mozart, *música do século XVIII*, *sinfonia*, Telemann e Vivaldi.) Boas introduções à música orquestral do século XIX são a abertura *Ruslan e Ludmila*, de *Glinka, e a sinfonia *Inacabada*, de Schubert (do começo do século) e o *Prélude à l'Après-Midi d'un Faune*, de Debussy, e o *Capricho Espanhol*, de Rimsky-Korsakov (posterior); obras no estilo mais grandioso são a abertura *Egmont* e a Sinfonia n. 7, de Beethoven, a *Sinfonia Fantástica*, de Berlioz, a Sinfonia *Novo Mundo*, de Dvořák e *Don Juan*, de Strauss. (Para outras recomendações do século XIX, ver Balakirev, Beethoven, Berlioz, Bizet, Borodin, Brahms, Bruckner, *compositores de obra singular* (Adam, Bruch, Chabrier, Dukas, Glincka), *concerto*, Delibes, Delius, Dvořák, Fauré, Franck, Grieg, Liszt, Mahler, Mendelssohn, *música de balé*, *música do século XIX*, Mussorgsky, Rimsky-Korsakov, Saint-Saëns, Schubert, Schumann, Scriabin, *sinfonia*, Smetana, R. Strauss, Tchaikovsky e Weber.) Boas introduções à música para grande orquestra do século XX são o *Bolero*, de Ravel, *Os Planetas*, de Holst, *Four Sea Interludes*, de Britten, e *Billy the Kid*, de Copland; boas introduções para a música orquestral de câmara são *On Hearing the First Cuckoo in Spring*, de Delius, e *La Création du Monde*, de Milhaud; a música orquestral do século XX em sua grandiosidade máxima pode ser ouvida na Sinfonia n. 5, de Nielsen, e na *Sinfonia em Três Movimentos*, de Stravinsky. (Para outras recomendações do século XX, ver Barber, Bartók, Berg, Bernstein, Bloch, Boulez, Britten, *compositores ingleses e irlandeses*, *compositores norte-americanos*, *concerto*, Copland, Davies, Debussy, Elgar, Falla, Gershwin, Henze, Hindemith, Holst, Ives, Janáček, Khachaturian, Kodály, Lutoslawski, Martinů, Messiaen, Milhaud, *música de balé*, *música de vanguarda*, *música do século XX*, Nielsen, Poulenc, Prokofiev, Rachmaninov, Ravel, Respighi, Schoenberg, Shostakovich, Sibelius, Stockhausen, Stravinsky, *sinfonia*, Tippett, Vaughan Williams, Villa-Lobos, Walton e Webern.)

MÚSICA VOCAL

Cantar é uma atividade humana tão antiga quanto falar: as pinturas de cavernas da Idade da Pedra mostram cantores solistas acompanhados pelo bater de palmas e pelo percutir de pedaços de pau no chão, e a história da música vocal, na verdade, não é nada mais do que um relato das diferentes formas que os seres humanos encontraram para disciplinar suas vozes no canto, desde as canções de ninar mais elementares, ou cânticos religiosos, até formas artísticas tão sofisticadas quanto a *ópera e o oratório (ver *música coral*).

CANÇÃO A mais simples de todas as músicas vocais é a canção folclórica, e no entanto ela vem fascinando os músicos "sérios" através dos séculos. Nos séculos XV e XVI os compositores basearam as suas Missas em melodias folclóricas; nos séculos XVIII e XIX compositores tão destacados quanto *Haydn, *Beethoven e *Brahms atenderam ao gosto do público por música folclórica com arranjos de canções populares; e, no século XX, recolher canções folclóricas foi uma atividade musical importante, e seus resultados influenciaram os estilos de compositores tão diferentes em sua sonoridade quanto *Bartók, *Copland e *Vaughan Williams.

A canção "artística" atraiu igualmente muitos dos grandes compositores, mas não foi senão a partir do século XIX que ela adquiriu a capacidade de rivalizar com a música vocal das casas de ópera e da igreja. Nos séculos XVII e XVIII a popularidade da ópera colocou um pouco de lado os madrigais e a canção de alaúde. As pessoas encaravam a canção como uma forma popular, raramente como música "artística", e as que mais se aproximaram da música vocal "séria" foram as canções para teatro de compositores como *Purcell. A música vocal para ópera e igreja tendia a ser ornamentada e exibicionista: obras como, por exemplo, as cantatas para voz solista de Alessandro Scarlatti ou *Händel eram grandiosas demais para serem classificadas como "canções".

O compositor que, acima de todos os outros, tornou as canções novamente "respeitáveis" foi *Schubert. Muitos de seus *Lieder* (a palavra alemã para "canções") são de grande escala (ver adiante), mas ele também escreveu centenas de canções diretas, sem sofisticação, tão simples quanto as canções populares, tão diretas quanto canções folclóricas e, acima de tudo, de uma inspiração e uma qualidade impossíveis de se superar. Depois dele, muitos outros compositores encararam a composição de canções como respeitável; os cantores começaram a se movimentar com satisfação entre o teatro de ópera e o salão de recitais, e um amplo repertório de canções foi criado para que eles cantassem. Algumas (por ex., "La Danza", de *Rossini, "A canção da pulga", de *Mussorgsky, ou "A vã serenata", de Brahms) são espetaculares peças para bis, criadas para fazer a casa vir abaixo; outras (por ex., *Canções que Minha Mãe me Ensinou*, de *Dvořák, "Apenas um Coração Solitário", de *Tchaikovsky, ou "Silent Noon", de Vaughan Williams), sem sacrificar a simplicidade, são profundamente sentidas, comoventes e emocionalmente fortes.

CANÇÕES DE LARGA ESCALA E CICLO DE CANÇÕES No século XIX a popularidade da cantata declinou muito (*Ah! Perfido!*, de Beethoven, é uma das últimas), e foi substituída por um tipo particularmente rico e elaborado de canção com acompanhamento de piano. Mais uma vez, Schubert foi o principal criador de *Lieder* de uma substância e uma força capazes de satisfazer tanto o público quanto o intérprete, desenvolvendo os acompanhamentos de piano até eles desempenharem um papel tão importante quanto o da voz na descrição da atmosfera evocada pela letra. Ele foi seguido por *Schumann, Brahms, *Wolf, *Mahler e Richard *Strauss, e somente por volta do final do século é que compositores de outros países, que não a Alemanha e a Áustria, escreveram canções de igual peso (notavelmente *Fauré, *Debussy e *Poulenc, na França, e *Mussorgsky, *Tchaikovsky e *Rachmaninov, na Rússia).

Em seus momentos mais elaborados — por ex., em *Ganimedes*, de Schubert, ou *Muttertanderlei*, de Strauss — o *Lied* é musicalmente tão complexo quanto um movimento de uma sonata ou sinfonia (e formas tomadas emprestadas dos gêneros instrumentais costumavam ser usadas em sua construção), e o prazer do ouvinte vem tanto da apreciação de sua estrutura musical quanto do tratamento da letra. Ainda assim, para muitos compositores vocais do século XIX essa densidade musical não era suficiente. Eles começaram a agrupar suas canções em conjuntos (chamados "ciclos de canções"), que contavam o desenvolvimento de uma história ou tratavam um tema (fracasso amoroso, o prazer da vida campestre) em variadas formas, desdobrando o impacto emocional em diversas canções. (*An die ferne Geliebte*, "À amada distante", de Beethoven, foi o primeiro ciclo de canções importante, seguido por *A Bela Moleira* e *Jornada de Inverno*, de Schubert; Schumann e Fauré foram seus maiores seguidores.) Os ciclos de canções costumam ser longos (vinte a quarenta minutos), e dependem, tanto quanto as sonatas e sinfonias, de serem ouvidos completos. Levam a arte da música vocal a regiões de poder emocional e complexidade impensados nos séculos anteriores, até que finalmente, por volta do final do século, o *Lied* saiu de seu cenário doméstico original, fossem os salões particulares, ou as pequenas salas de recital, e passou para a sala de concerto, com o acompanhamento orquestral tomando o lugar do piano (por ex., em *Kindertotenlieder*, "Canções sobre a morte de crianças", e *Lieder eines fahrender Gesellen*, "Canções de um caminhante").

CANÇÕES PARA VÁRIAS VOZES Uma composição vocal é uma agradável variante da idéia de uma simples canção solista: uma melodia acompanhada não por instrumentos, mas por outras vozes em harmonia. Em seus momentos de maior grandeza, as composições vocais não se distinguem dos madrigais ou outras obras corais desse tipo; em seus momentos mais simples, são parentes musicais dos hinos ou das canções estudantis (por ex., "Gaudeamus Igitur", usada por Brahms como clímax de sua *Abertura Festival Acadêmico*). Esse tipo de canto, com uma voz para cada parte, ou em pequenos coros, foi um passatempo muito popular na Inglaterra durante quatro séculos, e existem esplêndidas composições vocais de compositores britânicos que, no resto, são tão diferentes entre si quanto *Purcell, *Elgar, *Vaughan Williams e *Britten. No século XIX, as composições vocais também foram populares na Europa (normalmente em uma forma mais complexa, com acompanhamento de piano): Schubert, *Mendelssohn e Brahms compuseram vários conjuntos, e as *Chansons de Charles d'Orleans*, de Debussy, e *Trois Chansons*, de *Ravel, encontram-se entre as jóias do repertório.

Para ouvir Boas introduções para a música vocal solo são as canções e *Lieder* mencionadas neste verbete; depois disso, o melhor enfoque de um imenso repertório talvez seja encontrar o compositor cujo estilo de canções tenha apelo para o ouvinte, e explorar-lhe a produção. Os principais compositores de canções discutidos neste livro são Brahms, Britten, Dvořák, Falla, Fauré, Grieg, Mahler, Mendelssohn, Mussorgsky, Schubert, Schumann, R. Strauss, Tchaikovsky, Vaughan Williams, Villa-Lobos e Wolf; ver também *compositores de obra singular* (Canteloube). Bons ciclos de canções para se começar (com uma tradução à mão, se necessário) são *A Bela Moleira*, de Schubert, *Trois Ballades de François Villon*, de Debussy (ambas para voz e piano), e *Serenata*, de Britten (para voz, trompa e corda); boas correlatas são o *Dichterliebe*, de Schumann, *Winter Words*, de Britten, e *Lieder eines fahrender Gesellen* (com orquestra), de Mahler. Para outras recomendações, ver Brahms, Britten, Debussy, Fauré, Grieg, Mahler, Poulenc, Schubert, Schumann, Tippett, Wagner e Wolf. Boas introduções para o repertório de composições vocais são os arranjos de canções folclóricas de Vaughan Williams (por ex., *Just as the Tide was Flowing*), *O Happy Eyes*, op. 18 n. 1, de Elgar, e *Five Spirituals* (de *A Child of Our Time*), de *Tippett; boas correlatas são *The Blue Bird*, de Stanford, *To be Sung of a Summer Night on the Water*, de *Delius, "Valsas e canções de amor" (com a tradução, se possível), de Brahms, e as composições vocais de Debussy e Ravel mencionadas acima.

MUSSORGSKY, Modeste (1839-81). *Compositor russo.*

Filho de um nobre, Mussorgsky planejou fazer carreira no exército e, aos dezessete anos, tornou-se oficial aspirante. Infelizmente para ele, seu regimento era tão famoso pela bebida quanto pela valentia. Por volta dos dezenove anos, já era um alcoólatra; todo o resto de sua vida foi marcado pelo drama da bebida; morreu, finalmente, de envenenamento alcoólico. (As coisas se tornaram ainda piores para ele com a pobreza: quando tinha vinte e cinco anos seus pais foram à falência e ele teve que se sustentar trabalhando como funcionário do Departamento Florestal do Serviço Público da Rússia.)

Através de toda essa vida miserável, Mussorgsky lutou para colocar sua música no papel e conseguir que suas obras fossem executadas. Foi inquestionavelmente um gênio, mas a falta de treino e a falta de concentração (devido à bebida) minaram seus poderes, e os críticos e a platéia da época achavam suas obras magníficas mas deselegantes. Após sua morte, *Rimsky-Korsakov e outros completaram e revisaram muitas de suas partituras, e ele finalmente passou a ser considerado como um dos mais originais e talentosos compositores de sua geração.

OBRAS Cinco óperas (incluindo *Boris Godunov*, única que ele completou); *Uma Noite no Monte Calvo*, para orquestra; *Quadros de uma Exposição*, três outras suítes e diversas obras menores para piano; três ciclos de canções (incluindo *Canções e Danças da Morte*) e várias dezenas de canções isoladas (incluindo *A Canção da Pulga*).

Ⓜ ***Quadros de uma Exposição*** (1874) Esta obra tem uma idéia básica brilhantemente simples. Um conjunto de peças, cada qual a representação musical de um quadro, é ligado por uma "promenade", uma breve melodia sugerindo alguém caminhando por uma exposição de arte, mudando de estado de espírito a cada novo quadro que surge à vista. Muitos dos quadros são grotescos (bruxas, gnomos, demônios), e a música de Mussorgsky é adequadamente fantástica (bastante ao modo da Suíte *O Pássaro de Fogo*, de Stravinsky); a obra chega a uma conclusão triunfal, com repicar de sinos, em "O Grande Portão de Kiev". Além do original para piano, *Quadros de uma Exposição* é conhecido em um espetacular arranjo para orquestra de *Ravel. (Ambas as versões são igualmente recomendadas.)

→ *Uma Noite no Monte Calvo* (retrato orquestral de um sabá de feiticeiras); *Islamey*, de Balakirev; *Children's Corner*, de Debussy. Obras de interesse correlato à versão orquestral: *Os Planetas*, de Holst; *Capricho Espanhol*, de Rimsky-Korsakov; abertura *Tam O'Shanter*, de Arnold.

Ⓜ ***Boris Godunov*** (1869; revista em 1872) Mussorgsky concebeu esta ópera originalmente como uma representação teatral de fundo histórico (baseada em eventos reais), mais do que como uma ópera, e preencheu-a não com árias, mas com movimentadas cenas de multidão, enredos e contra-enredos expressos em rápidos recitativos (ver Glossário), e personagens coloridos, tais como um polícia secreto e monges vilões. Mas a personalidade do czar Boris (um tirano atormentado por sua consciência) acabou por interessá-lo cada vez mais e ele reviu a obra para destacar a auto-rejeição de Boris, acrescentando árias e até mesmo uma cena de amor (para o principal inimigo de Boris e a princesa polonesa que o ajuda). Esta versão revista (reorquestrada mais tarde por Rimsky-Korsakov) é bastante conhecida e próxima em estilo à ópera "comum"; a versão original é muito mais sombria e meditativa (como um filme de Eisenstein posto em música). *Boris Godunov* é uma obra gratificante de se descobrir (por ser o personagem de Boris tão fascinante, e sua música expressada de forma tão comovente), mas é altamente complicada (devido a todas as intrigas), e um libreto traduzido é um auxílio essencial para que ela possa ser compreendida.

→ Ⓜ *Khovanschina* (a ópera completa, concluída por Rimsky-Korsakov); *Uma Vida pelo Czar*, de Glinka; *A Força do Destino*, de Verdi.

N

NAZARETH, Ernesto (1863-1934). *Compositor brasileiro.*

Durante muitos anos, através da popularidade de pecinhas curtas como *Odeon*, *Fon-Fon* e *Brejeiro*, Ernesto Nazareth foi visto como uma espécie de *pianeiro* particularmente talentoso do Rio de Janeiro "belle époque". Gravações recentes, como as de Arthur Moreira Lima, e o interesse apaixonado de outros compositores, como Francisco Mignone e Radamés Gnattali, terminaram por resgatar a sua verdadeira fisionomia: a de um músico que tinha uma intuição da sensibilidade brasileira comparável à de Villa-Lobos, e que no seu estilo pianístico tingido de chopinismo pôde revelar a alma de uma cidade — o Rio de Janeiro — com a finura e a variedade que se encontram em Machado de Assis. Nascido no Morro do Pinto, Nazareth estudou música com Eduardo Moreira, mas foi em grande parte autodidata. Era contratado pelas casas de música para ilustrar musicalmente partituras à venda; e seu campo de trabalho ampliou-se com o aparecimento dos cinemas no Rio de Janeiro, onde as sofisticadas salas de espera pediam boa música. Assim expandiu-se uma obra de compositor que, à semelhança de Chopin (seu mestre no sentimento e na perfeição da forma), realizou-se exclusivamente no terreno pianístico. Seu fim de vida foi escurecido por perturbações mentais e pela surdez, culminando numa morte trágica. Em estudo sobre Nazareth, Brasílio Itiberê opina que ele "imprimiu à rítmica incipiente das polcas e lundus um caráter tão preciso, sistematizando-a e enriquecendo-a com tão grande variedade de fórmulas; empregou nas suas composições uma ciência rítmica, uma beleza harmônica e uma tal riqueza de invenção melódica que se tornou de fato o expoente máximo de nossa música popular, e um autêntico precursor da música erudita de caráter nacional".

OBRAS Inteiramente apoiada no piano, a produção de Nazareth divide-se entre os gêneros clássicos que também inspiraram os "chorões": tangos como *Fon-Fon*, *Batuque*, *Turuna*, *Brejeiro*, *Odeon*, *Escovado* (sendo o tango de Nazareth, na opinião de Luiz Heitor, "um tango especial, bem brasileiro, que disfarçava sob essa denominação mais polida a verdadeira natureza do maxixe plebeu que o animava"), valsas como *Eponina*, *Ouro sobre Azul*, *Turbilhão de Beijos*, as polcas *Ameno Resedá*, *Apanhei-te Cavaquinho*, *Você Bem Sabe*, os choros *Janota*, *Sustenta a Nota*, etc.

→ *Goyescas*, de Granados; a obra pianística de Albéniz. Diversas obras de Villa-Lobos e Francisco Mignone encarregam-se de desenvolver o espírito de brasilidade embutido em Nazareth, assim como o *Choro Manhoso*, de um autor mais moderno como Edino Krieger.

NIELSEN, Carl (1865-1931) *Compositor dinamarquês.*

Tal como *Donizetti, Nielsen deve sua educação musical ao exército: logo após ter completado quatorze anos, alistou-se como corneteiro e, cinco anos depois, já era um músico suficientemente completo para estudar violino e composição no Conservatório Real Dinamarquês. Após ter se formado, tocou violino na orquestra do Teatro de Ópera e, mais tarde, ficou famoso como maestro, tanto de óperas quanto do coro e da orquestra sinfônica da Sociedade Musical de Copenhague. Os dinamarqueses o consideram o melhor músico que seu país jamais produziu, e ele foi homenageado por toda a Escandinávia como um gênio da mesma classe de *Sibelius, ou até mesmo *Brahms.

Fora da Escandinávia, no entanto, as comparações com Sibelius fizeram mais mal do que bem a Nielsen. Para a maior parte das platéias da Europa e dos EUA, só havia espaço para um grande compositor escandinavo, e esse era Sibelius. A música de Nielsen era raramente tocada, e até hoje, quase sessenta anos passados de sua morte, ele é bem menos conhecido do que merece. A perda é nossa, pois apesar de sua música ser muito pouco parecida com a de Brahms (e ainda menos com a de Sibelius) é calorosa, fluente e infalivelmente melodiosa — comparações com *Dvořák chegariam mais perto do alvo.

OBRAS Duas óperas (*Saul e Davi*; *Maskarade*); seis sinfonias, três concertos, quatro poemas sinfônicos, abertura *Helios* e meia dúzia de obras orquestrais menores; *Hymnus Amoris*, *Sono*, *Springtime on Fyn* e outras obras corais e orquestrais; música de câmara, incluindo quatro quartetos de cordas, Quinteto de cordas, Quinteto de sopro, duas sonatas para violino; Suíte, Tema e Variações, Chacona e uma dúzia de obras menores para piano solo; *Vinte e Nove Pequenos Prelúdios* e *Commotio*, para órgão; canções originais e arranjos de canções folclóricas dinamarquesas para voz e piano.

Maskarade (abertura) (1906) A ópera de Nielsen é uma farsa frívola de identidades trocadas, criados atrevidos, funcionários públicos pomposos e jovens enamorados lacrimejantes enganando a vigilância dos parentes, tudo isso passado no século XVIII e com tanto bom humor quanto uma pantomima. A abertura estabelece a atmosfera festiva, um borbulhar de melodias tornadas ainda mais vivazes pelos inesperados volteios melódicos e harmônicos.

→ "Dança dos Galos" (também de *Maskarade*); abertura *As Alegres Comadres de Windsor*, de Nicolai; abertura *Donna Diana*, de Rezniček.

Ⓜ ***Sinfonia n. 3*** (Sinfonia Expansiva) (1911) As seis sinfonias de Nielsen são suas melhores obras. As ns. 1 e 2 são grandiosas e cerimoniosas, a n. 4 (*A Inextinguível*) e a Ⓜ n. 5 são heróicas, contundentes, em seu estilo mais sério e vigoroso; a n. 6, após um primeiro movimento afetado, assume um ânimo irônico, reticente, diferente de tudo o mais que Nielsen compôs. A melhor sinfonia para se ouvir primeiro é a n. 3. Seu primeiro movimento é uma valsa gigantesca, o segundo uma evocação do campo (uma das peças musicais mais cheias de pura beleza deste século), o terceiro é uma dança popular interrompida por furiosas irrupções das cordas, e seu finale é um rondó sobre uma "grande melodia" gloriosamente orquestrada e de movimentada harmonia.

→ Concerto para violino; Sinfonia n. 2, de Brahms; Sinfonia n. 5, de Dvořák.

Ⓜ ***Quinteto de Sopro*** (1922) Esta peça foi composta para cinco amigos, e Nielsen deu a cada um deles música que se adequasse a suas respectivas personalidades: a parte da flauta é gentil, a da clarineta impetuosa, a do fagote abrupta e jocosa, e assim por diante. A obra tem melodias de gênero folclórico e harmonias arejadas, terminando com um conjunto de deliciosas variações sobre uma propositada imitação de coral.

→ Concerto para flauta; *Serenata in Vano*; sexteto para sopros *Mládi*, de Janáček.

O

OFFENBACH, Jacques (1819-80). *Compositor alemão/francês.*

Depois de ter sido durante dez anos um virtuose do violoncelo, Offenbach voltou-se aos vinte e nove anos para a sua verdadeira paixão, a comédia musical. Pelos seis anos seguintes, dedicou-se à regência da orquestra da Comédie Française, mas em 1855, irritado porque a administração desse teatro (acostumada com a obra de Molière, Corneille e outros grandes dramaturgos franceses) se recusava a produzir suas criações, formou uma pequena companhia teatral própria, a Bouffes-Parisiens. *Bouffes* é uma palavra que ele mesmo criou, uma combinação de *ópera buffa* (nome tradicional da ópera cômica em italiano) e da exclamação *ouf!*, da língua francesa, usada quando alguém perde a fala, de espanto. O nome da companhia era de fato muito adequado às obras que Offenbach escrevia para ela: comédias espirituosas, fazendo brincadeira a respeito de tudo, de mitologia grega ao estilo solene da Comédie Française, e caricaturando as pomposas autoridades do meio oficial parisiense, tornadas ainda mais leves pelo grande número de canções que entremeava. Como essas peças eram circunstanciais, de um modo geral, e os diálogos usavam e abusavam de gíria, sua carreira nem sempre foi fácil fora da França, e a maioria delas já tombou em completo olvido; sua música, entretanto (canções, galopes, valsas e cancãs) é internacional e imperecível, recordando-nos para sempre a Paris do século XIX no que ela ostentava de mais frívolo e elegante.

OBRAS Óperas *Os Espíritos do Reno* e *Os Contos de Hoffmann*; balé *A Borboleta*; noventa operetas (*bouffes*) incluindo *La Belle Hélène, Orfeu no Inferno, A Grã-Duquesa de Gérolstein, Robinson Crusoe* e a *Vida Parisiense*; seis suítes para dois violoncelos; diversas peças curtas para violoncelo e orquestra; uma dúzia de canções.

Barcarola **(de *Os Contos de Hoffmann*)** Dotada de hipnótico balanço, esta peça nos evoca as marolas do Grande Canal, em Veneza, onde o 3º Ato de *Os Contos de Hoffmann* tem lugar, narrando uma história de amor. Ela é uma dessas melodias tão parodiadas por comediantes que todos a conhecem de imediato, e riem-se ao ouvi-la. A versão original (particularmente se acompanhada de letra) é pouco conhecida, mas tem simplicidade, beleza e sinceridade de propósitos. (Deve-se ressaltar que Offenbach escreveu algo semelhante para cada uma de suas obras, todas elas tão sentimentais e encantadoras quanto são exuberantes suas demais canções.

→ "Il Était une Fois" ("Era uma vez..."), da mesma ópera; Ⓜ "Quando eu era rei dos beócios" (de *Orfeu no Inferno*); "Com um par de olhos brilhantes", de *Os Gondoleiros*, de Sullivan.

Gaîté Parisienne ("Alegria Parisiense", arranjo de Rosenthal; 1938) Nove das mais cintilantes composições de Offenbach reúnem-se aqui numa movimentada suíte de balé. Há poucos espetáculos que dele se aproximam em termos de tão elegante entretenimento. O extraordinário bom humor da música leva de roldão tudo o que tenha diante de si.
→ Abertura *La Périchole*; *Soirées Musicales*, de Britten; balé *Baile de Formatura*, de Strauss, em arranjo de Dorati.

Ⓜ ***Orfeu no Inferno*** (1858) (a opereta completa) O mito grego de Orfeu e Eurídice vê-se virado de cabeça para baixo: Orfeu é um paulificante professor de violino, Eurídice uma namoradeira que está de olho no seu vizinho, um apicultor (ele é, na verdade, o Rei do Inferno, sob disfarce); a polícia francesa volta e meia aparece em cena, para ver se as pessoas se comportam decentemente; a segunda parte é integralmente dedicada a uma festa de arromba no inferno, com as almas penadas (bêbadas com a água do esquecimento) entregando-se a uma cantoria danada enquanto se divertem num *show* de coristas (que termina, vejam só, com o famoso cancã). Como uma revista musical do século XX, *Orfeu no Inferno* deve ser assistida *ao vivo*, para que se desfrute todo o *ouf!* que Offenbach quis transmitir-nos. Em gravações fonográficas, que realçam a música, perde-se *o espetáculo* e se consegue apenas captar uma parte de seu extraordinário brilho.
→ Ⓜ *La Belle Hélène*, uma versão — ainda mais debochada — do mito grego de Helena de Tróia; *Barbebleu* (*Barba-Azul*) tem menos peças de grande brilho, mas é a mais divertida farsa do compositor; *The Boys from Syracuse*, musical de Rodgers.

ÓPERA

A ópera (a palavra significa *trabalho*, em italiano, e foi adotada para definir esse gênero dramático na Inglaterra do século XVII) foi concebida em Florença no final do século XVI. Artistas plásticos, escritores e arquitetos da época estavam vivamente empenhados na revivescência da cultura clássica greco-latina (o nome *Renascimento*, que se dá a esse período da história, decorre de tal esforço), e a ópera resultou da tentativa de se recriar o estilo do teatro grego, no qual os textos tanto podiam ser falados quanto declamados ou cantados. A música era essencial para isso: tanto quanto as palavras, ou as ações que ocorressem no palco, ela definia o caráter das personagens, estabelecia o ritmo da narrativa, exprimia emoções e criava ou aumentava a tensão.

ÓPERA DO SÉCULO XVII As primeiras óperas eram pouco mais do que peças cantadas, dando a todo o elenco o mesmo tipo de música, independentemente da situação ou da personagem. No começo do século XVII, porém, pouco mais de uma geração desde o nascimento da ópera como gênero, dois compositores de talento — primeiro *Monteverdi e logo depois Cavalli — desenvolveram a idéia de ressaltar os momentos mais expressivos do entrecho, confiando aos intérpretes elaboradas canções — *árias* — que interrompiam a ação para ressaltar emoções e sentimentos. (Isso constituía, como ainda hoje constitui, algo muito distinto do que ocorre no teatro *falado*, onde o fluxo da ação é contínuo). As óperas de Monteverdi, *Orfeu* (1607) e *A Coroação de Popéia* (1642), e as de Cavalli, *L'Egisto* (1643) e *La Calisto* (1651), ainda se revelam tão musicalmente suntuosas em nossos dias quanto o foram, na época de sua composição, as roupagens e perucas que distinguiam os costumes da alta sociedade. (Ver *música do século XVII*.)

ÓPERA DO SÉCULO XVIII Durante o século XVII e os primeiros anos do XVIII, a ópera floresceu como forma de entretenimento das classes abastadas. Pouco a pouco, as partes *faladas* dos espetáculos (chamadas *recitativo* ou *narração*) foram cedendo lugar às *árias*, e toda a atenção dos espectadores passou a fixar-se nos cantores. O que as audiências da época (como as de hoje) queriam encontrar num cantor de ópera era a combinação de desempenho cênico com destreza vocal, e aqueles que podiam apresentá-la melhor eram logo cobertos de glórias internacionais, fama e fortuna. A função da orquestra era principalmente a de proporcionar aos cantores um acompanhamento discreto; as passagens corais eram sumárias (reservadas para mostrar multidões rejubilantes ou apavoradas); os entrechos davam ensejo a montagens espetaculares (cidades em chamas, por exemplo) e a tramas envolventes (cortinas e portas, atrás das quais figurantes se podiam esconder, eram fundamentais em todos os cenários); as óperas se desenvolviam de uma ária para outra e, no conjunto, equivaliam a brilhante concerto vocal em que os "movimentos" eram frouxamente interligados por uma narrativa baseada na mitologia ou em acontecimentos da história antiga. Muitos autores desse tipo de ópera eram meros escrevinhadores de partituras musicais, mas, na primeira metade do século XVIII, um compositor de indiscutível gênio passou a dominá-lo: *Händel.

Em meados do século XVIII, o estilo operístico tomou novos rumos, e a norma dos espetáculos inconseqüentes quanto a entrecho, centralizados apenas na capacidade vocal dos cantores, caiu em desuso. Compositores da Europa setentrional, liderados por *Gluck, passaram a buscar formas de entretenimento mais próximas do drama musical de hoje do que da ópera seiscentista italiana. A ação passou a ser contínua, e as árias, ao invés de serem inseridas aleatoriamente nas partituras, começaram a integrar os entrechos e a serem justificadas por eles. Óperas de Gluck como *Orfeu e Eurídice* (1762) e *Ifigênia em Áulida* (1774) reviveram a arte de comover as platéias além de impressioná-las, e o estilo *drama musical* fixou-se desde então como a principal forma operística que os compositores românticos do século XIX, como *Weber e *Berlioz, elaboraram ainda mais, e *Wagner transportou a culminâncias jamais atingidas até então.

Assim, foi no século XVIII que novas idéias de unidade dramática e de atribuir à música em si mesma uma qualidade intelectualmente satisfatória afetaram o estilo de compositores que se vinham mantendo fiéis ao velho método italiano de construção, baseado na seqüência de recitativos e árias. O maior de todos eles foi *Mozart, cujas óperas *As Bodas de Fígaro* (1786), *Così Fan Tutte* (1790), *Don Giovanni* (1787) e *A Flauta Mágica* (1791) têm unidade musical (tão consistente quanto a de qualquer sinfonia ou sonata) sem perderem o pique indispensável a todo entretenimento cênico.

ÓPERA DOS SÉCULOS XIX E XX No começo do século XIX a Itália foi palco de efêmera mas brilhante revivescência do estilo centrado nos cantores: poucas óperas apresentam-lhes mais dificuldades — ou proporcionam maiores emoções à platéia — do que *A Sonâmbula* (1831), de *Bellini, *Lucia de Lammermoor* (1835), de *Donizetti, ou *La Cenerentola* ("Cinderela") (1817), de *Rossini. Para a maioria dos compositores, no entanto, de *Beethoven a *Verdi, as modificações pioneiramente propostas por Gluck continuaram a ser o esteio básico do gênero operístico. A combinação de unidade intelectual na música e apelo popular na história era dinamizada pelo recurso a entrechos românticos apaixonantes, freqüentemente melodramáticos. As decorosas apropriações de temas clássicos e mitológicos (por mais sanguinários que pudessem ser), tão caros ao século anterior, cediam lugar à obra de escritores como Shakespeare, Walter Scott, Byron e Goethe, onde, em suas visões literárias da Idade Média e do Renascimento, os compositores do século XIX iam encontrar exatamente os episódios que buscavam: de um lado, amantes infelizes, cálices de veneno, conspirações políticas e cenas de loucura; de outro, nobreza d'alma, resignação, abnegado heroísmo e amor imaculado. *Wagner recuou ainda alguns passos em sua temática, recorrendo ao épico da história e à mitologia dos povos germânicos. Muitas das melhores e mais queridas óperas de nossos dias usam tais elementos; nas mãos de compositores geniais, entrechos por vezes grotescos recebem tratamento que os transforma em vigorosos ou sentidos depoimentos sobre a condição humana em geral. Lembremo-nos, por exemplo, do que Verdi realizou com *A Força do Destino* (1862), *Don Carlos* (1867) ou *Otelo* (1887). Outros compositores, no entanto, não se voltavam para a história ou para a literatura romântica, mas para o dia-a-dia, as notícias colhidas nos jornais, ou as obras "realistas" de autores como Dumas, Dickens ou Victor Hugo. *Carmen* (1875), de *Bizet, é sobre uma cigana, que será assassinada pelo homem que ela abandona ao apaixonar-se por um famoso toureiro. *La Bohème* (1896), de Puccini, tem como pano de fundo a vida de pobres artistas, em suas mansardas parisienses; a heroína de *La Traviata* (1853) é uma cortesã, prestes a morrer de tuberculose.

Desde a época de Mozart até os dias de hoje, a ópera tem sido para grande número de pessoas a mais faustosa, eloqüente, exuberante e satisfatória de todas as criações musicais. Combina espetáculo, apuro técnico e apelo emocional num grau sem paralelo em qualquer outra das artes de representação. Os não-aficionados poderão argumentar que, a rigor, não houve avanços marcantes no gênero desde o final do século XIX, e que os grandes compositores de ópera do nosso tempo — *Berg, *Britten, Menotti, *Henze — usam basicamente métodos e estilos que pouco diferem dos de Verdi ou Puccini. A isso lhes responderão que tal ocorre precisamente porque a forma consagrada funciona muito bem: se uma máquina realiza à perfeição a tarefa para a qual foi concebida, por que modificá-la?

Para ouvir Bons e curtos exemplos do estilo operístico primitivo serão encontrados em *Il Combattimento di Tancredi e Clorinda*, de *Monteverdi (heróica), na cantata *Non, non ti Voglio, Cupido*, de Scarlatti (dramática) e em *La Serva Padrona*, de *Pergolesi (cômica). Para obter recomendações adicionais, ver Händel, Monteverdi e Purcell. Boas amostras de óperas do século XVIII serão dadas por árias-concertantes de Mozart (como, por exemplo, *Per Pietà, non Ricercate*, K 420); *Il Maestro di Cappella*, de Cimarosa, nos divertirá com os problemas de bastidores de um grupo de cantores, maestro e produtor. Para mais referências, ver Gluck, Haydn e Mozart. Quanto à ópera do século XIX, ouvir *O Sino da Noite*, de Donizetti (cômica), e *I Pagliacci*, de Leoncavallo (trágica). Para recomendações adicionais sobre essa era de ouro da história operística, ver Bellini, Bizet, Donizetti, Dvořák, Mussorgski, Offenbach, Puccini, Rossini, Smetana, Sullivan, Tchaikovsky, Verdi, Wagner e Weber. Do repertório contemporâneo, ouvir a tragédia em um ato, para uma só cantora, que é *La Voix Humaine*, de Poulenc, a jovial *The Telephone*, de Menotti, e a ópera de câmara *Curlew River*, de Britten, baseada numa peça do teatro *No*, japonês. Para outras recomendações, ver Berg, Britten, Gershwin, Henze, Janáček, Ravel, Richard Strauss, Stravinsky e Tippett.

ORFF, Carl (1895-1982). *Compositor alemão.*

Orff fundou uma escola e inventou um sistema de educação musical (baseado na prática do canto e da percussão) que ainda hoje se ministra em jardins de infância e escolas primárias do mundo inteiro. Todas as suas composições tiveram como ponto de apoio a voz humana, e muitas delas foram concebidas para apresentação cênica. O estilo musical dessas obras é marcante, associando melodias infantis e rica harmonização em ritmos vigorosos e pulsantes, orquestrados com a extravagância de uma partitura cinematográfica. Alguns compositores de música pop (Lloyd Webber, Sondheim, Hamlisch) chegaram ao mesmo resultado partindo de origens diversas. Os temas de Orff eram mais "sérios" (os textos de que lançava mão eram freqüentemente em latim, grego clássico ou francês medieval, como também em sua própria língua, o alemão), mas a musicalidade e a força dramática de sua obra são tão cativantes e imediatas.

OBRAS Uma dúzia de trabalhos para apresentação cênica, incluindo os *Trionfi* (uma trilogia composta das cantatas *Carmina Burana*, *Catulli Carmina* e *Trionfo de Afroditi*); seis óperas (entre as quais *Antígona*, *Édipo Rei* e *A Garota Sabida*) e três oratórios, um de Natal, outro de Páscoa e o último a propósito do Dia do Juízo Final; três conjuntos de canções para coro e orquestra; *Trabalho Escolar*: centenas de pecinhas simples, para crianças cantarem ou tocarem.

Ⓜ ***Carmina Burana*** ("Canções de Abadia de Benediktbeuren") (1936) Vinte e um poemas medievais, a maioria em latim, para solistas, coro e grande orquestra. Pode parecer algo muito frio e seco, mas os temas desses versos que Orff utilizou (primavera, vinho e sexo), bem como o impacto das melodias e ritmos por ele concebidos, tornam esta obra uma das mais comunicativas de todas as peças de concerto deste século, alcançando merecido sucesso onde quer que seja executada. As duas outras partes dos *Trionfi* são menos arrebatadoras, mas o brilho sedutor de *Carmina Burana* é reencontrado em suas óperas-contos de fadas, Ⓜ *A Lua* e Ⓜ *A Garota Sabida*. (As obras *sérias* de Orff, especialmente Ⓜ *Antígona*, Ⓜ *Édipo Rei* e Ⓜ *Comédia para o Fim dos Tempos* são magníficas, mas só nos dizem realmente algo após nos familiarizarmos com o restante de seu trabalho — e se, como acontece com todas elas, pudermos saber o que significam os textos empregados.)

→ *Die Kluge* (de *A Garota Sabida*); *Spring Symphony*, de Britten; *Cats*, de Lloyd Webber.

OVALLE, Jaime. Ver *Compositores de obra singular*.

P

PALESTRINA, Giovanni Pierluigi da (c. 1525-1594). *Compositor italiano.*
Palestrina passou a vida a serviço da Igreja. Em Roma, cantou no coro da Capela Sistina, dirigiu o coro da Capela Giulia e foi maestro do coro das igrejas de São João Latrão e Santa Maria Maggiore. Em 1567, passou a fazer parte do conjunto de músicos do Cardeal Ippolito II d'Este, em Tivoli, mas cinco anos depois voltou à Capela Giulia, como maestro do coro, permanecendo ali pelo resto de sua vida. Logo após a morte de sua primeira esposa, em 1581, casou-se com uma viúva rica e assumiu o comércio de peles do falecido marido dela, transformando-o num excelente negócio.

Palestrina é o melhor de todos os compositores do estilo coral polifônico da Igreja Católica Romana (ver *música do século XVI*). Suas linhas vocais longas e sinuosas parecem se entrelaçar e colear pela igreja, arrebatando a congregação inteira para uma atmosfera de oração. A beleza da música é um prazer garantido até mesmo para os não-crentes; aqueles que são capazes de penetrar nela e partilhar seu sentido devocional (não importa a denominação) vão descobri-la coroada de emoção, intensa e espiritual de uma forma que muito poucas outras obras eclesiásticas sequer começam a igualar.

OBRAS Noventa e quatro Missas, duzentos e setenta e três motetos e muitas peças mais curtas para uso eclesiástico; dois livros de madrigais sobre versos não-religiosos.

Missa Papae Marcelli ("Missa do Papa Marcelo") (publicada em 1567) Diz a história que o Papa Marcelo pediu aos seus compositores que reformassem o seu estilo, abandonando os floreios musicais e as exibições auto-indulgentes, para se concentrar na expressão do significado das palavras — e que esta missa foi a resposta de Palestrina. Se a história é verdadeira ou falsa, poucas obras de Palestrina expressam tanto o anelo e o amor por Deus que jaz no cerne da missa romana. É uma música conhecida (usada regularmente na televisão e em trilhas cinematográficas para acompanhar imagens das igrejas do Renascimento); quando ouvida sem distração na sala de concerto ou, melhor ainda, na igreja, ela tanto satisfaz a mente quanto toca o coração.
→ Ⓜ *Stabat Mater*; *Missa Brevis*; Missa da Vitória *O quam Gloriosum est Regnum* (baseada em seu moteto do mesmo nome, que também é recomendado).

PERGOLESI, Giovanni Battista (1710-36). *Compositor italiano.*
Pela infância de Pergolesi, fica claro tanto que ele era um gênio musical quanto que não tinha muito tempo para viver (devido à tuberculose). Conseguiu um bom

emprego musical, o mais rápido que foi possível (como músico-chefe do Vice-Rei de Nápoles), e compôs com velocidade febril, escrevendo diversas óperas, sonatas para trios, concertos e obras religiosas em grande escala todos os anos. Por volta de 1735 sua saúde estava tão prejudicada que ele se retirou para o hospital de um mosteiro, onde morreu pouco depois.

OBRAS Uma ópera, *La Serva Padrona* (ver adiante), fez o nome de Pergolesi, não muito tempo após a sua morte. Ele era tão popular, e seus manuscritos tão numerosos e caóticos, que os produtores teatrais e os editores começaram a anunciar "novas descobertas de Pergolesi" a cada temporada, fossem obras autênticas ou não. Isso torna difícil dizer que música ele realmente *compôs*: talvez meia dúzia de óperas, umas vinte peças de igreja, umas poucas canções para solista e não muito mais. Mas importa muito pouco, agora, quem escreveu a música: ela é toda deliciosa. (*Pulcinella*, de Stravinsky, usa canções e movimentos de trio-sonata "à Pergolesi", cheios de vigor e melodia, e são tão agradáveis nas versões originais do século XVIII quanto na dulcíssima partitura de Stravinsky.)

La Serva Padrona ("A criada patroa") (1733) (a ópera completa) Esta animada ópera cômica, com apenas quarenta e cinco minutos de duração, conta a história de uma criada namoradeira que finge ser a própria patroa para enganar um amante. Suas melodias são atraentes, a história é engraçada e os personagens são memoráveis: se Pergolesi tivesse vivido para desenvolver seu estilo, poderia ter rivalizado até com *Mozart (cuja *Così Fan Tutte* é uma ópera de enredo do mesmo filão).
→ *La Contadina Astuta* ("A camponesa astuta"); *Pimpinone*, de Telemann; *L'Impresario*, de Mozart.

Ⓜ *Stabat Mater* (1736) Pergolesi lançou-se à tarefa de escrever uma obra séria para igreja, para dois solistas, coro e orquestra — e, apesar de todas as suas intenções solenes, estão sempre presentes uma musicalidade de ópera cômica e um senso de *timing* de palco ao nível da fração de segundo (ele sabe exatamente quando parar; seus movimentos não têm nunca uma só nota longa demais). Se há uma música de igreja, com a duração de quarenta minutos, que possa ser chamada de "deleitável", é esta.
→ *Magnificat*; *Gloria*, de Vivaldi; *Petite Messe Solennelle*, de Rossini.

POULENC, Francis (1899-1963). *Compositor e pianista francês.*

Quando tinha vinte e quatro anos, Poulenc compôs um balé cheio de vivacidade, ao estilo de Stravinsky, que conheceu enorme sucesso (*Les Biches*), para os Ballets Russes de Diaghilev. Esse sucesso fez dele um favorito da Paris elegante, e Poulenc passou as décadas de 20 e 30 como uma espécie de Noel Coward da música séria, escrevendo peças brilhantes e ligeiras que serviam exatamente ao gosto frívolo da alta sociedade da época.

Quando já ia a meio dos seus trinta anos, Poulenc mudou seu enfoque musical. Tornou-se católico romano devoto e compôs uma dúzia de obras sérias e solenes, sobre temas católicos. Deu início a uma parceria com o cantor Pierre Bernac, e nos vinte e cinco anos que se seguiram viajou pelo mundo com seu acompanhante; para Bernac, compôs canções tão emocionantes e sérias como nenhuma outra desde os tempos de *Fauré. Ocasionalmente, em seus últimos anos, a alegria frívola de seu primeiro estilo ressurgiu (por ex., no vigoroso Concerto para piano de 1949); mas o melhor de sua última música é melodioso e romântico, em vez de jazzístico, e ele é um dos mais agradáveis compositores do segundo time de sua época.

OBRAS Três óperas (incluindo *Diálogo das Carmelitas*); dois balés (incluindo *Les Biches*); Sinfonietta, duas suítes, quatro concertos (para cravo, piano, órgão e dois pianos) e diversas obras orquestrais mais curtas; Sexteto, Quarteto de cordas, Trio, oito sonatas para instrumentos variados e muitas obras de câmara mais curtas; quinze volumes de música para piano (incluindo *Mouvements Perpétuels*, Sonata para quatro mãos e *L'embarquement pour Cythère*); *Babar, le Petit Éléphant*, para locutor e piano, cento e vinte e cinco canções (incluindo os ciclos de canções *Cocardes* e *Fiançailles pour rire*, ambos frívolos, e os tocantes *Tel jour, Telle Nuit* e *Banalités*).

Mouvements Perpétuels (1918) Três peças pequenas e espirituosas para piano, com melodias de canções populares e harmonias jazzísticas, no estilo mais moderno da época. Poulenc admirava *Stravinsky e *Satie, e estas peças para piano são no gênero da música mais festiva desses compositores.
→ *Suite Française* (arranjos bem temperados de danças francesas do século XVII, também disponíveis em uma saborosa versão orquestral); *L'Embarquement pour Cythère* (dois pianos); "Le Petit Âne Blanc" (de *Histoires naturelles*), de Ibert.

Ⓜ ***Sonata para flauta*** (1947) Despida de solenidade, brilhantemente escrita para flauta e piano e repleta daquele tipo de melodia que permanece na memória dias seguidos. O primeiro movimento é polido e sem pressa, o segundo tocante, o terceiro turbulento. (A peça também é conhecida numa versão de concerto com orquestra; o acompanhamento para piano, no entanto, tem um lampejo clangoroso que se adequa melhor à música.)
→ Sexteto para piano e sopros; Ⓜ Concerto para órgão; Concerto para flauta, de Ibert.

Ⓜ ***Quatro Motetos para um Tempo de Penitência*** (1939) Estas peças de sentida religiosidade (para coros sem acompanhamento) datam da conversão de Poulenc e são apaixonadamente espirituais, de uma forma bem diversa da sua primeira música. O *Requiem* de Fauré é seu ancestral musical, e a inspiração de Poulenc está à altura desse *pedigree*.
→ Ⓜ *La Figure Humaine*; Missa em sol; *Rejoice in the Lamb*, de Britten.

PROKOFIEV, Sergei (1891-1953). *Compositor russo.*

Havia um costume no Conservatório de Moscou de que os estudantes de piano, no dia de sua formatura, deveriam tocar um concerto de *Beethoven, *Grieg ou *Tchaikovsky. Prokofiev causou sensação ao tocar seu próprio Concerto n. 1: a música chocou os professores como espantosamente feia, mas ele tocou tão brilhantemente que estes engoliram o aborrecimento e lhe deram um prêmio especial. Durante os vinte anos seguintes ele apareceu regularmente como pianista, executando suas próprias obras, e deu as primeiras audições da maior parte de seus concertos e sonatas. Imediatamente após a Revolução Russa de 1917, viajou pelos EUA e em seguida estabeleceu-se em Paris durante dez anos (não por motivos políticos, mas principalmente para trabalhar para os Ballets Russes de Diaghilev). Voltou à URSS em 1933 e, durante o resto de sua vida, apesar de ocasionais problemas com autoridades (que diziam ser a sua música muito intelectual e muito discordante), foi considerado um dos principais compositores do seu país.

A música de Prokofiev *era* às vezes discordante e intelectual: especialmente quando estava na casa dos vinte anos, fez experiências com discordâncias ásperas, tonalidades amontoadas, quer se adequassem às notas ou não, um martelar bárbaro de piano e sons estridentes de orquestra. Mas isto foi apenas um pequeno punhado de músicas (por ex., a intencionalmente horrenda *Suíte Cita*). A maior parte de sua música é melodiosa, fácil para o ouvido e em estilo romântico temperado por inesperadas harmonias e vivazes ritmos do século XX. Seu *Pedro e o Lobo*, uma história com orquestra para crianças, criada para demonstrar a função de cada instrumento da orquestra, é típico de sua música no que tem de melhor: fluente, despreocupada e irresistivelmente melodiosa.

OBRAS Oito óperas (incluindo *O Amor das Três Laranjas* e *Guerra e Paz*); sete balés (incluindo *Romeu e Julieta* e *Cinderela*); sete sinfonias, Sinfonieta e meia dúzia de obras orquestrais mais curtas (incluindo a *Suíte Cita*); cinco concertos para piano, dois concertos para violino, dois concertos para violoncelo; dez sonatas, duas sonatinas, quatro estudos e muitas obras mais curtas para piano; dois quartetos de cordas, duas sonatas para violino, Sonata para violoncelo e outras obras de câmara; obras corais (incluindo a cantata *Alexander Nevsky*, baseada na música para o filme épico de Eisenstein) e um grupo de canções para voz solista.

Tenente Kijé, op. 60 (1934) Esta suíte orquestral começou como música para uma comédia cinematográfica (a respeito de oficiais presunçosos, forçados a inventar toda uma vida para um oficial de exército inexistente, por quem o czar se interessa). O filme é eminentemente esquecível, mas a suíte é brilhante, cinco cenas curtas da vida de Kijé, incluindo o seu nascimento, casamento e morte heróica no campo de batalha; "Troika" é, ao lado de *Pedro e o Lobo*, a peça de Prokofiev preferida do público.
→ Suíte *O Amor das Três Laranjas*; *O Moscardo*, de Shostakovich; *Háry János*, de Kodály.

Ⓜ ***Sinfonia n. 1*** (*Clássica*), op. 25 (1917) Prokofiev dispôs-se a escrever o tipo de sinfonia que *Haydn poderia ter composto se tivesse vivido no século XX: ele usa pequena orquestra, a mesma seqüência e estilo de movimentos da sinfonia de Haydn e tem as mesmas proporções bem comportadas. (A intenção era fazer um antídoto contra as sinfonias longas e emocionalmente extrovertidas de compositores como *Tchaikovsky.) As melodias irônicas, a harmonia cheia de espírito e a brilhante escrita orquestral fazem dela uma sinfonia que Haydn teria certamente apreciado; em vez de restringir sua inspiração, as formas do século XVIII lhe deram asas.
→ Concerto para violino n. 2; Sinfonia, de Bizet; Sinfonietta, de Poulenc.

Ⓜ ***Romeu e Julieta***, op. 64 (1936) Prokofiev orquestrou a história de Shakespeare numa série de fascinantes movimentos independentes, mazurcas, polcas, galopes, *pas de deux*, e assim por diante, bem à maneira dos grandes balés de Tchaikovsky. (Sua lenta música de amor, e a saltitante e enérgica música de luta são magníficas.) É um balé maravilhoso de se ver dançando (e foi soberbamente filmado); costuma ser gravado completo, e existem também duas suítes populares, recomendáveis por seus próprios méritos.
→ *Cinderela* (o balé completo; também suítes 1 e 2); *A Bela Adormecida*, de Tchaikovsky; *Daphnis e Cloé* (as suítes 1 e 2 antes do balé completo), de Ravel.

Ⓜ ***Concerto para piano n. 3***, op. 26 (1921) Peça esplendidamente alegre, começando com uma marcha (cheia de deliciosas harmonias tipo "nota errada"), continuando com um delicado tema e variações e terminando com uma pomposa valsa que vai se avivando até uma conclusão frenética, brilhante. Os concertos do século XX costumam ser ou exibições pesadonas ou conversações arrastadas; este é uma festa.
→ Concerto para piano n. 1; Concerto para piano n. 2, de Shostakovich; Concerto para piano, de Britten.

PUCCINI, Giacomo (1858-1924). *Compositor italiano.*
Descendente de cinco gerações de músicos, Puccini teve consciência desde a infância de que queria fazer da música a sua carreira, e de que queria se concentrar na ópera. Suas primeiras três óperas conheceram o sucesso apenas moderado, mas as três que se seguiram, *La Bohème*, *Tosca* e *Madama Butterfly*, entraram

imediatamente para o repertório internacional, onde permanecem desde então entre as óperas mais populares jamais compostas. Seu sucesso foi tanto financeiro quanto artístico: elas tornaram Puccini milionário e ele comprou uma *villa* à beira de um lago, perto de Lucca, sua cidade natal, passou a vida em semi-aposentadoria (era um hábil caçador de patos selvagens), e nos vinte e cinco anos que se seguiram produziu apenas mais quatro trabalhos.

OBRAS Além de uma Missa e de um punhado de pequenas peças instrumentais (por ex., *Chrysanthemus*, para quarteto de cordas), todas escritas quando era estudante, Puccini só compôs óperas: *Le Villi*, *Edgar*, *Manon Lescaut*, *La Bohème*, *Tosca*, *Madama Butterfly*, *La Fanciulla del West*, *La Rondine*, *O Tríptico* (*Il Tabarro*, *Suor Angelica*, *Gianni Schicchi*) e *Turandot*.

Ⓜ ***La Bohème*** (1896) (a ópera completa) As histórias das óperas de Puccini são como as dos filmes populares ou das novelas: fica sempre muito claro quem são os vilões e quem são as vítimas, qual é o enredo e como vai terminar, e nosso interesse se concentra principalmente nos personagens e nas locações inusitadas em que os acontecimentos tomam lugar. *La Bohème* é sobre artistas na Paris da década de 1890, uma jovem moribunda e o poeta que a ama; *Tosca* se passa em Roma, durante a Revolução de 1800, e seus personagens incluem um sádico chefe de polícia, um suspeito de terrorismo e a cantora que o ama; Ⓜ *Madama Butterfly* mostra-nos o amor patético de uma jovem japonesa por um insensível oficial da marinha norte-americana; *La Fanciulla del West* é, como diz o título, uma ópera-western; Ⓜ *Turandot* é sobre uma princesa chinesa de contos de fadas. Por si mesmas, as histórias são inflamadas porcarias. O que faz dessas óperas obras-primas é o modo como a música de Puccini constantemente relembra à platéia os sentimentos e destinos dos personagens, dizendo-nos coisas que às vezes os próprios personagens não percebem. (Por exemplo, quando Rodolfo, em *La Bohème*, canta para Mimi "Che Gelida Manina", a música deixa claro que ela está morrendo e que seu amor está condenado, e com este trágico conhecimento preocupamo-nos com os personagens de uma forma que as simples palavras não são capazes.) Emoção na música, acrescida de melodias emotivas e desabridas — um bom exemplo é a ária que *Madama Butterfly* canta de coração partido "Un Bel Dí Vedremo" — é o que dá às óperas de Puccini a sua força: apesar de os personagens no palco serem claramente cantores, acompanhados por uma orquestra perfeitamente visível e por um maestro em traje de gala, esquecemos que são parte de um drama e acreditamos neles como gente real — e esta empatia emocional cativa o coração. → *La Bohème*, *Madama Butterfly* e *Tosca* são as melhores óperas de Puccini para se ouvir em primeiro lugar, junto com sua maravilhosa comédia em um ato Ⓜ *Gianni Schicchi* (a respeito de um homem que finge estar morrendo a fim de ver que pessoas de sua família e da vizinhança o amam mais); bons momentos individuais, exemplos ideais de seu estilo são as duas árias acima mencionadas ("Que mãozinha gelada", "Um belo dia veremos"), "O Mio Babbino Caro" ("Ó meu pai querido"), de *Gianni Schicchi* e "Nessun Dorma" ("Que ninguém durma"), de *Turandot*. Boas óperas de interesse correlato, de outros autores, são: *Andrea Chénier*, de Giordano; *I Pagliacci* (ver ***compositores de obra singular***), de Leoncavallo; *La Traviata*, de Verdi.

PURCELL, Henry (1659-95). *Compositor inglês.*

O pai de Purcell era um dos músicos da corte de Charles II, e ambos os seus filhos (Henry e seu irmão mais novo, Daniel) entraram para o serviço real assim que tiveram idade. A carreira de Henry foi meteórica: aos quinze anos era apenas um "afinador de órgão" (isto é, empregado que bombeava os foles), aos dezoito era "compositor para os violinos do rei" (isto é, escrevia para uma orquestra de cordas nos moldes da de Luís XIV), e aos vinte foi indicado organista da Abadia de Westminster.

Purcell compôs música dos tipos especializados exigidos por todos os seus compromissos: suítes e danças orquestrais, músicas de câmara para o divertimento real, odes e outras peças cerimoniais para ocasiões de Estado, hinos e outras obras para a igreja. Mas seu grande amor era o teatro. Sob Cromwell, os teatros londrinos haviam sido todos fechados. Quando Charles II subiu ao trono, houve uma explosão de vida teatral e dezenas de novas peças, óperas e mascaradas eram encenadas todos os anos. Nos últimos quinze anos de sua vida, além de suas outras atividades musicais, Purcell escreveu uma dúzia de obras para o teatro, de grande escala, música incidental para mais de quarenta peças e centenas de canções e danças isoladas. Após sua morte, ele foi lembrado principalmente por suas obras cerimoniais; é principalmente por sua música para o teatro (especialmente suas canções) que ele é hoje estimado.

OBRAS Além de música incidental (mais tarde freqüentemente publicada em suítes intituladas segundo as peças, por ex., *Distressed Innocence*, *Abdelazer*, *The Married Beau*), Purcell escreveu uma ópera (*Dido e Enéias*: ver adiante) e diversos "espetáculos para o palco", envolvendo diálogo falado, canções, balé e interlúdios orquestrais: os mais conhecidos são *Diocleciano*, *King Arthur*, *The Fairy Queen* (baseado em *Sonho de uma Noite de Verão*, de Shakespeare), *The Indian Queen* e *The Tempest*. Seus cerca de cinqüenta corais incluem duas *Odes para o Aniversário da Rainha Mary*, *Ode para o Dia de Santa Cecília* e muitos hinos (por ex., *My Heart is Inditing*), e escreveu mais de cem canções isoladas (incluindo *Music for a While*, *Nymphs and Shepherds* e *Evening Hymn*). Sua música não-vocal inclui oito suítes, duas dúzias de marchas e outras peças curtas para cravo, *Chacony* e quinze fantasias para cordas, doze sonatas para violino, onze trio-sonatas e uma dúzia de obras de câmara menores.

Music for a While (1692?) As canções de Purcell, tal como as de *Schubert, adequam a música às palavras de forma tão perfeita que ambas parecem ter sempre existido juntas; também como Schubert, ele sabia fazer palavras idiotas (como estas) parecerem poesia sublime, simplesmente através da melodiosidade e da força emocional de sua música.
→ Esta canção, lenta e suave, pode muito bem ser seguida por "Lord, What is Man?" e Ⓜ *Evening Hymn*; "Nymphs and Shepherds", "Man is for the Woman Made" e Ⓜ "Sweeter than Roses" mostram-no num estado de espírito mais animado. Os equivalentes mais próximos de outros autores são os temas shakespearianos de Arne (por ex., "Under the Greenwood Tree"; "Where the Bee Sucks") e as *Cançonetas Inglesas*, de Haydn.

Ⓜ ***Dido e Enéias*** (1689) (a ópera completa) Esta obra curta é profundamente diversa das pesadas óperas italianas de recitativos e árias da época (ver *ópera*); em seu caráter emocional direto e na profundidade da descrição dos personagens fica mais próxima às óperas "da reforma" de *Gluck, um século depois. Delícias particulares são seus coros arejados (por ex., "Sailors Farewell"), a espetacular "Cena das Feiticeiras" (usando harmonias "mágicas" quase do século XIX), e a canção lamentosa de Dido, "When I am Laid in Earth", quando ela se prepara para cometer suicídio após Enéias tê-la abandonado.
→ *The Fairy Queen* (divertida com o diálogo falado; mas a música funciona perfeitamente bem sem ele); *Ácis e Galatéia*, de Händel; cantata-solo *Amor, hai vinto*, de Vivaldi.

Ⓜ ***Ode para o Dia de Santa Cecília*** (1692) Celebração triunfante da música, dedicada a sua santa padroeira, e com as maravilhosas palavras do poeta Dryden. O coro canta a respeito de trompetes, tambores, flautas suspirosas e a alegria de dançar — e a música de Purcell encontra a equivalência de cada idéia em sons jubilosos.
→ "Come, Ye Sons of Art" (*Ode para o Aniversário da Rainha Mary* n. 1); "God Spake Sometime in Visions" (*Hino da Coroação*, 1685), de Blow; "Let God Arise" (Hino Chandos n. 11), de Händel.

R

RACHMANINOV, Sergei (1873-1943). *Compositor e pianista russo.*

Até a Revolução Russa de 1917, Rachmaninov dividia seu tempo entre a Rússia, a Europa Ocidental e os EUA, e era muito famoso como compositor, pianista e regente (especialmente de ópera). Após a revolução, ele se estabeleceu nos EUA e nunca mais voltou à Rússia. Foi um dos principais virtuoses de piano da primeira metade deste século, famoso por suas interpretações de *Chopin, *Liszt e, acima de tudo, de sua própria música. Dispunha de pouco tempo para devotar à composição, e escrevia lentamente; mas suas principais composições, e especialmente suas obras para piano, são de duradoura qualidade.

OBRAS Duas sonatas, vinte e quatro prelúdios, quinze *Études-tableaux*, dois conjuntos de variações (sobre um tema de Chopin; sobre um tema de *Corelli) e uma dúzia de obras menores para piano solo; duas suítes e *Rapsódia Russa* para dois pianos; três óperas; três sinfonias, *A Ilha dos Mortos*, *Danças Sinfônicas* e quatro obras orquestrais menores; quatro concertos e a *Rapsódia sobre um Tema de Paganini*, para piano e orquestra; música coral (incluindo uma sinfonia coral, *Os Sinos*, e um conjunto da *Vigília de Páscoa*, da Igreja Ortodoxa Russa); dois trios, Sonata para violoncelo e outras obras de câmara; cinqüenta e seis canções.

Ⓜ ***Prelúdio em dó sustenido menor***, op. 3 n. 2 (1892) Rachmaninov escreveu esta pretensiosa peça romântica aos dezenove anos, e ela o perseguiu pelo resto de sua vida: era adorada no mundo inteiro, gravada, rearranjada e regularmente pedida em seus concertos (até mesmo nos de peças de maior escala; até mesmo nos de música de outras pessoas). Os outros prelúdios (existem vinte e quatro no total, em todas as tonalidades maiores e menores) são igualmente atraentes (juntos, formam uma vitrina de todos os tipos de estilos pianísticos), e diversos deles (por ex., op. 23 n. 5 em sol menor; op. 32 n. 5 em sol) são quase igualmente famosos. Das obras pianísticas mais amplas de Rachmaninov, compostas para seus próprios recitais, as melhores são Ⓜ*Études-tableaux*, peças de "atmosfera", combinando a exibição técnica com a impressão poética de cenas românticas, muito à maneira dos *Années de Pélerinage* (*Anos de Peregrinação*), de Liszt. Suas *Variações Chopin* e Ⓜ *Variações Corelli* são alternadamente heróicas e ágeis, obras irmãs das *Variações Paganini*, de *Brahms; suas sonatas são grandes e cheias de energia. Menos conhecidas do que sua música para piano solo, mas perfeitamente deliciosas, são as duas suítes para dois pianos; a n. 2 tem uma marcha, uma valsa, um noturno e uma tarantela tão cativantes quanto qualquer outra coisa que ele tenha escrito. As melhores obras de interesse correlato são as dos outros autores mencionados neste parágrafo; também são recomendáveis os arranjos feitos por Godowsky para os estudos de Chopin, ampliando sua dificuldade de forma gloriosa e despropositada (por ex., juntando dois deles, ou fazendo-os somente para a mão esquerda: costumavam ser conhecidos apenas pelos virtuoses do piano, mas agora, graças às gravações, qualquer um pode participar desse divertimento.

Ⓜ ***Concerto para piano n. 2,*** op. 18 (1901) Já bastante famosa, esta obra se tornou um sucesso internacional quando foi usada na trilha sonora de um filme da década de 40, *Brief Encounter* (*Desencanto*). Continua sendo, com o Concerto n. 1 de Tchaikovsky, o concerto para piano favorito do repertório — e um dos melhores: a habilidade de Rachmaninov de combinar a destreza dos dedos com uma harmonia cheia de doçura e melodias suntuosas (cada qual, parece, mais memorável do que a outra) nunca foi tão impressionantemente exibida. A obra teve mil imitações, dez mil paródias: derruba-as todas.
→ Ⓜ Concerto para piano n. 3 (no mínimo, melhor música: mais áspera, mas igualmente melodiosa); Concerto para piano, de Grieg; *Rapsódia Húngara* n. 2 (versão para piano e orquestra), de Liszt.

Ⓜ ***Rapsódia sobre um Tema de Paganini***, op. 43 (1934) O famoso tema de Paganini (que também teve variações de, entre outros, *Schumann, Liszt, Brahms, Blacher, *Lutoslawski, Lloyd Webber e o próprio Paganini) recebeu aqui vinte e quatro cintilantes variações, organizadas para formar um concerto para piano e orquestra contínuo e brilhante. A variação 18 (que inverte o tema e divide por quatro sua velocidade) foi destacada e transformada numa untuosa canção popular; ouvida em seu contexto é o clímax de uma obra estonteante.
→ Concerto para piano n. 1;*Variações sobre uma Canção de Ninar* (dando o mesmo tratamento brilhante a "Baa Baa Black Sheep"), de Dohnány; *Variações Sinfônicas*, de Franck.

Ⓜ ***Sinfonia n. 2*** (1907) As sinfonias de Rachmaninov, que um dia foram ensombrecidas por sua música para piano, recentemente encontraram seu lugar no repertório de forma triunfal. São apaixonadamente românticas, na linha das sinfonias de Tchaikovsky; e apesar de possivelmente levarem tempo para provocar seu efeito completo (talvez porque fiquemos subconscientemente esperando por um solo de piano inexistente) são música de Rachmaninov no seu melhor, mais sombrio e mais sóbrio.
→ Ⓜ Sinfonia n. 3; Ⓜ *Danças Sinfônicas*; Sinfonia n. 2, de Nielsen.

Canções As canções de Rachmaninov costumam ficar escondidas no meio dos programas dos recitais, ou em transmissões radiofônicas durante as tardes, com meia dúzia de ouvintes. Mas vale a pena procurá-las, especialmente em discos: seu dom para a melodia e sua melancolia apaixonada dão-lhes uma força ansiosa e obsedante. As mais conhecidas incluem *Vocalise*, op. 34 n. 14 (também em arranjo para violino e piano), "Na Noite Silenciosa", op. 4 n. 3 e "Para as Crianças", op. 26 n. 7; a melhor coleção é *Seis Canções*, op. 38.
→ Boas obras de interesse correlato por outros autores são as canções de Tchaikovsky (por ex., "Pelos dourados campos de trigo", op. 57 n. 2) e de Duparc (por ex., *Chanson Triste* ou *L'Invitation au Voyage*).

RAVEL, Maurice (1875-1937). *Compositor francês.*

Apesar de ter publicado suas primeiras composições quando tinha seus vinte anos (incluindo *Pavana para uma Infanta Defunta*, que lhe fez o nome), Ravel continuou a estudar no Conservatório de Paris até os trinta, polindo uma técnica já estonteante. Era um pianista e regente de primeira classe e tomou parte ativa na criação musical francesa anterior à Primeira Guerra Mundial, dando concertos, escrevendo críticas e compondo para os Ballets Russes de Diaghilev. Depois da guerra, sua saúde ficou comprometida e ele passou os últimos dez anos de sua vida semi-retirado, compondo somente uma meia dúzia de obras.

Ravel descobriu seu estilo cedo na vida e manteve-se fiel a ele: todas as suas obras têm o mesmo polimento, o mesmo tempero harmônico e a mesma exploração brilhante dos instrumentos. Ele tinha um interesse particular em desenvolver o estilo pianístico, e suas obras para piano (a maior parte de sua produção) exploram as possibilidades do instrumento de uma forma tão revolucionária para o seu tempo quanto a música de *Chopin foi para o dele. Foi também um dos mais hábeis orquestradores de que se tem notícia: poucos compositores conseguiram inventar sons orquestrais mais originais e mais fascinantes.

OBRAS Duas óperas (*L'Heure Espagnole*; *L'Enfant et les Sortilèges*); dois balés (*Daphnis et Chloé*; *Boléro*); *Pavane*, *Jeux d'Eau*, *Sonatine*, *Miroirs*, *Ma Mère l'Oye*, *Gaspard de la Nuit*, *Valses Nobles et Sentimentales*, *Le Tombeau de Couperin* e diversas obras menores para piano, muitas delas também em arranjos para orquestra; dois concertos para piano; *Rapsodie Espagnole* e *La Valse*, para orquestra; Quarteto de cordas, Trio para piano, Sonata para violino e violoncelo, Sonata para violino, *Tzigane*, *Introdução e Allegro* e umas poucas obras de câmara menores; cinqüenta canções (incluindo *Sheherazade* para voz e orquestra e *Histoires Naturelles* para voz e conjunto de câmara).

Bolero (1928) Música de balé freqüentemente ouvida nas salas de concerto. Esta peça consiste em uma única melodia de trinta e dois compassos, repetida sem cessar (com uma harmonia e uma orquestração cada vez mais sutis) durante dezessete minutos. (A bateria tocando ao fundo de forma insistente, hipnótica, mantém o ritmo sempre firme.) Diz muito a respeito da qualidade de Ravel como melodista e de sua habilidade quase mágica em criar efeitos sonoros orquestrais o fato de que, em vez de ser aborrecido, o *Bolero* seja uma das peças mais impressionantes de todo o repertório orquestral.
→ *Rapsodie Espagnole*, *La Valse*; suíte *O Pássaro de Fogo*, de Stravinsky.

Ⓜ ***Introdução e Allegro*** (1906) Escrito para exibir uma harpa com pedal recentemente inventada, este sexteto (para flauta, clarineta, harpa e quarteto de cordas) é agradavelmente sereno e equilibrado, com um som tão refrescante quanto essa instrumentação pode sugerir. Nenhuma das obras de Ravel mostra melhor seu fastidioso ouvido para a sonoridade, ou seu dom para transformar pequenos pedaços de melodia numa textura musical ao mesmo tempo tão delicada e forte quanto uma renda.
→ Quarteto de cordas; Sonata para flauta, viola e harpa, de Debussy; *Sonate en Concert*, de Damate.

Ma Mère l'Oye ("Mamãe Gansa") (1908) Suíte de delicadas peças sobre histórias infantis, para dois pianos, mais tarde ampliada e adaptada para um balé (e sedutoramente orquestrada). No mesmo estilo clássico e filigranado do piano são *Jeux d'Eau*, *Sonatine* e Ⓜ *Le Tombeau de Couperin* (também para orquestra); mais substanciais e entre as melhores obras de Ravel, estão Ⓜ *Gaspard de la Nuit*, *Mirois* e *Valses Nobles et Sentimentales* (também para orquestra).
→ Boas obras de interesse correlato aos trabalhos menores são: Debussy, *Petite Suite*, *La Cathédrale Engloutie* e suíte *Pour le Piano*, de Debussy; *Mouvements Perpétuels*, de Poulenc; para as obras mais amplas são *Études-tableaux*, op. 39, de Rachmaninov; Toccata, op. 11, de Prokofiev.

Ⓜ ***L'Heure Espagnole*** (1911) A ação desta farsa em um ato (a oficina de um fabricante de relógios) permite a Ravel indulgir em todos os tipos de sons orquestrais matraqueantes, tilintantes, tiquetaqueantes e bimbalhantes. (O *hobby* de Ravel era colecionar relógios e brinquedos musicais.) Contra o fundo fantasioso, de contos de fadas, que esses sons

fornecem, ele conta a história farsesca de um relojoeiro tolo, de sua esposa namoradeira e seu amante sensual mas desmiolado.
→ Ⓜ *L'Enfant et les Sortilèges* (Ópera-fantasia sobre um menino malvado cujos bichinhos de estimação, brinquedos, livros de matemática e até seus pratos e xícaras tomam vida e se voltam contra ele); *Gianni Schicchi*, de Puccini; *Amélia Vai ao Baile*, de Menotti.

Ⓜ ***Concerto para a Mão Esquerda*** (1931) O Concerto para piano em sol, de Ravel, é uma peça leve, jazzística, influenciada por *Gershwin; seu concerto para a mão esquerda é mais sombrio, muito mais profundo e (apesar de ninguém, ouvindo-o em disco, poder dizer) escrito para somente uma das mãos. A abertura misteriosa, como imensas criaturas erguendo-se do sono numa floresta de pesadelo, leva a sons mais brilhantes e vivazes, culminando numa marcha estrepitosa e sem nenhum *nonsense*: a peça se desenvolve e acaba tão rapidamente quanto um sonho. Somente em *Gaspard de la Nuit* (e aqui portanto recomendado) Ravel criou uma atmosfera tão fantasmal, cheia de suspense, e suas imagens espaventosas inspiraram-lhe uma obra-prima.
→ Concerto para piano em sol; Trio para piano; Concerto para dois pianos, de Martinů.

SPIGHI, Ottorino (1879-1936). *Compositor italiano.*

Na Itália, Respighi é lembrado como professor de composição e autor de diversas óperas de sucesso. No resto do mundo, sua reputação vem de uma série de suítes orquestrais em um estilo tecnicolor e sem fronteiras aprendido com *Rimsky-Korsakov e transmitido aos compositores de filmes de Hollywood dos tipos mais exuberantes e impetuosos. Sua obra é como um *iceberg* — e os nove décimos submersos (especialmente seus concertos, músicas de câmara e canções) são plácidos, contidos e inteiramente intocados pela bravata de suas composições mais familiares. Ele é um compositor feito sob medida para agradar num toca-discos.

OBRAS Sete óperas (incluindo *Belfagor* e *O Sino Submerso*); doze suítes (incluindo *Os Pássaros, Os Pinheiros de Roma, Tríptico Botticelli* e *Vitrais de Igreja*) e meia dúzia de outras obras orquestrais (incluindo *Sinfonia Dramática*), três concertos e outras obras para solistas e orquestra; obras corais e vocais, incluindo *La Primavera* (solistas, coro e orquestra); *Louvor pela Natividade de Nosso Senhor* (solistas, coro e orquestra), *Deuses da Floresta* (voz e conjunto de câmara) e várias dúzias de canções; dois quartetos de cordas; Quinteto; Sonata para violino; numerosos arranjos (incluindo o balé *La Boutique Fantasque*, sobre temas de Rossini).

Os Pássaros (1927) Encantadora suíte para pequena orquestra, entretecendo figuras ágeis em torno de meia dúzia de peças do século XVIII sobre pássaros (por ex., *O Cuco*, de Daquin). Despretensiosa e charmosa, tão alegre quanto os pássaros que lhe dão nome.
→ *Árias e Danças Antigas* (três suítes, dando a outras obras, do século XVI ao século XVIII, o mesmo delicioso tratamento); suíte *Masques et Bergamasques*, de Fauré; *Suite Capriol*, de Warlock.

Os Pinheiros de Roma (1924) Primeira das três suítes romanas (as outras são *As Fontes de Roma* e *Festas Romanas*), esta usa cada grama de mestria orquestral para criar a idéia de crianças brincando, catacumbas, a luz da Lua na colina do Janículo (até com o rouxinol) e das legiões marchando em triunfo na Via Ápia.
→ *Vitrais de Igreja*; *Noturnos*, de Debussy; abertura *Cockaigne*, de Elgar; *Escales*, de Ibert.

Ⓜ ***Concerto Gregoriano*** (1922) Homenagem de Respighi à grande música polifônica italiana de compositores do século XVI tais como *Palestrina, este é um concerto para violino e orquestra, na forma moderna de concerto e com os estilos de ritmo e harmonia próprios de Respighi, mas baseado em melodias do cantochão e perpassados da atmosfera calma e gravemente devocional da música renascentista que celebra. Existem poucos "concertos" como este, mas ele é profundamente característico do trabalho mais tranqüilo de Respighi, no que tem de mais inspirado.

→ Concerto para piano; cantata *La Primavera*; Concerto para violino n. 1, de Malipiero.

RIMSKY-KORSAKOV, Nikolay (1844-1908). *Compositor russo.*

No século XIX era uma crença comum nada ser impossível, poderem as pessoas conseguir qualquer coisa, bastando apenas estarem preparadas para fazer o esforço necessário — e o começo da carreira de Rimsky-Korsakov parece provar essa noção. Sua família queria que ele fosse oficial de marinha e o enviou, aos doze anos, para uma academia naval, onde a música era um item menor numa agenda cheia. Ele não pôde estudá-la adequadamente até os vinte e um anos, época em que já havia passado seis anos no mar. Foi então que procurou *Balakirev em busca de conselhos e este lhe disse: "Escreva uma sinfonia. Quatro movimentos. Mi bemol maior". Ele o fez, apesar de não saber nada de harmonia, contraponto ou orquestração. Depois disso, sua formação musical autodidata progrediu tão rápida e notavelmente que, aos vinte e sete anos, sem uma única qualificação acadêmica em seu favor, foi indicado como chefe do Conservatório de São Petersburgo.

Este impressionante sucesso deveu-se em parte à escolha que Rimsky-Korsakov fez de seus amigos — morou com *Mussorgsky e se reunia regularmente com *Borodin e outros para discutir música e apresentar novas obras — e em parte à sua incrível habilidade musical. Absorvia técnicas como se fosse papel carbono. Por volta dos trinta anos era o professor mais douto da Rússia, mestre procurado por todo jovem compositor que valesse alguma coisa, e compositor famoso pelo brilho e pela mestria técnica de sua música. Diferente de alguns outros professores-compositores, no entanto, ele evitou a secura: era fascinado pela música folclórica e encheu a sua própria música com os seus ritmos coloridos e suas melodias frescas e alegres.

OBRAS Quinze óperas (incluindo *A Donzela da Neve*, *A História da Cidade Invisível de Kitezh* e *O Galo de Ouro*); três sinfonias, abertura *Grande Páscoa Russa*, *Sheherazade*, *Capricho Espanhol*, quatro fantasias e meia dúzia de outras obras orquestrais; Concerto para piano; Concerto para clarineta; Concerto para trombone; Sexteto de cordas, Quinteto de cordas, Quinteto para piano e sopros e outras obras de câmara mais curtas; quatro cantatas para coro e orquestra; muitos arranjos de canções folclóricas e obras para piano-solo.

Capricho Espanhol (1887) Uma dúzia de melodias populares espanholas são a base desta brilhante fantasia orquestral, com proeminentes partes solistas para violino, harpa e clarineta. Muito poucas outras peças musicais parecem tão transbordantes do gosto de viver: este *Capricho*, ao lado da abertura *Carnaval Romano* de *Berlioz, do scherzo de Litolff e da abertura de *As Bodas de Fígaro*, de *Mozart, lidera o baile.

→ *Abertura Grande Páscoa Russa*; *Abertura Festival Acadêmico*, de Brahms; abertura *Carnaval*, de Dvořák.

Ⓜ ***Sheherazade*** (1888) Esta ritmada partitura começou sua carreira como suíte orquestral e foi mais tarde transformada por Diaghilev em um opulento balé que fez a fama do bailarino Nijinsky. Baseia-se nas *Mil e Uma Noites* e descreve em música as histórias

de Sheherazade sobre piratas, gênios, fabulosas cavernas de tesouro e haréns cheios de melancólicas donzelas. É tão colorida quanto as histórias — irresistível.
→ Abertura *Noite de Maio*; *Kamarinskaya*, de Glinka; *Capricho Italiano*, de Tchaikovsky; *Till Eulenspiegel*, de Strauss.

A História do Czart Saltan (suíte de ópera, 1900) Por causa dos problemas de tradução, as óperas de contos de fadas de Rimsky-Korsakov são raramente ouvidas fora da Rússia, e são conhecidas principalmente através das fabulosas suítes orquestrais que ele extraiu de sua música. O número mais conhecido desta é o "Vôo do besouro"; a suíte também contém outros movimentos com títulos intrigantes tais como "Os três milagres" e "A czarina ao mar num barril". Um dos efeitos dessa música vivaz, pelo menos para os que a ouvem em disco, é abrir o apetite por um libreto traduzido e um disco da ópera completa — e aqueles que a experimentarem terão uma excelente recompensa.
→ Ⓜ *O Galo de Ouro* (suíte e ópera completa); "Dança dos Acrobatas" (da ópera *A Donzela da Neve*); suíte *Gayané* n. 1, de Khachaturian.

RODRIGO, Joaquin. Ver *Compositores de obra singular*.

ROSSINI, Gioachino (1792-1868). *Compositor italiano.*

Filho do corneteiro da cidade, Rossini estava destinado desde a infância a uma carreira musical (apesar de um breve aprendizado, no começo da adolescência, junto a um ferreiro). Escreveu sua primeira ópera aos dezoito anos e, aos vinte e cinco, era querido em todos os teatros de ópera da Itália. Durante mais treze anos compôs três ou quatro óperas por ano e viajou por toda a Europa supervisionando suas produções. Este trabalho exigente arruinou sua saúde e, em 1830, ele aposentou-se da composição. Sofria de uma doença nervosa cujo principal sintoma era a lassidão: achava fisicamente exaustivo até mesmo erguer uma caneta, e seus inimigos rápida e deselegantemente o caricaturaram como um preguiçoso, mais chegado a uma soneca do que à esgrima com sustenidos e bemóis. Por volta dos setenta anos, após vinte e cinco anos de silêncio (quebrado apenas por uma obra religiosa, o *Stabat Mater*), ele recuperou-se o suficiente para voltar a compor e a Missa, as canções e as peças para piano dos seus últimos anos mostram que seus poderes criativos permaneceram intocados.

Em sua época, Rossini tornou-se famoso não apenas pelas óperas cômicas que ainda ouvimos hoje, mas pelos trabalhos sérios sobre assuntos tirados da história (*Guilherme Tell*; *Moisés*; *O Cerco de Corinto*), ou da grande literatura (*Otelo*; *Tancredi*). Quando mudou na Itália a moda operística, seu estilo (com suas árias ornamentadas e imensamente difíceis para os cantores) foi considerado antiquado e suas óperas sérias saíram do repertório. Nada, no entanto, desalojou as comédias: suas aberturas costumam dar a muitos concertos orquestrais um início efervescente, e um punhado delas (especialmente *Cinderela* e *O Barbeiro de Sevilha*) ainda atraem multidões onde quer que sejam encenadas.

OBRAS Trinta e oito óperas (incluindo *A Italiana na Argélia*, *O Barbeiro de Sevilha*, *Cinderela*, *Semíramis* e *Guilherme Tell*); seis cantatas, duas missas (incluindo a *Petite Messe Solenelle*) e *Stabat Mater*; seis sonatas para cordas, seis quartetos de sopro; numerosas canções-solo (incluindo *La Danza*), obras de câmara e peças para piano (muitas também conhecidas em arranjos, por ex., o balé *La Boutique Fantasque*, de *Respighi, e as suítes *Soirées Musicales* e *Matinées Musicales*, de *Britten.

Ⓜ ***La Gazza Ladra*** (abertura; 1817) Devido à velocidade com que trabalhava (ele gostava de compor uma ópera completa praticamente da noite para o dia), Rossini construiu suas aberturas de acordo com uma fórmula: uma introdução lenta (baseada em uma das melodias mais sedutoras da ópera), uma seção rápida (baseada em duas de suas melodias mais ousadas), um frenesi rodopiante (apelidado de "o *crescendo* de Rossini"), criado através da repetição, uma dúzia de vezes, dos mesmos compassos de música, sempre e cada vez mais alto, e uma conclusão turbulenta. Como todas as fórmulas de sucesso, esta não falhava: com melodias tão desembaraçadas e uma orquestração (especialmente para os sopros) tão borbulhante quanto as de Rossini, cada abertura é uma delícia — e elas são saborosamente consistentes: é gostar de uma, e gostar de todas.

→ Ⓜ Abertura *Guilherme Tell*; abertura *A Noiva Vendida*, de Smetana; abertura *Donna Diana*, de Rezniček; *Aberturas em Estilo Italiano* n. 1 e 2, de Schubert.

Ⓜ ***O Barbeiro de Sevilha*** (1816) (a ópera completa) Na década de 1770, o dramaturgo francês Beaumarchais escreveu três farsas com os ingredientes-padrão dos jovens amantes suspirosos, criados ardilosos e velhos pomposos e senis. A segunda, *As Bodas de Fígaro*, cheia de sátiras à aristocracia da época, foi transformada numa ópera soberba por *Mozart; a primeira, *O Barbeiro de Sevilha*, uma farsa mais direta, tornou-se a obra-prima operística de Rossini. Está cheia de delícias isoladas — a Abertura, as árias "Una Voce Poco Fa", "La Calunnia" e, acima de todas, "Largo al Factotum" ("Figaro, Figaro, Figaro") — mas seu maior prazer é a forma como a ação se desenrola, uma seqüência de desastres cômicos tão fluentes e hilariantes quanto qualquer farsa falada, todos avivados pelas maravilhosas melodias e pela sabedoria musical de Rossini. Para os novatos na ópera, *O Barbeiro de Sevilha* é imbatível; para os veteranos, continua sendo uma alegria duradoura.

→ *Cinderela*; *A Italiana na Argélia*; *Don Pasquale*, de Donizetti.

S

SAINT-SAËNS, Camille (1835-1921). *Compositor francês.*

Exceto por ter raramente dirigido orquestras, Saint-Saëns foi uma espécie de *Mendelssohn francês: parecia ser capaz de fazer qualquer coisa em música e, para onde quer que voltasse sua atenção, fazia-o com uma graça e uma habilidade que encantavam até mesmo seus rivais e os invejosos. Seu toque ao piano — e ao órgão — eram legendários (como também o era o seu hábito de praticar escalas com o jornal matutino apoiado na estante das partituras); suas aulas de composição viviam sempre cheias de alunos; suas óperas eram sucesso por toda a Europa; suas obras sinfônicas (especialmente sua Sinfonia "para órgão" e seus cinco concertos para piano, se ele próprio os estivesse executando) atraíam multidões de fãs. Sua música talvez não seja a maior que jamais se compôs — ele nunca pôde rivalizar com o melhor de Mendelssohn —, mas é belamente construída, uma fonte de prazer do princípio ao fim.

OBRAS Doze óperas (incluindo *Sansão e Dalila*); três sinfonias, quatro poemas sinfônicos (incluindo *Dança Macabra*), duas suítes, marchas, aberturas e outras obras orquestrais; cinco concertos para piano, três concertos para violino, dois concertos para violoncelo e uma dúzia de obras menores para solistas e orquestra (incluindo *O Carnaval dos Animais*); *Requiem*, *Oratório de Natal* e uma dúzia de obras corais menos grandiosas; música de câmara, incluindo dois quartetos de cordas, Quinteto com piano, Quarteto com piano, Septeto, dois trios para piano, duas sonatas para violino, duas sonatas para violoncelo e sonatas para fagote, oboé e clarineta; doze estudos, seis bagatelas, três fantasias e três fugas para piano solo; *Variações sobre um Tema de Beethoven* e outras obras menores para dois pianos; três prelúdios e fugas, três fantasias e três obras menores para órgão.

Carnaval dos Animais (1886) Deliciosa suíte de retratos de animais (peixes volteando, asnos urrando, leões rugindo, fósseis chocalhando os ossos) para dois pianos e pequena orquestra. Espirituosa, graciosa e até hilariante. Um movimento, "O Cisne", foi usado para o famoso solo de balé de Pavlova, *A Morte do Cisne*, e ainda é uma peça de concerto favorita: uma límpida melodia do violoncelo sobre acordes ondulantes do piano.
→ *Dança Macabra* (poema orquestral tonal e brincalhão sobre esqueletos dançando num cemitério; há um matraquear maravilhosamente sinistro do xilofone); *Guia dos Jovens para Orquestra*, de Britten; *Suíte Quebra-Nozes*, de Tchaikovsky.

Ⓜ ***Concerto para piano n. 2*** (1868) Ao lado da terceira sinfonia, esta é a mais substancial obra de concerto de Saint-Saëns. Seu primeiro movimento é falsamente grave (como uma tocata para órgão de *Bach, mas feita com ironia); o segundo é um scherzo com uma seção central galopante, maravilhosa; o finale é uma animada tarantela (aparentada com o último movimento da Sinfonia *Italiana*, de Mendelssohn).

→ Ⓜ *Introdução e Rondó Caprichoso* (para violino e orquestra); Concerto para piano n. 3; Concerto para piano n. 2, de Chopin.

Ⓜ ***Sinfonia n. 3*** (Sinfonia "para órgão") (1886) Apesar de ter sido escrita em memória de *Liszt, esta obra é muito mais uma celebração da vida do que uma tristonha peça de funeral. Saint-Saëns usa o método de construção de Liszt, baseando a obra inteira em constantes variações das mesmas poucas idéias — mas apesar do seu material ser solene (um coral), suas variações são cada vez mais alegres e mesmo galhofeiras, até que a obra chega a um clímax com solenes acordes de órgão envoltos num halo de enérgicos arpejos e ondulações em dois pianos. Saint-Saëns ousadamente chamou sua peça de sinfonia, mas ela está tão próxima de *Beethoven ou *Brahms no espírito sinfônico quanto P.G. Wodehouse está próximo de *Guerra e Paz*. (Nota da edição brasileira: Wodehouse foi um delicioso escritor inglês, famoso pelas novelas irônicas que escreveu com seu mais conhecido personagem, o mordomo Jeeves. A comparação não é maldosa para com Saint-Saëns, uma vez que na Inglaterra Wodehouse é apreciadíssimo como sinônimo de leitura agradável e irônica, de inteligência despretensiosa e sobretudo do melhor senso de humor britânico.)

→ Concerto para violoncelo n. 1; Sinfonia *Italiana*, de Mendelssohn; *Sinfonia Irlandesa*, de Harty.

Ⓜ ***Variações sobre um Tema de Beethoven*** (1874) Saint-Saëns não deixou nenhuma obra de grande escala para piano ou órgão, o que é estranho para um virtuose do teclado: até mesmo esta peça é para dois executantes, e não um. Ela usa o minueto da Sonata para piano n. 18 de Beethoven e, a princípio, o trata seriamente, no clima beethoveniano, mas logo se deixa levar por seu próprio virtuosismo, com os pianistas tirando das mangas oitavas duplas e arpejos, e levando a obra inteira a um final com uma auto-intitulada "dupla fuga" que parece mais uma perseguição de ópera cômica. "Música séria", voltada exclusivamente para agradar: exatamente o que Saint-Saëns fazia de melhor.

→ Fantasia n. 2, op. 101 (piano solo); Fantasia em fá menor (para dois pianos), de Schubert; *Variações sobre o Coral de Santo Antônio* (versão para dois pianos), de Brahms.

SATIE, Erik (1866-1925). *Compositor francês.*

Satie foi um excêntrico: suas formas de pensar eram totalmente diferentes das de qualquer outra pessoa, e sua vida era sustentada por pequenos rituais de comportamento que pareciam muito loucos até mesmo para seus amigos. Ele vivia sozinho num quarto cujos portais ninguém jamais teve a permissão de transpor; colecionava guarda-chuvas às centenas; verão e inverno, onde quer que estivesse, usava calças listradas e fraque; deu às suas peças títulos ridículos (como *Vestido como um Cavalo* ou *Três Peças em Forma de Pêra*), e dizia a seus intérpretes: "abram as cabeças", ou "toquem como um rouxinol com dor de dente".

Apesar dessas loucuras, os músicos da época de Satie (e desde então) sempre o levaram bastante a sério. A razão é que ele era igualmente excêntrico nas harmonias e melodias que usava, evitando a tradição e abrindo novos caminhos — e uma vez que havia sido pioneiro num estilo de compor, muitos outros compositores o imitaram. Bastante contra sua vontade, ele foi uma espécie de guru musical, e *Debussy, *Ravel, *Stravinsky, *Poulenc e muitos outros aprenderam todos com ele. Hoje em dia, quando outros usaram os seus métodos para produzir obras bem maiores que ele jamais conseguiu, fica às vezes difícil enxergar o motivo de tanto entusiasmo. Mas, apesar de toda a sua trivialidade e estranheza, suas peças são sempre encantadoras e algumas (por ex., *Gymnopédies*) possuem uma grave beleza que se eleva muito acima da pura excentricidade.

OBRAS Mais de cento e cinqüenta peças para piano solo, costumeiramente agrupadas em conjuntos ou suítes (com títulos como aqueles mencionados acima); quatorze canções; seis obras para o palco (incluindo os balés *Parade* e *Relâche*); Missas para vozes e órgão; *Socrate*, cantata para quatro vozes e orquestra.

Peças para piano *Trois Gymnopédies* (1888). Inspiradas pelas pinturas de um vaso grego, estas peças tentam recapturar a pacífica dignidade do mundo clássico. A n. 1, melodia docemente fluente sobre acordes simples e não-emocionais, tornou-se um sucesso internacional; as n. 2 e n. 3 são igualmente evocativas. (Também são conhecidas em arranjos para orquestra.) De ânimo igualmente tranqüilo são as *Trois Gnossiennes*. Outras obras de Satie usam sua experiência no cabaré e no *music-hall* — ele ganhava a vida como pianista de *night-club* em Montmartre. As melhores são *Trois Morceaux en Forme de Poire* (*Três Peças em Forma de Pêra* — na verdade, seis), para dois pianos, e sua seqüência *En Habit de Cheval* ("Vestido como um cavalo"). Em outra vertente, Satie escreveu peças perfeitamente ordenadas, e aí encheu a partitura de estranhos comentários (por ex., "O capitão adora isto!") e descrições (por ex., "Ele faz as malas para o feriado"): o melhor desses trabalhos (tanto musical quanto humoristicamente) é *Sports et Divertissements* ("Esportes e divertimentos"), vinte e um quadros de diferentes atividades, desde jogar golfe e andar de gangorra até flertar.

→ Boas obras de interesse correlato do próprio Satie são *Avant-dernières Pensées* ("Penúltimos pensamentos"), *Trois Préludes Flasques* ("Três prelúdios flácidos") e *Embryons Desséchés* ("Embriões dissecados"). De outros autores: *Mouvements Perpétuels* (frívolos), de Poulenc; *Três Prelúdios* (frívolos e chegados ao *blues*), de Gershwin; *La Cathédrale Engloutie* e *Six Épigraphes Antiques* (sérios e belos), de Debussy.

Outras obras Além de sua música para piano, Satie é mais conhecido por um balé lunático, *Parade*, e a cantata *Socrate*. Ⓜ *Parade* (1917) descreve a passagem de uma parada de circo, e é cheio de palhaçadas musicais barulhentas e atrevidas. Ficou famoso em sua época porque a orquestra incluía datilógrafos, pistolas, sirenes de fábrica e motores de aeroplano; sobrevive hoje porque a música é esplendidamente engraçada, como uma comédia pastelão do cinema mudo transferida para a música. Ⓜ *Socrate* (1919) é inteiramente diferente. É a colocação em música de passagem dos Diálogos de Platão concernentes aos ensinamentos e à morte do filósofo grego Sócrates. Satie dá às vozes linhas simples e não-melódicas para cantar, evitando deliberadamente a subida e a queda de notas, o que poderia criar emoção, e as acompanha com acordes igualmente simples, desconectados. O resultado não é, como pode parecer, monótono, mas refreado e comovente, tal como ficar ouvindo escondido uma tranqüila conversação — exatamente o efeito que o próprio Platão buscava.

→ Boas obras de interesse correlato a *Parade* são *As Aventuras de Mercúrio* e *Relâche* ("Teatro fechado") do próprio Satie, *España*, de Chabrier; *Le Boeuf sur le Toit*, de Milhaud; *Divertissement*, de Ibert; para *Socrate* são as *Três Canções*, de Satie; *On Wenlock Edge*, de Vaughan Williams, e *Dover Beach*, de Barber.

SCARLATTI, Domenico (1685-1757). *Compositor italiano.*

Scarlatti era filho de um famoso compositor de óperas (Alessandro Scarlatti, 1660-1725), e logo entrou para a profissão do pai. Durante os primeiros trinta e cinco anos de sua vida, levou uma existência musical movimentada mas sem qualquer distinção, tocando cravo (por ex., para a Companhia de Ópera Italiana de *Händel em Londres), compondo missas para São Pedro de Roma, óperas para Veneza e Nápoles e concertos e obras de câmara para quem lhe encomendasse. Ficou famoso como o melhor cravista de sua época, mas como compositor era competente e sem inspiração.

Por volta de 1720, Scarlatti foi para Lisboa, como professor de cravo da princesa Maria Bárbara e, quando ela se tornou rainha da Espanha, oito anos depois, seguiu-a a Madri e lá ficou para o resto de sua vida. Para Maria Bárbara, compôs cerca de quinhentas peças para cravo, obras de um brilho fascinante, que o colocam abruptamente na primeira fila dos compositores: a mudança é como a de uma borboleta emergindo da crisálida.

(As sonatas de Scarlatti foram catalogadas e numeradas três vezes, pelos eruditos italianos Longo e Pestelli, e pelo erudito norte-americano Kirkpatrick. A numeração precedida de L já foi um dia muito comum (e às vezes ainda é vista); mas a numeração precedida de Kk se baseia em pesquisa mais atual e é agora a mais comumente usada.

OBRAS Missas, *Stabat Mater*, *Salve Regina* e muitas outras obras religiosas; quinze cantatas para voz solo (similares às de seu pai Alessandro em tudo, menos na qualidade); doze *concerti grossi*; fugas e outras obras para órgão; quinhentas "sonatas" para cravo.

Sonatas Todas as sonatas de Scarlatti são obras de um só movimento, de três a seis minutos de duração e divididas em metades iguais (e repetidas). Ele as agrupou em pares, normalmente contrastando o lento com o rápido, o grave com o alegre; ainda assim, muitas são tocadas separadamente hoje em dia. (Bons exemplos são a saltitante Kk 132, a gingante Kk 119, a do "chamado para a caça" Kk 96 e a pastoral Kk 175.) É inútil recomendar obras específicas: cada executante agrupa as sonatas conforme o seu interesse, e todas oferecem a mesma mistura de exuberante destreza para os dedos, a compacta harmonia e a melodia simples e aberta. As sonatas soam melhor em seu próprio instrumento, o cravo; mas costumam ser tocadas ao piano (em alguns casos, por ex., a gravação de Horowitz das Kk 232, 455 e 521, de forma estonteante); existem arranjos para violão, conjunto de metais, cordas e até mesmo bandolim. (Esplêndidas obras "aproveitadas" são os doze *concerti grossi* para cordas de Avison (século XVIII), em que cada movimento é uma sonata de Scarlatti, e o balé de Tommasini (século XX) *As Damas Bem-Humoradas*, uma reelaboração de Scarlatti tão alegremente irreverente quanto *Pulcinella*, de *Stravinsky, é de *Pergolesi.

→ Fantasia em dó menor, de Bach; Sonatas, de Soler (aluno de Scarlatti); Chaconne em sol, de Händel.

SCHOENBERG, Arnold (1874-1951). *Compositor e professor austríaco.*
Schoenberg foi um dos melhores mestres de composição do século. A princípio em Viena, em seguida (após ter fugido da Europa, devido à perseguição nazista) nos EUA, ele treinou e estimulou muitas das figuras de proa da música "contemporânea", insistindo não apenas na auto-expressão absolutamente livre, mas também num firme embasamento nas técnicas harmônicas, contrapontísticas e orquestrais do século XVI ao século XIX. (Seu manual universitário *Método de Harmonia* é ainda um dos melhores.)

Em sua própria música, Schoenberg era incansável, sempre insatisfeito, sempre forçando as fronteiras da experimentação: nunca escreveu duas obras parecidas. Desde o princípio de sua carreira, sua ambição era expressar a "pura emoção" em sons; ao lado de outros criadores tais como os dramaturgos Strindberg e Kaiser, e os pintores Munch e Kandinsky, ele acreditava que um modo de se alcançar a "verdade" na arte era deixar a mente inconsciente se expressar com liberdade. (Freud, na mesma ocasião, estimulava seus pacientes a recordar e narrar seus sonhos; a pintura, o drama e a música "expressionistas" da época freqüentemente parecem ter a lógica dos sonhos, não da vida desperta.) Na década de 1900 a busca por harmonias sempre mais expressivas levou Schoenberg a substituir em sua música as tonalidades e escalas comuns por uma textura musical em contínua mutação, onde cada som isolado tinha igual importância (seus admiradores chamam a isso de "atonalidade"; platéias absolutamente chocadas acharam que fosse um pesadelo auricular). Na década de 20 ele refinou essa idéia ainda mais e aperfeiçoou o "sistema dodecafônico", ou de doze notas (ver Glossário): esta descoberta afetou a música de praticamente todo e qualquer compositor sério desde então.

A busca de Schoenberg por novos sons, pela extrema expressividade musical, torna sua obra ou muito sedutora (quando se consegue seguir suas obsessões) ou muito difícil para o ouvido (quando não se consegue). Ele é uma espécie de compositor para compositores, mais admirado por músicos profissionais do que desfrutado pelos amantes da música comuns. Mas apesar de, a uma primeira audição, sua música soar realmente tão caótica e desordenada quanto os sonhos, ela é construída lógica e honestamente, e a cada nova audição esta lógica se torna mais aparente, soma-se ao seu impacto original e a torna poderosa e emocionante, quando antes parecia simplesmente cacofônica.

OBRAS Quatro óperas (incluindo *Moisés e Aarão*); o oratório *A Escada de Jacó*; *Verklärte Nacht* (*Noite Transfigurada*), *Pelléas et Mélisande*, *Variações*, *Cinco Peças*, duas sinfonias de câmara, acompanhamento para uma cena de cinema e diversas outras obras orquestrais; Concerto para piano; Concerto para violino; *Gurrelieder*, *Pierrot Lunaire*, *Ode a Napoleão*, *Um Sobrevivente de Varsóvia* e uma dúzia de outras obras vocais e corais; quatro quartetos para cordas, Serenata, Suíte, e outras obras de câmara; Suíte e diversos grupos de peças para piano; três dúzias de canções (incluindo o ciclo *Livro dos Jardins Suspensos*); vários arranjos e recomposições de obras de outros compositores (por ex., *Concerto grosso*, op. 6 n. 7, de *Händel, retrabalhado para quarteto de cordas e orquestra; Quarteto com piano n. 1 de *Brahms, reinstrumentado como uma sinfonia).

Ⓜ ***Verklärte Nacht*** (*Noite Transfigurada*), op. 4 (1899) Originalmente para sexteto de cordas, esta suntuosa peça foi reorquestrada para grande orquestra de cordas (e muito melhorada). É um quadro sonoro de dois amantes caminhando num bosque à luz do luar, ela chorosa, confessando adultério, ele perdoando-a e assegurando-lhe seu eterno amor. O estilo da música é próximo ao de *Tristão e Isolda*, de *Wagner, e a partitura de Schoenberg contém alguns dos sons mais arrebatadores jamais extraídos de uma orquestra de cordas.
→ Quarteto para cordas n. 1 (sons igualmente suntuosos, mas uma peça menos rapsódica e menos intelectualmente compacta); *Metamorfoses*, de Strauss; *Fantasia Concertante sobre um Tema de Corelli*, de Tippett.

Ⓜ ***Pierrot Lunaire***, op. 21 (1912) Vinte e um poemas expressionistas, sobre um palhaço lunático e louco de amor (Pierrot), musicado para voz e cinco instrumentistas. A parte vocal é semifalada, semicantada e os instrumentos fornecem um fundo tremeluzente, sobrenatural: de todas as obras de Schoenberg, esta é a que mais se assemelha a um sonho, mas a brevidade dos poemas e a constante variedade de estados de espírito tornam-na mais fácil de compreender do que a maioria, uma excelente introdução ao seu estilo. (Um libreto traduzido é crucial.)
→ *Cinco Peças para Orquestra* (sons esquivos, nebulosos, do mesmo tipo, mas sem voz); *Le Marteau sans Maître*, de Boulez; *Eight Songs for a Mad King*, de Davies.

Ⓜ ***Quarteto para cordas n. 3***, op. 30 (1927) Se *Bach tivesse escrito música dodecafônica, poderia ter sido como esta: ágil, vivaz, disciplinada e soando não como casual, mas como absolutamente inevitável. Nenhuma música do sistema de doze notas é fácil para o ouvido numa primeira audição, mas este quarteto (apesar de ser muito difícil sair-se assobiando suas melodias) é uma das mais brilhantes obras dodecafônicas jamais compostas.
→ Ⓜ Trio para cordas; Quarteto para cordas n. 4, de Bartók; Quarteto para cordas n. 1, de Carter.

SCHUBERT, Franz (1797-1828). *Compositor austríaco.*
Como muitos gênios empobrecidos, antes e depois dele, Schubert deveu sua educação artística a uma bolsa de estudos. Aos onze anos de idade tornou-se menino soprano na Capela Imperial de Viena, e nos cinco anos que passou ali não apenas confirmou o amor de toda uma vida pela voz humana (e pela poesia alemã que ele viria a usar para ela), mas também aprendeu composição, piano e violino (no qual se tornou suficientemente hábil para liderar a orquestra da escola). Aos dezesseis, entrou para a escola de seu pai como aprendiz de professor; mas, graças a seus modos na sala de aula (uma mistura de excessiva rigidez e devaneio), não teve sucesso no ensino, e quatro anos depois desistia da carreira para se devotar inteiramente à música.

A partir de então, o problema passou a ser dinheiro. Não havia apoio da família — seu pai e seu irmão mal ganhavam o suficiente para se sustentar — e muito pouco de patronos ricos (por ex., a família Esterházy, que empregava Schubert nas férias de verão para ensinar piano às suas filhas, mas não tinha qualquer posto permanente a lhe oferecer). Desde o começo, influenciado por *Rossini (que era então a última moda em Viena), ele determinou-se a fazer fortuna escrevendo óperas de sucesso — e fracassou. Suas óperas tinham música adorável, mas drama irremediável: a menos popular teve duas récitas, a mais popular teve doze.) No final, ele descobriu uma saída: compor peças para piano, canções e música de câmara para satisfazer a crescente demanda de amadores por música doméstica (ver *música do século XIX*). Fez isto com mestria e brilhantismo, acrescentando gênio ao que em outras mãos era meramente um biscate, e através de toda a sua vida os editores lhe propiciaram uma renda constante, ainda que magra.

Schubert passava todas as manhãs, todos os dias, à mesa de trabalho. A sua concentração no trabalho era total: como um amigo uma vez observou, "ele agora já está trabalhando há tempos num octeto, no maior zelo. Se você o visita durante o dia, ele diz, 'Olá. Como vai você? Ótimo.' e continua escrevendo, até você sair." Foi graças a essa firmeza de propósito que ele conseguiu escrever tanto: tantas obras, por exemplo, em vinte anos, quanto *Brahms compôs em cinqüenta. (Compunha com uma fluência quase inacreditável: certa vez escreveu cento e cinqüenta canções em um único ano, e seus amigos diziam que ele era capaz de inventar música para uma canção no mesmo tempo que a maior parte das pessoas levava para ler os versos.) Às tardes ele gostava de visitar amigos, caminhar ou fazer piqueniques no campo, ou ainda visitar um dos cafés de Viena para ler o jornal, beber chocolate quente ou discutir o mundo e seus problemas. Às noites, quatro ou cinco vezes por semana, Schubert e seus amigos se reuniam nas casas uns dos outros para conversar, jogar, comer, beber e, acima de tudo, fazer música: muitas das obras de Schubert foram ouvidas pela primeira vez nessas ocasiões, e ele era a tal ponto a vida e a alma da festa, que essas noites foram apelidadas de "schubertíades".

Depois da composição, a amizade era o eixo da vida de Schubert. Ele conhecia todo mundo: funcionários, poetas, funcionários aduaneiros, atores, jovens ricos ociosos, empregados dos correios e cantores de ópera (por ex., Johann Vogl, para quem escreveu muitas de suas canções e com quem saía em turnês de concerto e passeios nos feriados de verão). Para quem está de fora, uma vida dessas soa plácida porém monótona: muita comida, bebida, farras e música, tudo isso interrompido somente por ocasionais faltas de dinheiro ou, em seus últimos cinco anos, por dias e até semanas num hospital. Mas deve ter sido uma vida feliz de se viver e lhe dava precisamente o pano de fundo despreocupado e bem-humorado que ele necessitava para compor, um bom humor que se reflete em virtualmente cada peça que escreveu.

(A letra D, às vezes usada para identificar as obras de Schubert, refere-se a um catálogo completo feito por Deutsch, um erudito do século XX.)

OBRAS VOCAIS Mais de seiscentas canções (incluindo os ciclos *A Bela Moleira* e *Jornada de Inverno*, e o grupo *Canção do Cisne*); três dúzias de obras corais (incluindo *Canção dos Espíritos sobre as Águas*); dez óperas e operetas; sete Missas, *Salve Regina*, o oratório *Lazarus* e meia dúzia de obras menores para igreja.

Canções Ⓜ *An die Musik* (*À Música*), D 547 (1817). As mil e quinhentas páginas de canções de Schubert são uma mina de tesouros, iguais em diversidade e magnificência às peças de Shakespeare ou às sinfonias de *Haydn, e recomendáveis *en masse*, praticamente da mesma forma: sejam quais forem as primeiras que agradarem, páginas de prazeres iguais ou maiores estarão à espera para serem exploradas. *À Música* é típica da espécie de canção preferida do próprio Schubert, uma melodia simples, extática, com acompanhamento comum, repetida por vários versos, um derramamento musical tão claro e aparentemente instantâneo quanto a poesia que está sendo musicada. (Outras canções bem conhecidas, deste tipo, incluem Ⓜ*Die Forelle* (*A Truta*) e Ⓜ*Der Tod und das Mädchen* (*A Morte e a Donzela*), usadas como base para os sublimes movimentos de variações no Quinteto *A Truta* e no Quarteto *A Morte e a Donzela*, respectivamente; *Nähe des Geliebten* ("Em louvor da amada"), Ⓜ*Du bist die Ruh* ("Tu és paz") e *Gretchen am Spinnrade* ("Gretchen à roca de fiar"). Em outras canções ele estendeu e elaborou os acompanhamentos de piano, com resultados que mais parecem cantatas líricas em um movimento para voz e piano do que poemas simples: elas incluem muitas de suas maiores canções, por ex., Ⓜ*Erlkönig* ("O rei dos elfos"), Ⓜ *Ganymed* (*Ganimedes*), *Der Musensohn* ("O filho das musas"), e *Die junge Nonne* ("A jovem freira"). Quatorze *Lieder* deste tipo foram publicados juntos após a morte de Schubert, como Ⓜ*Schwanengesang* ("Canção do cisne"): costumam ser tocadas como um grupo e constituem excelente introdução às suas canções. Em seus dois ciclos de canções, Ⓜ *Die schöne Müllerin* (*A Bela Moleira*) e Ⓜ *Winterreise* (*Jornada de Inverno*), Schubert estendeu o drama do *Lied* para cobrir um conjunto de canções com duração de quarenta minutos ou mais, contando uma história em desenvolvimento e explorando profundidades de caráter ou sentimento impossíveis no âmbito de uma única canção. (Os dois ciclos dizem respeito ao amor sem esperanças. *A Bela Moleira* é mais sereno, com esfuziantes acompanhamentos de piano simbolizando tanto a calha do moinho quanto a esperança no coração do jovem que à beira dele confia o seu desesperançado amor. *Jornada de Inverno* tem tons mais sombrios e trágicos, apesar de suas melodias serem algumas das mais doces para o coração que Schubert jamais escreveu.)

→ Outras canções bem conhecidas de Schubert incluem *Ouçam, Ouçam a cotovia*, *Lachen und Weinen* ("Riso e choro"), *Seligkeit* ("Pureza"), *Ständchen* ("Serenata") e *Der Hirt auf dem Felsen* ("O pastor sobre a rocha", cantata para voz, clarineta e piano). Boas obras correlatas de outros autores são: *Die Lotosblume* ("A flor de lotus"), op. 27 n. 7, e *Der Sandmann*, op. 79 n. 13, de Schumann; *Serenata*, op. 106 n. 1, de Brahms, e (para a *Canção do Cisne*) o *Cancioneiro da Itália*, de Wolf.

Outras obras vocais Ⓜ *Gesang der Geister über den Wassern* (*Canção dos Espíritos sobre as Águas*), D 714, é uma canção melancólica e pacífica, para coro e orquestra, mais ou menos no estado de espírito extático de *À Música* ou *Ganimedes*. As óperas e as Missas de Schubert, de uma maneira geral, são bem menos conhecidas (e menos boas): a melhor entre as óperas é uma comédia inspirada em Rossini, *Die Zwillingsbrüder* ("Os gêmeos", com um papel central de bravura para um cantor interpretando os dois gêmeos); as melhores obras de igreja são a Missa em sol (D 167: curta e alegre) e a Missa em Mi bemol (D 678: cerimoniosa e de grande escala). Das músicas de outras pessoas, boa obra de interesse correlato às óperas é *Abu Hassan*, de Weber (cuja abertura é especialmente schubertiana), e, para as Missas, Missa n. 6 (Missa n. 2 "de Santa Cecília"), de Haydn, e Missa n. 10, K 220, de Mozart.

OBRAS DE CÂMARA E PARA PIANO Octeto, Quinteto de cordas, Quinteto *A Truta* (para piano e cordas), quartetos de cordas, Sonata para violino, Sonata *Arpeggione*, três sonatinas para violino e piano, dois trios para piano e algumas obras de câmara menores; vinte e uma sonatas, *Wandererfantäsie*, seis *Momentos Musicais*, onze improvisos, quarenta e oito valsas, diversos conjuntos de variações e outras obras variadas para piano solo; *Divertimento Húngaro*, Grand Duo, Sonata, Fantasia, três *Marchas Militares*, conjunto de variações, rondós e outras obras para piano a quatro mãos.

Música de câmara Ⓜ Octeto, D 803 (1824). Poucas outras obras mostram melhor a habilidade de Schubert em responder a um trabalho de encomenda rotineiro com uma obra de gênio lírico, irresistível. Pediram-lhe que compusesse uma peça para acompanhar o Septeto de *Beethoven, e ele produziu uma obra com os esperados minuetos, variações, finale saltitante e um movimento lento em forma de canção — mas, em vez de produzi-lo levianamente, e sem sacrificar um pingo de alegria ou musicalidade, introduziu nessa peça toda a seriedade expansiva de suas sinfonias (a "Grande" em dó maior estava em sua mente por essa época). Esse processo de "reforço" da música foi repetido em seus últimos três quartetos de cordas (o Ⓜ n. 14, *A Morte e a Donzela*, é particularmente bom), nos dois ensolarados trios para piano e, acima de tudo, no Ⓜ Quinteto para cordas, tão majestoso e cativante quanto os últimos quartetos de cordas de seu admirado Beethoven, mas com caráter direto e uma simplicidade de alma que nem mesmo Beethoven consegue. Suas outras obras de câmara são mais ligeiras, acessíveis a intérpretes amadores tanto quanto a profissionais, e recheadas de melodias. O Ⓜ Quinteto *A Truta* é o mais alegre, com o acompanhamento saltitante e a brilhante melodia da canção (usada aqui para variações) estabelecendo o clima da peça toda; os primeiros quartetos de cordas são mais próximos em estilo às sinfonias 1-6 (ver adiante), e as sonatinas para violino e a Sonata *Arpeggione* (para um instrumento entre o violoncelo e o violão) são Schubert no que tem de mais sorridente e sereno.

→ Boas obras de interesse correlato do próprio Schubert são as sinfonias mencionadas acima e as obras para piano que serão discutidas em seguida; de outros compositores, para as obras mais ligeiras: Sonata *Primavera* (Sonata para violino op. 24), de Beethoven; Trio *Dumky*, de Dvořák, e Septeto de Berwald; para as obras mais sérias, Quinteto para cordas K 614, de Mozart, Quarteto para cordas n. 9, op. 59 n. 3, de Beethoven, Octeto, de Mendelssohn, Quinteto para clarineta, de Brahms.

Música para piano Sonata n. 6, D 568 (1817). Como Beethoven, Schubert usou suas sonatas para piano, através de toda a sua vida, como uma espécie de caderno de anotações musicais, um lugar onde experimentar formas, estilos e idéias — e no entanto, como se ele mal fosse capaz de deter o fluxo da inspiração, transformou diversas delas igualmente em obras-primas. Elas vão desde as obras despretensiosas e alegres (por ex., a n. 6, recomendada acima, ou a n. 13, D 664), ideais para ele próprio tocar numa schubertíade, até as "grandes" sonatas, nos píncaros de sua inspiração (as ns. Ⓜ 18 D 894 e ± 21 D 960, classificam-se entre suas peças mais satisfatórias, de qualquer tipo: a n. 21, em particular, iguala-se em magnificência ao Quinteto para cordas). Duas obras não-sonatas têm estrutura paralela: a Ⓜ *Wandererfantäsie*, para piano solo e a Ⓜ Fantasia para dois pianos, D 940. O resto da música para piano de Schubert é perfeitamente deleitável; seu propósito é agradar, e ela o preenche perfeitamente. As melhores obras para se ouvir primeiro são os *Quatro Improvisos*, D 899: o n. 4, uma cascata de arpejos para a mão direita, sobre uma suntuosa melodia na mão esquerda, é uma de suas peças mais queridas.

→ Boas obras de interesse correlato para os trabalhos mais ligeiros são as três *Marchas Militares*: a n. 1 também é bem conhecida para orquestra e é afetuosamente evocada na *Circus Polka*, de *Stravinsky, acompanhando uma marcha de elefantes), o rondó em lá para dois pianos e os seis *Momentos Musicais* D 780 (o n. 3, variações sobre uma melodia lamentosa, é particularmente querido); boas obras correlatas aos trabalhos mais sérios são a Sonata n. 19, D 894, e o fluente e relaxado Ⓜ *Grand Duo*, D 813 (outra peça companheira da Sinfonia "Grande" em dó maior). De outros autores: sonatas para piano n. 21, 24 e 26, de Beethoven, e (para as obras mais ligeiras) *Noturnos*, op. 32, e valsas, op. 64, de Chopin.

OBRAS ORQUESTRAIS Nove sinfonias (a n. 7 não-orquestrada; a n. 8 inacabada); cinco aberturas (incluindo duas "em estilo italiano"); *Rosamunde*, música incidental (abertura, entreatos, música de balé e canções); rondó para violino e orquestra; danças e outras obras ligeiras variadas.

Ⓜ ***Sinfonia n. 5*** (1816) As primeiras seis sinfonias de Schubert foram escritas para orquestras amadoras ou semiprofissionais, e a ênfase se dá menos na grandiosidade do que no prazer, tanto para os intérpretes quanto para a platéia. A quinta é a melhor, uma jóia orquestral da qual o próprio Mozart poderia ter se orgulhado. (Seu movimento lento, o pavoneante minueto e o animado finale são especialmente mozartianos.) Das outras primeiras sinfonias, as ns. 1-3 quase igualam sua elegância (apesar de não a sua profundidade), e sua vivacidade irônica é também um aspecto da abertura *Rosamunde* (bem como de suas peças acompanhantes, das quais a música de balé em sol é a mais querida) e das duas brilhantes aberturas "em estilo italiano". Em meados da década de 1820, os pontos de vista de Schubert sobre a música orquestral mudaram. Ele estava impressionado pelas sinfonias de Beethoven (especialmente as ns. 4 e 7) e partiu para tentar emular sua relaxada expansividade. Sua sétima sinfonia (que não é tocada hoje em dia) era uma peça em grande escala, de quarenta minutos e sua Ⓜ oitava (a "Inacabada"), apesar de dela só existirem dois movimentos, combina notavelmente uma energia sinfônica digna de Beethoven com as sublimes melodias que Schubert compunha com tanta facilidade. (É uma peça companheira, em estilo e beleza, da Sonata para piano n. 18, D 894.) A Ⓜ Sinfonia n. 9 (apelidada de "a Grande", em dó maior, para distingui-la da sexta, também em dó maior) é o melhor trabalho orquestral de Schubert, companheira tão nobre das sinfonias de Beethoven quanto a quinta de Schubert é das de Mozart. Apesar de toda a sua extensão e grandiosidade, a principal impressão que deixa é de bom humor: *Schumann certa vez comparou ouvir a música de Schubert a passear através de um belo campo, e era esse o tipo de trabalho que ele tinha em mente.

→ Boas obras de interesse correlato às sinfonias mais ligeiras são os *Quatro Improvisos*, D 899, para piano, e a Sonata *Arpeggione*; de outros autores: Sinfonia n. 33, de Mozart, Sinfonia n. 2, de Beethoven, Sinfonia *Italiana*, de Mendelssohn. Boas obras correlatas à música de *Rosamunde* são o Rondó para violino e orquestra, o Octeto, e a abertura e a música incidental para o *Sonho de uma Noite de Verão*, de Mendelssohn. Para as obras de maior expansão: o Quarteto para cordas n. 15, D 887, a *Wandererfantäsie* e o Grand Duo para piano (a *Wandererfantäsie* também em arranjo de Liszt para piano e orquestra; o Grand Duo também orquestrado por Weingartner; ambos os arranjos são recomendados); boas obras correlatas de outros autores são as sinfonias de Beethoven mencionadas acima (para não mencionar a n. 6) e peças ensolaradas do final do século XIX, tais como *Aus Italien*, de Strauss, a *Abertura Festival Acadêmico*, de Brahms, e a Sinfonia n. 4, de Mahler.

SCHUMANN, Robert (1810-56). *Compositor alemão.*

Filho de um livreiro, Schumann passou a maior parte de sua infância explorando os livros de seu pai, e as obras dos escritores românticos tais como Byron, Goethe e Jean Paul eram para ele quase tão reais quanto a própria realidade. Estudou direito na universidade, mas queria fazer carreira ou na música ou na literatura. Sua primeira idéia era se tornar pianista de concerto e, aos dezenove anos, foi viver e estudar com o grande mestre Friedrich Wieck; mais tarde, no entanto, ficou aleijado da mão direita (com um mecanismo inventado para fortalecer o quarto dedo) e abandonou o piano em troca da composição e da crítica musical. Tornou-se um dos melhores e mais influentes críticos de sua época, particularmente útil para as obras de compositores como *Chopin e *Brahms, e uma fonte de entusiasmo por *Bach, *Mozart e outros grandes compositores do passado.

Quase imediatamente após Schumann ter ido estudar com Wieck, apaixonou-se pela filha deste, Clara, então uma adolescente. O pai ficou escandalizado e fez tudo o que pôde para interromper o caso. Houve anos de rixas, cartas amargas e processos legais, terminando somente quando os amantes finalmente se casaram, um dia antes do vigésimo primeiro aniversário de Clara. Clara tinha sua própria carreira como pianista concertista (ela foi uma das grandes intérpretes do século XIX), e passava vários meses, todos os anos, em turnê; mas quando estava em casa ela guiava e estimulava a carreira de compositor de Robert, e muitas de suas melhores obras foram escritas ou para ela ou sob sua inspiração.

Apesar dessa segurança doméstica, houve desde o começo uma nuvem negra pairando sobre a vida de Schumann. Sua família sempre mostrou traços de doença mental (seu irmão, por exemplo, cometeu suicídio aos dezesseis anos), e ele próprio mostrou desde cedo sinais de uma personalidade dividida (metade "Eusébio", um sonhador pouco prático, com a cabeça nas nuvens, metade "Florestan", um homem de ação, impetuoso, fogoso e igualmente pouco prático). A tensão de suas rixas com Wieck prejudicou ainda mais o seu equilíbrio mental; e finalmente, após seu casamento, Clara o colocou num regime de composição que era estimulante (e que produziu resultados maravilhosos), mas que o deixou mentalmente exausto. (1840 foi um ano dedicado a escrever canções, 1841 um ano de sinfonias, 1842 um ano de música de câmara, e assim por diante.) Em meados da década de 1840, Schumann começou a sofrer de uma grave depressão; no começo da década dc 1850 (época de sua amizade com o jovem *Brahms) ele começou a ouvir vozes e a conversar com os anjos; em 1854 atirou-se no rio Reno, foi salvo e internado num hospital para doentes mentais, onde morreu após mais dois anos de sofrimento.

O único sinal desse sofrimento pessoal na música de Schumann é que algumas de suas obras para piano são em dois estilos cuidadosamente separados, as peças "Eusébio" e as peças "Florestan". Fora disso, sua obra é tão serena e organizada quanto a de *Mendelssohn, tão melodiosa quanto a de *Schubert. Ele achava difícil se concentrar em formas amplas, e suas sinfonias e música de câmara, apesar de repletas de momentos inspirados, tendem a uma divagação mais para o friamente acadêmica; mas suas peças curtas, especialmente suas canções e suas suítes para piano, se encontram entre as composições mais inventivas e poéticas de sua era.

OBRAS Três sonatas, vinte e cinco suítes e outras grandes coleções (incluindo *Papillons*, *Carnaval*, *Estudos Sinfônicos*, *Variações Abegg*, *Cenas Infantis* e *Davidsbündlertänze* ("Dança das hostes de Davi"), *Fantasia* e várias outras peças isoladas para piano (incluindo *Arabeske*); quatro sinfonias (mais uma quinta inacabada, publicada como *Ouverture, Scherzo e Finale*) e duas aberturas para orquestra; Concerto para piano; Concerto para violoncelo; Concerto para violino; Peça de Concerto para quatro trompas e orquestra; *Introdução e Allegro* para piano e orquestra; ópera *Genoveva*; música de câmara incluindo dois quartetos de cordas, Quinteto para piano, Quarteto para piano, três trios para piano, duas sonatas para violino e uma dúzia de obras com títulos românticos (por ex., "Imagens de contos de fadas", para viola e piano); *Cenas de Fausto*, *Requiem* e meia dúzia de outras obras corais; sessenta composições vocais (incluindo quatro volumes de *Romances e Baladas*); mais de duzentas e cinqüenta canções para solista (incluindo os ciclos *Dichterliebe* e *Frauenliebe und -Leben*, e dois outros grupos chamados simplesmente *Liederkreis* ["Ciclo de canções"]).

Música para piano Ⓜ *Carnaval*, op. 9 (1835) A maior parte da música de Schubert para piano foi escrita durante os anos em que ele cortejava Clara, e é cheia de ardor e de rica fantasia: consegue ser tão impetuosa quanto uma conversa de amantes, como duas pessoas embriagadas uma pela outra trocando ansiosamente pontos de vista, sonhos e brincadeiras. *Carnaval* é típico: é a descrição musical de um baile a fantasia, cujos convidados incluem os amantes da commedia dell'arte, Arlequim e Colombina, o sonhador Eusébio e o sombriamente belo Florestan, bem como notáveis, tais como Paganini e Chopin: ao final, o baile é invadido por um grupo de estraga-prazeres mal-humorados, e todos os personagens fantásticos se unem e os rodeiam numa marcha triunfal. (A obra também existe em forma de balé, com praticamente a mesma história; a música é melhor no piano.) Outras obras de veia igualmente fantástica são *Papillons* ("Borboletas"), Ⓜ *Kreisleriana* e *Faschingsschwank aus Wien* (*Carnaval de Viena*); as Ⓜ *Kinderscenen* (*Cenas Infantis*) são mais suaves e calmas (e têm contrapartidas esplêndidas, criadas para os próprios filhos de Schumann e fáceis de tocar, dois *Álbuns para os jovens*). Do resto de sua música para piano, as três sonatas são obras fogosas, para virtuose; a Ⓜ *Fantasia* e *Arabeske* são calorosamente românticas (tal como Schubert ou Chopin em seus momentos mais doces); os Ⓜ *Études Symphoniques* (*Estudos Sinfônicos*) são variações tão agilmente melodiosas e variadas em estado de espírito quanto quaisquer de suas peças programáticas, faltando apenas títulos explanatórios para guiar nossa imaginação.

→ Uma boa obra correlata à música mais sonhadora é o Ⓜ *Andante e Variações*, op. 46 (melhor em sua forma para dois pianos, apesar de também existir para piano com violoncelo e quatro trompas); para a música heróica (especialmente as sonatas) são a *Overture, Scherzo e Finale* para orquestra, e o Quarteto para piano; de outros autores: os improvisos de Schubert, as Baladas e as *Variations Brillantes*, op. 12, de Chopin e o Scherzo op. 4, *Variações sobre um Tema de Schumann*, op. 23 (para quatro mãos) e as *Peças para piano*, op. 118, de Brahms.

Canções Ⓜ *Widmung* ("Devoção"), op. 25 n. 1 (1840) Se toda a música de Schumann, exceto suas canções, desaparecesse da noite para o dia, sua reputação ainda assim permaneceria intacta. Elas são como pedras preciosas, momentos isolados de emoção, ou descrições congeladas em forma de som, polidas, poéticas e precisas. Tal como Schubert, Schumann tinha um gênio especial para envolver o pensamento de um poema em notas simples, de sonoridade aparentemente inevitável, para em seguida fazer com que o acompanhamento para piano encarnasse o significado emocional implícito nas palavras. A melodia de *Widmung*, por exemplo, é tão simples quanto uma canção popular; com acordes de violão a peça seria tão direta quanto *The Ash Grove* ou *My Love is like a Red, Red Rose*. Mas o apaixonado acompanhamento de piano lhe dá um fervor abrupto, ofegante, tornando-a uma declaração de paixão insistente demais para ser ignorada. Em *Der Nussbaum* ("A Nogueira"), op. 25 n. 3, uma descrição igualmente direta de uma nogueira ganha fervorosa intensidade através de arpejos ondulantes para a mão esquerda e notas discordantes e suspensas para a mão direita: isto não configura o idílio que a letra poderia nos sugerir. A técnica é levada a seu apogeu e produz a maior obra de Schumann em qualquer forma de expressão, no ciclo de canções Ⓜ *Dichterliebe* ("O amor de um poeta"), op. 48, no qual a esperança, brotando eternamente da voz do poeta (de que sua amada lhe corresponderá) é constantemente cortada por volteios elegíacos da harmonia e irônicas distorções das frases melódicas que ele canta, até que, no final, ao aceitar a perda da amada, o piano de repente floresce num epílogo extremamente emocionante, com uma bela recordação de felicidade, perdida numa região onde já não é mais possível recobrá-la. Escrever *Lieder* desta qualidade é uma arte sutil e, nos seus melhores momentos, Schumann é o mais sutil dos seus mestres, superando até mesmo Schubert.

→ *Frauenliebe und -Leben* ("Vida e amor das mulheres", um ciclo que leva o protagonista através de todos os estágios de sua vida adulta, do primeiro amor ao casamento, ao parto e à traição; de cores sombrias, mas com algumas das mais belas melodias de Schumann); *Seis Canções*, op. 89; *Frühlingsglaube*, *Ganimedes*, de Schubert; *Feldeinsamkeit*, *Romances Magelone*, de Brahms.

Ⓜ ***Concerto para piano***, op. 54 (1841; 1845) O primeiro movimento deste concerto surgiu como um presente para Clara em 1841 (o segundo ano de seu casamento), e está cheio da mesma felicidade vicejante de suas mais apaixonadas canções; como elas, também, ele é de uma inspiração única, uma jóia de incomparável brilho. Miraculosamente, quatro anos depois, ele pôde recuperar a inspiração onde a havia deixado e acrescentou um meditativo movimento lento e um enérgico finale, cheio de ágeis ritmos cruzados e temas enérgicos, sempre saltando para o alto, para completar um dos mais iluminados concertos do repertório.

→ *Introdução e Allegro Appassionato* (piano e orquestra); *Davidsoündlertänze* (para piano solo); Concerto para piano n. 1, de MacDowell.

Sinfonia n. 1 (*Primavera*), op. 38 (1841) As sinfonias de Schumann são como as de *Mendelssohn, voltadas tanto para o entretenimento despreocupado quanto para a solene elaboração dos temas. A energia explode desde a primeira meia dúzia de compassos, e o ritmo raramente sucumbe (exceto por um movimento lento em forma de canção), do primeiro ao último compasso.

→ Sinfonia n. 3 (*Renana*); Sinfonia n. 1, de Weber; Sinfonia n. 2, de Gounod.

SCRIABIN, Alexander (1872-1915). *Pianista e compositor russo.*

Os virtuoses do piano na segunda metade do século XIX tendiam a seguir os passos de *Liszt: isto é, favoreciam o que chamavam de estilo "masculino" de tocar (cheios de exibições peremptórias de técnica, de forma que até mesmo a música calma tivesse uma espécie de força de aço), em vez do estilo "feminino" de homens tais como *Chopin ou *Schumann (onde o brilhantismo técnico ficava embutido na textura sonora da música). Scriabin foi uma exceção; ele tocava no estilo de Chopin, e compôs o tipo de música para piano que Chopin poderia ter escrito se tivesse vivido mais meio século: poética, ornamentada, dependente de uma bruma de harmonia em sutis cambiações (com a ajuda do pedal de sustentação) e uma sonhadora decoração para a mão direita.

Durante os primeiros dez anos de sua vida profissional, Scriabin ensinou piano em Moscou, fez turnês pela Europa e os EUA como compositor-pianista e escreveu um concerto no estilo de Chopin, quatro sonatas, prelúdios, estudos e outras peças para seus recitais. Mas na década de 1900 tornou-se interessado em teosofia (uma forma de misticismo religioso), e modificou tanto sua vida quanto seu estilo de compor. Começou a pensar em si mesmo como um super-homem com inspiração divina, que podia devolver o bom-senso à humanidade e salvar o mundo da destruição, e achava que o meio da salvação, a revelação, viria através da união de todas as artes. Seus concertos pareciam-se mais com assembléias religiosas do que com eventos musicais; as platéias eram atacadas com incensos, luzes coloridas, poemas e preces, bem como coros, orquestras e o próprio Scriabin como pianista e regente. Ele inventou (ou descobriu) um acordo "mágico" que, segundo dizia, estava por baixo de todas as músicas, e suas últimas seis sonatas e duas obras orquestrais (*Poema do Êxtase*; *Prometeu*) são construídas sobre isso. Apesar de toda a sua inspiração excêntrica, até mesmo maluca, essa música é freqüentemente da melhor qualidade: ele pode não ter conseguido salvar o mundo, mas, ao livrar-se da influência de Chopin, Scriabin certamente encontrou a si mesmo.

OBRAS Duas sinfonias (da juventude; nada boas), *Poema Divino*, *Poema do Êxtase*, *Prometeu* (*Poema do Fogo*) para orquestra; Concerto para piano; dez sonatas, vinte e quatro estudos, oitenta e cinco prelúdios e muitas peças menores para piano.

Ⓜ ***Sonata para piano n. 5***, op. 53 (1908) Os amantes de Chopin podem achar a música da juventude de Scriabin para piano desapontadora: ela tende a soar exatamente como a de Chopin, sem as melodias. (*Prelúdios*, op. 11, é a melhor seleção.) Com a Sonata n. 5, no entanto, começa a mudança em seu estilo. Sem perder a poesia de seu caráter sonhador, a música é mais robusta, mais direta, como se tivesse sido escrita por necessidade, e não apenas para preencher um programa de concerto. Esta sonata é um quadro sonoro das "misteriosas forças submersas" da vida humana e do intérprete-mágico que as evoca das profundezas. É também uma espetacular exibição da sonoridade do piano, indo — em um compacto movimento — do terno ao exaltado. (É uma grande favorita dos solistas virtuoses.)

→ Sonata n. 7 (uma longa tocata); Sonata n. 4, de Prokofiev; Sonata, op. 25 n. 2, de Medtner.

Ⓜ ***Poema do Êxtase***, op. 54 (1908) Este poema sinfônico se propõe mostrar como, se o espírito tiver a permissão de "flutuar em liberdade", irá reunir, unificar e harmonizar todo o medo, protesto, aspiração, ambição e desejo humanos em uma experiência única de total satisfação. Musicalmente, este programa envolve cinco temas (simbolizando cada uma das cinco emoções acima descritas), a princípio apresentados separadamente, depois reunidos por um sexto tema (o espírito). Apesar de toda a sua complexa inspiração, a música é sensual, romântica e deliciosamente inebriante. A melhor coisa a fazer com o *Poema do Êxtase* (assim como com a maior parte das obras tardias de Scriabin) é não se preocupar em decifrar o seu significado, mas simplesmente sorvê-lo em sua maravilhosa sonoridade.

→ *Poema Divino*; *Verklärte Nacht* (versão para orquestra de cordas), de Schoenberg; *Assim Falou Zaratustra*, de Strauss.

SHOSTAKOVICH, Dmitry (1906-75). *Compositor soviético.*

Ao término de seus estudos musicais, tendo completado dezenove anos de idade, Shostakovich ficou indeciso entre fazer carreira como compositor ou como concertista de piano. (Talento bastante para qualquer das duas não lhe faltava; sua preferência, a rigor, era a de ser pianista.) Mas as circunstâncias acabaram por facilitar-lhe a escolha: sua Sinfonia n. 1, escrita como prova para a formatura, transformou-se inesperadamente num sucesso internacional e ele se viu, antes de chegar aos vinte e um anos, aplaudido como o mais destacado compositor do novo Estado soviético.

Era uma posição difícil de conservar: os dirigentes soviéticos tinham muita desconfiança dos artistas em geral, e consideravam o experimentalismo e o modernismo como "hostis aos interesses da classe trabalhadora". No campo da música, em particular, gostavam que ela fosse "patriótica", isto é, dominada por temas populares, com harmonias que todos pudessem compreender, e contivesse, sempre que possível, a glorificação do espírito e das realizações revolucionárias. Shostakovich, no entanto, admirava o modernismo agudo e algo zombeteiro de compositores como *Milhaud e *Prokofiev. Ele se dedicara, na década de 20, a estabelecer uma ligação entre o estilo parisiense e o jazzístico das obras deles e motivos soviéticos (como se notará no balé *A Idade de Ouro*, comentado adiante), e isso lhe permitira chegar, aos trinta anos, à realização de uma obra que era a um só tempo tolerada pelas autoridades e gratificante para ele, escrita num idioma que se prestava tanto à "grande música" quanto às tarefas de encomenda.

Em 1936, porém, aconteceu-lhe um desastre: Stálin irritou-se com sua ópera *A Lady Macbeth do Distrito de Mtsensk* (achando dissonante a música e decadente a montagem) e Shostakovich caiu oficialmente em desgraça. Mas depois de algum tempo, e à custa de laboriosos esforços, ele conseguiu reconquistar seu prestígio (compondo, por exemplo, a Sinfonia n. 5, com o subtítulo "Reação construtiva de um artista soviético às merecidas críticas que recebeu") e consolidar sua nova reputação com cantatas patrióticas (sobre temas tão edificantes como o do reflorestamento) e música de fundo para filmes heróicos. Apesar disso, porém, sua aceitação jamais chegou a ultrapassar os limites da precariedade: em 1946, 1948 e 1962 viu-se de novo no ostracismo, embora, como que para acentuar o contraste, ele tenha sido aquinhoado, em 1966, com o título honorífico de Herói do Trabalho Socialista, a maior condecoração civil na URSS.

A música de Shostakovich oscila entre o inspirado e o trivial. Poucos compositores deste século escreveram tantas obras por encomenda quanto ele (as tais cantatas patrióticas, a Sinfonia n. 12, em homenagem à Revolução, as partituras para filmes cinematográficos) e a maioria delas é medíocre. Ao mesmo tempo, contudo, produzia continuamente sinfonias, concertos e quartetos para cordas da mais alta qualidade, num estilo que de modo algum pode ser rotulado de "moderno". Ao lado de Prokofiev e *Copland, ele é um dos mais acessíveis compositores do século XX; como *Britten, usa de uma forma direta para dizer coisas complexas, profundas e sérias.

OBRAS Quinze sinfonias, onze suítes orquestrais (quase todas resultantes de suas partituras para cinema), *Abertura Festival* e cerca de uma dúzia de obras mais curtas para orquestra; seis concertos (dois de cada para piano, violino e violoncelo); três óperas, quatro balés, música incidental para doze peças de teatro e trinta filmes; oito cantatas; cerca de uma dúzia de ciclos de canções com acompanhamento orquestral e três dúzias de canções para solo de recitalista (entre as quais a *Suíte sobre Versos de Michelangelo Buonarroti*); quinze quartetos para cordas, um Quinteto com piano, dois trios com piano e outras obras de câmara; duas sonatas, trinta e sete prelúdios, vinte e quatro prelúdios e fugas, três *Danças Fantásticas* e muitas peças para piano; Suíte, Prelúdio e Fuga, e Concertino para dois pianos.

A Idade de Ouro (1932) Para este balé "socialista-realista" (uma sátira ao fascismo e ao capitalismo), Shostakovich escreveu num estilo brejeiro e jazzístico, lembrando certas composições de Prokofiev. Quando sua produção teatral fracassou completamente (pois o público considerou ridículo o libreto), o autor juntou cinco de suas partes (*Introdução, Valsa, Adagio, Polca* e *Dança Russa*) numa esfuziante suíte orquestral, uma das mais vistosas e coloridas de todas as suas obras.
→ Suíte *O Raio*; Concerto para piano n. 1; *Um Americano em Paris*, de Gershwin; *O Incrível Flautista*, de Piston.

Ⓜ ***Sinfonia n. 10*** (1953) Esta é a mais bela criação de Shostakovich e constitui magnífico exemplo de sua música "particular": as passagens mais sentidas e comovedoras chegam a utilizar um motivo baseado em letras de seu próprio nome (DSCH, que correspondem, na notação musical alemã, a ré, mi bemol, dó e si natural). O primeiro e terceiro movimentos, graves, são contrabalançados por um scherzo (segundo movimento) e um finale cujos brilhantes floreios orquestrais relembram a vigorosa marcha da Sinfonia n. 6 de Tchaikovsky; o contraste entre essas duas passagens extremamente calorosas e a melancolia que marca o restante da sinfonia é inesquecível.
→ Ⓜ Sinfonia n. 1; Ⓜ Concerto para violoncelo n. 1, Sinfonia n. 3, de Roussel.

Ⓜ ***Quinteto com piano*** (1940) Esta obra começa com toda solenidade (prelúdio e fuga), mas logo a deixa de lado por um dos seus esfuziantes scherzi de dança russa e um finale que evoca uma parada circense. Os dois aspectos da personalidade de Shostakovich estão aqui brilhantemente justapostos, e a composição, no seu todo, ao invés da solene e ponderosa seqüência de temas e desenvolvimentos sugerida pelo nome Quinteto com piano, é tão leve, atraente e admirável quanto uma corça arisca.

→ Trio com piano n. 2; Trio com piano, de Ravel; Quinteto com piano, de Harris.

SIBELIUS, Jean (1865-1957). *Compositor finlandês.*

Até vinte e muitos anos de idade, Sibelius foi um bom professor de violino e um compositor talentoso, mas secundário, que meramente seguia as pegadas de *Tchaikovsky ou de *Brahms. Em 1890, porém, ele se deixa fascinar pelo *Kalevala* (um imenso poema épico finlandês que trata da criação do universo, a descida dos deuses à Terra e, acima de tudo, do próprio surgimento da Finlândia, originária das águas geladas dos mares setentrionais). O compositor nele se inspirou, utilizando-o como suporte de várias cantatas e poemas sinfônicos. Suas primeiras apresentações ao público coincidiram com a forte onda de nacionalismo que marcou o clímax de anos e anos de luta para liberar a Finlândia do jugo russo, e nesse fervor patriótico Sibelius foi transformado de um momento para outro num herói nacional.

A partir de então, como verdade tão apregoada quanto indiscutível, ele passou a ser consagrado como o maior compositor finlandês, foi coberto de medalhas e condecorações e se viu aquinhoado com uma pensão estatal vitalícia. Sibelius retribuiu compondo músicas de todos os tipos imagináveis: peças para piano, canções, obras incidentais para teatro, corais e — principalmente — as grandes obras para orquestra que lhe deram renome internacional. Suas composições de menor porte — que constituem três quartos de tudo o que ele escreveu — são estimulantes e melodiosas, embora deliberadamente contidas; em contraste, suas sinfonias e poemas sinfônicos são imponentes e heróicos, muito adequados ao pano de fundo de florestas e fiordes da Finlândia, assim como à sombria magnificência do *Kalevala*.

OBRAS Sete sinfonias; doze poemas sinfônicos (entre os quais *En Saga*, *Finlândia*, *A Filha de Pohjola*, *Tapíola*); dez suítes orquestrais de música incidental para teatro, incluindo *Karelia*, *Rei Cristiano II*, *A Tempestade*; várias dúzias de obras mais curtas para orquestra; Concerto para violino; cinqüenta canções sem acompanhamento e obras corais diversas (muitas usando textos do *Kalevala*); Quarteto para cordas, Sonatina para violino, seis álbuns de peças para piano e violino; sonata, três sonatinas e vinte e um álbuns de peças para piano (a exemplo das *Peças Líricas*, de *Grieg); duas obras para órgão (geralmente consideradas como os "movimentos perdidos" de sua inédita Sinfonia n. 8); setenta e nove canções.

Poemas sinfônicos e sinfonias Ⓜ *En Saga* (Uma saga), op. 9 (1892, revista em 1902) O estilo muito pessoal de Sibelius, uma combinação de sóbria harmonia, exuberante orquestração típica do século XIX e atraentes fragmentos melódicos reunidos em movimentos substanciosos e fortes, alcança seu grande efeito nos poemas sinfônicos. *En Saga* não tem propriamente um programa, pois evoca indistintamente o conjunto das sagas heróicas e quase ascéticas da Escandinávia (assim como *Finlândia* evoca a paisagem nacional, ou Ⓜ *As Oceânides*, o mar); outros poemas sinfônicos, notadamente Ⓜ*A Filha de Pohjola* e Ⓜ*Tapíola*, suas mais notáveis composições orquestrais, evocam inspiração direta do *Kalevala*. De suas sinfonias, as duas primeiras são opulentas, melodiosas e tchaikovsquianas. O irresistível finale da Ⓜ n.2 faz com que ela seja uma das mais queridas obras do compositor. Da Sinfonia n. 3 em diante, o tom épico dos poemas sinfônicos passa a prevalecer: a Quarta, a Ⓜ Quinta e a Ⓜ Sétima são compactas, poderosamente emocionais e dotadas de austera grandeza. Na Quinta, depois do sombrio movimento inicial, Sibelius aquece a composição com um plácido intermezzo e um grandioso finale construído sobre rica textura melódica acompanhada do plangente cantar das trompas: essa construção hipnótica também alivia a Terceira e a Sexta sinfonias, tornando-as as mais acessíveis de suas obras da maturidade.

→ Boa compatibilidade com sua obra orquestral apresentam estas criações de outros compositores: *O Lago Encantado*, de Liadov; *Danças Sinfônicas*, de Rachmaninov; *Quiet City*, de Copland; afins às suas primeiras sinfonias românticas revelam-se a Sinfonia n. 1, de Nielsen; a Sinfonia n. 2, de Ives; a Sinfonia n. 4, de Martinů. Às últimas, grandiosas, a Sinfonia n. 3, de Harris, assim como as Sinfonias ns. 3 e 5, de Vaughan Williams.

Suite Karelia, op. 11 (1893) Escrita originariamente para teatro, esta obra tem uma cadência graciosa em sua harmonia e uma alvoroçada partitura que surpreendem a todos aqueles que não esperavam mais do que a álgida grandeza encontrável em várias das sinfonias do compositor. Freqüentemente executada logo após a *Abertura Karelia*, op. 10, a suíte contém um Intermezzo, uma Balada e uma assobiável e bem ritmada Marcha.

→ Suíte *Rei Cristiano II*; *Scénes Historiques*, tomo I; *The Wand of Youth*, suíte n. 1, de Elgar.

Concerto para violino, op. 47 (1903, revisto em 1905) Este é um daqueles concertos no estilo típico do século XIX, cheio de exibicionismo e com um primeiro movimento fortemente "sinfônico", seguido de um movimento cantabile e um finale galopante, de temática folclórica. (A estrutura dos concertos para piano, de Grieg, e para violino, de Tchaikovsky, certamente veio à cabeça de Sibelius ao compor esta obra.) É verdade que algo da costumeira sobriedade de seu estilo sinfônico também se encontra aqui (logo nos compassos iniciais), acentuando características marcadamente pessoais numa obra que, afora isso, seria apenas uma deliciosa demonstração de virtuosismo.

→ *O Cisne de Tuonela* (uma peça de andamento lento para corne inglês e orquestra, muito afim ao movimento lento do Concerto para violino); *Introdução e Rondó Caprichoso*, de Saint-Saëns; *Sinfonia Espanhola*, de Lalo.

SINDING, Christian. Ver *Compositores de obra singular*.

SINFONIA

Uma sinfonia (do grego "soar ao mesmo tempo") é uma obra orquestral em um ou mais movimentos (normalmente quatro). Diferente de uma suíte (que é uma reunião razoavelmente aleatória de movimentos: excertos de um balé ou ópera, danças ou quadros climáticos), uma sinfonia é uma obra amplamente organizada, num ciclo completo: cada um de seus movimentos se liga aos demais e ela soaria mutilada se qualquer um deles fosse omitido ou substituído.

AS PRIMEIRAS SINFONIAS No século XVII e começo do XVIII, as sinfonias eram pequenas peças orquestrais tocadas antes, durante ou após obras vocais. (A "Sinfonia Pastoral" no *Messias*, de Händel, é típica: um único e breve movimento descrevendo os pastores nos campos antes do anjo lhes aparecer para anunciar o nascimento de Cristo.) Muitas dessas "sinfonias" apareciam no começo de óperas (tomando o lugar daquilo que poderíamos chamar hoje de "abertura" ou "seleção"): usavam melodias da ópera e costumavam ser em três curtos movimentos, rápido, lento, rápido. (A abertura da ópera *O Rapto do Serralho*, de *Mozart, funciona exatamente desta forma.)

SINFONIAS DO SÉCULO XVIII Em algum ponto no começo do século XVIII teve início o costume de escrever e executar sinfonias em estilo "operístico separadamente, como entretenimentos orquestrais independentes. O padrão de três movimentos permaneceu e a música era tão simples e alegre quanto suas ancestrais operísticas. (Obras características deste tipo são a primeira dúzia de sinfonias de *Haydn, escritas para e batizadas com o nome do Conde Morzin. Têm três pequenos movimentos, cada qual com três ou quatro minutos de duração, e normalmente seguem o padrão ímpeto-relaxamento-dança.)

A nova forma demonstrou ser popular, especialmente em lugares onde havia uma orquestra ampla e bem treinada (por ex., Mannheim, Esterháza ou Paris). Os compositores começaram a ampliar o alcance das sinfonias: expandiram os primeiros movimentos (usando a recentemente desenvolvida forma sonata: ver Glossário), acrescentaram quartos movimentos para equilíbrio (normalmente rondós: ver Glossário), e formalizaram o padrão dos ligeiros movimentos centrais na forma de um movimento lento de suave fluência e de um alegre minueto. (A Sinfonia n. 19, de Mozart, é um esplêndido exemplo deste tipo de obra, a meio caminho entre as sinfonias simples, "operísticas", de uma geração antes, e as sinfonias de grande escala que ele viria a escrever.)

STURM UND DRANG No final da década de 1760, uma nova moda musical varreu a Europa. Em vez do bem-educado estilo "galante" (ver *música do século XVII*), muitos compositores começaram a escrever obras instrumentais repletas do que eles chamavam de *Sturm und Drang*. Sua idéia era fazer sinfonias, sonatas e concertos tão cheios de emoção quanto as óperas, deixar a música exprimir sentimentos outros que não o charme bem comportado. A sinfonia era uma forma particularmente adequada a este tipo de música. Podia fazer uso de todos os recursos de uma orquestra, com toda a sua variedade de som, e seus quatro movimentos já traziam embutida a noção de contraste, desde a meditação heróica do movimento inicial, e a reflexão do movimento lento, até a espirituosa serenidade do minueto e do finale.

A própria moda do *Sturm und Drang* durou pouco mais de uma dúzia de anos. Mas mudou completamente o conceito que as pessoas tinham sobre as sinfonias. Os sentimentos de grandiosidade e força emocional permaneceram, e os compositores começaram a encarar as sinfonias como obras musicais amplas, intelectualmente pesadas e profundas, as peças mais poderosas que podiam escrever para orquestra. As primeiras sinfonias *Sturm und Drang* de Haydn são a n. 44 (*A Lamentação*) e n. 45 (*O Adeus*); as sinfonias que ele escreveu depois destas possuem uma dignidade magistral, bem diferentes daquelas que escreveu antes. A primeira sinfonia *Sturm und Drang* de Mozart foi a n. 25; apesar de, depois disso, ele ter escrito umas poucas sinfonias "só para entretenimento" (por ex., a n. 32), seu progresso foi em geral rápido e constante em direção às obras-primas sinfônicas que conhecemos hoje. E, assim como os gênios, muitos compositores menores (Stamitz, Cannabich, Mysliveček) poliram e melhoraram o estilo sinfônico até que, por volta do final do século, somente a *sonata rivalizava com a sinfonia como forma instrumental dominante.

SINFONIAS DO SÉCULO XIX O compositor que fez mais do que qualquer outro para dar à sinfonia sua moderna reputação foi *Beethoven. Haydn e Mozart haviam escrito grandes sinfonias antes dele — entre as melhores na história dessa forma — mas eram pouco conhecidas. As sinfonias de Beethoven, em contraste, eram tocadas, resenhadas e discutidas por toda parte, e influenciaram todo e qualquer compositor orquestral subseqüente. Suas primeiras duas sinfonias (e as n. 4 e n. 8) são agradáveis e diretas, não muito diferentes em tamanho das sinfonias do século XVIII. Mas as n. 3 (a "Eroica"), n. 5 e n. 7 são peças enormes. Seus movimentos costumam ser tão longos quanto as sinfonias inteiras de outros autores, seu pensamento é complexo e seu impacto emocional é enorme (as de n. 6 e n. 9 vão ainda mais longe: a n. 6 (a *Pastoral*) expressa emoções despertadas por temas campestres; a n. 9 (a *Coral* é uma celebração titânica da unidade e dignidade da espécie humana.) Acima de tudo, Beethoven fez da sinfonia uma experiência única em múltiplos movimentos: cada movimento dá seqüência ou soma-se aos sentimentos e idéias expressados em todos os outros — que devem ser ouvidos em seqüência correta, para que a sinfonia exerça seu total efeito.

As sinfonias de Beethoven eram tão grandiosas e magníficas que fizeram com que alguns compositores do século XIX fugissem inteiramente do gênero. (*Liszt, por exemplo, em vez disso criou o poema sinfônico, como uma forma de demonstrar emoção em sons; até mesmo as duas obras que ele chamou de "sinfonias" são, na verdade, longos poemas sinfônicos.) Alguns outros (entre eles *Mendelssohn, *Dvořák e *Bizet) evitaram a grandiosidade e escreveram deliberadamente sinfonias de despreocupado entretenimento, em estilo gracioso e simples. Mas muitos outros compositores aceitaram aquilo que encaravam como o "desafio" de Beethoven: as sinfonias, por exemplo, de *Bruckner, *Mahler, *Brahms e *Tchaikovsky são obras de enorme força, tanto intelectual quanto emocional; *Wagner e *Verdi encaravam suas obras para o palco como "dramas sinfônicos".

SINFONIAS DO SÉCULO XX No século XX, a composição de sinfonias continuou sem esmorecer. Diversos compositores (por ex., *Sibelius, *Nielsen, *Shostakovich, *Tippett) colocaram suas melhores idéias em forma sinfônica. Outros (por ex., *Prokofiev, *Copland e *Martinů) trataram a sinfonia como algo mais alegre, uma contrapartida do século XX às primeiras sinfonias de *Schubert, ou às sinfonias de Mendelssohn ou *Saint-Saëns. Outros compositores ainda, ao mesmo tempo que evitavam o título "sinfonia", escreveram obras de uma seriedade e grandiosidade a nível de rivalizar com qualquer coisa composta em forma sinfônica. (Bons exemplos são *La Mer*, de Debussy, *Música para Cordas, Percussão e Celesta*, de *Bartók, e *A Sagração da Primavera*, de *Stravinsky.)

Para ouvir Para os iniciantes nas sinfonias, as obras recomendadas são a Sinfonia n. 33, de Mozart, a n. 5, de Schubert e a n. 1, de Prokofiev (*Sinfonia Clássica*), e devem ser seguidas pela Sinfonia *Italiana* de Mendelssohn, a n. 1 (*Primavera*), de *Schumann, a n. 9 (*Novo Mundo*), de Dvořák, e a n. 4, de Beethoven. Para posteriores recomendações, as obras mencionadas neste verbete servirão de guia aos diferentes tipos (e "pesos") de sinfonia disponíveis; ver também os artigos sobre Beethoven, Brahms, Bruckner, Dvořák, Haydn, Mahler, Martinů, Mendelssohn, Mozart, *música orquestral*, Nielsen, Prokofiev, Saint-Saëns, Schubert, Schumann, Shostakovich, Sibelius, Stravinsky, Tchaikovsky, Tippett, Vaughan Williams e Walton.

SMETANA, Bedřich (1824-84). *Compositor tcheco.*

Quando Smetana nasceu, a nação tcheca, tal como a conhecemos hoje, não existia oficialmente. A "Boêmia" (como era chamada) era uma província do grande império austríaco, e Smetana cresceu falando alemão e encarando a cultura "tcheca" como algo localizado, de pequena escala e fora do curso principal da vida. Mas na década dc 1840 houve os levantes nacionalistas tchecos em Praga e em outras partes, e Smetana tornou-se um fervoroso guerrilheiro, em certo ponto até mesmo um terrorista urbano, combatendo os austríacos. A revolta foi ferozmente esmagada e, em 1856, Smetana foi viver na Suécia, onde ganhava a vida como diretor da Sociedade Filarmônica de Göteborg.

Na década de 1860 a atmosfera política em Praga ficou mais leve e assim foi possível para Smetana não apenas voltar, mas agir como porta-voz da cultura e da língua tcheca (que ele estudara enquanto estava na Suécia). Compôs e regeu obras corais e óperas sobre temas nacionalistas e ganhou o importante cargo de Diretor Musical do Teatro Provisional de Praga (um centro de cultura tcheca). Em 1866, após o sucesso de sua ópera folclórica *A Noiva Vendida*, foi considerado em toda parte como o criador de um estilo musical autenticamente tcheco, admirado e imitado por muitos compositores mais tarde (entre eles, *Dvořák, *Janáček e *Martinů). Sua inspiração tcheca sobrevive hoje em dia na verve e no brilho de sua música: ela é tão luminosamente melodiosa e feliz quanto as danças campestres de sua amada terra natal.

OBRAS Oito óperas (incluindo *Dalibor*, *A Noiva Vendida* e *O Beijo*); cantatas e peças cantadas para coro, muitas delas com letras patrióticas; *Sinfonia do Triunfo*, nove poemas sinfônicos (incluindo o ciclo de seis em conjunto, chamado *Minha terra*), *Abertura Festival* e *Carnaval em Praga* para orquestra; dois quartetos para corda, Trio para piano e outras obras de câmara; polcas, danças tchecas e outras obras para piano no estilo de dança folclórica.

Ⓜ ***Vltava* / *O Moldávia*** (de *Má vlast*, "Minha terra") (1879) Os seis poemas sinfônicos de *Minha terra* descrevem as paisagens da Boêmia (a moderna Tchecoslováquia) e episódios da história boêmia. Os mais conhecidos são "Dos bosques e campos da Boêmia" e este, "Vltava", uma representação do rio (também chamado "Moldávia"), desde o seu começo nas colinas até sua majestosa, caudalosa passagem por Praga, em direção ao mar. No tempo de Smetana, o tema patriótico de "Vltava" o tornou popular; hoje em dia ele sobrevive por causa de suas harmonias coloridas, em forma de canção folclórica, sua brilhante orquestração e acima de tudo pela melodia extasiante, absolutamente envolvente, que cresce nas ondulações dos sopros no começo da peça, de forma tão inexorável quanto o rio que cresce à medida que recebe seus tributários. *Minha terra* atualmente costuma ser executado completo (e preenche a maior parte de um concerto); "Vltava" é um bom exemplo de seu estilo melodioso, e vale a pena ouvi-lo isoladamente: é glorioso.
→ *Carnaval em Praga* (animado divertimento em forma de dança folclórica); abertura *A Gruta de Fingal*, de Mendelssohn; *Rapsódia Sueca* n. 1 ("Vigília de verão"), de Alfvén.

Ⓜ ***A Noiva Vendida*** (1866) (a ópera completa) Várias das óperas de Smetana (por ex., *Dalibor*, *Os Brandenburgueses na Boêmia*) são sérios épicos históricos, mas *A Noiva Vendida* usa a inspiração patriótica de uma forma diferente e refrescante. É uma comédia sobre dois enamorados em uma aldeia e os mal-entendidos e mascaradas que finalmente resultam no casamento deles. Smetana aproveitou a chance para descrever os velhos usos e costumes da vida rural tcheca, e preencheu sua partitura com ritmos folclóricos e melodias no estilo das canções populares, em vez de árias. Diversos trechos (Ⓜ Abertura, Polka, Furiant e a extática canção "Nosso sonho de amor") são conhecidas separadamente, mas existem poucos prazeres musicais iguais a sentar-se para desfrutar a ópera completa. (É essencial um libreto traduzido.)
→ *As Duas Viúvas* (a ópera completa, no mesmo estilo ligeiro e popularesco); *A Comédia na Ponte*, de Martinů; *Os Gondoleiros*, de Sullivan.

SONATA

Uma sonata é uma peça de música para apenas um instrumento (usualmente o teclado), bem como para um ou dois instrumentos solistas com acompanhamento de teclado. (Existem algumas poucas para instrumento solista sem acompanhamento, por ex., as de *Bach ou *Bartók para violino solo; mas são muito raras.) A maior parte das sonatas tem três ou quatro movimentos; uns poucos compositores (por ex., *Scarlatti) se especializaram em sonatas de um só movimento.

AS PRIMEIRAS SONATAS E TRIO-SONATAS Até a década de 1650, a palavra "sonata" não tinha qualquer sentido especial: era uma abreviação de *musica sonata* ("música para ser soada", isto é, tocada em instrumento), e contrastava com *musica cantata* ("música cantada"). Foi então que, na obra de compositores como *Corelli, a sonata tornou-se uma forma musical distinta: uma obra em diversos movimentos para solista(s) e acompanhamento.

A parte do acompanhamento costumava consistir em uma linha musical de baixo (para viola baixo, violoncelo ou fagote), às vezes com marcações embaixo para representar os acordes que o compositor desejava. O tecladista (normalmente no cravo ou no órgão) tocava a linha escrita para o baixo com a mão esquerda, e criava uma parte com a mão direita para se adequar aos acordes "figurados". (Este tipo de acompanhamento para dois intérpretes, executante do baixo e executante do teclado, é chamado de "contínuo". Uma sonata para um instrumento e contínuo, portanto, envolve três executantes; um trio-sonata, para dois instrumentos e contínuo, envolve quatro.)

No século XVII, dois tipos de sonata eram populares. As "sonatas de igreja" (assim chamadas pelo seu estilo sóbrio) geralmente tinham quatro movimentos (lento, rápido, lento, rápido); as "sonatas de câmara" tinham cinco ou mais movimentos (normalmente em ritmo de dança, por ex., minueto, gavota, jiga). Gradualmente, no entanto, as obras com movimentos de danças vieram a ser chamadas de suítes e todas as sonatas e trio-sonatas seguiram o padrão dos quatro movimentos.

SONATAS DO SÉCULO XVIII O apogeu da sonata em quatro movimentos e do trio-sonata ocorreu durante os primeiros cinqüenta anos do século XVIII. Música de câmara deste tipo era o divertimento favorito, e centenas de compositores o proviam. As sonatas e trio-sonatas de Bach, *Händel, *Vivaldi e *Telemann são hoje em dia parte da música mais conhecida daquela época e (apesar delas nunca terem visado à profundidade, tendo sido escritas simplesmente para entretenimento) são algumas das obras mais atraentes e características de seus compositores.

À medida que o século prosseguiu e, particularmente, que o piano começou a substituir o cravo (ver *instrumentos de teclado*), o estilo das sonatas mudou completamente. O contínuo caiu de uso e o piano se tornou o instrumento acompanhador padrão, com a música para ambas as mãos totalmente escrita. As sonatas-solo (para teclado apenas) se tornaram comuns, e o velho padrão dos quatro movimentos mudou para três: um movimento de abertura rápido, substancial (em uma nova forma musical, desenvolvida para sonatas e por elas denominada; ver Glossário: *forma de sonata*), com dois movimentos mais curtos (lento e rápido) para equilibrá-lo. Este tipo de sonata foi aperfeiçoado na mesma época em que o foram os quartetos de cordas (ver *música de câmara*) e a *sinfonia, e, com esses, tornou-se o tipo máximo de música instrumental que um compositor podia escrever. As sonatas posteriores, de *Haydn, *Mozart e *Beethoven, são como sinfonias para música de câmara, repletas dos pensamentos mais elaborados e ousados de seus compositores.

SONATAS TARDIAS As sonatas mantiveram desde então seu elevado *status*. Por serem escritas para solistas, costumam ser um desafio para os executantes, cheias de possibilidades de exibição para os virtuoses. Mas a tendência "sinfônica" de seu pensamento lhes dá uma seriedade e grandeza que outras músicas para virtuose não possuem. Desde a época de *Chopin, poucos compositores escreveram mais do que um punhado de sonatas em grande escala (em comparação, digamos, com as sessenta de Händel ou com as centenas de Telemann) e as sonatas passaram a ser encaradas, ao lado dos concertos, como o auge do repertório para solista.

SONATINAS Para propósitos didáticos ou para executantes não-virtuoses, as "sonatinas" ("pequenas sonatas") foram criadas no século XIX: fluentes, curtas e melodiosas, oferecem um prazer à audição similar ao das sonatas e trio-sonatas de entretenimento do começo do século XVIII. A sonatina op. 36 n. 1 para piano, de Clementi, e a Sonatina op. 100 para violino e piano, de *Dvořák, são deliciosos exemplos.

Para ouvir Aos principiantes nas sonatas, obras recomendadas do começo do século XVIII são a Sonata para violino op. 1 n. 10 de Händel, a Sonata para flauta n. 6, BWV 1035, de Bach e o Trio-sonata em fá para flauta, viola de gamba e contínuo de Telemann (dos *Essercizii Musici*: pode ser complicado encontrar precisamente essa sonata numa loja de discos, mas a música vale a pena); boas obras de interesse correlato são outras sonatas desses compositores (especialmente as *Seis Sonatas para Violino* BWV 1020-5, de Bach, e o resto dos *Essercizii Musici* de Telemann), e as sonatas e trio-sonatas de Corelli, Quantz e Vivaldi. Boas introduções para as sonatas posteriores são a Sonata n. 12, K 332, de Mozart, a Sonata n. 5 (*Primavera*) para violino e piano, de Beethoven, e a Sonata n. 1 para clarineta e piano, de Brahms; boas ainda são a Sonata para piano n. 8 (*Patética*), de Beethoven, a Sonata *Arpeggione*, de Schubert, e a Sonata n. 1 para violino e piano, de Brahms. Para outras recomendações (incluindo algumas das maiores e mais deliciosas sonatas do repertório), ver C.P.E. Bach, J.S. Bach, Bartók, Beethoven, Brahms, Carter, Chopin, Corelli, Franck, Händel, Haydn, *instrumentos de cordas*, *instrumentos de sopro*, Ives, Liszt, Mozart, *música de câmara*, *música de teclado*, Poulenc, Prokofiev, Schubert, Scriabin, Telemann e Vivaldi.

STOCKHAUSEN, Karlheinz (1928). *Compositor alemão.*
No torvelinho da reconstrução da Alemanha após a Segunda Guerra Mundial, Stockhausen trabalhou como colono de fazenda e como pianista acompanhador a fim de financiar seus estudos. A princípio ele se atolou, musicalmente falando, num pântano de estilos de vanguarda (ver **música de vanguarda*), mas na década de 1950 assentou pé, primeiro como discípulo de *Messiaen e depois, crucialmente, como diretor-assistente do Estúdio de Música Eletrônica da Rádio de Colônia. Trabalha com equipamentos eletrônicos desde essa época e (com *Boulez) é o maior compositor "sério" a jamais tê-los usado.

Desde a década de 1970, Stockhausen rege e lidera um grupo de câmara, que já correu o mundo executando sua música. Ele não dá aos executantes notas precisas, mas instruções básicas quanto ao clima e ao estilo dos sons que deseja; os músicos improvisam sobre essas instruções e ele filtra os resultados através de um computador. Sua música é suave e meditativa e seu efeito sobrenatural é ampliado pelo uso que Stockhausen faz de ritmos e padrões de notas do Extremo Oriente. Ele é, ainda, uma espécie de compositor para especialistas (com seguidores tão fanáticos quanto, digamos, Mike Oldfield, ou o Modern Jazz Quartet); mas suas melhores obras têm grandes prazeres a oferecer, tanto aos amantes comuns da música quanto a seus fãs.

OBRAS Das cento e tantas composições de Stockhausen, as mais conhecidas incluem *Grupos* (três orquestras de câmara), *Hinos Nacionais* (*tape*), *Procissão* (percussão e *tape*), *Sirius* (vozes e *tape*), *Dos Sete Dias* (grupo de câmara), *Canção do Rapaz* (voz de menino e *tape*) e *Luz* (dançarinos, solo de trompete, orquestra, grupo de câmara e aparelhos eletrônicos).

Stimmung ("Sintonização no ambiente") (1968) Nesta peça (muito típica), seis cantores solistas ouvem sons eletrônicos (que a platéia também pode ouvir), em seguida "sintonizam-se" neles, ecoando-os, desenvolvendo-os e acrescentando música nova, deles próprios. O efeito é hipnótico (e a peça precisa de cada um dos seus setenta e cinco minutos para exercer seu efeito completo), similar ao cântico budista; apreciá-la é menos parecido com ouvir música comum num concerto do que tomar parte num serviço religioso — e, devido a isto, ouvi-la em discos, sozinho em casa, é menos satisfatório do que conhecê-la numa interpretação ao vivo.
→ "Michaels Reise un die Erde" (*Licht*, "Luz", parte 2); *Inori* ("Adorações"); *Domaines*, de Boulez.

STRAUSS, Johann (II) (1825-99). *Compositor e regente austríaco.*
A família Strauss de Viena foi um fenômeno musical. Houve meia dúzia deles, Johann I (1804-49) e seus filhos e sobrinhos, e através do século XIX eles dirigiram uma bem-sucedida orquestra de danças, viajando pelo mundo com seu repertório de valsas, galopes, polcas e outras peças da moda. (Além de tocar em bailes, a orquestra se apresentava por si mesma: as valsas de Strauss são composições amplamente elaboradas, substanciais e satisfatórias por sua própria conta.) Além de reger, os Strauss compunham (mais de mil e duzentas valsas entre todos eles), dirigiam um negócio de edição de música e fizeram uma fortuna só com a venda de partituras.

Johann Strauss II foi, incomparavelmente, o melhor compositor da família e um dos melhores compositores de música ligeira do século, imitado por *Offenbach, admirado por *Wagner e invejado por *Brahms. Até 1871 ele se especializou em valsas e em outras obras orquestrais; então, por sugestão de Offenbach, começou a escrever operetas e, durante os quinze anos que se seguiram, não havia temporada no Theater an der Wien que fosse completa sem uma nova obra dele. (Sua popularidade chegou ao mesmo tempo que a de Gilbert e Sullivan em Londres e suas operetas são tão apreciadas nos países de língua alemã quanto as daqueles são na Inglaterra e nos EUA.)

OBRAS Quatrocentas valsas (incluindo *O Danúbio Azul*, *Contos dos Bosques de Viena*, *Vida de Artista*, *Jornais da Manhã*, *Imperador*, *Rosas do Sul* e *Vinho, Mulheres e Canções*); trezentas polcas, galopes, marchas e outras peças orquestrais (incluindo *Polca Trovão e Relâmpago*, *Galope do Champanha* e *Perpetuum Mobile*); dezesseis operetas (incluindo *O Morcego*, *O Barão Cigano* e *Uma Noite em Veneza*).

Ⓜ ***O Danúbio Azul***, op. 314 (1867) Como todas as melhores valsas de Strauss, esta não é tanto um único movimento de dança quanto uma suíte contínua de valsas, ligadas por uma melodia ondulante, orquestração calorosa e o cadenciado "tempo três por quatro" do ritmo. Essa valsa evoca tão instantaneamente as imagens de casais em traje de noite, girando pelos salões de dança da Viena Imperial, que fica fácil ceder ao devaneio nostálgico e, nesse processo, deixar de perceber como a música é boa. (Até mesmo o uso de *O Danúbio Azul* na trilha sonora do filme *2001*, acompanhando tomadas de uma espaçonave rolando preguiçosamente pelo espaço, não conseguiu alterar sua imagem.)
→ Ⓜ *Rosas do Sul*; *Valsa do Imperador*; *Valsa Delírio*, de Josef Strauss.

Tritsch Tratsch Polka, op. 214 (1858) Mais curtas, mais ligeiras e mais diretas que suas valsas, as polcas de Strauss são hoje tratadas menos como música de dança do que como uma novidade em termos de números orquestrais (por ex., nos Concertos de Ano Novo de Viena). Elas usam efeitos sonoros vivazes (rolhas que saltam, tiros de rifle e ribombos de trovão), mas seus principais atrativos são suas melodias espirituosas e sua fogosa exibição orquestral.
→ *Pizzicato Polka*; *Perpetuum Mobile*; *Joyeuse Marche*, de Chabrier; polca *Bahn frei* ("Correr a toda"), de Edouard Strauss.

Ⓜ ***Die Fledermaus*** (*O Morcego*) (1874) (a ópera completa) Tal como as operetas de Offenbach, as de Strauss são uma mistura de melodias cativantes e farsa frenética, eloqüente (cheia de mal-entendidos, disfarces, truques e intrigas). Necessitam ser representadas no palco (e cantores capazes de interpretar comédia) para produzir todo o seu efeito: discos e trechos selecionados (por ex., a Abertura), apesar de toda a sua graça esfuziante, oferecem apenas um fragmento do prazer completo. (Mais satisfatória em disco é a deliciosa partitura arranjada a partir das peças de Strauss por Dorati, para o balé, *O Baile da Formatura*: sem palavras, a música desliza com facilidade para o centro do palco da mente.)
→ *O Barão Cigano*; *A Viúva Alegre*, de Lehár; *O Soldadinho de Chocolate*, de Oscar Straus (nenhum parentesco).

STRAUSS, Richard (1864-1949). *Compositor e regente alemão.*

Quando Strauss tinha dezoito anos, uma de suas obras de juventude (a Serenata para sopro, op. 7) teve tanto sucesso que Hans von Bülow, diretor da orquestra da Corte de Meiningen, encomendou-lhe uma continuação, e convidou-o a regê-la ele próprio. Isso levou a novas apresentações como regente e, por volta dos vinte e dois anos, Strauss era um dos regentes mais ocupados da Alemanha. Dividia seu tempo entre óperas (era diretor musical da Ópera de Munique e regente-assistente no teatro de *Wagner em Bayreuth) e obras orquestrais, tendo se especializado em *Mozart, *Liszt e sua própria música. Começou a compor poemas sinfônicos em estilo lisztiano e, por volta dos seus trinta e cinco anos, diversos deles (por ex., *Don Juan*, *Till Eulenspiegel*) o haviam tornado mundialmente famoso.

Na década de 1900 Strauss voltou-se dos poemas sinfônicos para as óperas. Suas *Salomé* e *Elektra* foram sensações: seus libretos foram condenados como indecentes, da música se disse ser a mais discordante jamais composta — e o público acorria em massa para assisti-las. Em 1911, no entanto, com sua ópera cômica *Der Rosenkavalier*, Strauss abandonou a discordância e começou a compor num estilo sereno, melífluo, mais próximo de Wagner do que dos sons do século XX. Continuou com esse estilo pelo resto de sua longa vida, compondo principalmente canções (foi um dos supremos mestres nessa área) e óperas, até chegar aos oitenta anos, quando inesperadamente voltou à música instrumental e produziu meia dúzia de obras-primas (por ex., o Concerto para oboé; *Metamorphosen*), líricas e enternecedoras, como conjuntos operísticos reimaginados para instrumentos.

OBRAS Duas sinfonias, dez poemas sinfônicos (incluindo *Don Juan*, *Don Quixote*, *Vida de Herói*, *Till Eulenspiegel* e *Morte e Transfiguração*), suítes, serenatas e outras obras orquestrais; quatro concertos (dois para trompa, um para oboé e outro para violino) e outras obras para solistas e orquestra; quinze óperas (incluindo *Salomé*, *Elektra*, *Der Rosenkavalier*, *Ariadne auf Naxus*, *Arabella* e *Capriccio*); dois balés; uma dúzia de obras corais e mais de duzentas canções (incluindo as *Quatro Últimas Canções*); obras de câmara e para piano (principalmente no começo da carreira).

Poemas Sinfônicos Ⓜ*Till Eulenspiegel*, op. 28 (1895) Os poemas sinfônicos de Strauss são equivalentes orquestrais das fanfarronadas cinematográficas em *technicolor*: seus assuntos são heróis exageradíssimos; cada emoção, clara e óbvia; cada acontecimento (colocar em fuga um rebanho de ovelhas, subir uma montanha, banhar um bebê) é amorosamente descrito (em brilhante sonoridade orquestral); nem um grama de entusiasmo ou sentimento é omitido. Dos outros compositores orquestrais, somente *Berlioz pode igualar os dons pictóricos de Strauss, e as melodias e harmonias de Strauss são mais brilhantes até mesmo do que as de Berlioz. Os mais vigorosos de todos os poemas sinfônicos são *Till Eulenspiegel* (sobre um tipo que vivia pregando peças), Ⓜ*Don Juan* (a respeito do amante lendário) e Ⓜ *Ein Heldenleben* (um quadro geral de "uma vida de herói", só que o herói em questão é o próprio compositor); não menos pictóricos, mas sobre temas mais sóbrios, são *Don Quixote* (cenas da vida do desconsolado cavaleiro de Cervantes), *Also sprach Zarathustra* (*Assim Falou Zaratustra*, uma imagem da luta e do êxtase da realização de toda a raça humana) e o elegíaco e wagneriano *Tod und Verklärung* (*Morte e Transfiguração*). Dos outros poemas sinfônicos, o melhor é *Aus Italien* ("Da Itália", uma maravilhosa narrativa sonora de viagem, de cenas italianas).

→ Boa obra correlata de Strauss para os trabalhos mais tempestuosos é a *Sinfonia Alpina* (em parte a imagem de uma cansativa expedição montanhesa, mas cheia da majestade e da grandiosidade dos Alpes); obras correlatas aos trabalhos mais suaves poderiam incluir o Concerto para trompa n. 2 e o adorável Ⓜ Concerto para oboé. De outros autores, no jactancioso estilo de Strauss, são *Romeu e Julieta* e *Capricho Italiano*, de Tchaikovsky, abertura *Cockaigne*, de Elgar, e *Tam O'Shanter*, de Arnold, além de (para *Don Quixote*) *Haroldo na Itália*, de Berlioz, *O Moldávia*, de Smetana e *Sheherazade*, de Rimsky-Korsakov.

Ⓜ ***Quatro Últimas Canções*** (1948) Calmas reflexões sobre o pôr-do-sol, o outono e a morte, escritas com uma harmonia de comovente beleza e enternecedoramente orquestradas: a destilação da mestria vocal e instrumental de toda uma vida.

→ Canções com orquestra *Zueignung* ("Dedicação"), op. 10 n. 1, *Ruhe, meine Seele* ("Descansa, minha alma"), op. 27 n. 1, e *Morgen* ("Manhã"), op. 27 n. 4; Ⓜ *Metamorphosen* ("Metamorfoses", para vinte e três cordas solistas); *Luonnotar* (poema sinfônico para soprano e orquestra), de Sibelius.

Ⓜ ***Der Rosenkavalier*** (*O Cavaleiro da Rosa*) (1911) (a ópera completa) Esta comédia foi composta em homenagem a Mozart, e passa-se no mesmo período e entre os mesmos aristocratas elegantes de *Così Fan Tutte*. Sua escrita vocal (por ex., na cena da Apresentação da Rosa) é uma das mais fascinantes em toda a música de Strauss, o libreto e os versos se adequam a ela perfeitamente, de uma forma alcançada somente por umas poucas entre as maiores óperas. (Um libreto traduzido é útil.) É melhor vista no palco, e vista completa; existem peças orquestrais separadas (Ⓜ*Valsas do Cavaleiro da Rosa*; *Suíte O Cavaleiro da Rosa*) para abrir o apetite.
→ *Capriccio*; *Ariadne auf Naxos*; *Os Mestres Cantores de Nurenberg*, de Wagner.

STRAVINSKY, Igor (1882-1971). *Compositor russo.*
O pai de Stravinsky era cantor de ópera, e estava determinado a que seus filhos tivessem vidas profissionais menos expostas ao acaso. Stravinsky estudou direito na universidade e não foi senão após a morte do pai, em 1902, que pôde estudar composição musical adequadamente (com *Rimsky-Korsakov). Em 1909, um de seus primeiros trabalhos, uma peça orquestral espetacular chamada *Fogos de Artifício*, chamou a atenção de Diaghilev (fundador dos Ballets Russes) e Stravinsky foi contratado para escrever a música de um balé fantástico baseado numa história folclórica russa, *O Pássaro de Fogo*.

O Pássaro de Fogo foi a sensação da temporada de 1910 de Diaghilev em Paris, e foi seguido por dois sucessos ainda maiores, *Petrushka* e *A Sagração da Primavera*. Por volta de 1914, Stravinsky já se estabelecera como um dos principais compositores do mundo. Durante a Primeira Guerra Mundial ele permaneceu na Suíça e, quando a Revolução Russa de 1917 o privou de suas propriedades e terras em seu país natal, tornou-se um exilado perpétuo. (Adotou a nacionalidade francesa na década de 1930 e a cidadania norte-americana na década de 1940, e só voltou uma vez à URSS, para uma temporada comemorativa dos seus oitenta anos, em 1962.)

As primeiras obras de Stravinsky foram inspiradas no folclore russo, e eram escritas em um suntuoso estilo romântico, influenciado por Rimsky-Korsakov. Na Suíça, no entanto, começou a descobrir e a fazer experiências com o jazz — e seu som "limpo", sua orquestração esparsa e seus ritmos picantes logo deixaram marcas na música de Stravinsky. Em 1920, para Diaghilev, ele escreveu *Pulcinella*, um balé com a história de Arlequim e Colombina e música baseada em peças do compositor do século XVIII *Pergolesi. Stravinsky utilizou as melodias de Pergolesi, e algumas de suas harmonias, mas colocou muito molho no ritmo, acrescentou discordâncias espirituosas e ajustou esse resultado brilhantemente para uma orquestra moderna. Chamou esse tipo de música, de idéias do século XVIII vistas através de olhos do século XX, de "neoclássica", e este foi o seu principal estilo musical durante os trinta anos que se seguiram, inspirando umas duas dúzias de suas melhores obras.

Nas décadas de 1920 e 1930, além de compor, Stravinsky dedicou algum tempo à carreira de pianista e regente, habitualmente de suas próprias obras. (Na velhice ele calculou ter regido sua suíte *O Pássaro de Fogo* mais de mil vezes em cinqüenta anos — isto é, uma média de vinte vezes por ano ou uma vez cada duas ou três semanas.) Em 1939, depois de sua mãe, sua esposa e sua filha terem morrido de tuberculose, ele emigrou para os EUA e estabeleceu-se em Hollywood com sua segunda mulher, recusando incansavelmente todas as ofertas para compor músicas de filmes (por ex., um milhão de dólares para escrever a música de *A Bíblia*, ou dois milhões caso concordasse em deixar uma outra pessoa escrever a música e usar o seu nome). Na década de 1950, estando já na casa dos setenta anos — exatamente quando todo mundo achava que sua inspiração estava secando — Stravinsky começou a estudar *Webern, e a música de seus últimos quinze anos (principalmente religiosa) é serial (ver Glossário: *sistema de doze notas*) e intelectualmente compacta, sem perder nada do habitual "som de Stravinsky". Sua fama imensa na velhice — ele era o compositor moderno de que todo mundo já tinha ouvido falar, o Picasso da música — levou a dois outros projetos fascinantes: uma gravação completa de suas obras, sob sua própria supervisão, e uma série de "Conversações", livros de memórias em forma de espirituosas e divertidas respostas a perguntas feitas por seu amigo Robert Craft.

A música do começo da carreira de Stravinsky (por ex., os três grandes balés para Diaghilev) é sensacionalmente brilhante e bárbara, e ele nunca perdeu o gosto pela fascinação: com exceção de *Ravel, ninguém jamais criou sons instrumentais mais notáveis. Mesmo quando despojou seu estilo em direção ao neoclassicismo, esta exuberância inventiva permaneceu — ele de fato, e tal como as pessoas dizem, "faz com que se ouça cada som como se tivesse acabado de inventá-lo". Sua música é melodiosa, fantasiosamente harmonizada, refrescantemente orquestrada e, acima de tudo, plena de um senso de *timing* tão seguro quanto o de Charles Chaplin: seus ritmos são firmes, constantemente variados e têm a qualidade de soar como profundamente inevitáveis, de excitar e satisfazer todos os sentidos de uma só vez.

OBRAS PARA O PALCO Dez balés (incluindo *O Pássaro de Fogo*, *Petrushka*, *A Sagração da Primavera*, *Apolo*, *Orfeu* e *Agon*); quatro óperas (incluindo *Oedipus Rex* e *The Rake's Progress*); três obras de música para teatro (*Renard*, *A História do Soldado*, *O Dilúvio*).

Balés Ⓜ *Petrushka* (1911) A respeito de um boneco que ganha vida somente para cair numa agonia de amor, é a melhor introdução aos balés "russos" de Stravinsky, e (talvez por ter ele começado a partitura com a intenção de escrever um concerto para piano) funciona tão bem na sala de concerto quanto no palco. (Existe também um espetacular arranjo para piano solo.) Seu balé anterior, *O Pássaro de Fogo*, é música mais simples, mas menos "moderna" (é sua peça mais aproximada em ternos sonoros a Rimsky-Korsakov e, na forma da suíte *O Pássaro de Fogo*, um clássico "pop" do século XX). Ⓜ *A Sagração da Primavera* é música incansavelmente discordante, instigante, o retrato de um sacrifício humano na Idade da Pedra, cuja energia compulsiva se transforma numa experiência esmagadora (quando menos, na sala de concerto muito mais do que no teatro). Os balés neoclássicos começam com *Pulcinella* e incluem três obras-primas gravemente belas sobre antigos mitos gregos e inspiradas pelas idéias gregas de simetria e equilíbrio: Ⓜ*Apolo*, Ⓜ *Orfeu* e Ⓜ*Agon*.

→ Boas obras de interesse correlato aos balés "russos" são Ⓜ *Les Noces*, a descrição de uma boda camponesa russa, para coro e percussão, e o brilhante poema sinfônico *A Canção do Rouxinol*, baseado em sua ópera (ver adiante); de outros autores: *Sheherazade*, de Rimsky-Korsakov; *El Sombrero de Très Picos*, de Falla, *Panambi* (um *clone* sonoro de *A Sagração da Primavera*), de Ginastera. Boas obras correlatas aos balés "gregos" são *Jeu de Cartes* (vivaz e arejado, sobre um jogo de pôquer) e *Duo Concertante* (para violino e piano, meditativo e pastoral); boas obras correlatas de outros autores são: *Jeux*, de Debussy, *The Spider's Banquet*, de Rousel e, acima de todos, *Four Sea Interludes*, de Britten, e *Appalachian Spring*, de Copland.

Óperas *O Rouxinol* (1908, completada em 1914) É uma versão maravilhosamente exótica do conto de fadas de Andersen sobre um imperador chinês que se apaixona por um rouxinol. A partitura é cheia de efeitos criados com imitações de sonoridades chinesas e transformações em forma de pantomima, e centra-se sobre uma das melodias mais tocantes e sentidas de Stravinsky, para o pescador que encontra o rouxinol. *Mavra* é uma farsa de vinte e cinco minutos, uma homenagem a *Rossini, com melodias cativantes e um acompanhamento borbulhante. Ⓜ *Oedipus Rex* musica a tragédia de Sófocles em latim: é monumental, transparente em seu propósito e estilo e, apesar de toda a sua deliberada secura de tom, é emocionante, assoberbante, como um ritual executado diante de nossos olhos. *The Rake's Progress* ("A Carreira de um Libertino"), uma homenagem musical a *Mozart, usa a orquestra, o cravo-contínuo e o estilo arioso de *Don Giovanni* e *Così Fan Tutte*, de Mozart, para contar uma história do século XVIII, de um jovem que cai nas mãos do demônio e é redimido, após grande sofrimento, pela pura devoção da moça que o ama.
→ Boas obras correlatas do próprio Stravinsky são (para *O Rouxinol*) *O Pássaro de Fogo*, (para *Mavra*) *Renard*, (para *Oedipus Rex*) *Perséphone* e (para *The Rake's Progress*) *Orfeu*. De outros autores são (para as óperas mais suntuosas) *L'Enfant et les Sortilèges* (ópera) e *Daphnis et Chloé* (balé), de Ravel, e, para as outras, *The English Cats*, de Henze. O *Stabat Mater*, de Poulenc, é moldado, de forma bem aproximada em estilo e sonoridade, sobre *Oedipus Rex*.

OBRAS ORQUESTRAIS E CORAIS Três sinfonias, *Sinfonias de Instrumentos de Sopro*, *Dumbarton Oaks*, *Danses Concertantes*, *Four Norwegian Moods*, *Huxley Variations*, Concerto e Capriccio para piano e orquestra, Concerto para violino, *Ebony Concerto* para clarineta e banda de jazz e muitas obras orquestrais mais curtas; *Sinfonia dos Salmos*, Missa, *Perséphone*, *Canticum Sacrum*, *Threni*, *Cânticos de Réquiem* e diversas obras mais curtas para solista(s), coro(s) e orquestra.

Obras orquestrais Ⓜ *Dumbarton Oaks* (1938) A maior parte das obras orquestrais de Stravinsky são como esta peça alegre (uma prima do século XX dos *Concertos de Brandenburgo*, de *Bach): alertas, cheias de ritmos enfeitados, borbulhantes de felicidade. Seus concertos (Concerto e Capriccio para piano, Concerto para violino) são muito similares, entre os mais alegres do repertório, e existe uma profusão de obras menores no mesmo estilo descontraído (boas amostras são as duas suítes para pequena orquestra, *Four Norwegian Moods* e o *Ebony Concerto* para jazz-band). Suas sinfonias são mais substanciais e mais sérias: a n. 1 (1907) é uma solene peça "russa", à maneira de *Balakirov ou *Borodin; a Ⓜ Sinfonia em dó e Ⓜ *Sinfonia em Três Movimentos* são obras-primas do pináculo de sua carreira.
→ Boas obras correlatas às composições mais ligeiras são as *Danses Concertantes* e Ⓜ Concerto em ré para cordas; para as duas últimas sinfonias são as Ⓜ *Sinfonias de Instrumentos de Sopro* e *Sinfonia dos Salmos*; da música de outros compositores, o Concerto para piano n. 3, de Prokofiev, e a *Sinfonietta giocosa*, de Martinů, respiram o mesmo ar vibrante das peças mais alegres de Stravinsky, e suas obras sérias encontram paralelo na Sinfonia n. 2, de Tippett, e em *O Mandarim Maravilhoso*, de Bartók.

Obras corais Ⓜ *Sinfonia dos Salmos* (1930) Stravinsky era um cristão devoto e suas obras religiosas encontram-se entre suas partituras mais profundamente sentidas e pessoais. A *Sinfonia dos Salmos* musica três salmos (38, 39 e 150) de um modo sereno, intemporal, sugerindo a alguns ouvintes a quietude e a devoção da pintura religiosa russa; a Ⓜ Missa e os Ⓜ *Cânticos de Réquiem* utilizam a mesma claridade monumental, com um texto católico romano. (*Canticum Sacrum*, *Threni* e as outras obras religiosas tardias encontram-se entre as mais sérias: uma boa e rápida amostra de seu austero mundo sonoro é *Introitus: T.S. Eliot in memoriam.*) Uma outra obra, Ⓜ *Perséphone*, conta o mito grego de Perséfone, da mesma forma mística, reflexiva, produzindo um efeito miraculoso. Ela é incompreensivelmente pouco conhecida, uma obra-prima.

→ Devido a sua inspiração "particular", estas obras se relacionam melhor umas com as outras, apesar de as *Sinfonias de Instrumentos de Sopro* chegarem próximo a igualar sua solenidade e êxtase. Boas obras de interesse correlato de outros autores são: *Chichester Psalms*, de Bernstein; *Missa brevis* (comparando-se à mais brilhante inspiração de Stravinsky, nota por nota), de Britten, *Missa de Vésperas* (igualando a intensidade da *Sinfonia dos Salmos*), de Rachmaninov, e (para as obras tardias, seriais) *Segunda Cantata*, de Webern.

OBRAS DE CÂMARA E PARA PIANO Octeto, Septeto, *Duo Concertante*, Concertino para quarteto de cordas e muitas outras obras de câmara; Concerto para dois pianos solo, Sonata para dois pianos, duas Sonatas e Serenata para piano solo, e diversas obras menores para piano; obras para vozes e grupo de câmara, incluindo *Cantata*, *In Memoriam Dylan Thomas* e *Pribaoutki*.

Ⓜ ***Octeto*** (1923, revisto em 1952) Apesar de haver algumas obras sérias e amplas nessa categoria da música de Stravinsky (por ex., o Ⓜ Concerto para dois pianos solo), a maior parte de suas obras de câmara e para piano são pequenas amostras da sua oficina, ligeiras, despretensiosas e para puro divertimento. O Octeto é típico: veio-lhe num sonho e ele o pôs no papel em poucos dias, uma procissão — ao estilo de *Pulcinella* — de melodias e ritmos tão descomplicados quanto uma banda de circo. Sua música para piano habita o mesmo mundo de cores brilhantes: bons exemplos são a Serenata para piano solo, a Sonata para dois pianos e o saltitante, atrevido *Tango*.

→ Uma boa obra correlata ao Octeto (apesar de pastoral em vez de empostada) é o *Duo Concertante* para violino e piano; o Concerto para violino, em contraste, é uma contrapartida soberbamente arrogante. As canções de Stravinsky (por ex., *Pribaoutki*, *In Memoriam Dylan Thomas*) fornecem breves e atraentes vislumbres de seu estilo, e seu clima se estende (apesar de um movimento central aborrecido) na animada *Cantata sobre Velhas Canções Inglesas*. Boas obras correlatas de outros autores são (para as canções) *Psyché*, de Falla, e *Chansons Madécasses*, de Ravel, e (para a música de câmara e piano) o Sexteto para piano e sopros, de Poulenc, e *La Cheminée du Roi René*, de Milhaud.

SULLIVAN, Arthur (1842-1900). *Compositor inglês.*

Se a carreira de Sullivan tivesse transcorrido da forma que ele a planejou, ele teria subido todos os degraus do *establishment* musical inglês, de menino do coro a organista de catedral e compositor de oratórios, até Mestre da Música da Rainha. (Através de toda a sua vida, ele compôs obras "sérias", como se pedisse a respeitabilidade do *establishment*: elas vão desde o hino *Onward, Christian Soldiers* até três oratórios no estilo de *Mendelssohn, sobre temas bíblicos.) Mas, apesar de todas essas ambições muito certinhas, sua verdadeira graça estava em escrever melodias populares (por ex., a famosa balada *The Lost Chord*), e para o palco. Em 1861 ele começou sua colaboração com o dramaturgo cômico W.S. Gilbert, e as operetas deles se tornaram tão populares que obliteraram completamente, aos olhos do público, o resto da música de Sullivan. Para sua extrema irritação, ele ficou conhecido como o principal criador de comédias musicais frívolas e satíricas, entre as mais bem-humoradas e divertidas desse meio. Apesar de todo o desgosto que sempre expressou (e suas discussões com Gilbert, que o achava pretensioso e a quem ele encarava como um gozador desprovido de qualquer seriedade), Sullivan continuou a produzir operetas, uma por ano, durante vinte anos — e nesse processo revelou o gênio e a originalidade que falta à sua outra música.

OBRAS Vinte e duas operetas (as "óperas do Savoy", isto é, as operetas que ele escreveu com Gilbert, que eram encenadas no Savoy Theatre, são *Trial by Jury*, *The*

Sorcerer, HMS Pinafore, The Pirates of Penzance, Patience, Iolanthe, Princess Ida, The Mikado, Ruddigore, The Yeomen of the Guard, The Gondoliers, Utopia Limited e *The Grand Duke*); a grande ópera *Ivanhoé*; três oratórios e três cantatas para coro e orquestra; Sinfonia; Concerto para violoncelo; duas aberturas e umas poucas obras orquestrais menores; canções, hinos cívicos e religiosos, peças para órgão e outras obras menores.

Operetas Ⓜ *The Mikado* (1885) Gilbert aprendeu seu ofício escrevendo artigos satíricos para o *Punch*, e admirava muito as farsas teatrais de mestres como Labiche (que escreveu *Um Chapéu de Palha da Itália*). Quando começava um libreto para Sullivan, gostava de pegar algum aspecto determinado da oficialidade (a polícia, a lei, as forças, a Casa dos Lordes) e submetê-la ao ridículo, injetando gozações com os modismos da época (por ex., em *O Mikado*, a loucura da década de 1880 por tudo que fosse japonês). Este lado anedótico é equilibrado por enredos simples: o rapaz conhece, perde e reconquista a moça; cretinos pomposos recebem as punições merecidas; a virtude é recompensada de modos improváveis porém charmosos. Os libretos de Gilbert são vivazes e inteligentes, e a música de Sullivan está à altura de cada virada da ação, de cada mudança de clima. *O Mikado*, uma história de "jovens enamorados separados pelas circunstâncias", passada num Japão antigo esplendidamente ridículo, é a melhor opereta para se ver primeiro, e seus números individuais (por ex., "Three Little Maids from School are We" ou "Tit Willow") são algumas das melhores melodias de Sullivan; das outras operetas, *Trial by Jury*, *HMS Pinafore* e Ⓜ*The Pirates of Penzance* são espetacularmente farsescas, cheias de policiais cômicos, piratas endiabrados que, na verdade, têm um coração boníssimo e oficiais cheios de si que se regalam em sua própria pomposidade; Ⓜ*The Gondoliers*, passada na Itália, é uma história de bandidos e camponeses semelhante em estilo às óperas ligeiras européias tais como *The Bohemian Girl* ou *Fra Diavolo* (as quais são ambas recomendadas); Ⓜ*The Yeomen of the Guard*, a obra-prima de Sullivan, ao fazer seus personagens parecerem seres humanos reais, em vez de bonecos de farsa, é tão comovente quanto frívola, e leva a forma da opereta ao mais próximo que Sullivan jamais chegou da verdadeira ópera. (Sua única ópera séria, *Ivanhoé*, é horrorosa.)

→ As operetas de Gilbert e Sullivan são as melhores obras correlatas umas das outras; outras peças de Sullivan em estilo igualmente saltitante são a abertura *Di Ballo* e o balé *Pineapple Poll* (em arranjo de Sir Charles Mackerras). Boas obras correlatas de outros autores, no verdadeiro estilo de "ópera do Savoy", são *Merrie England*, de German e *Bless the Bride*, de Ellis; de outros países: *País dos Sorrisos*, de Lehár, e *O Príncipe Estudante* e *A Canção do Deserto*, de Romberg.

T

TAVARES, Hekel. Ver *Compositores de obra singular.*

TCHAIKOVSKY, Pyotr Ilich (1840-93). *Compositor russo.*

Em toda a história das artes do século XIX, houve apenas um outro gênio criativo cuja personalidade se comparava à de Tchaikovsky: o pintor Van Gogh. Ambos viviam aparentemente em estranheza consigo mesmos e incapazes de compreender ou de lidar com suas próprias personalidades; ambos produziram obras que, apesar de calorosas em sua expressão de dor pessoal, falam ainda assim diretamente e muito francamente a milhões de pessoas que não partilham de nenhuma das agonias românticas da alma que lhes deram origem.

A partir da idade de dez anos (quando foi mandado para um colégio interno), Tchaikovsky viveu num estado de permanente angústia mental, assolado por terrores auto-induzidos que ninguém conseguia compreender ou aliviar. Tinha horror ao contato humano, fosse intelectual ou físico. Tinha poucos amigos (e transformou a vida deles num inferno com sua língua afiada) e não tinha amantes. (Achava que era homossexual, como seu irmão, e se odiava por isso. Mas não há qualquer evidência a favor ou contra essa homossexualidade: a verdade pode muito bem ter sido que ele era, ao mesmo tempo, fisicamente frígido e emocionalmente inflamado; ele certamente se comportava para com as mulheres exatamente como para com os homens.) Seus julgamentos musicais eram absolutamente cruéis e ele mantinha distância de *Balakirev, *Borodin e o resto da escola "russa". Odiava reger, mas se forçava a fazê-lo (segundo se diz, arqueando os ombros para o alto de forma tão parecida com um galo no poleiro que a orquestra dificilmente conseguia compreender sua marcação); odiava viajar, mas saía em turnês constantes, tanto na Rússia quanto no exterior; desprezava as honras do *statu quo* (tais como comendas honorárias), e no entanto ficava furioso de desapontamento quando não lhe chegava nenhum oferecimento desse tipo. Vivia obcecado com a idéia de que o Destino o espreitava, com o punho preparado para bater à sua porta; uma semana após a estréia de sua sinfonia n. 6 (a *Patética*, cheia de pressentimentos de morte), ele bebeu um copo ou de água poluída, ou de veneno (não há provas claras), e morreu.

Nessa vida de pesadelo somente duas coisas parecem ter dado a Tchaikovsky alguma felicidade. Uma foi sua extraordinária amizade com uma rica viúva, Nadejda von Meck. Durante quatorze anos, de 1876 a 1890, ela lhe pagou uma pensão anual (de seis mil rublos, o suficiente para viver com conforto), com a condição de que nunca se encontrassem – uma condição que se adequava a Tchaikovsky perfeitamente. Enviaram um ao outro resmas de cartas (às vezes até quatro num só dia), e discutiam música, as outras artes, política, religião, a beleza da natureza e seus próprios sentimentos, de forma tão ávida quanto dois amantes. Era paixão sem contato, arrebatamento intelectual sem envolvimento emocional — e quando isso terminou, tão abruptamente quanto havia começado (Madame von Meck, achando que estava indo à bancarrota, encerrou tanto os pagamentos quanto as cartas, sem explicação), Tchaikovsky ficou arrasado: esta "separação" deu início à sua obsessão com o Destino e ao declínio mental de seus últimos três anos.

A segunda fonte de serenidade na vida de Tchaikovsky era o simples ato de colocar notas no papel. Achava a mecânica de escrever música uma disciplina reconfortante, e estabeleceu para si mesmo uma rotina da qual dependia o seu equilíbrio mental. Às nove e meia, todas as manhãs, sentava-se à mesa de trabalho (pois, conforme ele mesmo disse, "A musa observa horários infalíveis"); começava todas as tardes com um passeio e as terminava revendo e orquestrando o trabalho da manhã, corrigindo as provas dos editores e escrevendo cartas; todas as noites jogava cartas (*whist*, se houvesse amigos presentes; paciência, em caso contrário); todas as noites bebia um copo de uísque, a fim de relaxar a mente para o sono. Se esta rotina fosse perturbada (por ex., em turnês, em hotéis estrangeiros), seus terríveis suplícios mentais logo voltavam: era como se a rotina fosse uma droga que o mantivesse são.

Se a música de Tchaikovsky fosse tão contorcida e angustiada quanto sua personalidade, seria insuportável. Mas, ao mesmo tempo que sua vida era evasiva, hesitante e retirada, sua música é gloriosamente direta. Seu compositor favorito era *Mozart, e ele lutou para igualar a mistura mozartiana de generosidade emocional e disciplina formal. (As formas de Tchaikovsky eram românticas e do século XIX, muito mais do que "clássicas", mas o efeito sobre a música era o mesmo.) Amava as melodias folclóricas russas e as usou ou imitou em várias obras, dando assim uma cadência luminosa e descomplicada à sua música, mesmo em seus momentos mais emocionais. Era um orquestrador brilhante, com um instinto para o som "tecnicolor" que superava até mesmo o de *Rimsky-Korsakov. A personalidade de sua música emerge de sua franqueza: ele é como um estranho que nos puxasse pela manga e despejasse histórias fascinantes, incríveis antes que pudéssemos dizer uma palavra. Mas diferente, digamos, da música de filmes (que tem um atrativo instantâneo similar), suas obras se agitam e se viram em direções inesperadas, dizendo coisas esperadas mas nunca da forma esperada — e esta qualidade de surpresa, de uma infinita autodescoberta, faz com que elas soem sempre renovadas, e nunca batidas, cada vez que são executadas.

OBRAS Seis sinfonias, quatro suítes, duas fantasias sinfônicas, duas aberturas-fantasia (*Hamlet*, *Romeu e Julieta*), duas aberturas (incluindo a 1812), *Serenata para Cordas*, *Capricho Italiano* e diversas obras orquestrais mais curtas; quatro concertos (três para piano; um para violino), *Variações sobre um Tema Rococó* e meia dúzia de peças menores para solista e orquestra; dez óperas (incluindo *Eugene Onegin* e *A Rainha de Espadas*); *Liturgia* e *Vésperas* para coro; três balés (*O Lago dos Cisnes*, *O Quebra-Nozes*, *A Bela Adormecida*); três quartetos de cordas, Trio para piano, Sexteto de cordas (*Lembranças de Florença*); duas sonatas; Suíte *As Estações* e dez livros de peças para piano solo; noventa e cinco canções.

Música orquestral (que não sinfonias e concertos) Ⓜ *Romeu e Julieta* (1869, revista em 1870 e 1880) Tchaikovsky foi atraído pela idéia do poema sinfônico (ver Liszt), uma obra que traduzia a impressão musical de uma peça, romance, pintura ou outra obra de arte famosa. Começou por reunir em sua mente as idéias ou emoções que achava mais importantes (por ex., em *Romeu e Julieta*, o amor extático, os rápidos movimentos de luta e a serenidade religiosa), e dando a cada qual um tema musical. Em seguida usou esses temas como se fossem a base direta de uma *forma sonata* (ver Glossário) ou outro movimento sinfônico, transformando assim as idéias subjacentes numa textura homogênea através de meios musicais, mais do que extramusicais. (O resultado raramente segue o padrão das obras inspiradoras originais: Ⓜ *Hamlet*, *Francesca da Rimini*, *A Tempestade* e *Romeu e Julieta* de Tchaikovsky são meditações sobre os originais, mais do que transposições desses para outro meio; a *Abertura 1812* recompõe a história — uma famosa batalha entre Napoleão e os russos — do mesmo modo pessoal.) O uso de "ganchos emocionais", cada qual claramente distinguível pela melodia, orquestração e nível de "intensidade" orquestral, torna as obras facilmente compreensíveis; a orquestração brilhante e as melodias enlevantes as fazem ficar gravadas na mente. Em outras obras orquestrais, Tchaikovsky partiu direto para a apelação (*A Marcha Eslava* é uma marcha estridente e peremptória, nada mais; o *Capricho Italiano* é uma evocação brilhante e pretensiosa do carnaval), ou para regiões mais abstratas onde as idéias básicas não tinham qualquer associação emocional ou dramática fora da música: nas três primeiras suítes, por exemplo, ou na esplendidamente melodiosa Ⓜ *Serenata para Cordas*. (A quarta suíte é uma orquestração de obras para piano de Mozart.)

→ Boas obras correlatas de Tchaikovsky para os trabalhos mais extrovertidos são a Quinta e a Sexta Sinfonias e a *Suíte da Bela Adormecida*; de outros autores são: *Don Juan*, de Strauss, *O Aprendiz de Feiticeiro*, de Dukas, abertura *Carnaval Romano*, de Berlioz, *Os Prelúdios*, de Liszt e *Noite no Monte Calvo*, de Mussorgsky. De Tchaikovsky, as correlatas às obras mais suaves (especialmente a *Serenata para Cordas*) são o Quarteto para cordas n. 1, as *Variações Rococó* e *As Estações*; de outros autores: *O Lago Encantado*, de Liadov, *Idílio de Siegfried*, de Wagner, *Introdução e Allegro para Cordas*, de Elgar, e *Variações sobre um Tema de Tchaikovsky*, de Arensky.

Sinfonias e concertos Ⓜ *Sinfonia n. 4* (1878) Tchaikovsky considerava a quarta sinfonia a sua obra mais perfeita, realizando perfeitamente suas intenções. Até então, suas sinfonias eram ligeiras: a n. 1 e a n. 3 são como música de balé, a n. 2 (a melhor) é uma sinfonia de "canções folclóricas" russas, à maneira de Balakirev ou Borodin. Com a n. 4, começou a tratar a sinfonia como uma forma superior de expressar emoções e sentimentos pessoais; ela começa de um modo incerto, questionante (como muitas das obras orquestrais de Liszt) e gradualmente cresce em força e autoridade, até que o último movimento explode numa dança russa de frenética alegria. A Sinfonia n. 5 se preocupa com o Destino (seu clima não é diferente do da *Sinfonia Fantástica* de *Berlioz, alternando uma espécie de brilho fatídico com mementos solenes e portentosos de que todas as alegrias humanas terminam em lágrimas; a Ⓜ n. 6 (a *Patética*) emoldura uma marcha fraturada (em cinco tempos, em vez de três) e uma marcha de grande vivacidade (uma das mais impressionantes peças de escrita orquestral de Tchaikovsky) com movimentos lentos entristecedores como marchas fúnebres. Dos concertos, o Ⓜ Concerto para piano n. 1 e Ⓜ Concerto para violino são brilhantes obras de exibição, bem no coração do repertório romântico de concertos; o segundo concerto para piano é mais contemplativo, peça companheira das suítes orquestrais; as *Variações sobre um Tema Rococó*, para violoncelo e orquestra, são século XVIII na inspiração e século XIX na emoção, como um concerto para violoncelo de *Haydn que falasse firmemente do fundo do coração.

→ Boas obras correlatas de Tchaikovsky para as últimas sinfonias são *Romeu e Julieta*, *Hamlet* e a Suíte do *Lago dos Cisnes*; de outros autores: Sinfonia n. 9, de Dvořák, Sinfonia em ré menor, de Franck, e Sinfonia n. 1, de Rachmaninov. Do próprio Tchaikovsky, para os grandes concertos, são: *Capricho Italiano* (fascinante) e Trio para piano (extrovertido/triste); boas obras correlatas de outros autores são Concerto para piano n. 2, de Rachmaninov, Concerto para piano *Imperador*, de Beethoven, Concerto para violino, de Brahms, e *Symphonie Espagnole*, de Lalo; para as *Variações Rococó* são o Concerto n. 1 para violoncelo, de Haydn, e o *Concierto como un Divertimento* (violoncelo e orquestra), de Rodrigo.

Balés Antes de *Delibes, não parece ter ocorrido a ninguém que a música de balé, em vez de ser uma seqüência de melodias bonitas, mas desconectadas, podia ser organizada como uma sinfonia ou uma ópera, sublinhando o desenvolvimento emocional da história, bem como acompanhando os passos dos bailarinos. Em *Coppélia* e *Sylvia*, Delibes chegou a alcançar um pouco esta meta, mas ele ainda era atraído para longe da unidade sinfônica por seu amor pelas melodias (de fôlego bastante curto). Tchaikovsky admirava seu trabalho, pegou o bastão onde Delibes o deixara cair e escreveu aquelas que são ainda três das melhores partituras de balé do repertório. A forma adequava-se idealmente à sua inclinação para dar ao sentimento emocional uma sonoridade imediata e precisa, e à sua habilidade de dar à música rapsódica, de aparência livre, uma estrutura geral relaxada porém satisfatória. *O Quebra-Nozes* é, dos balés, o mais ao estilo de Delibes, um conto de fadas que serve como peça companheira de *Coppélia*; Ⓜ *O Lago dos Cisnes* habita aquele mundo, caracteristicamente romântico do século XIX, de luar, grutas, florestas nevoentas e obscuros segredos do coração; Ⓜ *A Bela Adormecida* faz uso da estrutura mais sinfônica de todos os balés, para contar uma história de magia, fausto e paixão, tão inconseqüente quanto um sonho. Os balés funcionam melhor no teatro — Tchaikovsky os planejou em detalhes, compasso a compasso, com o coreógrafo, e música e dança são inseparavelmente ligadas — mas costumam ser freqüentemente ouvidos, com bom efeito, na sala de concertos. Existe uma suíte orquestral de cada um deles, a suíte *O Lago dos Cisnes* e a suíte *A Bela Adormecida* sobriamente apaixonadas, a suíte *O Quebra-Nozes* uma coleção de algumas das mais imaculadas músicas ligeiras que Tchaikovsky jamais escreveu.
→ Boas obras correlatas do próprio Tchaikovsky para os balés completos são a Sinfonia n. 6, a Suíte n. 3 e o Concerto para piano n. 2; de outros autores são *Coppélia* e *Sylvia*, de Delibes, *Giselle*, de Adam, e *O Beijo da Fada* (balé completo; suíte), de Stravinsky. Boas correlatas das suítes são *As Estações* (piano), de Tchaikovsky, música para o *Sonho de uma Noite de Verão*, de Mendelssohn, *La Boutique Fantasque*, de Rossini-Respighi, e as suítes orquestrais de Fauré e Sibelius.

Outras obras Entre as obras menores de Tchaikovsky, as melhores são suas canções, as quais (talvez porque os cantores se sintam pouco à vontade com o russo) são bem menos conhecidas do que, digamos, as de *Schumann ou *Brahms, mas são igualmente tão boas. A mais famosa é *Apenas um Coração Solitário*, op. 6 n. 6; outras recomendações são *Palavras Simples*, op. 60 n. 5, *Lenda*, op. 54 n. 5 (às vezes ouvida como uma cantiga, e também em um arranjo para violoncelo e orquestra; é a fonte das *Variações*, de Arensky, mencionadas em "Obras orquestrais", acima); e, acima de tudo, *Por que Sonhei Contigo?*, op. 28 n. 3. Boas obras correlatas são as canções (especialmente *Seis Canções*, op. 50) de Sibelius, e (especialmente *Silent Noon*), de Vaughan Williams. A única ópera de Tchaikovsky bem conhecida fora da Rússia é *Eugene Onegin*, história de um amor condenado e de uma inocência destruída, poupada do sentimentalismo pelo caráter robusto de sua melodia: Ⓜ a Cena da Carta de Tatiana e a ária de Lensky são excertos para concertos bem conhecidos, excelentes amostras da obra integral. Boas obras correlatas são *A Rainha de Espadas*, de Tchaikovsky, *La Traviata*, de Verdi, e *Madama Butterfly*, de Puccini. Da música de câmara e para piano de Tchaikovsky somente três obras fincaram raízes no repertório: uma suíte de doze curtas mas pitorescas peças para piano, *As Estações*, o elegíaco e heróico Trio para piano e o melodioso Quarteto para cordas n. 1, cujo movimento lento, sob o título "Andante cantabile", é conhecido isoladamente como um "pop" para orquestra de cordas. Boas correlatas são (para *As Estações*) *Peças Líricas* (para o Trio para piano), de Grieg, Trio para piano n. 1, de Mendelssohn, e (para o Quarteto) Quarteto n. 2, de Borodin, e Quarteto n. 12 (o *Americano*), de Dvořák.

TELEMANN, Georg Philipp (1681-1767). *Compositor alemão*.

Telemann tinha a invejável habilidade de se embeber em conhecimento tal como o pão se embebe em molho: o que quer que lhe despertasse o interesse, ele aprendia por si mesmo, completa e meticulosamente. Quando garoto, preferia as ciências (especialmente medicina e astronomia), e foi esse estudo que escolheu cursar na universidade. Mas, enquanto estava na universidade, também aprendeu todas as línguas européias, tornou-se um competente executante em todos os instrumentos de sopro e de cordas de sua época e aprendeu sozinho a compor nos estilos musicais que estavam na moda na França, na Alemanha e Itália. Acima de tudo, aprendeu cravo e órgão, bem o suficiente para ser indicado (em 1704) como organista e maestro do coro de uma das igrejas menores de Leipzig. Em 1721 foi-lhe oferecido o cargo de diretor musical da Igreja de São Tomás, em Leipzig (o equivalente ao cargo de uma moderna catedral), mas recusou-o, donde o cargo foi para a segunda pessoa da lista, J.S. *Bach. Telemann aceitou, em vez disso, o posto de diretor musical da cidade de Hamburgo, e lá permaneceu pelo resto de sua vida.

A mente incansável e a técnica fenomenal de Telemann o levaram a compor mais prolificamente do que praticamente qualquer outra pessoa antes ou depois dele: cada forma musical da época, das cantatas de igreja aos trio-sonatas, foi agraciada com não um exemplo de sua pena, mas dezenas, ou até mesmo centenas. No século XIX e no começo do século XX, sua obra era desprezada como vazia e mecânica. Mas estudos recentes e interpretações adequadas provaram que esse julgamento estava ridiculamente errado. Sua música é profundamente não-romântica, por certo, e (em autêntico estilo do século XVIII) prefere o sentimento à emoção, e a livre fluência à retórica. Mas isso também vale para *Händel, e a música instrumental de Telemann, pelo menos — sua música vocal é raramente tocada e portanto difícil de se julgar —, é tão boa quanto a dele.

OBRAS Os milhares de obras de Telemann ainda estão sendo catalogados, mas as obras até agora conhecidas incluem mais de quinhentas cantatas de igreja, quarenta e quatro paixões, quarenta óperas (das quais a mais conhecida é a comédia *Pimpinone*), seiscentas aberturas orquestrais (isto é, suítes), e mais de mil concertos, sonatas e trio-sonatas, usando quase todos os instrumentos então disponíveis.

Table Music (Terceira coleção) (data desconhecida) O simples número das obras de Telemann torna difícil a identificação: ele necessita urgentemente de um Köchel ou de um Deutsch para fazer a lista definitiva. A melhor introdução à sua música é um dos conjuntos de peças que ele publicou durante sua vida (achando-as sua melhor realização): existem três conjuntos principais, os *Essercizii Musici* (sonatas e trio-sonatas), *Der getreue Musikmeister* ("O professor de música confiável"; solos, suítes e sonatas) e *Table Music* (três coleções). Cada coleção de *Table Music* inclui uma suíte orquestral, pelo menos um concerto, um trio-sonata e uma ou duas sonatas solo. A terceira contém seis obras dessas, todas para instrumentos de sopro (flautas, oboés, trompas) e cordas ou cravo-contínuo. A suíte de abertura e o concerto para duas trompas e cordas são as jóias do conjunto, mas o todo é típico do estilo desembaraçado, afável e cheio de personalidade de Telemann.

→ *Overture des Nations Ancients et Modernes* (suíte orquestral); Trio-sonata em fá (dos *Essercizii Musici*); Trio sonata R63 (*La Folia*), de Vivaldi.

Ⓜ ***Suíte em lá menor*** (data desconhecida) Esta encantadora suíte para flauta doce (ou flauta) e cordas é tão bem feita e satisfatória quanto a (mais famosa) Suíte n. 2 (para flauta e cordas) de Bach. Particularmente deliciosas são as danças em estilos nacionais (por ex., Polonaise), que se seguem ao enérgico e contrapontístico movimento de abertura.

→ Ⓜ Concerto em mi menor (flauta doce, flauta e cordas); Concerto em sol (viola e cordas); *As Quatro Estações* (violino e cordas), de Vivaldi, *Concerto de Brandenburgo* n. 1, de Bach.

TIPPETT, Michael (1905). *Compositor inglês.*

Uma pequena renda pessoal (engordada com dinheiro ganho através do ensino de regência) permitiu a Tippett continuar estudando composição até entrar nos seus trinta anos. Seu primeiro sucesso internacional veio com seu Concerto para orquestra dupla de cordas, em 1939; mesmo assim, não foi senão a partir da década de 1970 (quando ele próprio já havia passado dos sessenta anos) que ele se tornou uma figura cultuada, um dos compositores mais amados e mais influentes do século.

Esse florescer tardio foi de enorme importância para a aceitação da música "moderna" no mundo dos concertos em geral. A música de Tippett deixa passar ao largo toda a complexidade obscura, de "música para computadores", da vanguarda da década de 1950, substituindo-a por uma exuberância vigorosa (os movimentos rápidos) e misticismo lírico (os movimentos lentos): compositores mais jovens (alguns jovens o bastante para serem seus netos) aprenderam com este estilo e começaram a abrir suas próprias composições, dos sons inteligentes porém feios, em direção a uma espécie de rapsódia controlada, que é muito mais sedutora ao ouvido.

A princípio, a mistura de atletismo e misticismo na música de Tippett torna-a de difícil compreensão para alguns ouvintes. (A música de Messiaen é exatamente do mesmo tipo.) Em particular, as letras de suas últimas obras vocais — que ele próprio escreve — são filosóficas, visionárias, elípticas e difíceis. (Seus libretos de ópera para *The Knot Garden* e *The Ice Break*, por exemplo, apesar de levarem a uma música fascinante, são dramaticamente ridículos.) Mas suas primeiras obras vocais (por ex., *A Child of Our Time*, *The Midsummer Marriage*) e virtualmente todas as suas obras instrumentais são encantadoras: ele compreende perfeitamente que um dos principais propósitos da música é proporcionar um prazer tanto sensual quanto intelectual, e sua obra realiza isso à perfeição.

OBRAS Quatro sinfonias; Concerto Tríplice (violino, viola, violoncelo); Concerto para piano; Concerto para orquestra; Concerto para orquestra dupla de cordas; *Fantasia Concertante sobre um Tema de Corelli*; suítes, Divertimento e outras obras orquestrais curtas; quatro óperas (incluindo *The Midsummer Marriage* e *King Priam*); *A Child of Our Time*, *The Vision of St. Augustine*, *The Mask of Time* e outras obras corais menores; quatro quartetos para cordas, quatro sonatas para piano, Sonata para quatro trompas e outras obras de câmara; ciclos de canções *Boyhood's End*, *The Heart's Assurance*, *Songs for Achilles*, *Songs for Ariel*, *Songs for Dov*.

Ⓜ ***Danças Rituais*** (1953) Poucas, mesmo entre as obras de Tippett, são mais extasiantes do que estas danças orquestrais, adaptadas de sua ópera *The Midsummer Marriage*. A partitura (cordas enérgicas, trompetes trepidantes, flautas sibilantes) é saborosa e original, a harmonia é opulenta e as melodias e ritmos são exuberantes. A ópera completa (a obra-prima de Tippett) é uma fascinante alegoria à maneira de *A Flauta Mágica* de *Mozart; quem quer que goste de ópera e seja atraído pelos sons dessas danças irá achar *The Midsummer Marriage* uma experiência absorvente.

→ Ⓜ Concerto para orquestra dupla de cordas; *Daphnis et Chloé*, suíte n. 1, de Ravel; *Afrescos de Piero della Francesca*, de Martinů.

Ⓜ ***Sinfonia n. 2*** (1957) Inspirada por *Vivaldi e *Stravinsky, esta sinfonia está repleta de seus ritmos ágeis, harmonias brilhantes e abertas, a que se acrescenta a marca própria de Tippett de murmúrios místicos (especialmente no belo movimento lento) e suas melodias enlevantes, extáticas (os últimos cinco minutos da sinfonia são uma melodia longamente estendida, arrebatadora, acompanhada por um pingar de notas nos sopros tão infinitamente variados quanto água correndo sobre seixos). As platéias (e orquestras) costumavam achar as sinfonias do século XX um sacrifício para os ouvidos: esta, como as de Martinů ou de Stravinsky, provam entusiasticamente o contrário.
→ Concerto para orquestra; Concerto para piano; Sinfonia n. 3, de Copland.

Ⓜ ***A Child of Our Time*** (1941) Este oratório para solistas, coro e orquestra conta uma história não da Bíblia, mas de nosso próprio século atormentado: um ato de heroísmo contra os nazistas e sua punição brutal. Os coros (tal como nos oratórios de *Händel) são a maior glória da obra, seja flauteando e trepidando em pânico, ou oferecendo conforto, de maneira gloriosa, tranqüilizante, na forma de *negro spirituals*. (Os *spirituals* são às vezes cantados separadamente; mas no contexto eles fazem brotar lágrimas nos olhos.) As outras obras corais de Tippett são de significado velado e misterioso; o acontecimento chocante (a vida real) que provocou esta obra e sua resposta (que era encontrar esperança até mesmo no mais profundo desespero então conhecido da humanidade), tornam *A Child of Our Time* direto, inequívoco e radiante.
→ Ciclo de canções *Boyhood's End* (voz e piano); ***Réquiem de Guerra***, de Britten; *Oedipus Rex*, de Stravinsky.

Sinfonia n. 4 (1977) Em meados da década de 70 (nos setenta anos do próprio compositor), Tippett desenvolveu o seu estilo em uma nova direção. Sem abandonar o êxtase e o fervor de sua primeira música, ele acrescentou uma espécie de fascinação reflexiva pelos sons abstratos da música, como que revirando cada um deles para revelar cada faceta de sua feitura. Esta sinfonia em um longo movimento é composta como um mosaico: curtos blocos de som (acordes que estalam nos metais, agrupamentos de cordas, rajadas de notas na harpa e nos sopros, os golpes de um xilofone e o suspiro de uma caixa de ar comprimido) são infinitamente reordenados e reagrupados, para um efeito sedutor e hipnótico. (O mesmo procedimento é usado na Ⓜ Sinfonia n. 3 — o movimento lento é um dos mais belos de todas as composições orquestrais de Tippett — e a obra então se encerra com três canções em formas de blues para sopranos, flügelhorn e orquestra, uma conclusão tão impressionante quanto o coral final da Nona Sinfonia, de Beethoven, que a inspirou.)
→ Ⓜ Concerto Tríplice; Ⓜ Quarteto para cordas n. 4; Sinfonia n. 2, de Lutoslawski.

V

VANGUARDA Ver *Música de vanguarda*

VAUGHAN WILLIAMS, Ralph (1872-1958). *Compositor inglês.*

Financiado por uma renda pessoal, Vaughan Williams pôde, como *Tippett, continuar a estudar até bem depois dos trinta anos: tomou aulas de composição com Parry e Standford no Royal College of Music, estudou história e música em Cambridge e até passou três meses em Paris com *Ravel, dando à sua orquestração o que ele chamou de "um toque de polimento francês". Esse longo aprendizado faz com que seus primeiros trabalhos (por ex., *The Wasps* ou *A Sea Symphony*) sejam bem realizados, porém anônimos: poderiam ter sido compostos por qualquer um entre uma dúzia de músicos britânicos da virada do século, de *Delius a Parry.

O despertar do gênio de Vaughan Williams aconteceu em meados da década de 1900, quando ele começou a coletar e a estudar as canções folclóricas inglesas. (Nessa época ele estava editando um novo hinário, *The English Hymnal*, ao qual forneceu diversas excelentes melodias de sua própria autoria, algumas, por ex., *Sine Nomine* ("Para todos os santos"), no estilo sem rodeios do final do século XIX, outras, por ex., *Down Ampney* e *Monk' s Gate*, no fluente idioma de música folclórica.) Seu trabalho sobre a música popular refletiu-se em sua própria música (tal como aconteceu com *Bartók): seu estilo começou a refletir os torneios melódicos do fraseado e a facilidade harmônica dessas músicas, e seu trabalho costuma parecer uma contrapartida natural dos campos e dos bosques tranqüilos da região rural inglesa.

Existe porém em Vaughan Williams mais do que essa beleza de imagens de calendário. Tal como seu amigo *Holst, ele tinha interesse no misticismo e, particularmente, em visionários religiosos tão fortes quanto Bunyan e Blake. Escreveu dezenas de obras vocais sobre textos místicos, uma ópera baseada em Bunyan e um balé baseado em Blake — e sua melhor música não-vocal (por ex., as Terceira e Quinta Sinfonias) é repleta de uma beleza extática, enlevante, que a carrega para muito mais além das simplicidades da canção folclórica. Obras como a *Tallis Fantasia*, *Job* ou a Quinta Sinfonia colocam-no entre os melhores compositores britânicos de sua geração, e garantem um lugar seguro para sua música na programação de concertos em todo o mundo.

OBRAS Seis óperas (incluindo *The Pilgrim's Progress*); cinco balés (incluindo *Job*); nove sinfonias, *Tallis Fantasia, Partita, English Folksongs Suite* e umas duas dezenas de obras orquestrais menores; quatro concertos (para violino, dois pianos, oboé e tuba) e diversas outras peças para solista e orquestra; vinte e cinco amplas obras corais (incluindo *Sancta Civitas, Five Tudor Portraits*, Missa, *Dona Nobis Pacem* e *Serenade to Music*) e muitas obras menores para coro (incluindo dezenas de conjuntos de canções folclóricas); cinqüenta e cinco canções (incluindo *Linden Lea, Silent Noon* e os ciclos *Songs of Travel* e *Ten Blake Songs*); música de câmara (incluindo uma Sonata para violino e dois quartetos de cordas), peças para piano, peças para órgão e música para uma dezena de filmes (incluindo *Scott of the Antartic* e *The England of Elizabeth*).

Ⓜ ***Fantasia sobre um Tema de Thomas Tallis*** (1910) Enquanto trabalhava em *The English Hymnal*, Vaughan Williams redescobriu os hinos e outras músicas de igreja do compositor do século XVI Thomas Tallis (ver *compositores ingleses e irlandeses*), e recuperou várias de suas excelentes melodias para o repertório. Esta obra arrebatada, para quarteto de cordas solo e duas orquestras de cordas, é uma meditação sobre uma dessas melodias: não tanto variações quanto uma série ininterrupta de desenvolvimentos e comentários, explorando cada implicação da melodia de Tallis numa música de inspiração radiante e de sons extáticos, enlevantes.
→ Ⓜ *The Lark Ascending* (violino e orquestra); *Serenade to Music* (dezesseis vozes solistas, ou coro, e orquestra); *Fantasia Concertante sobre um Tema de Corelli*, de Tippett.

English Folksongs Suite (1923) Esta suíte em quatro movimentos, cheia de vivacidade, baseada em algumas das mais alegres de todas as melodias populares e canções de marinheiros da Inglaterra, foi originalmente escrita para orquestra de metais, mas funciona ainda melhor no reluzente arranjo orquestral de Gordon Jacob. Vaughan Williams foi mestre em criar uma música de alegria desabrida, ruidosa, e essa pequena suíte é uma das obras mais jubilosas que ele escreveu.
→ Abertura *The Wasps*; *St Paul's Suite*, de Holst; *Suite Française*, de Milhaud.

Ⓜ ***"Silent Noon"*** (do ciclo de canções *The House of Life*, 1903) Vaughan Williams encontrava sua forma mais feliz escrevendo melodias lentas e sonhadoras para a voz humana, e esta canção é uma das mais queridas de todas. É um quadro de languidez, a sonolência do meio-dia encontrando um paralelo na lassidão da alma do cantor. O sentimento de placidez, de receptividade, é belamente alcançado, e tanto a melodia quanto a harmonia são de encantadora simplicidade.
→ *Linden Lea* (refrescante como uma canção folclórica); *Music for a While*, de Purcell; *Gestille Sehnsucht* op. 91 n. 1, de Brahms.

Ⓜ ***Sinfonia n. 5*** (1943) Vaughan Williams trabalhou durante trinta anos numa ópera baseada em *The Pilgrim's Progress*, mas os problemas de igualar a linguagem de Bunyan em música e de encontrar uma companhia que quisesse montar uma ópera mística e meditativa, o fizeram deixá-la de lado, repetidas vezes, para trabalhar em outros projetos. Ao final, ele usou um pouco do que tinha escrito para essa ópera como base de sua magistral sinfonia: o calmo movimento de abertura e o clímax imbricado, em arco, do movimento lento, são exatamente os equivalentes bunyanianos que ele estava buscando e também igualam a intensidade de sua própria inspiração na (digamos) *Tallis Fantasia*. Ele nunca escreveu uma obra melhor — e ter composto esta sinfonia o estimulou a terminar a ópera, que muitos de seus admiradores agora colocam entre suas melhores obras vocais. (De suas outras sinfonias, as melhores são a n. 2, *Londres*, a Ⓜ n. 3, *Pastoral*, e as intransigentemente dissonantes Ⓜ n. 4 e n. 6.)
→ Ⓜ Balé *Job*; Sinfonia n. 2, de Ives; Sinfonia n. 6, de Rubbra.

VERDI, Giuseppe (1813-1901). *Compositor italiano.*

Quando Verdi tinha dez anos, um lojista local, impressionado com seu talento musical, concordou em financiar seus estudos; dez anos depois, Verdi foi indicado como maestro do coro e da orquestra locais e casou-se com a filha de seu patrono. Não tinha qualquer ambição particular de se tornar um compositor de óperas, e foi somente com o inesperado sucesso popular de sua terceira ópera, *Nabucco*, que ele passou a escrever ópera seriamente, com a idade de vinte e nove anos. Durante os onze anos seguintes, determinado a fazer fortuna, escreveu uma ópera a cada nove meses mais ou menos, e por volta de 1853 era o principal compositor italiano. As histórias de muitas de suas óperas lidam com o esforço de nações para derrubar o jugo de tiranos, e uma vez que a Itália nessa época estava se libertando do domínio austríaco, ele ganhou fama como compositor político e se viu freqüentemente em conflito com a censura.

Após esses anos de trabalho duro — ele os chamava de seus "anos nas galés" —, Verdi retirou-se para sua fazenda, compondo muito menos intensamente (uma ópera a cada três ou quatro anos). Trabalhou em encomendas prestigiosas (por ex., numa ópera nova, *Aída*, para celebrar a abertura do canal de Suez — e passou cinco anos como membro do Parlamento, depois que a Itália conquistou sua autonomia da Áustria. Suas óperas, particularmente *La Traviata*, *Il Trovatore* e *Rigoletto*, viajaram o mundo (eram especialmente populares nos EUA), e cada *première* de Verdi era um acontecimento musical e social do maior brilho. Após seu sexagésimo aniversário, ele parecia ter se aposentado da composição de óperas. Mas, em 1879 (quando Verdi tinha sessenta e seis anos) seu editor sugeriu um novo projeto baseado no *Otelo* de Shakespeare, e um novo colaborador, o então emergente compositor e poeta Arrigo Boito. Verdi a princípio se mostrou relutante, mas ficou tão impressionado com o libreto de Boito, que não apenas compôs *Otelo*, mas também voltou à colaboração com ele para uma nova ópera sobre Shakespeare, *Falstaff*, cuja primeira apresentação ocorreu quando ele tinha oitenta e um anos. Depois disso, ele realmente se aposentou: não escreveu nada mais senão um punhado de pequenas peças para igreja, e devotou suas energias à criação de um lar para os músicos velhos e pobres, que ainda existe hoje em dia e é generosamente financiado pelos *royalties* das montagens de suas óperas.

OBRAS Vinte e seis óperas (incluindo *Luisa Miller*, *Rigoletto*, *Il Trovatore*, *La Traviata*, *Vésperas Sicilianas*, *Simone Boccanegra*, *Um Baile de Máscaras*, *A Força do Destino*, *Don Carlos*, *Aída*, *Otelo* e *Falstaff*); *Requiem*, quatro peças sacras e meia dúzia de obras corais menores; Quarteto para cordas; duas dúzias de canções da juventude.

Óperas Durante seus "anos nas galés", Verdi ficava consideravelmente feliz em aceitar os libretos que lhe ofereciam, em adaptar seu estilo para se adequar a cada encomenda e a cada ocasião. Ele compôs comédia (por ex., *Un Giorno di Regno*, "Um dia de reinado"), romance bíblico (por ex., *Nabucco*, "Nabucodonosor"), histórias de aventuras à maneira de *Bellini ou *Donizetti (por ex., *Il corsaro*, "O corsário"; *Giovanna d'Arco* "Joana d'Arc"), e, acima de tudo, as óperas alegórico-históricas que fizeram sua fama política (por ex., *I Lombardi alla Prima Crociata*, "Os lombardos na primeira cruzada"; *Attila*; *Ernani*). Todas essas obras são dramaticamente eficientes e cheias de oportunidades para um canto glorioso, mas nenhuma delas rivaliza com as obras-primas de seus anos de maturidade. Na década de 1850 ele começou a buscar histórias que lidassem com paixões pessoais, alegria e sofrimento individual, tanto quanto com batalhas, tramas políticas e assuntos de Estado. *Rigoletto* é sobre um bufão deformado, atormentado por um duque cruel, cujo plano de vingança lhe sai pela culatra e o destrói também; Ⓜ *La Traviata* ("A mulher transviada") é sobre uma "mulher com um passado", morrendo de tuberculose, que renuncia com

bravura ao amor de um homem mais jovem; *Il Trovatore* (*O Trovador*) é uma história romântica e sanguinolenta envolvendo irmãos há muito separados (que acabam amando a mesma mulher), a maldição de uma cigana e o golpe inexorável das garras do Destino. As histórias são altamente improváveis, mas as óperas são maravilhosamente eficientes, e seus números individuais (por ex., o "Coro dos Ferreiros" de *Il Trovatore*, o Brinde de *La Traviata*, "Caro Nome" e "La Donna è Mobile", de *Rigoletto*) contêm algumas das melodias mais excitantes e mais amadas de Verdi. Depois dessas óperas, ele começou a compor em um estilo mais compacto, "sinfônico" (um equivalente italiano dos dramas musicais de *Wagner), usando a orquestra para fazer brotar o significado emocional de cada cena e criando desenvolvimentos que tomam todo um ato, ou uma ópera inteira: isto torna os extratos de suas óperas tardias mais difíceis de delimitar e menos efetivos do que os de suas obras do período central. Algumas de suas óperas tardias (*Simone Boccanegra*, *A Força do Destino*, *Aída*) são melodramas sobre amor e traição no velho estilo sanguinolento, mas a profundidade orquestral e o modo como Verdi faz com que seus personagens pareçam pessoas reais em vez de marionetes cantantes, lhes dá um poder que poucas outras óperas podem igualar. Outras de suas óperas — para muitos ouvintes as mais satisfatórias de todas — dizem respeito a intrigas políticas, e sua música capta cada movimento, cada torção das obscuras emoções que sublinham os eventos: *Um Baile de Máscaras* centra-se num plano de assassinato, e Ⓜ *Don Carlos* é a respeito de um pai tirano e seu filho, amante da liberdade, que se dão mal tanto politicamente quanto porque amam a mesma mulher. As duas últimas óperas de Verdi são as suas maiores, dizem alguns que obras ainda melhores que as peças de Shakespeare em que se basearam. Em Ⓜ *Otelo*, a música de Verdi destaca a inocência de Desdêmona, o ciúme apaixonado de Otelo e o frio calculismo de Iago, de uma forma que somente os melhores atores conseguem fazer brotar em Shakespeare, e o libreto de Boito para Ⓜ *Falstaff* une de forma esplêndida algumas das mais complicadas comédias de Shakespeare, um feito que Verdi supera espetacularmente pela complexidade de sua música: esta ópera cômica tem seus atos em formas de sonatas e duplas fugas, o que (miraculosamente) só serve para torná-la ainda mais divertida.
→ A melhor abordagem inicial de Verdi é através de excertos (por ex., aqueles de *Rigoletto* ou *La Traviata* mencionados acima), seguidos por uma ópera completa (talvez *Il Trovatore* ou *Aída*). Depois disso pode vir *Otelo*, seguido pelas óperas políticas (por ex., *Don Carlos*: é de ajuda ler antes um bastante claro resumo da ação) e *Falstaff*. Das óperas de outros compositores, boas contrapartidas dos primeiros trabalhos de Verdi são a *Norma*, de Bellini, e *Lucrezia Borgia*, de Donizetti; boas obras correlatas à *La Traviata* e às outras obras do período central são *La Bohème*, de Puccini, e *I Pagliacci*, de Leoncavallo; para *Aída* e *A Força do Destino*, respectivamente, são *Madama Butterfly* e *Tosca*, de Puccini; uma boa obra correlata a *Don Carlos* é o *Boris Godunov*, de Mussorgsky; para *Otelo*, é o *Eugene Oneguin*, de Tchaikovsky, e boas obras correlatas a *Falstaff* são *Os Mestres Cantores de Nurenberg*, de Wagner, e *Sonho de uma Noite de Verão*, de Britten.

Outras obras Ⓜ *Requiem* (1874) O *Requiem* de Verdi é ópera para sala de concerto. Ele musica os versos da *Missa de Requiem* para solistas, coro e orquestra num estilo vibrantemente emocional; o confronto central, no Dia do Juízo, entre os vingadores angélicos e os penitentes em prece fervorosa, é tão dramático e atmosférico quanto qualquer uma de suas cenas operísticas, e a orquestra sublinha o "significado" da ação num estilo autêntico de palco. Na sala de concerto, o impacto é extraordinário: a obra engolfa seus ouvintes, crentes tanto quanto não-crentes, e transforma o show e a pompa funeral numa experiência transcendente. Das outras obras corais de Verdi, o Ⓜ *Te Deum* (das *Quatro Peças Sacras*, uma mistura feita no final da década de 1880), quase iguala o *Requiem* em magnificência; o *Stabat Mater* e as peças sem acompanhamento *Ave Maria* e *Laudas da Virgem Maria* parecem, por comparação, reticentes e delicadas. Suas canções e uma peça não-vocal, o Quarteto de cordas, são saborosas porém ligeiras, são merengues musicais.
→ A ópera de Verdi mais aproximada do *Requiem* em estilo é *Aída*: sua "Marcha Triunfal" e a bela ária "Celeste Aída" são de um parentesco especialmente próximos. Boas

obras correlatas de outros compositores são a *Messa di Gloria*, de Puccini, a Sinfonia n. 8, de Mahler, e (numa veia mais secular) *Carmina Burana*, de Orff; boas obras correlatas às canções de Verdi são as de Donizetti e Respighi, e uma esplêndida correlação para o Quarteto de cordas é a *Serenata Italiana*, de Wolf.

VILLA-LOBOS, Heitor (1887-1959). *Compositor brasileiro.*

Filho de um modesto funcionário da Biblioteca Nacional do Rio de Janeiro, Heitor Villa-Lobos teve a sorte de nascer e crescer numa cidade onde uma música popular de excelente qualidade alcançava o seu ponto mais alto de desenvolvimento, antes de ser submergida (temporariamente) pela música estrangeira que os rádios e gramofones divulgavam. Essa música popular que influenciou o jovem Villa-Lobos não era a vertente "africana" — os batuques que desciam dos morros —, e sim o resultado da adaptação ao espírito brasileiro de formas instrumentais vindas da Europa: a polca, a valsa, o *schottisch*, a mazurca. O modo como brilhantes instrumentistas populares improvisavam em torno dessas matrizes, num estilo que ficou conhecido como o do *choro*, ensinou a Villa-Lobos uma absoluta liberdade de escrita, e uma fusão entre o nacional e o universal que é a marca registrada da sua obra.

Do pai, Villa-Lobos recebeu uma educação severa, e a iniciação aos gêneros clássicos, que Raul Villa-Lobos praticava como violoncelista amador. Mas o pai morreu moço; e a mãe de Villa-Lobos era incapaz de conter o seu temperamento encachoeirado e a sua energia ilimitada. O jovem instrumentista, que tocava violão por prazer e violoncelo para ganhar algum dinheiro em orquestrinhas da época, dilapidou o patrimônio do pai (sobretudo uma biblioteca muito bem formada) em viagens pelo interior que nunca satisfaziam a sua curiosidade ilimitada pelo fenômeno brasileiro. Discute-se muito, hoje, sobre as narrativas fantásticas que Villa-Lobos trouxe dessas viagens. Toda a parte referente aos índios, por exemplo, deve ser posta entre parênteses até ulterior confirmação. Mas o certo é que ele chegou a dispor de uma experiência de variedade cultural do Brasil que não possuíam os literatos que, na mesma época, escreviam sonetos em francês no Rio de Janeiro.

O casamento com a pianista Lucília Guimarães foi-lhe útil tanto materialmente (a família da noiva dando-lhe bastante apoio) quanto musicalmente, pois Lucília tinha a sólida formação teórica que Villa-Lobos nunca chegou a adquirir. Depois de experiências em diversos gêneros, suas tentativas de composição chegam a um brusco amadurecimento em obras como os poemas sinfônicos *Amazonas* e *Uirapuru* (ambos de 1917). A crítica musical da época, supertradicionalista, foi impiedosa com estas e outras manifestações de gênio do jovem violoncelista; mas alguns espíritos mais lúcidos, ligados à alta burguesia do Rio de Janeiro e de São Paulo, perceberam que ali estava um artista de dimensões internacionais; e prepararam o desembarque de Villa-Lobos na Europa — o primeiro "assalto" ocorrendo em 1923. Na esfuziante Paris da década de 20, Villa-Lobos encontrou não só uma crítica musical mais compreensiva, como artistas que trabalhavam na mesma faixa de onda — gênios como Prokofiev, Stravinsky, Picasso, em que Villa-Lobos encontrou a confirmação de tudo o que ele estava fazendo (mesmo mostrando-se sempre furiosamente consciente da sua individualidade). A segunda permanência na Europa começou em 1927, e confirmou a situação de Villa-Lobos como compositor reconhecido pelos seus pares. Sua produtividade nesta década de 20 é assombrosa, incluindo a série dos 14 *Choros* para diversas combinações instrumentais, as *Serestas* para voz e piano, os *Estudos* para violão, as *Cirandas* para piano, o *Noneto*, o *Rudepoema* (para piano).

No Brasil, entretanto, nada disso repercutia (ou repercutia de maneira deformada), com o resultado que, quando decidiu voltar, em 1930, Villa-Lobos encontrou-se mais ou menos no ponto de onde partira: atacado pela crítica (com raríssimas exceções), desconhecido do grande público. Salvou-o o início do regime de Getúlio Vargas, e sobretudo o conhecimento de um político influente no novo regime, João Alberto. Interventor em São Paulo, João Alberto "comprou" o projeto de educação musical em grande escala proposto por Villa-Lobos, que o pôs em prática inicialmente em São Paulo e logo a seguir (já radicado no Rio de Janeiro) em termos nacionais. Este é o grande período do Villa-Lobos educador, marcado pelo importante movimento de divulgação do canto orfeônico, pela composição de uma obra de caráter didático de que o fruto maduro é o *Guia Prático*, e pelas gigantescas concentrações corais realizadas no Rio de Janeiro (que serviram de pretexto a acusações de que o artista estaria colaborando com a propaganda do Estado Novo getuliano). Também é o período de criação da série das *Bachianas Brasileiras* — traduzindo o momento em que Villa-Lobos lembrou-se do *Cravo Bem Temperado* que ouvira na infância, e colocou-se intencionalmente sob a tutela do gênio de Bach. Casado agora com Arminda Neves de Almeida, Villa-Lobos retoma, passado o segundo conflito mundial, uma intensa movimentação internacional sediada sobretudo em duas cidades: Paris e Nova York, que lhe deram ampla aceitação. Desenvolve uma importante série de quartetos de cordas, escreve obras definitivas como o *Ciclo Brasileiro* (para piano) e os *Prelúdios* para violão, e só recebe um freio na sua criatividade com a grave moléstia (câncer) que o acomete em 1947. Submetido a uma cirurgia de grandes proporções, Villa-Lobos recupera, entretanto, suas energias para escrever as obras do período final — os últimos quartetos, de excelente feitura, obras corais, e até partituras para o cinema (como a do filme *Green Mansions*, que se transformaria no balé *A Floresta do Amazonas*).

Personalidade vulcânica e afetiva, Villa-Lobos passou por dentro do movimento modernista brasileiro sem se deixar tolher por seus aspectos doutrinários: se as obras da década de 20 são tão "modernas" quanto o que estava sendo feito na mesma época por outros compositores, da década de 30 em diante o artista está atento apenas às suas próprias intuições e impulsos. O neo-romantismo às vezes evidente em algumas obras tardias não deixa de ser um reflexo de uma personalidade nacional de que ele foi um intérprete privilegiado.

OBRAS Doze sinfonias, quatorze *Choros* para diversas combinações instrumentais, nove *Bachianas Brasileiras* para conjunto de câmara ou grande orquestra, poemas sinfônicos (*Uirapuru, Amazonas, Erosão, Gênesis*), *Missa de São Sebastião* (para coro *a cappella*), quatro suítes sinfônicas de *O Descobrimento do Brasil*, concertos para piano e orquestra, para violoncelo e orquestra, para gaita de boca e orquestra, para violão e orquestra, *Emperor Jones*(suíte), óperas (*Yerma* e trabalhos menores), *Floresta Amazônica* (balé), *Fantasia Concertante* para violoncelos, *Mandu-Çarará* (para orquestra e coros mistos), *Momo Precoce* (para piano e orquestra), obras corais (*Vida Pura, Magnificat Alleluia, Bendita Sabedoria*).

Choros Principal contribuição de Villa-Lobos à música brasileira e universal, os *Choros* são um verdadeiro dicionário da música brasileira, começando com uma simplicíssima peça para violão (homenagem ao estilo "carioca" de Ernesto Nazareth) e terminando com obras ciclópicas para grande orquestra. Eles passam exatamente pela veia jugular da criatividade de Villa-Lobos: embebidos em matrizes populares (as formas instrumentais que se ouvia em cada canto do Rio de Janeiro do começo do século), crescem por força do desenvolvimento da imaginação de Villa-Lobos, até formarem painéis de dimensões catedralescas. Há peças camerísticas como o *Choros* n. 2 (para flauta e clarinete); uma peça para piano (*Choros* n. 5) que é denominada, com muita propriedade, Ⓜ "Alma Brasileira"; o *Choros* n. 4, para três trompas e um trombone, que recria com notável poesia o clima dos subúrbios do Rio de Janeiro; e, a partir do *Choros* n. 6, é um rio sinfônico que se desata em proporções amazônicas. O Ⓜ *Choros* n. 6 é um dos mais típicos, pois nele se pode ver como, a partir de sugestões tipicamente populares, Villa-Lobos é capaz de construir uma ampla estrutura orquestral. O Ⓜ *Choros* n. 8, para dois pianos e orquestra, sacudiu a Paris da década de 20 com a sua fúria stravinskiana. O Ⓜ *Choros* n. 10 é o mais famoso da série, outra grande síntese brasileira que utiliza uma melodia popular (o *Schottisch* "Rasga o Coração", de Anacleto de Medeiros).

→ Obras dos "chorões" cariocas, dos mais antigos até o clássico Pixinguinha; obras pianísticas de Ernesto Nazareth; Sinfonia n. 6 e Concerto n. 2 para piano, de Milhaud..

Bachianas Brasileiras A série mais famosa de obras de Villa-Lobos. Ainda que não seja sua série mais importante (é superada pelos *Choros*), mereceria a fama por momentos de absoluta felicidade como o início da *Bachianas* n. 5 — uma melodia que parece desdobrar-se infinitamente, e que é uma sublimação, em clima de genialidade, da velha modinha brasileira (fazendo os violoncelos em pizzicato o papel de seresteiro). A série inscreve-se no movimento neobarroco que deixou marcas na música deste século (ver o Hindemith das diversas *Kammermusik*, o Stravinsky do *Octeto* ou do *Concerto Dumbarton Oaks*). Também corresponde a um momento em que a imaginação criadora de Villa-Lobos está mais distendida, depois da tensão "modernista" da década de 20. A *Bachianas* n. 1 é uma obra-prima impecável, em seu ímpeto, e sofisticada escrita para violoncelos (o movimento lento é outra grande melodia de Villa-Lobos). A *Bachianas* n. 2, para grande orquestra, é um dos mais coloridos painéis sinfônicos de Villa-Lobos, em temas curtos e efetivos (termina com a tocata que é *O Trenzinho do Caipira*). A *Bachianas* n. 4 também é justamente célebre. A inspiração cai um pouco nas *Bachianas* n. 7 e n. 8, para retomar dignidade bachiana no estilo polifônico da *Bachianas* n. 9.

Uirapuru Poema sinfônico de 1917, uma das primeiras irrupções do gênio completo de Villa-Lobos. Em contraste com o *Amazonas*, do mesmo ano, tem inspiração mais cristalina, revelando ainda a proximidade dos impressionistas franceses que marcaram o jovem Villa-Lobos.

Amazonas É o outro grande poema sinfônico de 1917. Mário de Andrade denominou-o "a obra mais integralmente violenta da música americana"; e foi essa obra que o convenceu definitivamente da significação brasileira e universal do compositor. Também é uma das obras que desmentem a hipótese de que Villa-Lobos seria apenas um "intuitivo" genial: no *Amazonas*, tudo parece derivar de uma célula original (mi-ré-mi).

Descobrimento do Brasil (O) Quatro suítes sinfônicas extraídas da partitura (1937) escrita por Villa-Lobos para o filme do mesmo nome de Humberto Mauro. A mais famosa (e a única que utiliza o coro) é a quarta, tratando dos últimos episódios da viagem tal como descritos por Caminha: *Procissão da Cruz* e *Primeira Missa no Brasil*. Villa-Lobos consegue efeitos de grande eficácia contrapondo textos em latim e em tupi-guarani, que mostram o choque de culturas no país desvirginado.

Floresta do Amazonas Outra obra extraída de uma partitura para cinema (do filme *Green Mansions*, da MGM). Transformada em balé, destaca-se sobretudo pela qualidade de algumas canções — a *Modinha*, por exemplo —, que estão entre as mais poéticas do autor.

Sinfonias Das doze sinfonias de Villa-Lobos, as primeiras pertencem ao período em que ele ainda estava em busca de um estilo pessoal. Importante já é a n. 6 (*Montanhas do Brasil*), em que ele inspirou-se na linha de montanhas da Serra dos Órgãos (o que na época foi apontado como exemplo da sua "falta de seriedade"). Obra definitiva é a Ⓜ Sinfonia n. 10 (*Sumé Pater Patrium*), escrita para o IV Centenário da Cidade de São Paulo, sobre texto de José de Anchieta. É uma imensa obra coral-sinfônica, ampliando e aprofundando os painéis do *Descobrimento do Brasil*.

Música de câmara A produção camerística de Villa-Lobos imbrica em coleções famosas como a dos *Choros* e a das *Bachianas* (onde há obras para dois, três ou quatro instrumentos). Começou em estilo tradicional, com as sonatas de juventude para violino e violoncelo que não exibem o Villa-Lobos mais característico. A série dos quartetos de cordas é extremamente valiosa — dezessete quartetos que acompanham o compositor em todas as suas fases, e que são o ponto alto do seu período final. Importante é o Trio de 1921 para oboé, clarinete e fagote — uma das obras mais "modernistas" e ao mesmo tempo mais brasileiras de Villa-Lobos. O Ⓜ *Noneto* de 1923, para um variado grupo de forças instrumentais e vocais, é uma das jóias da produção villa-lobiana, marcado por um estonteante virtuosismo — verdadeira síntese do universo musical brasileiro.

Obras para voz ou instrumento solista Quatorze *Serestas* para cantor e piano, Canções, *A Prole do Bebê* (duas séries), para piano, *Rudepoema* (piano), doze Estudos para violão, cinco Prelúdios (violão), *Ciclo Brasileiro* (piano), dezesseis *Cirandas* (piano), *As Três Marias* (piano).

Canções Nesse gênero, Villa-Lobos consignou algumas de suas inspirações mais puras. Quem tenha dúvidas sobre a qualidade de sua obra pode ser convertido apenas ouvindo alguma de suas canções mais amadurecidas — a Ⓜ *Canção do Poeta do Século XVIII*, o *Lundu da Marquesa de Santos*, a *Modinha* da *Floresta do Amazonas*. Há também uma série excelente de canções com inspiração folclórica — as *Canções Típicas Brasileiras* de 1919. Mas a série mais completa que Villa escreveu nesse terreno é a das quatorze *Serestas*, que pertencem à década de 20. Nesta série, a mais importante da canção brasileira, tanto se podem encontrar exemplos de melodia desataviada (em *Modinha*) como do espírito modernista com que Villa-Lobos trabalha textos de um Manuel Bandeira e outros grandes poetas. Também se destaca nas *Serestas* a riqueza do comentário pianístico, em alguns momentos tão ou mais interessante que a linha do canto.

Obras para violão O violão era o instrumento de cabeceira de Villa-Lobos. Sendo também instrumento tipicamente brasileiro, não estranha que, para ele, Villa-Lobos tenha escrito peças definitivas. Obras de perfeito acabamento, representam também o lado da produção de Villa-Lobos mais facilmente encontrável nas lojas de discos e catálogos internacionais. Os doze Ⓜ *Estudos*, escritos a pedido de Andrès Segovia, não têm paralelo na literatura violonística, e foram comparados por Segovia aos estudos de *Chopin para piano, ou às sonatas de *Scarlatti. Os cinco *Prelúdios*, que são posteriores, representam a súmula do estilo de Villa-Lobos no gênero e, também, um compêndio de sensibilidade brasileira: a melodia do Prelúdio n. 1 é dessas que resumem o Brasil num traço.

Obras para piano O piano acompanha toda a evolução da obra villa-lobiana. Tocava-se muito piano no Brasil do começo do século; e Villa-Lobos tinha em sua primeira mulher, Lucília, uma excelente instrumentista que podia dar vida ao que acabava de lhe sair da pena. O curioso é que, sem ser ele mesmo um pianista competente, sua produção para o instrumento seja das mais características do seu gênio, com momentos de absoluta felicidade mesmo do ponto de vista da linguagem pianística. Villa-Lobos também escreveu para o piano muita música que tem como tema a infância e seus brinquedos — o que é importante como retrato da psicologia do compositor. Está nesse caso a série das *Cirandas*, da década de 20, exemplo consumado de transmutação de uma base folclórica. Mas Villa-Lobos descobre-se a si mesmo, no que se refere ao piano, com as duas séries da *Prole do Bebê* (1918 e 1921). A primeira série, que Arthur Rubinstein "adotou" e saiu tocando pelo mundo, ainda revela algum parentesco com o universo do impressionismo, e é de feitura deliciosa; a segunda, mais "Villa-Lobos" como nós o entendemos hoje, tem uma originalidade que não se esgota de audição em audição: uma peça como o *Boizinho de Chumbo* parece antecipar Piazzola. Também da década de 20 é a massa monumental do *Rudepoema*, em que Villa-Lobos pretendeu fazer um retrato musical de Arthur Rubinstein (mas o retrato é muito mais do próprio autor). Na década de 30, Villa-Lobos chega à depuração completa dessa linguagem pianística com o Ⓜ *Ciclo Brasileiro*, em quatro peças, incluindo obras-primas como o *Plantio do Caboclo* ou a *Dança do Índio Branco*.

→ *Muse Menagère*, de Milhaud; obras do impressionismo francês; mas o piano de Villa-Lobos remete sempre a outras obras do mesmo Villa-Lobos.

VIVALDI, Antonio (1678-1741). *Compositor italiano.*

Vivaldi estudou para ser padre, e tomou as ordens sagradas em 1703. Mas desde o começo ele estava muito menos interessado na igreja do que na música e nas mulheres bonitas. Tinha um emprego (como professor de música num orfanato de meninas em Veneza), mas passava todos os anos muitos meses longe dele, viajando pela Itália como virtuose de violino e compositor de ópera. Era um compositor fantasticamente fluente, capaz de escrever um novo concerto em um dia e uma ópera em uma semana; era também um extrovertido, um *showman* e uma espécie de trapaceiro, e a fanfarronice de sua vida é igualada pelo charme irresistível de sua música, esperta e infalivelmente feita para agradar.

(O catálogo mais confiável da música de Vivaldi que sobreviveu até nós é do erudito dinamarquês Peter Ryom. O código alfanumérico R (ou RV, de Ryom *Verzeichnis*, "Catálogo de Ryom"), aplicado às suas obras, refere-se a esse nome.)

OBRAS Vivaldi alegava ter escrito muitos milhares de obras, e mais de setecentas sobreviveram até nós. Suas óperas são suas composições menos conhecidas: vinte e uma sobrevivem, a maior parte delas comédias escritas sobre libretos inteligentes, em dialeto vêneto, de autoria do dramaturgo Goldoni. Também escreveu música de igreja (incluindo um famoso *Gloria*) e oratórios, mas ele é mais conhecido hoje por suas obras instrumentais: *Concerti grossi*, sonatas, trio-sonatas e mais de quatrocentos e cinqüenta concertos para um, dois, três ou quatro solistas e orquestra de cordas.

As Quatro Estações, op. 8 ns. 1-4 (c. 1725) O op. 8 é um conjunto de doze concertos para violino solo, subintitulados (no estilo tipicamente vivaldiano) "O confronto da harmonia e da invenção", e estes quatro concertos são os melhores de todos. Cada um representa uma das estações e a música é brilhante, com suas descrições sonoras do gelo sobre as águas, da patinação, das cotovias, da colheita, das caçadas e assim por diante. A forma de cada um deles, no entanto, é o padrão (de sua época) da forma concertante em quatro movimentos, e este equilíbrio entre a fantasia e a disciplina combinado com os ritmos saltitantes e a escrita efervescente dos solos de violino, tornam o conjunto inteiro irresistível.

→ As melhores obras correlatas aos concertos de Vivaldi são novos concertos de Vivaldi, e existem gravações de antologias para atender à qualquer gosto, envolvendo todos os instrumentos solistas concebíveis, do piccolo (flautim) até o bandolim. Os concertos publicados durante a vida do autor são os mais conhecidos, e os melhores entre esses são os doze do op. 3 (subintitulado *L'Estro Harmonico*, "A inspiração harmônica"), para violino, e os seis do op. 10 para flauta. Da música de outros compositores, as melhores correlatas a Vivaldi são os concertos (e sonatas e trio-sonatas) de *Telemann, começando com o Concerto em sol para viola, e os concertos para violino ns. 1 e 2, de J.S. *Bach, um dos mais constantes admiradores de Vivaldi.

W

WAGNER, Richard (1813-83). *Compositor alemão.*

Wagner pode ter sido filho ilegítimo de um ator, Ludwig Geyer, e desde a infância sentiu-se atraído pelo palco. A princípio seu interesse era escrever peças, mas na adolescência ele viu uma produção de *Fidelio*, de *Beethoven, e isto o decidiu a seguir carreira como compositor de ópera. Era um poeta bem dotado, e escreveu todos os seus próprios libretos numa mistura altamente pessoal de melodrama romântico do século XIX e dos sentimentos heróicos e torneios de frases das sagas nórdicas e dos ciclos de lendas germânicas, cujas histórias ele adaptou.

A princípio, Wagner encontrou dificuldade em estabelecer-se: jovens compositores de ópera havia aos magotes, e seu estilo preferido (que se inclinava mais em direção a *Berlioz do que aos então em voga *Bellini e *Rossini) fazia com que os empresários relutassem em aceitar seus trabalhos. Foi então que, em 1839, conheceu Meyerbeer, compositor de grandes óperas para a Ópera de Paris, e nele encontrou tanto um modelo quanto um patrono. Por recomendação de Meyerbeer, *Rienzi* e *O Navio Fantasma* de Wagner foram aceitos para produção, e tiveram sucesso suficiente para conseguir-lhe um emprego de maestro (na ópera da Corte de Dresden). Mais importante, as próprias óperas de Meyerbeer — amplas, melodramáticas e espetaculares — mostraram a Wagner como transformar as histórias improváveis e os personagens de papelão da lenda em poderosos dramas no palco. *Lohengrin*, *O Navio Fantasma* e *Tannhäuser* foram todos compostos à sombra de Meyerbeer, e encontram-se entre as melhores óperas alegóricas do repertório.

Neste ponto, justamente quando a vida profissional de Wagner parecia mais segura, sua vida pessoal fez-se em pedaços. Ele era um homem intolerante, de opiniões autoritárias, convencido de que era um gênio sublime, um artista-super-homem, e que as outras pessoas existiam na maior parte para a sua conveniência. Teve uma fieira de amantes; viveu muito acima de seus meios, tomando dinheiro emprestado e pulando de cidade em cidade para evitar pagar as dívidas; fez declarações públicas tão violentas a respeito de política que foi tachado de revolucionário e banido da Alemanha. Recebeu abrigo primeiro com *Liszt, em Weimar, e depois na Suíça, com um rico comerciante chamado Wesendonk, cuja hospitalidade ele pagou seduzindo-lhe a mulher.

Além de Meyerbeer, as influências mais cruciais na vida de Wagner foram Liszt e Mathilde Wesendonk. Ele há muito vinha planejando uma obra dramatúrgica baseada nas lendas heróicas da Alemanha (a Saga dos Nibelungos), e sentiu que o estilo operístico de Meyerbeer, com os seus coros pesados, árias exibicionistas e harmonia quadradona, não se adequava a seu propósito. Precisava de uma textura mais parecida com as próprias sagas, contínua, constantemente variada em clima, e com a voz do narrador desempenhando um papel tão importante quanto o dos personagens. O poema sinfônico de Liszt sugeriu-lhe que, em vez da ópera de ária e coro, ele podia escrever "dramas musicais", uma espécie de sinfonia com cantores, e poderia substituir o narrador pela orquestra, usando-a para recordar à platéia os temas e as idéias subjacentes, para plasmar os acontecimentos e dar a cada virada da trama um contexto que fosse tanto musical quanto dramático. Não apenas isso, mas as harmonias audaciosas de Liszt, em nada certinhas como as de Meyerbeer, mas sinuosas, fundindo-se infinitamente umas nas outras, cheias de acordes e sons "novos", eram uma moldura ideal para uma estrutura musical contínua, em desenvolvimento. E inspirado por tudo isso, Wagner escreveu os versos de *O Anel dos Nibelungos* e começou a compor a música. Então, a meio caminho do trabalho, apaixonou-se por Mathilde Wesendonk, e ficou tão inspirado por esse sentimento que deixou *O Anel* de lado e escreveu *Tristão e Isolda*, um drama musical sobre um amor extático, apaixonado, que usava um novo estilo "sinfônico" e levava a harmonia convencional muito além de qualquer coisa que até então se tinha conhecido. *Tristão e Isolda* foi, em sua época, a peça musical mais revolucionária que jamais alguém compôs: influenciou todo o progresso da música no final do século XIX, abriu caminho para as experiências harmônicas de compositores da virada do século tais como *Mahler e *Schoenberg — e fez com que muita gente partilhasse a opinião que Wagner tinha de si próprio: de que ele era o maior compositor da história da música para o palco, um Shakespeare da sua arte.

Fama e influência não eram, entretanto, garantia de lucro. Wesendonk e a mulher deixaram a Suíça para longas férias na Itália, e Wagner também se viu forçado a se mudar. Foi para Paris, revisar o *Tannhäuser* para a Ópera, e enquanto estava lá apaixonou-se pela filha de Liszt, Cosima (mulher do maestro Hans von Bülow). Passou algum tempo em Viena trabalhando em um drama musical cômico (*Die Meistersinger*), mas teve que partir pelo motivo habitual — credores batendo-lhe à porta. Neste ponto (1864), ele conheceu o Rei Ludwig II da Baviera, de dezoito anos de idade, que era fascinado tanto por sua personalidade quanto por sua música. Ludwig o convidou a voltar para a Alemanha, garantiu-lhe uma renda fixa e pressionou-o a terminar *O Anel*. O trabalho sistemático que isto exigia, acrescido finalmente da felicidade doméstica — em 1870 Cosima divorciou-se de von Bülow e casou-se com Wagner —, parecem ter acalmado sua intranqüilidade. Ele colocou todas as suas energias na construção de um teatro (em Bayreuth, na Baviera), feito especialmente para a produção do imenso ciclo do *Anel*; supervisionou os arquitetos, partiu em turnês de concerto para levantar dinheiro e buscou por toda a Europa cantores e atores adequados para tomar parte em um dos mais gigantescos empreendimentos musicais de sua época. Em 1876 o teatro foi aberto, e desde então acontecem lá, todos os anos, os festivais de Wagner de Bayreuth. Wagner escreveu mais um drama musical, *Parsifal*; depois disto, sua vida extenuante finalmente começou a cobrar seu preço: sofreu uma série de ataques cardíacos e morreu em Veneza, em 1883.

Existe mais do que um pouco de verdade na comparação entre Wagner e Shakespeare. Ambos lançaram mão das idéias correntes em suas épocas (no caso de Wagner, os estilos orquestrais de Berlioz e Meyerbeer, a grandiosidade sinfônica de Beethoven e as experiências harmônicas de Liszt) e transformaram-nas em formas artísticas únicas, pela estupenda qualidade de seus próprios gênios. Como Shakespeare, Wagner teve mil imitadores, e nenhum que se lhe igualasse; a grandiosidade de suas obras é auto-evidente, e as recompensas que elas oferecem a quem quer que esteja preparado para se pôr de acordo com elas são uma audição para preencher toda uma vida, e uma experiência musical de um arrebatamento ímpar.

OBRAS Treze óperas e dramas musicais (incluindo *O Navio Fantasma, Lohengrin, Tannhäuser*, o ciclo do *Anel, Tristão e Isolda, Os Mestres Cantores* e *Parsifal*); as *Canções Wesendonk*; *O Idílio de Siegfried*; duas dúzias de obras da juventude (incluindo uma sinfonia, uma sonata para piano, seis aberturas, um oratório e diversas canções). Os escritos em prosa de Wagner incluem uma autobiografia e livros sobre *Ópera e drama, Religião e arte, A música do futuro* e *A regência*.

Primeiras óperas Os heróis e heroínas das óperas de Wagner são "solitários", "forasteiros", freqüentemente amaldiçoados pelo Destino e — como o capitão de navio, herói de *O Navio Fantasma* — em busca infinita da auto-realização. (Wagner via neles os símbolos do artista criativo lutando dentro da sociedade, e sua inquietude era um paralelo à dele próprio.) As histórias são tão idealistas quanto um conto de fadas: forças sobrenaturais entram em ação, e os personagens devem chegar a um acordo com elas, a fim de "encontrar" ou "salvar" a si mesmos. (A ópera *Don Giovanni*, de *Mozart, contém elementos muito similares, e foi outra poderosa influência sobre Wagner nessa época.) Como sempre, com Wagner, a mistura de influências está presente para quem quiser ver, mas o que resulta das apresentações é menos a idéia alheia do que a força brilhante de sua própria inspiração: sua convicção de que cada nota que compunha era inevitável resplandece e fascina o espectador; ele é um daqueles raros artistas cuja obra exige ser assumida em seus próprios termos, insiste para que entremos em seu próprio mundo, e domina o espectador enquanto o entretém. A melhor maneira de se começar a ouvi-la é através de excertos orquestrais tais como o Prelúdio do terceiro ato de *Lohengrin* ou a Abertura, Música do Venusberg e a Grande Marcha, de *Tannhäuser*. A melhor ópera para se ouvir completa em primeiro lugar (porque tem a trama mais clara e a melhor música) é *O Navio Fantasma* (e um bom excerto desta ópera é sua abertura, em forma de poema sinfônico); boas obras correlatas (óperas completas) de outros autores são *O Profeta*, de Meyerbeer, *O Franco-Atirador*, de Weber, e *A Força do Destino*, de Verdi.

Ⓜ ***O Anel dos Nibelungos*** (iniciado em 1852; terminado, após interrupções, em 1874) Este vasto épico musical (dezoito horas de duração, em quatro "noites": *Das Rheingold, O Ouro do Reno*; *Die Walküre, A Valquíria*; *Siegfried*; *Gotterdämmerung, O Crepúsculo dos Deuses*) passa-se na época lendária das sagas nórdicas, começa com um anel mágico sendo forjado e termina com a destruição dos deuses e o colapso de toda a ordem do universo. Sua lista de personagens inclui seres humanos, deuses, anões, gigantes e um dragão que muda de forma; seu tema envolve espadas miraculosas, capacetes de invisibilidade, pontes de arco-íris e um círculo de fogo mágico; seus cenários incluem o leito do rio Reno, a caverna dos anões sob a terra e a cidadela celeste dos deuses. Em suma, ela soa como uma mistura de fantasia de ficção científica e pantomima. O que a torna sublime é não apenas a música de Wagner, mas o seu alcance psicológico: seus seres sobrenaturais são assolados pelos temores, raivas e ciúmes humanos, e seus caracteres humanos são tocados pela nobreza e majestade dos deuses. (Os dois seres no cerne do drama são Siegfried, um herói humano que aspira à pureza divina, e Brünnhilde, um ser divino repleto do amor humano. Seu relacionamento em linhas entrecruzadas, destinado ao fracasso, dá a todo o ciclo do *Anel* um claro centro psicológico, em torno do qual circulam todos os eventos sobrenaturais; ele é tão simples e tão comovente quanto o relacionamento dos amantes em *Tristão e Isolda* e evoca em Wagner música de similar intensidade e êxtase.)

Musicalmente, o ciclo é unificado por um sistema de *Leitmotive* ("motivos condutores", em alemão; no singular, "Leitmotif"), espécie de refrões de harmonia e melodia, cada qual simbolizando uma pessoa ou idéia em particular (por ex., ciúme, a força do amor, poção mágica), e se entrelaçam na textura musical para permitir que a platéia veja cada ação, ouça cada declaração, em seu contexto dramático e psicológico. (Os motivos condutores aparecem mais freqüentemente na orquestra, tornando-a o comentarista, o "narrador", e dando-lhe o papel de alta relevância na ação que Wagner desejava. É este comentário orquestral que torna os dramas musicais de Wagner diferentes das obras para o palco de qualquer compositor.) O tamanho do *Anel* faz dele uma tarefa imensa para os cantores, a orquestra e, igualmente, a platéia, e apesar dos excertos (desprezados pelo crítico Tovey como "postas sangrentas") dificilmente lhe fazerem justiça — poder-se-ia muito bem recitar algumas falas isoladas e dizer que é Shakespeare — eles são a única forma possível de se fazer uma primeira aproximação. (Os mais "informativos" são *A Viagem de Siegfried pelo Reno*, Ⓜ *A Marcha Funeral de Siegfried* e a cena final, ou Ⓜ *Cena da Imolação*, todas de *Gotterdämmerung*; outros excertos populares, ainda que menos típicos, são *A Cavalgada das Valquírias*, de *Die Walküre*, e *Murmúrios da Floresta*, de *Siegfried*.) Para aqueles que querem abordar o *Anel* inteiro, um libreto traduzido e algumas informações sobre os motivos condutores são uma ajuda necessária. Obras correlatas (se é possível haver obras correlatas a um empreendimento tão gigantesco) são o *Tannhäuser*, de Wagner, e *Les Troyens*, de Berlioz (para as seções centrais mais diretas do *Anel*), e (para as seções mais mistas) o *Parsifal*, de Wagner, e *Pelléas et Mélisande*, de Debussy.

Outros dramas musicais Ⓜ *Tristão e Isolda* (1859) À primeira vista, esta ópera poderia ser tomada como uma das primeiras óperas alegóricas: sua trama, passada na Cornualha medieval, é uma mixórdia de cálices envenenados, votos de castidade, paixões sublimes e vilões carrancudos. Mas a partir do momento que a música começa, essa impressão se evapora. *Tristão e Isolda* é um poema tonal sobre o amor, arrebatador, extático, em que as linhas vocais e as harmonias orquestrais se entrelaçam, se abraçam e fluem uma para dentro da outra, de uma forma que transfigura a experiência mesmo enquanto a está demonstrando. Dois excertos, Ⓜ Prelúdio e *Liebestod* ("Morte de amor"), dão o gosto, mas a obra precisa ser ouvida completa para produzir seu efeito total. Ⓜ *Die Meistersinger von Nürnberg* (*Os Mestres Cantores de Nurenberg*) é uma comédia envolvendo dois jovens cujo amor triunfa sobre todos os obstáculos: em particular, o herói tem que vencer um concurso de canções, nas barbas de juízes irascíveis, para conseguir sua noiva. O papel central, no entanto, não é do jovem enamorado, mas do sábio artesão Hans Sachs, cujos solilóquios sobre a vida e sobre a força transcendente da arte (modelados nos solilóquios de Falstaff, da peça *Henrique IV*, de Shakespeare) são a exposição mais direta que Wagner fez de seus próprios pontos de vista pessoais, expressados em uma música que está entre as mais calmas e equilibradas de sua produção. Excertos bem conhecidos incluem um Prelúdio, *Dança dos Aprendizes* e Ⓜ *A Canção do Prêmio*; o Ⓜ Segundo Ato é uma obra-prima fascinante, auto-suficiente, de comédia teatral em forma de música, uma amostra excelente da obra completa. *Parsifal* é diferente de qualquer outra das obras para o palco de Wagner, um "drama-sacro de festival", sobre os temas da redenção através do sofrimento, do tolo inocente (alguém cuja simplicidade lhe permite superar todos os obstáculos) e o contraste entre o amor profano (o amor físico entre homens e mulheres) e o amor sagrado (simbolizado pela busca do Santo Graal, a taça em que Cristo bebeu na última ceia, empreendida pelo herói). *Parsifal* é sincera e comovente, e (tal como *A Tempestade*, de Shakespeare) reúne em si todas as idéias e experiências de uma vida criativa. Para muitos amantes de Wagner, é a sua criação suprema; outros podem achá-lo um pouco sério demais, e preferir extratos (por ex., Prelúdio e a *Música da Sexta-feira Santa*), do que ouvir a obra toda.

→ Boas obras correlatas a *Tristão e Isolda* são as *Canções Wesendonk* (ver adiante), de Wagner, *Chanson Perpétuelle*, de Chausson, e *Gürrelieder*, de Schoenberg; boas obras correlatas a *Die Meistersinger* são *A Flauta Mágica*, de Mozart, e *Capriccio*, de Strauss; boas correlatas a *Parsifal* são as sinfonias de Bruckner (especialmente a n. 3, diretamente inspirada em Wagner, e a n. 7, escrita em sua memória) e *Palestrina* (primeiro os três Prelúdios Orquestrais, depois a ópera completa), de Pfitzner.

Outras obras Ⓜ *Idílio de Siegfried* (1870) Esta bela peça foi escrita para celebrar o Dia de Natal, o nascimento do filho de Wagner, Siegfried, e acima de tudo seu amor arrebatado por Cosima. Ela usa melodias folclóricas germânicas e temas dos dramas musicais de Wagner (especialmente *Siegfried*, no qual ele estava então trabalhando), e os elabora na forma de um sereno poema tonal para orquestra, radiante de felicidade doméstica. De todas as suas obras não-teatrais, esta é a única que se equipara aos dramas musicais em inspiração e maestria; é aproximada em estilo ao *Anel* e em atmosfera aos *Mestres Cantores* e de forma alguma é por estas diminuída. Uma obra irmã de *Tristão e Isolda* é o conjunto das cinco *Canções Wesendonk*, para soprano e orquestra: saborosas composições românticas sobre a poesia amorosa da amante de Wagner, Mathilde Wesendonk, poemas ligeiros transformados em ouro pelo poder do gênio de Wagner, e alguns dos sons mais encantadores que ele jamais escreveu para a voz humana. A melhor de suas outras obras, todas da sua juventude, é sua *Abertura Fausto*: se tivesse sido escrita por qualquer outra pessoa (*Schumann, digamos, ou Berlioz) seria muito mais freqüentemente tocada, mas o nome de Wagner sugere mais grandiosidade do que esta música consegue, e é injustamente pouco conhecida.

→ Boas obras correlatas ao *Idílio de Siegfried* são a *Jornada de Siegfried pelo Reno* (de *Gotterdämmerung*) e *Murmúrios da Floresta* (de *Siegfried*), de Wagner, a Serenata para cordas, de Dvořák, e o Concerto para oboé, de Strauss; boas obras correlatas às *Canções Wesendonk* são a *Liebestod* (de *Tristão e Isolda*), de Wagner, e *Der Rosenkavalier* (cena final), de Strauss; boas correlatas à *Abertura Fausto* são as aberturas de Wagner para *Rienzi* e *Tannhäuser*, a abertura em sol menor, de Bruckner, e a abertura *Rei Lear*, de Berlioz.

WALTON, William (1902-83). *Compositor inglês.*

Quando tinha dezessete anos, Walton foi viver com a excêntrica família Sitwell, e tornou-se uma espécie de parente não-oficial durante os dez anos seguintes. A vida com os Sitwell foi excelente para sua reputação. Eles estavam no auge do cenário artístico da sofisticada década de 20 e conheciam todo mundo, desde pintores cubistas e poetas dadaístas até pianistas de boates. Em 1921, Walton compôs *Façade*, uma partitura esperta, jazzística, para acompanhar poemas de nonsense escritos por Edith Sitwell. Os intérpretes ficavam escondidos por uma cortina; o locutor declamava os versos de Sitwell através de um enorme megafone; a coisa toda não estaria muito fora de lugar numa novela de P.G. Wodehouse, e foi um sucesso de escândalo.

Não foi senão com a idade de vinte e sete anos que Walton deixou de lado toda essa esperteza frívola e começou a escrever música de substância. Ele trabalhava lentamente, e na década de 30 e começo da de 40 produziu uma média de uma obra de grande escala a cada dois ou três anos: concertos para viola e violino, a cantata *Belshazzar's Feast* e a magnificamente meditativa Sinfonia n. 1. Walton passou os anos durante e após a Segunda Guerra Mundial escrevendo música para filmes de sua pátria (por ex., *Hamlet* e *Henrique V*, de Olivier) e no final da década de 40 estabeleceu-se em Ischia, na baía de Nápoles. Nessa época já era internacionalmente famoso e viajava pelo mundo inteiro para reger e gravar suas grandes partituras da década de 30. Em 1954, depois dos críticos terem caído em cima de sua ópera *Troilus and Cressida* (devido a sua calorosa harmonia romântica parecer mais próxima do século XIX do que das desabusadas técnicas de vanguarda então em moda), suas composições decresceram tanto em número quanto em qualidade. (A mesma coisa aconteceu a Samuel *Barber: ele parecia em descompasso com sua época e recuou naquilo que um dia fora uma carreira fascinante.) A produção de Walton foi pequena, mas uma grande proporção dela é excelente, e agora que o esnobismo crítico contra a música neo-romântica já desapareceu, ele pode ser ouvido pelo que é: o melhor compositor inglês da geração do entreguerras, o herdeiro de *Elgar.

OBRAS Duas sinfonias, três concertos (violino, viola, violoncelo), *Sinfonia Concertante* (piano e orquestra), seis aberturas (incluindo *Portsmouth Point*), Partita, *Variações sobre um Tema de Hindemith*, e uma dúzia de peças menores para orquestra (incluindo duas marchas da Coroação, *Fiesta*, *Capriccio Burlesco* e o *Prelúdio e Fuga Spitfire*); duas óperas (*Troilus and Cressida*; *The Bear*), dois balés, quatro amplas obras corais (incluindo *Belshazzar's Feast*) e uma dúzia de hinos e peças menores para coro (incluindo *Missa Brevis*); Quarteto para cordas, Sonata para violino e meia dúzia de obras menores de música de câmara; canções, duetos para piano e partituras para uma dúzia de filmes, muitas delas (por ex., *Hamlet*, *Henrique V*) subseqüentemente transformadas em suítes de música ligeira; *Façade*, para declamador e grupo de câmara.

Façade (1921, freqüentemente revista) Os poemas de Edith Sitwell (em forma de nonsense, imitações da obra de Gertrude Stein) usam ritmos musicais vigorosos — valsa, pasodoble, tarantela, etc. — e estes são também a base do brilhante acompanhamento de Walton, com melodias atrevidas (algumas dele próprio, outras, por ex., "I do like to be beside the seaside", refacções de canções populares), harmonia jazzística e brilhante fascínio instrumental. Essa diversão pode ser apreciada completa, e também (sem o declamador) em duas irônicas suítes para orquestra.
→ Marcha da Coroação *Crown Imperial* (mais majestosa, mas com a mesma exuberância petulante); *English Dances*, Conjunto 1, Arnold; *Jamaican Rumba*, de Benjamin.

Portsmouth Point (1925) Para este quadro sonoro de um movimentado porto (baseado nos quadrinhos satíricos de Rowlandson), Walton usou ritmo animado, sincopado, harmonia jazzística e melodias cheias de vida; o resultado é espetacularmente alegre, uma satisfação para se assistir numa sala de concerto. Ele compôs uma dúzia de peças deste tipo, mestras sem serem obras-primas (elas não têm ambições tão altas), entre as melhores músicas "clássicas ligeiras" do século.
→ *Abertura Festival de Johannesburg*; *Capriccio Burlesco*; *A London Ouverture*, de Ireland.

Ⓜ ***Belshazzar's Feast*** ("O Festim de Baltasar") (1931) Apesar de Walton ter composto esta cantata do Velho Testamento (sobre o festim bárbaro do rei Baltasar da Babilônia, e a subseqüente destruição de sua cidade) para um solene festival coral, ele parece ter tido em mente um equivalente musical dos então populares filmes do Velho Testamento de Cecil B. de Mille, cheio de orgias desvairadas e piedade fervorosa, palpitante. Walton transformou a encomenda de um oratório enfadonho num acontecimento exatamente assim: seu coro e sua orquestra nunca irrompem numa orgia, mas uma orgia é o que a música constantemente sugere. Walton equilibrou o fascínio e o barbarismo das cenas babilônicas musicando esplendidamente o Salmo elegíaco "À beira das águas da Babilônia" (cantado pelos judeus exilados), e a obra culmina num suntuoso canto de triunfo, depois do Deus dos judeus pesar Baltasar na balança, encontrá-lo em falta e destruir a Babilônia.
→ *Te Deum*; *Gloria*, de Poulenc; *The Rio Grande*, de Lambert.

Ⓜ ***Sinfonia n. 1*** (1935) Esta é uma obra na mais ampla escala, com substantivo pensamento musical (sua inspiração foi a Quinta sinfonia de *Sibelius) e uma avassaladora melancolia romântica; ao mesmo tempo, a orquestração formidável de Walton, a harmonia feroz e as melodias maravilhosas (terminando numa fuga jazzística) avivam a textura e despertam entusiasmo. A sinfonia é uma dessas obras de arte (perfeitas) que, mesmo que

nada mais do artista sobrevivesse, ainda assim gritariam o seu gênio aos sete ventos.
→ Concerto para viola; Concerto para Orquestra, de Bartók; Sinfonia em dó, de Stravinsky.

WEBER, Carl Maria von (1786-1826). *Compositor alemão.*
Filho de atriz com um músico e empresário teatral, Weber estava determinado desde a infância a fazer carreira compondo para o palco. Teve uma sucessão de empregos (por ex., diretor musical do Teatro Municipal de Bratislava, da Ópera de Praga e do Teatro da Corte de Dresden) e viajou por toda a Europa para supervisionar a produção de suas óperas. Era fisicamente frágil (sofria de tuberculose), mas parece ter tomado muito pouco cuidado com a saúde, e acessos de atividade frenética eram normalmente seguidos por dias e semanas de cama. Ele morreu após ensaios febris de sua ópera *Oberon*, durante uma primavera londrina particularmente úmida.

Weber é um daqueles compositores cuja influência em sua própria época foi muito maior do que a qualidade das suas obras que sobreviveram sugere. Foi um pioneiro do drama musical alemão, adaptando as idéias "de reforma" de Gluck à língua alemã e a histórias românticas similares aos contos folclóricos recolhidos pelos irmãos Grimm. Sua música é alegre e calorosa, mas é obscurecida pela dos mestres que ele inspirou (por ex., *Wagner). Tal como aconteceu com Clementi (que influenciou *Beethoven) e Field (que abriu caminho para *Chopin), Weber ainda tem no repertório peças suficientes para assegurar a sobrevivência do seu nome, e apesar de sua música nunca atingir as alturas da inspiração, é desfrutável de forma infalível e despretensiosa, um prazer tanto de se descobrir quanto de se explorar.

OBRAS Seis óperas (incluindo *Der Freischütz* (*O Franco-Atirador*), *Euryanthe* e *Oberon*); três Missas e três oratórios, duas sinfonias, duas aberturas, cinco concertos (dois para piano, dois para clarineta e um para fagote), dois concertinos (clarineta; trompa) e outras obras orquestrais menores; Quarteto para piano, Quinteto para clarineta, Trio (flauta, violoncelo, piano) e meia dúzia de obras de câmara de menor importância; quatro sonatas, *Convite à Dança*, diversos conjuntos de variações e livros de danças para piano; canções, obras vocais e música incidental para o palco.

Oberon (abertura; 1826) Apesar de, das óperas de Weber, somente *Der Freischütz* ser ouvida completa (seus libretos, mesmo para os padrões operísticos, são ridículos), as aberturas são um habitual e maravilhoso combustível de concertos, com uma melodiosidade reminiscente de *Schubert em seus momentos mais impetuosos, e interlúdios sombriamente românticos sugerindo *Berlioz ou Wagner — um fascinante, estonteante *potpourri* de estilos.
→ Abertura de *Der Freischütz*; abertura de *As Alegres Comadres de Windsor*, de Nicolai; abertura *Rosamunde*, de Schubert; abertura *Carnaval Romano*, de Berlioz.

Concerto n. 1 para clarineta (1811) As partes lentas desta obra cativante se derramam em emoção como árias de ópera; as seções rápidas são em ritmos de dança vivazes (por ex., polca); Weber prefere consistentemente o sentimento ou a alegria à profundidade, e o resultado é um dos mais alegres concertos para instrumento de sopro do repertório.
→ Concerto para fagote; Quinteto para clarineta; Concerto para clarineta n. 1, de Spohr.

WEBERN, Anton (von) (1883-1945). *Compositor austríaco.*
Após sua primeira colação de grau na universidade (em filosofia), Webern pôs-se a trabalhar num doutorado de música. Seu tema era Heinrich Isaac (c. 1450-1517), um compositor de igreja notável pela complexidade intelectual de sua

música (peças, por exemplo, que usavam os mesmos temas de trás para a frente, de cima para baixo e em "forma de espelho", onde a segunda metade era a primeira metade de trás para a frente). Esta complexidade e também o fervor emocional de Isaac (que mantém bem amarradas até mesmo as mais intricadas construções musicais), encontra um paralelo no estilo musical do próprio Webern.

Quando deixou a universidade, Webern foi estudar composição com *Schoenberg. Casou-se e sustentou a família ensinando, dando seminários e regendo. Sua vida foi modesta e sem grandes eventos, contradizendo totalmente sua crescente reputação internacional como um dos mais intransigentes compositores de vanguarda do século. Em 1938, quando os nazistas tomaram a Áustria, ele foi declarado um "não-artista", as apresentações de suas músicas foram proibidas e ele teve que ganhar a vida revendo provas e fazendo outros bicos arranjados por seus leais editores. Em 1945, logo após o fim da guerra, ele estava passeando ao anoitecer no jardim da casa de seu filho, e acendeu um charuto; um soldado americano, confundindo a chama com o fogo de um rifle, matou-o com um tiro.

Na década de 1900, quando Webern começou a compor, a música nos países de fala alemã era uma arte de extravagância gargantuesca: enormes dramas musicais, sinfonias, ou cantatas dramáticas, para vastas orquestras e usando harmonia "avançada" para arrancar o ultimíssimo significado musical de cada frase. (As obras de *Mahler e Richard *Strauss são típicas.) Webern seguiu ele mesmo esse caminho até 1905-6; então, talvez influenciado pelas obras enxutas e concisas de Isaac, ele despojou sua música até seus elementos essenciais (sons isolados, ritmos minúsculos, silêncios expressivos) e os reorganizou de um modo novo e revolucionário. Suas peças eram ineditamente curtas (um movimento podia durar quarenta segundos, uma obra inteira dez minutos), e em vez de melodias e densos acordes, os intérpretes recebiam sons isolados, etéreos, cujo significado se encontrava em seu contexto e seu relacionamento com o resto da peça. Não há discordâncias numa partitura de Webern, nem tampouco concordâncias: a música é um mosaico de "momentos", e o milagre é que, apesar de sua brevidade, esses momentos são repletos de emoção: eles parecem dizer tanto, com apenas uma fração do esforço, quanto as maiores óperas ou sinfonias românticas.

Durante a maior parte da vida de Webern, e de fato durante cerca de vinte anos após sua morte, as apresentações de suas obras foram raras, e eram muito mais respeitosas do que entusiasmadas. As orquestras e solistas eram treinados para se exprimir nas mais amplas escalas e achavam suas minúsculas peças frustrantes e sem sentido. Durante um longo tempo sua música foi principalmente uma delícia acadêmica, mais popular entre outros compositores do que entre os ouvintes comuns. (A geração de *Boulez e *Stockhausen tem para com ele uma dívida muito particular.) Então, na década de 1970, importantes maestros (principalmente Boulez e Karajan) e intérpretes (principalmente Maurizio Pollini) retomaram suas obras e finalmente revelaram sua verdadeira expressividade. Seu uso de procedimentos intelectuais, que costumavam fascinar as pessoas que conheciam sua música somente de leitura, agora parece irrelevante: tal como com Isaac, o que importa em sua obra é sua emoção urgente e seu som fascinante, ainda que espectral.

OBRAS Sinfonia, *Cinco Movimentos, Seis Peças, Cinco Peças, Passacaglia, Variações* e outras obras orquestrais; *Visão,* duas cantatas e um punhado de outras obras corais; trinta canções para voz e grupos de câmara e quarenta canções para voz e piano; Quarteto de cordas, Trio de cordas, Concerto para nove instrumentos, Quarteto (para violino, violoncelo, saxofone e piano) e diversos conjuntos de peças para vários grupos de câmara; *Variações* e *Peça* para piano; obras da juventude (pré-1905), incluindo Quinteto para piano e Quarteto de cordas.

Cinco Movimentos, op. 5 (1910, revisto em 1929) Estas peças constituem uma esplêndida introdução ao estilo cristalino de Webern: é como se notas isoladas, pedacinhos isolados de emoção, tivessem sido congelados e em seguida reordenados, e o processo tivesse revelado uma nova beleza não apenas nos próprios sons, mas em seu novo relacionamento. (A princípio, a música parece casual, como letras espalhadas num tabuleiro de palavras cruzadas; mas com repetidas audições, o ouvido faz conexões e descobre significados, envolvendo o ouvinte no processo de "criar" a experiência musical de uma forma esquecida desde os tempos da renascença cristã.) Estas cinco peças foram originalmente compostas para quarteto de cordas; mas funcionam igualmente bem (soam ainda mais maravilhosas) na revisão de 1929, do próprio Webern, para grande orquestra de cordas.

→ *Seis bagatelas*, op. 9; *Cinco peças* para orquestra, op. 10; Quarteto de cordas n. 1, de Ligeti.

Ⓜ ***Das Augenlicht*** ("Visão"), op. 26 (1935) Esta cantata de dez minutos, para coro e orquestra, é típica da música vocal de Webern (a sua melhor), e sua beleza delicada e emoção fervente podem ser uma revelação para quem quer que imagine que a sua música é cerebral ou dissonante. Apesar de uma tradução da letra ser bastante útil, ela deve ser deixada de lado quando se passa a ouvir a peça: Webern "fragmentou" as palavras, tanto quanto o fez com a música, dando grande atenção a cada som individual, e isto torna a interpretação em alemão essencial ao sentido completo da obra.

→ Ⓜ Cantata n. 2; *Canti di prigionia*, de Dallapiccola; *Leopardi Fragments*, de Davies.

WOLF, Hugo (1860-1903). *Compositor austríaco.*

A partir da adolescência, Wolf conseguiu se manter são, ao que parece, somente graças a explosões regulares de violenta acrimônia e mordacidade: isso lhe fez perder emprego após emprego, e lhe custou todos os amigos, sobrando-lhe apenas os mais pacientes. Sua instabilidade mental também tornou difícil para ele compor. Durante vinte anos ele só conseguiu escrever numa pálida imitação dos compositores que mais admirava (*Schumann e *Wagner). No começo da década de 1880 tornou-se crítico musical em Viena e começou a botar avidamente lenha na fogueira da discussão sobre quem era o maior compositor, se Wagner ou *Brahms; devido à fúria de seus ataques a Brahms (que tinha muitos seguidores entre os profissionais da música), ele logo conseguiu que muito poucos intérpretes ou orquestras executassem suas próprias obras.

Então, em 1888, as faculdades criativas de Wolf se encaixaram no lugar e durante quatro anos ele produziu canções (mais de duzentas no total) de uma simplicidade musical capaz de igualar a de *Schubert e uma intensidade poética tão grande quanto a de Schumann. Em 1892, a chama da inspiração diminuiu; ela voltou a brilhar brevemente em 1895-6 (quando ele escreveu mais canções e sua ópera *Der Corregidor*); mas em 1897 ele tentou se afogar (como Schumann o fizera antes dele), e foi internado num asilo de loucos.

OBRAS Fora suas canções, as únicas músicas de qualidade de Wolf são a sua ópera *Der Corregidor* ("O Prefeito", sobre a mesma história farsesca de *El Sombrero de Três Picos*, de *Falla) e sua *Serenata Italiana* (ver adiante). De suas primeiras músicas, as mais interessantes são um quarteto de cordas e o poema sinfônico *Penthesileia*: mesmo assim, não são nem de perto tão boas quanto seus trabalhos da maturidade, e são mais reminiscentes de *Franck do que do Wagner ou do Schubert que ele idolatrava.

Canções Nos *Lieder* de Wolf, a voz e o piano são igualmente importantes e a canção se preocupa tanto em expressar uma emoção ou clima específico quanto em prover uma melodia bonita ou um ritmo atraente. (Não obstante, as melodias de Wolf, ao lado das de Schubert, são as melhores no gênero e suas partes para piano acrescentam uma vivacidade e um espírito muito seus.) Existem cinco conjuntos principais de canções. As cinqüenta e três *Canções Mörike*, as vinte *Canções Eichendorff* e as cinqüenta e uma *Canções Goethe* são predominantemente sobre amores perdidos e seu clima é ao mesmo tempo lírico e sério; o *Cancioneiro Espanhol* (quarenta e quatro canções) e o *Cancioneiro Italiano* (quarenta e seis canções em dois volumes) são mais leves, com ritmos de dança folclórica e elegantes poemas de canções populares. Entre as canções preferidas de Wolf se encontram Ⓜ "Kennst du das Land?" e as três *Mignon* (todas dos *Goethe-Lieder*), bem como "Der Gartner" e "Mausfallensprüchlein" (ambas dos *Mörike-Lieder*); a melhor abordagem inicial às suas canções é através de uma gravação de antologia; as *Eichendorff-Lieder* são sua coleção mais consistente. Boas obras correlatas de outros autores, para as canções mais ligeiras, especialmente aquelas do *Cancioneiro Italiano*, são as canções *Wunderhorn* (1888), de Mahler, e as canções op. 74, de Chopin; para as canções mais sérias: *Liederkreis*, op. 24 e *Liederkreis*, op. 29, de Schumann.

Serenata Italiana (1887, revista em 1892) Esta peça começou como um Quarteto de cordas e foi mais tarde revista para orquestra. É uma dança precipitada (ao estilo de uma valsa rápida), suas melodias são alternadamente animadas e de grande fôlego, seu acompanhamento é saltitante e seu ritmo cheio de inesperados e deliciosos soluços. Wolf nunca mais recuperou essa despreocupada elegância em sua música instrumental, mas um pouco de seu sabor encontra paralelo em canções individuais tais como "Im Frühlig" ("Na Primavera"), "Jägerlied" ("Canção do caçador") e Ⓜ "Der Tambour" ("O tambor"). Boas correlatas de outros autores são *Quartettsatz*, D 703 (sério), de Schubert, e a Serenata para cordas (borbulhante) de Wirén.

GLOSSÁRIO

aria ("ar", em italiano) Canção para solista, habitualmente numa ópera, oratório ou outra obra vocal longa. A maior parte das árias é concebida para permitir aos cantores que exibam sua técnica, bem como seu poder de expressão.

barroco ("estranho", "bizarro", do francês "*baroque*") Usada a princípio para descrever arquitetura (os rendilhados e arabescos entalhados no interior das igrejas alemãs do século XVII), essa palavra agora se aplica à música de linhas limpas e extravagantemente ornamentada de, aproximadamente, 1650-1750. *Corelli, *Telemann e *Vivaldi são típicos compositores barrocos; os maiores mestres barrocos, que acrescentaram suas individualidades à receita padrão, são J.S. *Bach e *Händel.

cânon Peça musical em que dois ou mais intérpretes usam a mesma linha de notas, começando em tempos diferentes — e a música se encaixa. O Cânon de Tallis (sobre o hino "Louvemos a Deus, de quem brotam todas as bênçãos") é um exemplo curto e bem conhecido; a plácida melodia do Cânon de Pachelbel tornou-o um favorito orquestral "pop".

cantata ("cantada", em italiano) Obra vocal prolongada. Nos séculos XVII e XVIII, a maior parte das cantatas eram para uso religioso (como as de *Bach), ou eram escritas para voz solista com instrumentos ou orquestra, e funcionavam como óperas em miniatura, para uma só pessoa, com um grupo de recitativos e árias explorando uma única situação dramática (por ex., a fúria e o desespero de um amante abandonado). Contrastantemente, nos séculos XIX e XX a maior parte das cantatas eram em grande escala, obras corais não-religiosas para solistas e orquestra (*Canção do Destino*, de *Brahms, *The Revenge*, de Stanford, e *Carmina Burana*, de *Orff, são exemplos típicos).

clássico Os não-músicos (como muitos gerentes de lojas) usam esta palavra para significar a música que não é nem "fácil de ouvir", nem "pop". Os músicos, em contraste, usam-na para se referir à música "séria" composta na segunda metade do século XVIII e no primeiro quartel do século XIX. A música clássica, neste sentido, é equilibrada e formal (ver *música do século XVIII*), e se concentra mais na perfeição formal do que na irrefreada descrição das emoções. Compositores "clássicos" típicos são *Boccherini e *Rossini; *Haydn e *Mozart são os mestres máximos desse estilo.

concordância Termo técnico para um agrupamento de sons que "concordam", isto é, cujo efeito combinado soa ao ouvido tão agradável quanto "completo" (em oposição à *discordância, que parece incompleto e termina em aberto).

contraponto Linhas musicais (ou melodias) que correm horizontalmente uma contra a outra. O contraste é com a música "harmônica", onde uma melodia ou nota é posta contra um acompanhamento e o subordina; na música contrapontística todas as linhas têm peso igual, e seu entrelaçamento é mais importante do que sua individualidade. A maior parte dos compositores usa o contraponto como parte de seu vocabulário técnico; sua aparição mais consistente, e seu maior florescimento, foi na música de igreja dos séculos XV e XVI (ver, especialmente, *Byrd, *Josquin des Prez e *Palestrina), e na música instrumental e coral de J.S. *Bach.

discordância Termo técnico para um agrupamento de sons que "discordam", isto é, cujo efeito combinado soa ao ouvido tão pungente quanto "incompleto". (Houve época, na teoria musical, em que uma discordância era, exatamente, um acorde inacabado que necessitava de uma *concordância para completar seu sentido; nos séculos XIX e XX, essa busca de conclusão foi sendo cada vez mais abandonada, e as discordâncias passaram a ser usadas por seu próprio efeito cromático ou de afirmação emocional.)

divertimento Grupo de movimentos instrumentais tocados como acompanhamentos para refeições, festas ou entretenimentos aristocráticos; "musak" do século XVIII. *Eine kleine Nachtmusik*, de *Mozart, é um exemplo sublime.

forma sonata Comumente usada para os primeiros movimentos das sonatas (daí o nome), concertos e sinfonias. Tem três componentes essenciais: exposição (apresentação direta do(s) tema(s) musical(is) do movimento), desenvolvimento (em que sua forma, harmonia, ritmo e outras implicações musicais são exploradas) e recapitulação (em que eles retornam mais ou menos em sua roupagem original).

fuga Peça contrapontística cujas regras estão entre as mais rígidas de toda a música. Uma fuga começa como um cânon, com a mesma melodia se perseguindo, uma parte após a outra; em seguida, o "tema" (isto é, a melodia) pode ser acelerado, ralentado, tocado de cima para baixo ou da frente para trás, diminuído ou aumentado — e ainda assim se encaixar na textura musical. J.S. *Bach foi o mestre supremo dessa forma, e suas fugas (por ex., as quarenta e oito de *O Cravo Bem Temperado*) combinam uma "mágica" intelectual com um senso de inevitabilidade musical desprovida de qualquer esforço.

libreto (de *libretto*, "livrinho" em italiano) A "peça", ou o texto, de uma ópera.

moteto Peça de música religiosa para solista(s) e/ou coro. Os versos costumam ser aqueles trechos da liturgia que não são parte da Missa ou de outros serviços cristãos: os Salmos, por exemplo.

movimento Seção independente de uma obra mais extensa, tal como um concerto, uma sonata, uma suíte ou uma sinfonia.

recitativo Na ópera, passagens rápidas, em estilo de conversação, habitualmente meio cantadas, meio faladas, e com um acompanhamento simples de acordes, ou notas longamente sustentadas. Na ópera do século XVIII, a maior parte dos recitativos eram movimentados e inexpressivos, acompanhados principalmente pelo cravo; os compositores do século XIX usaram a orquestra e acrescentaram melodias e volteios de frase expressivos, até que o recitativo foi, para todos os fins, incorporado à textura musical geral da ópera.

Renascença ("Renascimento") Este movimento intelectual começou na Europa, no século XIV, e ganhou ímpeto quando, após a queda de Constantinopla, em 1453, um número cada vez maior de informações sobre a antiguidade clássica começou a chegar ao Ocidente. O objetivo era o "renascimento" da cultura após a Idade Média; o método era analisar e imitar os estilos grego ou romano. Na música, uma vez que nenhuma música grega ou romana era conhecida, as principais influências da Renascença se exerceram sobre as formas e os temas, um afastamento de formas medievais tais como a Missa ou a canção de amor cortesã, em direção a obras mais longas e mais dramáticas, no estilo da tragédia antiga, da poesia épica ou pastoral. A "música renascentista", no entanto, passou desde então a significar pouco mais do que as obras produzidas na Europa entre cerca de 1450 e 1650. *Palestrina e *Josquin des Prez são dois dos compositores "renascentistas" tidos em maior conta — e eles têm muito pouco em comum, salvo o rótulo.

romântico Movimento artístico da segunda metade do século XVIII e todo o século XIX. Para uma descrição de seus propósitos (a expressão sem limites da emoção) e métodos, ver *música do século XIX*.

rondó ("rodada", em italiano) Peça em que uma seção sempre retorna, emoldurando interlúdios de diferentes climas ou estilos. É a forma favorita para o último movimento dos concertos, sonatas e sinfonias.

serenata Idêntica ao *divertimento, exceto que é feita para ser tocada ao ar livre.

sistema de doze notas (ou dodecafônico) Muitos compositores se esforçaram em direção à atonalidade no começo do século XX, mas *Schoenberg foi o primeiro a fazer os doze semitons da oitava sistematicamente iguais, e sua obra estabeleceu esse sistema como um método de composição de máxima importância no século XX. No sistema de doze notas, as escalas e a harmonia tradicionais (em que uma ou mais notas ou acordes dominam os outros) são trocados por um sistema democrático onde todos os doze semitons da oitava (doze notas consecutivas no piano, para cima ou para baixo, brancas e pretas) são agrupadas numa ordem fixa, que é rigorosamente repetida através da peça, horizontalmente para formar melodias, verticalmente para formar acordes e harmonias; nenhuma nota pode ser repetida antes que as outras onze tenham tido a sua vez. As possibilidades matemáticas deste sistema "serial" fascinaram os compositores, e ainda estão sendo exploradas (hoje em dia, com a ajuda de computadores); para os ouvintes, a complexidade serial da música costuma ser menos perceptível do que uma espécie de progressão onírica, deslizante, de um som para o som seguinte, muito diferente das hierarquias determinadas de som na música dos séculos anteriores.

suíte ("seqüência", em francês) Um grupo de movimentos, somando-se numa única obra, mas não tão fortemente unificados quanto os movimentos de uma sonata ou sinfonia. Nos séculos XVII e XVIII, a maior parte das suítes eram grupos de danças contrastantes (corrente, minueto, jiga, etc.); nos séculos XIX e XX costumavam ser seleções de óperas, balés, ou música incidental, ou obras (como o *Tríptico Botticelli*, de *Respighi, ou *Os Planetas*, de *Holst) com associações pictóricas ou de outros tipos não-musicais.

tocata ("tocada", em italiano) Peça solista de exibição, habitualmente para teclado, criada para demonstrar, igualmente, a criatividade do compositor e a destreza do executante. Comum nos séculos XVI e XVII, no século XIX já tinha sido substituída pela sonata, ou por peças de gênero (estudos, prelúdios, valsas de concerto, etc.), e a palavra "tocata" agora sugere uma peça de exibição em estilo levemente arcaico.

ÍNDICE ANALÍTICO E DE ASSUNTOS

Obras com nomes específicos (por ex., Sonata* Ao Luar, Don Pasquale*) estão indexadas sob esses nomes. Outras obras (por ex., Sonata n. 7, Suíte em sol) estão indexadas sob o nome de seus compositores.
***Os números de páginas referentes aos principais verbetes estão em* negrito.**

Sobre os Autores

KENNETH MCLEISH estudou literatura clássica e música no Worcester College, Oxford; Valerie McLeish estudou música no Trinity College, Londres. Escritor profissional, ele foi um dos primeiros apresentadores da antologia musical *Mainly for Pleasure*, programa da Rádio BBC de Londres de ampla audiência. Seus livros mais recentes incluem *The List of Books* (com Frederic Raphael), *The Penguin Companion to the Arts in the Twentieth Century*, *Shakespeare's Characters A-Z* e *Children of the Gods* (mitos e lendas da Grécia Antiga).

VALERIE MCLEISH é professora de música, regente de coral, acompanhadora e durante muitos anos trabalhou para a Focus Opera Group de Londres.

Juntos, Kenneth e Valerie McLeish publicaram pequenas biografias de Brahms, Mozart, Schubert e Stravinsky, *This is Music!* e *The Oxford First Companion to Music*.

LUIZ PAULO HORTA é crítico de música, desde 1970, do *Jornal do Brasil* e diretor de seção de música do Museu de Arte Moderna do Rio de Janeiro. Autor dos livros *Villa-Lobos: uma introdução* e *Cadernos de Música*, foi o responsável pela edição brasileira do *Dicionário de Música Zahar*.